D0119606

**De taalgids**

Tekstverzorging

van A tot Z

Peter van der Horst

# De

# taalgids

Tekstverzorging

# van

# A tot Z

Sdu Uitgevers, Den Haag
Standaard Uitgeverij, Antwerpen

Vormgeving omslag: Wim Zaat, Moerkapelle
Zetwerk: Wil van Dam, Utrecht
Druk en afwerking: AD Druk b.v., Zeist

ISBN 90 5797 022 8
WD 1999/0034/190

# Voorwoord

Alweer een boek over taal! Er zijn de laatste jaren zoveel boeken en boekjes over goed taalgebruik verschenen, dat je je kunt afvragen of er nu wel behoefte was aan weer een. Natuurlijk zijn er op taalgebied goede naslagwerken, maar die lijken vaak meer voor vakmensen dan voor dᴀ gemiddelde taalgebruiker geschreven te zijn. Soms is het dan ook een hele toer om het antwoord op een vraag te vinden.

In de praktijk blijkt er behoefte te zijn aan een praktisch boek waarin snel en gemakkelijk een antwoord te vinden is op de vele vragen die zich kunnen voordoen bij het produceren (schrijven, redigeren, corrigeren, typen) van zakelijke teksten. In *De taalgids* – die alle mogelijke praktijkproblemen in alfabetische volgorde behandelt – heb ik een poging gedaan om aan die behoefte te voldoen. En het gaat daarbij om méér dan taal; vandaar dat u ook over talloze redactionele en typografische onderwerpen informatie vindt. Hoewel volledigheid bij een onderwerp als 'taal en tekst' onmogelijk is, heb ik ernaar gestreefd de gebruiker zo weinig mogelijk te laten misgrijpen als het om praktijkvragen gaat.

Het is een veelgehoorde klacht dat het taalgebruik in het bedrijfsleven, bij overheidsinstellingen en in de wetenschap vaak onder de maat is. Brieven, rapporten, artikelen, gebruiksaanwijzingen enz. bevatten nogal eens taalkundige onjuistheden, zijn onduidelijk of slecht ingedeeld. Natuurlijk zijn er gunstige uitzonderingen, maar we kunnen gerust zeggen dat er vaak onvoldoende aandacht aan zakelijke teksten wordt besteed. En dat geldt zowel voor de taalkundige verzorging als voor de uiterlijke vorm. Zakelijke teksten zijn bedoeld om ideeën, kennis, informatie over te brengen. Om dat optimaal te kunnen doen, moeten ze taalkundig en uiterlijk goed verzorgd zijn. *De taalgids* is bedoeld om daarbij te helpen.

Soms twijfelt niemand aan de (on)juistheid van bepaalde woorden of zinswendingen, maar vaak valt daar wel over te twisten. De meningen zijn dan ook nogal eens verdeeld. En woordenboeken en taaladviesboeken spreken elkaar in talloze gevallen tegen. Natuurlijk bedoelt *De taalgids* niet het laatste woord te hebben, maar u vindt in dit boek wel hoe op het ogenblik over de belangrijkste taalverschijnselen wordt geoordeeld. Aangezien we met z'n allen, als taalgebruikers, bepalen wat juist is en wat niet, heeft ook de praktijk een belangrijke rol gespeeld. Het spreekt wel vanzelf dat ook mijn persoonlijke voorkeur de inhoud voor een deel heeft bepaald.

De tijd dat allerlei boeken ons voorschreven wat goed is, hoe het moet, is al lang voorbij. Wat ís trouwens goed? Taal is steeds in beweging: wat eerst onjuist was, kan nu volkomen geaccepteerd zijn. Bovendien is het vaak een kwestie van smaak. Toch hebben veel mensen die zich met schriftelijke communicatie bezighouden, behoefte aan duidelijke adviezen op dit gebied. Het gaat in dit boek dan ook om *adviezen* en niet om voorschriften. Er is meestal wél een duidelijke voorkeur uitgesproken, omdat in de praktijk blijkt dat vele taalgebruikers duidelijke adviezen op prijs stellen.

Er komen in alfabetische volgorde talloze kwesties aan de orde op het gebied van zinsbouw, woordkeus, interpunctie, afkortingen, aardrijkskundige namen, leesbaarheid, barbarismen, pleonasmen, contaminaties enz. Er is geen aandacht besteed aan elementaire zaken als vervoeging van werkwoorden (t/dt) en meervoudsvorming. Specifieke problemen op dit gebied komen natuurlijk wél aan bod.

Omdat het in dit boek om de praktijk gaat, zijn theoretische verhandelingen en grammaticale termen zo veel mogelijk vermeden, maar uitleg ontbreekt natuurlijk niet als die gewenst is. Vrijwel overal zijn er voorbeelden gegeven. Die zijn zo eenvoudig mogelijk gehouden.

In dit boek vindt u méér dan taalkundige zaken. Er is ook aandacht besteed aan onderwerpen als kopjes, alinea's, lettertypen, correctietekens, bijzondere tekens, literatuuropgave, Romeinse cijfers, Griekse letters, registers, noten enz., enz. Het zijn zeer uiteenlopende onderwerpen, die één ding gemeen hebben: velen die zich beroepshalve met teksten bezighouden, hebben ermee te maken.

Bij het samenstellen van dit boek heb ik onder anderen redacteuren, journalisten, tekstschrijvers, manuscriptvoorbereiders, correspondenten, vertalers, secretaresses en typistes voor ogen gehad. Maar ook bijvoorbeeld technici, sociologen, psychologen, medici en juristen kunnen gemak van dit boek hebben. Bij diverse opleidingen kan dit boek goede diensten bewijzen, ook bij het schrijven van scripties, verslagen enz.

De kritische opmerkingen van vakgenoten hebben mij hier en daar voor onjuistheden behoed. Ik dank in het bijzonder de neerlandicus W. Sterenborg. K.F. Treebus, grafisch vormgever, dank ik voor zijn waardevolle kritiek op het gebied van de typografische onderwerpen.

Voor op- en aanmerkingen houd ik mij aanbevolen.

*Warmond, mei 1999*
*Peter van der Horst*

# Inleiding

*De taalgids* is bedoeld als vraagbaak voor iedereen die zich beroepshalve of in verband met studie met schriftelijke communicatie bezighoudt. De nadruk ligt op de taalkundige onderwerpen, maar er komen ook talloze redactionele en typografische zaken aan de orde.

U vindt informatie over talloze detailkwesties, maar ook 'de grote lijn' (structuur, leesbaarheid) krijgt de nodige aandacht.

Voor een zo goed mogelijk gebruik van dit boek zijn de volgende aanwijzingen van belang.

## Aanwijzingen voor het gebruik

De trefwoorden zijn **vet** gedrukt en staan in alfabetische volgorde (*ij* = *i* + *j*). Als het om woorden of constructies gaat die problemen kunnen opleveren, volgt er een verklaring en/of voorbeeld. De volgorde hiervan is niet vast. Dikwijls geven we eerst de verklaring, maar het voorbeeld staat voorop als dat voor de duidelijkheid gewenst is. De voorbeelden zijn bewust kort en eenvoudig gehouden. In het algemeen heeft de verklaring betrekking op het (vetgedrukte) hoofdwoord en niet altijd óók op de voorbeeldzin.

De alfabetische opzet van dit boek heeft onder andere de consequentie dat er nogal wat verwijzingen, overlappingen en herhalingen in voorkomen. Herhaling leek ons – voor de samenhang – soms beter dan verwijzing.

*Cursivering* is bedoeld om voorbeelden te accentueren, en níét om aan te geven of de bewuste woorden/zinnen correct of niet correct zijn.

Problemen die niet gemakkelijk onder één trefwoord behandeld konden worden, hebben we in enkele gevallen verzameld. Voorbeelden daarvan zijn *werkwoorden (problemen met werkwoorden)* en *woordvolgorde*.

Formuleringen als *liever niet, eigenlijk onjuist, stijf woord* betekenen geen absolute afkeuring van de bewuste woorden/constructies, maar een voorzichtig advies om ze niet te gebruiken.

Een asterisk (*) bij een woord wil zeggen dat u bij het bewuste trefwoord meer informatie vindt. We verwijzen alleen als dat echt zin heeft.

Het teken ➤ betekent: *zie/zie ook*. De verwijzing zegt niets over de juistheid van het woord/begrip waarnaar wordt verwezen. Het gaat meestal om meer informatie of om een verwant of juist tegengesteld woord.

Afkortingen zijn zo veel mogelijk vermeden. Ze zijn alleen gebruikt voor woorden die vaak voorkomen: *angl.* (anglicisme); *bijv. naamw.* (bijvoeglijk naamwoord); *contam.* (contaminatie); *gall.* (gallicisme); *germ.* (germanisme); *ingeb.* (ingeburgerd); *pleon.* (pleonasme); *staande uitdr.* (staande uitdrukking); *zelfst. naamw.* (zelfstandig naamwoord).

Waar we het kortheidshalve over *België* hebben, bedoelen we daarmee Nederlandstalig België/Vlaanderen.

Er zijn enkele onderwerpen die een toelichting vragen.

### Stijlfouten

We hebben de meest voorkomende stijl*fouten* behandeld, bijvoorbeeld onjuiste inversie, onjuiste samentrekking, barbarismen, contaminatie, pleonasme. Aan stijl*figuren* als alliteratie, vergelijking, ironie hebben we geen aandacht besteed.

### Germanismen, anglicismen, gallicismen (barbarismen)

We hebben veel (maar lang niet alle) barbarismen opgenomen. Als er *germ., angl.* of *gall.* (zonder nadere aanduiding) staat, gaat het om woorden/zinswendingen die u beter niet kunt gebruiken. Staat er *(ingeb.)* – tussen haakjes dus – dan wil dat zeggen dat ze nog niet helemaal ingeburgerd zijn of dat de meningen daarover verdeeld zijn.

De -ismen waar *ingeb.* bij staat, zijn algemeen aanvaard. Ingeburgerde barbarismen worden als gewoon, correct Nederlands beschouwd. We hebben ze toch opgenomen, en wel vooral voor degenen die zich afvragen of bepaalde woorden/uitdrukkingen oorspronkelijk barbarismen zijn en of ze ingeburgerd zijn.

Wie maakt eigenlijk uit of een barbarisme ingeburgerd is of niet? Het is gedeeltelijk een kwestie van smaak, maar het gaat er vooral om of woorden/uitdrukkingen veel worden gebruikt. Als dat het geval is, kan niemand ze tegenhouden. De woordenboeken zullen ze dan ook opnemen, eventueel met de aanduiding *germ., angl., gall.* Later met de vermelding *Duits, Engels, Frans.* En ten slotte vervallen die aanduidingen ook.

## Belgicismen

We hebben nogal wat aandacht besteed aan het taalgebruik van onze Belgische taalgenoten. Niet alleen omdat veel Vlamingen een correct taalgebruik nastreven, maar ook omdat dit onderwerp in taalboeken nogal eens verwaarloosd wordt. De Belgische taalgebruiker heeft natuurlijk dezelfde taalproblemen als de Nederlandse, maar daar komen de typisch Vlaamse eigenaardigheden bij, zoals *omwille van, in functie van, vermits, ... dat hij daar wel kan gebruik van maken.*

## Verwante woorden

U vindt in dit boek veel woorden die op zichzelf meestal geen probleem geven, maar die vaak verward worden: *weifelen/twijfelen, verantwoordelijk/aansprakelijk, bestaan in/ bestaan uit, ontdekken/uitvinden* enz. Om verwijzingen te voorkomen hebben we dergelijke verwante woorden niet bij elkaar behandeld, maar apart.

## Staande uitdrukkingen

In allerlei teksten komen nog geregeld uitdrukkingen voor als: *te allen tijde, van koninklijken bloede, ten tweeden male, terzelfder tijd.* Vermijd die ouderwetse uitdrukkingen liever zo veel mogelijk, want ze hebben een negatieve invloed op de leesbaarheid én ze worden niet altijd goed begrepen. Waarom hebben we er dan aandacht aan besteed? Als die ouderwetse uitdrukkingen dan toch gebruikt worden, moeten ze wél goed geschreven worden. En in een woordenboek kunt u dat meestal niet snel vinden (áls ze er al in staan).

De staande uitdrukkingen die met *te, ten* of *ter* beginnen, vindt u onder het trefwoord *te/ten/ter*. De overige – bijvoorbeeld *van koninklijken bloede* – staan onder het hoofdwoord *(koninklijk)*.

## Leesbaarheid

Er is vrij veel aandacht besteed aan onderwerpen die met leesbaar schrijven te maken hebben. Leesbaar schrijven is heel belangrijk, want het effect van een tekst staat of valt met de leesbaarheid ervan. Natuurlijk moet een tekst voldoen aan allerlei taalkundige regels, maar taal- en stijlfouten hebben meestal maar weinig invloed op de leesbaarheid. Om leesbaar, begrijpelijk te schrijven, moeten we op een aantal zaken letten, zoals lijdende vorm, moeilijke woorden, zinslengte, tangconstructie, naamwoordstijl. Al deze onderwerpen komen aan de orde, evenals enkele belangrijke typografische zaken die met leesbaarheid te maken hebben.

*Tekstverwerker*

*De taalgids* geeft ook informatie over werken met de tekstverwerker. We stippen niet alleen allerlei mogelijkheden aan (accentueren, lettertype en -grootte, register maken), maar geven ook aan hoe bijzondere tekens gemaakt kunnen worden (onder het trefwoord 'tekens'). De werkwijze – die in de praktijk vaak lastig te achterhalen is – hangt af van het gekozen tekstverwerkingsprogramma.

Wat het maken van tekens betreft, is het volgende van belang. Bij WordPerfect voor DOS, WordPerfect voor Windows en Word kunnen veel tekens gemaakt worden met de alt-toets plus een cijfercode. Het gradenteken (˚) bijvoorbeeld maken we door het getal 248 te typen terwijl de alt-toets ingedrukt wordt gehouden. (Bij WordPerfect voor Windows en Word is dit alleen mogelijk als de toets 'num lock' ingeschakeld is!)

Velen vinden deze methode het gemakkelijkst, maar daarmee kunnen lang niet alle tekens gemaakt worden. Daarom hebben we ook aangegeven hoe (bij WordPerfect voor DOS) tekens gemaakt kunnen worden met ctrl v plus een cijfercode. Het gradenteken (˚) maken we bijvoorbeeld door de ctrl-toets plus de letter v aan te slaan, en daarna de cijfers 6,36 te typen. Door daarna op enter (of return) te drukken krijgt u het teken op het scherm.

Bij WordPerfect voor Windows en Word zijn talloze tekens ook te maken door (via 'invoer' of 'invoegen' op de menubalk) het gewenste scherm met tekens op te roepen en daarna op het bewuste teken te klikken.

*Niet-taalkundige onderwerpen*

We hebben een groot aantal onderwerpen opgenomen die niet helemaal of helemaal niet op het taalkundige vlak liggen. Ze hebben gemeen dat velen die op de een of andere manier bij het produceren van teksten betrokken zijn, ermee te maken kunnen krijgen. U vindt informatie over bijvoorbeeld: kopjes, alinea's, opsommingen, registers, literatuurlijst, inhoudsopgave, bijzondere tekens, lettertypen, correctietekens, drukproef, zetinstructie. Echt druktechnische onderwerpen hebben we niet opgenomen.

## *Overzichten*

Omdat in de praktijk blijkt dat ze vaak problemen geven én omdat ze meestal niet snel opgezocht kunnen worden, hebben we onder andere van de volgende onderwerpen een overzicht opgenomen: Romeinse cijfers (➤ cijfers, Romeinse), correctietekens, Griekse letters, bijzondere tekens (➤ tekens). Van de staande uitdrukkingen die met *te, ten* of *ter* beginnen, vindt u onder *te/ten/ter* een alfabetische lijst. Bovendien vindt u een aantal lijsten met voorbeelden; ze hebben onder andere betrekking op aardrijkskundige namen, accenttekens, afkortingen, apostrof, deelteken, Engelse (werk)woorden, koppelteken, ouderwetse woorden (➤ woorden, ouderwetse), vreemde woorden (➤ woorden, vreemde), woorden met c/k (➤ c of k), vaak onjuist gespelde woorden (➤ spelling). De overzichten kunnen natuurlijk niet uitputtend zijn. Ze zijn te kort om een naslagfunctie te hebben, maar uitgebreid genoeg om – ook als voorbeelden – in veel gevallen een oplossing te geven.

## *Literatuur*

In de literatuurlijst op pagina 12 hebben we slechts enkele publicaties genoemd waar u gemak van kunt hebben. Het zijn vooral recente uitgaven, maar ook enkele oudere publicaties die van belang zijn. Kennisneming van of een abonnement op het tijdschrift *Onze Taal* en zijn Belgische tegenhanger *Nederlands van Nu* kunnen we u aanbevelen.

# Literatuur

*Algemene Nederlandse Spraakkunst (ANS)*. Onder redactie van W. Haeseryn e.a. Martinus Nijhoff, Groningen, 1997².

*Buitenlandse aardrijkskundige namen in het Nederlands*. Sdu, Den Haag 1996.

Cockx, P. *Taalwijzer*. Davidsfonds/Clauwaert, Leuven 1998².

Damsteegt, B.C., *In de doolhof van het Nederlands. Aanwijzingen voor een zuiver taalgebruik*. Educaboek, Culemborg, 1980¹⁰.

*Groot Lexicon van Eigennamen*. Kramers Lexicon. Elsevier, Amsterdam, 1998.

Hermkens, H.M., *Verzorgd Nederlands*. Malmberg, 's-Hertogenbosch, 1974⁵.

*Het nieuwe stijlboek* (de Volkskrant). Sdu, Den Haag, 1997.

Horst, Peter van der, *Alles over leestekens. Praktische handleiding voor het gebruik van leestekens en andere tekens*. Sdu, Den Haag, 1997.

Horst, P.J. van der, *Redactiewijzer. Praktische handleiding voor het taalkundig en typografisch verzorgen van teksten*. Sdu, Den Haag, 1999⁷.

Horst, Peter van der, *Stijlwijzer. Praktische handleiding voor leesbaar schrijven*. Sdu, 1999².

Horst, Peter van der, *Leesbaar schrijven voor iedereen*. Sdu, Den Haag, 1997.

Klein, M. en M. Visscher, *Handboek Verzorgd Nederlands*. Martinus Nijhoff, Groningen, 1996².

*Nederlands van Nu*. Tweemaandelijks tijdschrift van de Vereniging Algemeen Nederlands, Kardinaal Mercierplein 1, 2800 Mechelen.

*Onze Taal*. Maandblad van het Genootschap Onze Taal, Laan van Meerdervoort 14a, 2517 AK Den Haag.

Paardekooper, P.C., *ABN-gids*. Sdu/Standaard, Antwerpen, 1996.

Penninckx, W. en P. Buyse, *Correct Taalgebruik*. UGA, Kortrijk-Heule, 1997⁶.

Permentier, L. en L. van den Eynden, *Stijlboek*. Scoop, Groot-Bijgaarden (B.), 1998².

Pieete, A., *Incorrect Nederlands. Behandeling van veel voorkomende stijlfouten*. Thieme, Zutphen, 1988⁸.

Renkema, J., *Schrijfwijzer. Handboek voor duidelijk taalgebruik*. Sdu, Den Haag, 1995³.

*Spellingwijzer Onze Taal*. Contact, Amsterdam, 1998.

Theissen, S., *Germanismen in het Nederlands*. Heideland-Orbis, Hasselt, 1978.

Treebus, K.F., *Tekstwijzer. Een gids voor het grafisch verwerken van tekst*. Sdu, Den Haag, 1988⁴.

*Woordenlijst Nederlandse taal*. (Groene Boekje) Sdu, Den Haag, 1995.

# A

**a** Hoe een letter met een accent op de tekstverwerker wordt gemaakt, hangt af van het gebruikte programma. Een mogelijkheid is (via 'invoer' of 'invoegen') het gewenste scherm met tekens op te roepen en daarna op het bewuste teken te klikken. Bij andere programma's worden de tekens gemaakt met de alt-toets plus een cijfercode of ctrl v plus een cijfercode. Het zijn:

á – alt 160/ctrl v 1,27

à – alt 133/ctrl v 1,33

ä – alt 132/ctrl v 1,31

â – alt 131/ctrl v 1,29

ã – alt 198/ctrl v 1,77

å – alt 134/ctrl v 1,35

Á – alt 181/ctrl v 1,26

À – alt 183/ctrl v 1,32

Ä – alt 142/ctrl v 1,30

Â – alt 182/ctrl v 1,28

Ã – alt 199/ctrl v 1,76

Å – alt 143/ctrl v 1,34

➤ accenttekens. deelteken. tekens.

**à/ad** ➤ ad/à.

**aan** *Verkopen aan een bepaalde prijs, lenen aan 6%, kopen aan gunstige voorwaarden, rijden aan 120 kilometer per uur.* Gall. voor ... *tegen een bepaalde prijs, tegen 6%, tegen gunstige voorwaarden, met 120 kilometer per uur.* Wordt in België veel gebruikt. Fouten met het voorzetsel *aan* houden vaak verband met prijzen en snelheid. ➤ belgicismen.

**aanbetaling** *Eerste aanbetaling* is een pleon., want *aanbetaling* is altijd de eerste betaling. Dus: *aanbetaling óf eerste betaling.*

**aanbevelen** Belangstelling voor iemand of iets proberen te wekken. Een goed woordje voor iemand doen. *Hij heeft zijn vriend als redacteur aanbevolen.* ➤ aanprijzen. aanraden.

**aandachtsstreepje** ➤ gedachtestreepje.

**aanduiden** *U moet duidelijk uw voorletters aanduiden.* Gall. voor *aangeven, opgeven, vermel-*

*den.* Ook onjuist: *De heer X is als secretaris aangeduid.* Moet zijn: *aangewezen, aangesteld, benoemd. Aanduiden* wordt in België vaak gebruikt. ➤ belgicismen.

Correct is *aanduiden* in de betekenis 'door omschrijving uitdrukken': *Zonnesteek wordt weleens aangeduid met de term hitteberoerte.*

**aaneenschrijven** Het is niet gemakkelijk aan te geven wanneer we twee woorden aan elkaar moeten schrijven. In principe gebeurt dat als ze een nieuwe eenheid vormen. De grens tussen uitdrukking (los geschreven) en samenstelling (aan elkaar) is niet altijd duidelijk aan te geven. We schrijven bijvoorbeeld *aaneenschrijven,* maar *los schrijven; prijsgeven,* maar *op prijs stellen; gadeslaan,* maar *acht slaan op.*

Een vuistregel is: schrijf aan elkaar als een combinatie van woorden (samenstelling) één klemtoon krijgt; als een combinatie van woorden (woordgroep) op elk woord een klemtoon krijgt, schrijven we ze los: *aan den lijve, aan weerskanten.* Deze vuistregel gaat echter niet altijd op: *pianospelen/fluit spelen.* Van belang is namelijk ook of het om een ingeburgerde, vaste combinatie van woorden gaat.

We schrijven aan elkaar:

– Combinaties met een werkwoord als die als een eenheid worden gezien: *hardlopen, ademhalen, kennismaken, pianospelen.* Er is geen sprake van een eenheid als de letterlijke betekenis van het werkwoord nog wordt gezien: *rustig lopen, water halen, ruimte maken, fluit spelen.* De regel gaat niet altijd op, omdat ook een rol speelt hoe ingeburgerd de woordcombinatie is. Voorbeelden: *tot stand komen, ter zijde staan.*

– Met een werkwoord gevormde samenstellingen die eindigen op *-ing: ingebruikneming, teboekstelling, ondercuratelestelling* (maar: *in gebruik nemen, te boek stellen, onder curatele stellen*).

– Als het eerste zelfstandig naamwoord een verbindings-*s* heeft, moet het volgende zelfstandig naamwoord eraan vast: *bevolkingsgroei, bestedingsbeperking.* ➤ tussenletters.

– Samenstellingen die uit drie delen bestaan, worden meestal als één woord geschreven: *kortebaanwedstrijd, grotestedenbeleid, hogesnelheidstrein, heteluchtmotor, eerstehulpverlening, langetermijnbeleid.* Het eerste deel hoort steeds bij het tweede en niet bij het derde deel. In *kortebaanwedstrijd* gaat het dus om een korte baan, maar een *korte baanwedstrijd* is een korte wedstrijd. Als er klinkers achter elkaar staan die samen één klank vormen, komt er een koppelteken: *rode-inktpot.* Er is ook een koppelteken nodig als het tweede element een hoofdletter heeft: *Rode-Kruispost.* ➤ koppelteken.

– Samenstellingen met *er, hier, daar, waar* en een of meer voorzetsels: *erin, hiernaast, daaraan, waarover, eronderdoor, daartegenover, waartussenin.* (Dikwijls onjuist geschreven worden: *ervan uitgaan, ervan afzien* enz.: *Hij ging ervan uit dat ... Ze zag ervan af ...*) Een voorzetsel wordt verbonden met een voorafgaand voorzetsel of *er, daar, hier* en *waar* als het niet bij het werkwoord hoort: *Zou de thee eraan komen?* Het gaat om *komen. Zou hij er aankomen voor ons?* Het gaat om *aankomen. Ze is er slecht van afgekomen.* Niet: *vanaf gekomen,* omdat het werkwoord *afkomen* en niet *komen* is. ➤ er-.

– *Overgaan/over gaan, aankunnen/aan kunnen, uitlaten/uit laten, oplopen/op lopen, inlopen/in lopen. Zou ze dit jaar overgaan?* (naar de volgende klas) *Zal ze de straat over gaan?* (oversteken) *Zou hij die drukte wel aankunnen?* (opgewassen zijn tegen) *Zou je die jurk nog aan kunnen?* (kunnen aandoen) *Je moet de hond nog uitlaten./Je kunt je jas beter uit laten. Zijn schuld zal wel hoog oplopen./Je moet niet zonder te kijken de weg op lopen. Hij laat je er gemakkelijk inlopen./Het bos in lopen.* Het werkwoord wordt nogal eens in beide gevallen als één woord geschreven, maar dat is niet juist, omdat er nu eenmaal betekenisverschil is tussen de twee vormen. Als het voorzetsel en het werkwoord samen een aparte betekenis hebben, schrijven we één woord: *Zou ze dit jaar overgaan?* In *Zal ze de straat over gaan* kunnen we *gaan* met enkele voorzetsels combineren: *over gaan, in gaan, langs gaan.* We kunnen *gaan* hier ook vervangen door een ander werkwoord: *de straat over lopen, over fietsen.*

– Samenstellingen met *bruto* en *netto: brutosalaris, nettogewicht.* Als het tweede deel van de samenstelling met een klinker begint, komt er een koppelteken: *bruto-ontvangst, netto-opbrengst.*

– Samenstellingen met *maximum* en *minimum: maximumsnelheid, minimumloon.* Volgt er na *maximum* of *minimum* een samenstelling, dan is los schrijven mogelijk: *maximum onkostenvergoeding, minimum bedrijfswinst.*

– Samenstellingen met *linker* en *rechter: linkerbladzijde, rechtervoet.* Volgt er na *linker* of *rechter* een samenstelling, dan is los schrijven mogelijk: *linker weghelft, rechter haveningang.*

– Samenstellingen met *zelf-* en *-zelfde* schrijven we als één woord, behalve *deze zelfde: dezelfde, hetzelfde, datzelfde, ditzelfde, diezelfde, eenzelfde, hemzelf, ikzelf, deze zelfde.*

– Namen van kleuren: *lichtblauw, donkerrood, grasgroen, vaalblauw, groengeel, roestbruin, zachtgroen, grijsblauw.* Maar: *zwart-wit (zwart-witte vlakken)* en *lichtazuurblauw.*

– Namen van straten, grachten, pleinen enz.: *Thorbeckeplein, Leidsestraat.* Maar: *Jan Steenlaan, Magdalena Moonsstraat.*

– Samenstellingen die met een naam beginnen: *Thorbeckeplein, Greenwichtijd, alzheimerpatiënt.* Stond er een spatie in de naam, dan blijft die bewaard: *Paulus Potterstraat, Van Goghtentoonstelling.*

Als het eerste deel een merk aangeeft, komt er een koppelteken*: *Philips-toestel.* Maar: *Philipsfabriek* (geen merk fabriek).

Namen van bedrijven, organisaties en instellingen worden soms los geschreven: *Koninklijke Luchtvaart Maatschappij.* Het moet eigenlijk zijn: *Koninklijke Luchtvaartmaat-*

*schappij*, maar we volgen de schrijfwijze die de naamgever heeft bepaald. Dus ook: *Erasmus Universiteit*.

Bijzondere – modieuze – gevallen zijn bijvoorbeeld: *WordPerfect, MeesPierson, FilmNet, GroenLinks, GiroLoterij, KinderNet*.

Het is niet juist afkortingen voluit op de volgende manier te schrijven: *AOW: Algemene Ouderdoms Wet; RVD: Rijks Voorlichtings Dienst*. De letters van de afkorting worden hier ten onrechte beschouwd als beginletters van een apart woord. ➤ afkortingen.

– Woorden als *achterop, bovenaan, onderin, dichtbij, vlakbij: Spring maar achterop. Hij eindigde helemaal bovenaan. Het boek ligt onderin. Mijn oom woont vlakbij.* Maar als het tweede element bij het volgende woord hoort, twee woorden: *Hij zat achter op de fiets. Het staat onder aan de pagina. Dicht bij het kasteel staat een oude eik.*

– Getallen worden aaneengeschreven: *achtenveertig, zeshonderdtachtig, tweehonderddrieëntachtig*.

Uitzonderingen:

Na *duizend* komt een spatie: *vierduizend tweehonderd* (4200). *Miljoen, miljard, biljoen* enz. worden niet met andere getallen gecombineerd: *zestien miljoen* (16.000.000), *vijf miljoen honderdvijfenveertigduizend* (5.145.000).

In rangtelwoorden worden *duizend, miljoen* enz. wel gecombineerd met de overige getallen: *zesduizendvijftigste, driemiljoenste*.

Breukgetallen schrijven we vast: *tweederde, zestiende, vier drievierde, driekwart, een tweederde meerderheid*. ➤ breuken. getallen.

– Samenstellingen met *-maal: eenmaal, tweemaal, tienmaal*. Dit geldt voor de getallen tot en met twintig en alle tientallen, honderdtallen en duizendtallen. Maar: *zesenzeventig maal*.

– Woorden als *correspondentieadres, economieonderwijs, politieagent* enz. schrijven we aan elkaar. Maar: *vakantie-uitkering, confectie-industrie* enz., omdat er twee klinkers zouden worden samengevoegd die samen het teken voor één klank vormen: *eu, ei* enz. ➤ koppelteken.

– Verwarrend zijn de woorden die aan elkaar én los voorkomen, met verschil in betekenis. We noemen de belangrijkste, met zo nodig een verklaring.

*allang/al lang. Ik weet allang wat je ervan vindt.* De betekenis is ongeveer: heus wel, best. Maar twee woorden in: *Sta je hier al lang?*

*allesbehalve/alles behalve. Hij is allesbehalve aardig* (helemaal niet). *Je krijgt alles behalve die pen.*

*driemaal/drie maal. Ik heb je dat al driemaal verteld. Drie maal drie is negen.*

*eigenbelang/eigen belang. Dat hij niet is gekomen, was alleen maar eigenbelang./Het is in je eigen belang dat je op tijd komt.*

*evengoed/even goed. Hij heeft evengoed schuld als jij* (evenzeer). *Hij had de opdracht even goed uitgevoerd* (net zo goed).

*hoelang/hoe lang. Tot hoelang blijven jullie daar? Hoe lang is dat touw?*

*hoever/hoe ver. Vertel eens hoever je bent.* Maar twee woorden in: *Weet je hoe ver we hebben gelopen?*

*ingeval/in geval. Ingeval de winkel gesloten is, kunt u ...* Als *ingeval* te vervangen is door *als/indien/wanneer* is *ingeval* één woord. Maar: *in geval van brand ...*

*nietwaar/niet waar. Deze opgave is eenvoudig, nietwaar? Wat jij zegt, is beslist niet waar.*

*tegoed/te goed. Tegoed* betekent positief saldo. *Mijn tegoed bij de bank. Te goed* betekent nog te vorderen: *Ik heb nog een tientje van hem te goed.*

*tekort/te kort. Tekort* is negatief saldo: *Mijn tekort bij de bank. Te kort* is te weinig: *Ik kom vijf gulden te kort.*

*teneinde/ten einde. Teneinde* betekent om: *Hij deed dit teneinde te voorkomen dat ... Ten einde* betekent afgelopen: *Het feest is ten einde.*

*tenminste/ten minste. Tenminste* betekent althans: *Hij is tenminste gezond. Ten minste* is op z'n minst: *Hij krijgt er ten minste tien.*

*tenslotte/ten slotte. Tenslotte* betekent eigenlijk, goedbeschouwd: *Hij is tenslotte ziek. Ten slotte* is tot slot: *Ten slotte deel ik u mee ...*

*teveel/te veel. Teveel* betekent overschot: *Er is een teveel aan huizen. Te veel* is meer dan nodig, goed is: *Je hebt te veel fouten gemaakt.*

*uzelf/u zelf. Help uzelf./Dit kunt u zelf wel beoordelen.*

*zojuist/zo juist. We hoorden zojuist dat de goederen al verzonden zijn./Onze woorden zijn zo juist weergegeven.*

*zolang/zo lang. Hij is wel aardig, zolang hij zich maar niet verveelt. Zo lang hoeft beslist niet.*

*zomaar/zo maar De man begon zomaar te schelden./Ga jij zo maar naar de stad.*

*zomin/zo min. Hij zomin als ik. Zo min mogelijk.*

*zoveel/zo veel. Ik wist niet dat het je zoveel moeite kostte./We zullen zo veel mogelijk ineens leveren.*

*zover/zo ver. Zover* is weet, komt hij morgen./*Ik wist niet dat het zo ver lopen was.*

– Samenstellingen van Engelstalige woorden schrijven we in het algemeen aan elkaar: *knowhow, parttimer, freelance, marketingman, coffeeshop, compactdisc, hardrock, salesmanager.* Ook combinaties van een Engels woord en een Nederlands woord schrijven we aan elkaar: *interviewtechniek, jockeypet, jazzmuziek, computerprogramma, huiscomputer.*

Engelstalige woorden die eindigen op een voorzetsel dat met een klinker begint, krijgen een koppelteken: *lay-out, pull-over, drive-in.* Maar: *playback, topdown.*

Een gemengde samenstelling die begint met Engelstalige woorden krijgt een koppelteken tussen die woorden als er al een koppelteken stond of als ze los geschreven werden: *knock-out/knock-outsysteem, multiple choice/multiple-choicetest.* Anders: *kickboksen/kickboksgala, hardrock/hardrockband.*

Voor meer over Engelse woorden (+ alfabetische lijst) ➤ Engelse woorden.

Onder invloed van het Engels/Amerikaans worden samenstellingen nogal eens als twee woorden geschreven: *olie productie, belasting aangifte.* Dat is onjuist. Bij twijfel over aan elkaar schrijven of niet: liever aan elkaar dan los.

Vaste woordcombinaties uit een andere taal worden geschreven zoals in de taal van herkomst: *au bain marie, enfant terrible, en profil, passe-partout, ad hoc, up-to-date, face to face, pico bello, mutatis mutandis.*

– Bepaalde samengestelde werkwoorden kunnen we beter niet scheiden: *Hij heeft beloofd mij dat mee te zullen delen* (te zullen meedelen). *Wij laten u nog wel weten wanneer de prijsuitreiking plaats zal vinden* (zal plaatsvinden). Ook bijvoorbeeld: *gade kunnen slaan* (kunnen gadeslaan), *bezig heb gehouden* (heb beziggehouden), *aan te kunnen passen* (te kunnen aanpassen). Schrijf ze liever aan elkaar. ➤ werkwoorden (scheidbare/onscheidbare)

– Met het oog op de leesbaarheid kunnen zeer lange woorden beter vermeden worden. Dus niet: *milieuverbeteringsmaatregelen* (maar: *maatregelen om het milieu te verbeteren*); niet: *afvalwaterzuiveringsinstallatie* (maar: *installatie voor het zuiveren van afvalwater*). ➤ woordlengte.

De volgende lijst bevat een aantal woorden die problemen kunnen geven ten aanzien van al of niet aan elkaar schrijven:

| | | |
|---|---|---|
| *algauw* | *dichtbevolkt* | *hoelang/hoe lang** |
| *allang/al lang** | *dienstdoen* | *hoever/hoe ver** |
| *allebei* | *drukbezochte* | *hoogbejaard* |
| *alle drie* | *eenieder* | *incognito* |
| *allesbehalve/alles behalve** | *eenzelfde* | *ingeval/in geval van** |
| *als volgt* | *eerdergenoemde* | *in plaats* |
| *als wel* | *en zo* | *intact* |
| *alweer* | *et cetera* | *in stand houden* |
| *bekendmaken* | *evengoed/even goed** | *kennis geven* |
| *bekendstaan* | *freelance* | *kennismaken* |
| *bezighouden* | *fulltime* | *kennisnemen* |
| *bijvoorbeeld* | *gebruikmaken* | *knowhow* |
| *dankzij* | *goedgeschreven* | *lastigvallen* |
| *dan wel* | *goedlopend* | *leidinggeven* |

| | | |
|---|---|---|
| lichtgeraakt | tekortdoen | tot stand komen |
| malafide | tekortkomen | (GB: totstandkomen) |
| naargelang*/naar gelang | tekortschieten | van dien |
| van | temeer | veelgebruikt |
| naartoe | te midden van | veiligstellen |
| net zomin | teneinde/ten einde* | vergaand |
| oftewel | ten gevolge van | voorzover |
| ofwel | tenietdoen | weleens |
| omwille | tenminste/ten minste* | zichzelf |
| onder meer | tenslotte/ten slotte* | zolang/zo lang* |
| parttime | terechtkomen | zomaar |
| per se | terechtwijzen | zomin/zo min* |
| plaatsmaken | ter zake komen | zonder meer |
| plaatsvinden | teveel/te veel* | zo niet |
| prijsgeven | te voorschijn komen | zo nodig |
| schuilgaan | tevoren | zorgdragen |
| tegemoetkomen | teweegbrengen | zoveel |
| tegemoetzien | tewerkstellen | zo veel mogelijk |
| tegoed/te goed* | tezamen | zwaarbewapend |
| tekort/te kort* | thuis voelen | zwakbegaafd |

**aangaande** *Aangaande deze nieuwe klant kan ik je het volgende vertellen.* Ouderwets voor: over, betreffende*.

**aangelegd** *Muzikaal, wiskundig, artistiek, humoristisch aangelegd zijn.* Ingeb. germ. voor *een muzikale, wiskundige, artistieke, humoristische aanleg hebben.* Of: *aanleg voor muziek, wiskunde hebben.* Of: *muzikaal, humoristisch zijn.*

**aangewezen** *Het is aangewezen om direct contact te zoeken. Een flinke rustperiode is aangewezen.* De constructie *het is aangewezen* in de betekenis 'wenselijk, raadzaam' is onjuist. Correct is: *Het is aan te raden, het is raadzaam, het verdient aanbeveling.* Wordt in België nogal eens gebruikt. ➤ belgicismen.

**aangezien** *Aangezien het regent, blijf ik thuis.* Wat vlotter is: *omdat.* Onjuist: *Gezien het regent ...* ➤ daar. gezien. waar.

**aanhaling** ➤ citaat.

**aanhalingstekens** We gebruiken aanhalingstekens om iemands woorden letterlijk weer te geven. *Hij zei: 'Ik zal je morgen wel opbellen.'* Geen aanhalingstekens in: *Hij zei dat hij mij morgen zou opbellen.*

Speciale aandacht verdient het gebruik van leestekens in aanhalingen. *De secretaris* zei: *'Ik kom nog wel op deze kwestie terug.'* De zin tussen aanhalingstekens (*Ik kom nog wel op deze kwestie terug.*) eindigt met een punt. Pas daarna de aanhalingstekens sluiten. Eigenlijk zou er na het laatste aanhalingsteken nog een punt moeten komen, omdat daarmee de hele zin eindigt. Maar dat is niet gebruikelijk.

Let op de plaats van komma, hoofdletters en punt. *Piet zei: 'Je moet eens bij ons komen.'* *'Piet,' zei Jan, 'je moet eens bij ons komen.'* De komma staat voor het tweede aanhalingsteken, omdat er in de aangehaalde zin al een komma stond (*Piet, je moet eens ...*). Maar: *'Morgen', zei hij, 'kom ik weer.',* omdat in de aangehaalde zin na *morgen* geen komma staat (*Morgen kom ik weer.*). Er is weinig bezwaar tegen om de komma steeds na het tweede aanhalingsteken te plaatsen: *'Jan', zei hij, 'je moet eens langskomen.'*

Uit het voorgaande blijkt dat de zogenaamde elda-regel niet altijd klopt ('elda' = eerst leestekens, dan aanhalingstekens).

Een vuistregel is: gebruik niet meer dan twee leestekens na elkaar, tenzij er sprake is van twee vraagtekens of uitroeptekens. Mogelijk zijn dus: ?'? / !'! / ?'! / !'?

Niet aan te bevelen: .'. / .', / ,'. / ,', / .'? / ?'. / .'! / !'.

Met aanhalingstekens kunnen we ook aangeven dat we een woord niet juist gebruikt vinden; er kan ironie mee worden uitgedrukt. Voorbeeld: *Die dame is pas vijftig 'lentes'.* (De punt komt hier dus ná het aangehaalde woord.)

Als er na een aanhaling een nootcijfer of asterisk staat, komt eerst het aanhalingsteken: *'Deze toetsing is geen experiment in een laboratorium, maar het betreft de mogelijkheid de bestaande, natuurlijke talen eruit af te leiden.'*[4] Noot 4 vermeldt bijvoorbeeld uit welke publicatie dit citaat afkomstig is.

Slaat de noot op het laatste woord en niet op de zin, dan komt het nootcijfer (of de asterisk) voor de punt: *De ambtenaar zei dat hij de stukken nog moest 'epibreren'*[4].

Als een deel van een samenstelling tussen aanhalingstekens staat, volgt er geen spatie of koppelteken: *'jeugd'serie, 'teer'gehalte, 'huis'correctie.*

Bij het weergeven van een gedachte laten we de aanhalingstekens meestal weg: *Ik dacht: wat sta je toch te liegen!*

Als er veel korte aanhalingen in een tekst voorkomen, bijvoorbeeld in romans, worden in plaats van aanhalingstekens weleens liggende streepjes (halve of hele kastlijntjes) gebruikt om een gesprek weer te geven. Zo worden eindeloze aanhalingen voorkomen. Een voorbeeld:

– *Waar kom je vandaan? vroeg hij.*

– *Van huis, zei ik.*

– *Waarom ga je dan zo laat van huis?*

Deze methode heeft het nadeel dat niet is aangegeven waar de citaten eindigen.

Het heeft geen zin om namen van boeken, kranten en tijdschriften tussen aanhalingstekens te zetten, omdat ze met een hoofdletter worden geschreven. Ze kunnen eventueel cursief gezet (of onderstreept) worden: Ik heb in *Trouw* gelezen dat ...

We kunnen aanhalingstekens ook gebruiken als we een woord of begrip bedoelen en niet de betekenis ervan. Een voorbeeld: *'Rododendron' bestaat uit vier lettergrepen.* Het betekent eigenlijk: *Het woord 'rododendron' bestaat uit ...* Een ander voorbeeld: *Wat verstaat u precies onder 'contaminatie'?* Als 'het woord', 'de term' enz. ervoor staat, kunnen de aanhalingstekens meestal weggelaten worden: *Het woord rododendron bestaat uit ...* Met aanhalingstekens is het vaak duidelijker.

Als een woord tussen aanhalingstekens wordt gezet, is het onjuist daaraan het woord zogenaamd(e)* (zgn.) te laten voorafgaan. *Optelefoneren is een zogenaamde 'contaminatie'.* Dat is dubbel. Dus óf zogenaamd(e) óf aanhalingstekens.

Beperk het gebruik van aanhalingstekens. Een schrijver kan het zich gemakkelijk maken door allerlei begrippen (oude, zelfbedachte, ironisch bedoelde enz.) tussen aanhalingstekens te zetten. De lezer moet dan maar uitzoeken wat de bedoeling is. Bovendien wordt de tekst er onrustig door.

Hoewel het vanzelfsprekend is dat een begin-aanhalingsteken op een bepaald moment wordt gevolgd door een eind-aanhalingsteken, blijkt dat in de praktijk weleens vergeten te worden.

Er zijn verschillende soorten aanhalingstekens. In (met de hand) geschreven teksten is „..." gebruikelijk. In getypte tekst wordt vaak ''...'' gebruikt. In gedrukte teksten zijn de mogelijkheden veel groter.

Dikwijls zien we de dubbele aanhalingstekens: "..." of "...". Maar men gebruikt steeds vaker de enkele tekens: '...' of '...', die minder nadrukkelijk zijn. We noemen de tekens '...' wel 'enkel Engels' of ook weleens 'zes-negen' of 'negenenzestig' (naar hun vorm). Niet aan te bevelen is: *Hij zei: ,Ik denk er niet over.'*

De tekens «...» of »...« (guillemets, ook wel ganzenvoetjes genoemd) komen in Nederlandse teksten niet zoveel voor.

In drukwerk wordt weleens het teken ´ als aanhalingsteken (en als apostrof) gebruikt: *We schrijven ´pyjama´ met een j voor de a.* Dit teken is eigenlijk onjuist (´ is het teken voor 'minuut' en voor het Engelse 'foot').

Als er een citaat in een citaat voorkomt, moeten we daarvoor andere aanhalingstekens gebruiken. Het citaat bijvoorbeeld tussen '...' en het aangehaalde woord binnen dat citaat tussen "...". Een voorbeeld: *De rechter zei: 'Ik ben nog niet helemaal overtuigd van de "eerlijkheid" van de verdachte.'*

Soms komen in een en dezelfde tekst verschillende soorten aanhalingstekens voor, bijvoorbeeld losse woorden tussen '...' en zinnen (citaten) tussen "...". Dat heeft geen zin.

21

De gekozen soort aanhalingstekens moet natuurlijk consequent worden toegepast. In kopij die op diskette wordt aangeleverd, worden de gewone aanhalingstekens op de zetterij omgezet in de grafische tekens, bijvoorbeeld '...'. Op de tekstverwerker kunnen ze ook gemaakt worden. Dat kan door via 'invoer' of 'invoegen' het gewenste scherm met tekens op te roepen en daarna op het gewenste teken te klikken. Ook door ctrl v, gevolgd door een cijfercode. ➤ tekens.

Aangehaalde woorden krijgen in gedrukte teksten soms geen aanhalingstekens. In plaats daarvan worden ze cursief of vet gezet. Een combinatie van cursief/vet en aanhalingstekens is af te raden.

Langere citaten moeten typografisch van de overige tekst gescheiden worden, bijvoorbeeld door inspringen en/of een kleinere letter.

Als een zin die met een apostrof begint, tussen aanhalingstekens staat, kan dat (in gedrukte tekst) het best als volgt: ''s Morgens ga ik nooit uit', zei Jan. Dus een omgekeerde komma als aanhalingsteken, gevolgd door een halve spatie. Omdat dit met de tekstverwerker problemen kan geven, zou ook een andere formulering gekozen kunnen worden.

De combinatie van initiaal en aanhalingstekens kan problemen geven. ➤ initiaal.

Voor het gebruik van aanhalingstekens in een literatuurlijst ➤ literatuuropgave.

**aanhef** In zakenbrieven wordt als aanhef soms nog steeds *Mijnheer,* gebruikt als de geadresseerde één man is. Schrijf liever: *Geachte heer,* (eventueel + achternaam), aangezien *Mijnheer,* erg zakelijk is. Schrijf ook liever niet: *Mevrouw,* maar *Geachte mevrouw,* (*Mejuffrouw* wordt niet meer gebruikt). We schrijven *heer* en *mevrouw* met een kleine letter.

Gebruik als aanhef niet bijvoorbeeld *Geachte mevrouw, mijnheer,* bij het beantwoorden van een brief. Als de betrokken briefschrijver niet *mevr.* (of voornaam) voor de achternaam heeft geschreven (of een dubbele naam: *W. Jansen-de Vries*), kunnen we ervan uitgaan dat we met een man te maken hebben.

Voor de juiste schrijfwijze van namen met *van, van der, de, ter* enz. ➤ achternamen.

Gebruik geen voorletter in de aanhef; dus niet: *Geachte heer J. Jansen.*

Een brief aan een bedrijf, instelling enz. krijgt nog vaak de ouderwetse aanhef *Mijne heren,.* Omdat het heel goed mogelijk is dat een vrouw de brief behandelt, wordt er terecht bezwaar gemaakt tegen deze vrouwonvriendelijke formulering. Daarom liever: *Geachte heer/mevrouw,* of *Geachte heer of mevrouw,* (of: *Geachte mevrouw/heer,* of *Geachte mevrouw of heer,*).

In de aanhef laten we de meisjesnaam van een vrouw achterwege; dus niet: *Geachte mevrouw De Vries-Jansen,* maar *Geachte mevrouw De Vries,.*

Boven circulaires enz. staat soms nog *L.S.,* (Lectori Salutem = de lezer heil). In plaats van deze ouderwetse en onpersoonlijke aanspreking is beter: *Geachte mevrouw en mijn-heer,*. Ook een aanhef als *Geachte cliënt (klant), Geachte relatie, Geachte lezer(es)*, is bruik-baar. Helemaal géén aanhef doet onplezierig aan.

Er wordt steeds minder rekening gehouden met de titulatuur. ➤ adressering.

Stem aanhef en adres op elkaar af. Als in het adres staat *T.a.v. de heer ...* (Ter attentie van ...), moet de aanhef luiden: *Geachte heer...,*. Niet: *Mijne heren,* of *Geachte heer/mevrouw,*.

Na de aanhef komt een komma. ➤ adressering. attentie, ter attentie van.

**aankleve** *Met den aankleve van dien.* Met alles wat erbij hoort. Staande uitdr.

**aanleg** *In eerste aanleg.* Betekent: *bij aanvankelijke beschouwing, om te beginnen, in oor-sprong, in het begin.* Het is een rechtsterm, evenals *in eerste instantie*\*. Kan ook in figuurlijke zin worden gebruikt: *In eerste aanleg had hij geen zin om te gaan. In eerste instantie* is gebruikelijker. Hetzelfde geldt voor *in laatste aanleg* (ten slotte).

**aanleiding** Een min of meer toevallige omstandigheid of gebeurtenis die onmiddellijk iets tot gevolg heeft. *De aanleiding tot de Eerste Wereldoorlog was de moord op Franz Ferdinand in Sarajevo.* Niet te verwarren met *oorzaak*\*.

**aanleiding** *Naar aanleiding van.* Veel brieven beginnen met zo'n nietszeggende zin. Het is beter dit soort zinnen te vermijden en direct terzake te komen. Dus ook liever niet: *In antwoord op ..., Onder verwijzing naar ..., In aansluiting op/aan ...* enz. ➤ aan-vangszinnen.

*Naar aanleiding van* wordt ook nogal eens gebruikt in plaats van *omdat/aangezien: Naar aanleiding van de wens van velen hebben wij ...* (omdat/aangezien velen dat willen). Een minder omslachtige formulering heeft de voorkeur. ➤ duidelijkheid.

**aanleveren/aanlevering** Ingeb. germ. (gebruikelijk in de handel) voor *leveren/levering, bezorgen/bezorging (voor transport)*.

**aanloop, (te) lange** Zinnen met een lange aanloop kunnen onduidelijk zijn. Het duurt te lang voordat de lezer weet waar het eigenlijk om gaat. Voorbeeld: *Door een polymeer te nemen met een goede sterkte maar een slechte vervormbaarheid, en dat te mengen met een ander dat bros is maar goed kan worden gevormd, kan men een nieuw polymeer maken dat zowel sterk als vormbaar is.* De kern kan beter vooraan staan: *Men kan een nieuw polymeer maken dat zowel ...* ➤ voorwaardelijke bijzin.

**aanmerken** *Hij zal wel weer wat aan te merken hebben.* Een afkeurende opmerking maken, kritiek uiten. ➤ bemerken. opmerken.

**aanmerking** *In aanmerking nemen.* Rekening houden met, overwegen. *Hij is afgewezen, maar we moeten in aanmerking nemen dat hij lang ziek geweest is.* ➤ ogenschouw.

**aanname** Ingeb. germ. voor *veronderstelling, hypothese; het aannemen, het aanvaarden. Aanname* in de betekenis 'veronderstelling, hypothese' wordt vooral in wetenschap-pelijke teksten gebruikt. ➤ -name.

**aanprijzen** De goede eigenschappen van iemand of iets naar voren brengen. *De markt-koopman prijst zijn goederen luidkeels aan.* ➤ aanbevelen. aanraden.

**aanraden** De raad geven. *Wij raden u aan in de toekomst meer zorg aan de verpakking te besteden.* ➤ aanbevelen. aanprijzen.

**aanrechten** Een maaltijd bereiden en opdienen; opdissen. *Een feestmaal aanrichten* is een (ingeb.) germ. voor *aanrechten,* hoewel *aanrichten* vaker wordt gebruikt. ➤ aan-richten.

**aanrichten** Heeft een ongunstige betekenis (doen ontstaan, veroorzaken, tot stand brengen): *bloedbad, verwoestingen, schade aanrichten. Een maaltijd aanrichten* is een (ingeb.) germ. voor *aanrechten.* ➤ aanrechten.

**aansluiting** *In aansluiting op/aan.* De aanvangszin *In aansluiting op uw brief van ...* wordt door sommigen afgekeurd. Het zou moeten zijn: *In aansluiting aan* (of *bij*). Daar is geen goede reden voor. Gebruik deze aanvangszin liever helemaal niet. ➤ aanvangs-zinnen.

**aansprakelijk houden** Angl. voor *aansprakelijk stellen.*

**aansprakelijk zijn** Voor schadevergoeding aangesproken kunnen worden. *Wij stellen u aansprakelijk voor de schade die door uw nalatigheid is ontstaan.* ➤ verantwoordelijk zijn.

**aanspreking** Het is in het algemeen aan te bevelen de lezers aan te spreken. Zij heb-ben dan het idee dat de tekst voor hen bedoeld is. Maar in bijvoorbeeld rapporten en scripties kan een directe aanspreking te opdringerig zijn. Ook als het om negatieve onderwerpen gaat, kunnen we daarvan beter afzien. ➤ je/jij. u.

**aanstaande** *Aanstaande week vertrekt hij naar Amerika. Aanstaande* betekent (eerst)komen-de, (eerst)volgende, in de nabije toekomst, alles vanuit het heden gezien. *Aanstaande* is niet juist in: *Degenen die voor een examen zijn gezakt, hebben altijd gelegenheid aan het aanstaande examen deel te nemen.* Moet zijn: *volgende.*
*Aanstaande* (afgekort *a.s.*; niet: *as.*) is overbodig in: *U moet zich voor 15 oktober a.s. aan-melden.*

**aanstalte(n)** *Aanstalte(n) maken voor een reis; aanstalte(n) maken om te vertrekken. Aanstalten* gaat onmiddellijk aan de uitvoering van een plan vooraf. Meestal wordt het meer-voud *aanstalten* gebruikt, maar *aanstalte* is ook juist.

**aantal** *Een aantal mensen heeft* of *een aantal mensen hebben?* Beide zinnen zijn mogelijk. Als de nadruk op *aantal* als een groep, als eenheid ligt, dan liever enkelvoud: *Er liep een groot aantal mensen op straat.* Denken we meer aan de afzonderlijke delen die dat aantal vormen, dan liever meervoud: *Een groot aantal mensen hebben zich aangemeld* (niet allemaal tegelijk). (Enkelvoud is hier wel te verdedigen, namelijk als we aan het totaal denken.) Als duidelijk is dat het niet om een eenheid gaat, heeft meervoud de voorkeur: *In de loop der jaren zijn hier een groot aantal aanrijdingen geweest.*

Het gebruik van het meervoud wint terrein. Dat zal ook in de hand gewerkt worden door zinnen als: *Een flink aantal mensen hebben de tentoonstelling bezocht en hopen nog eens terug te komen.* Het doet gekunsteld aan *heeft* en *hoopt* te schrijven. Liever *hebben* en *hopen.* Als er niet beslist aan een eenheid gedacht wordt, kunnen we het werkwoord meestal gerust in het meervoud zetten.

Na *het, dit, dat aantal* komt altijd enkelvoud: *Het aantal deelnemers viel tegen.*

We kunnen *aantal* soms gemakkelijk vervangen door *enkele, diverse, sommige, verscheidene* enz.

Wat we over *aantal* zeiden, geldt ook voor woorden als *bende, hoop\*, massa, menigte, paar\*, reeks\*, serie, stel, -tal, troep.*

**aantallen** ➤ getallen.

**aantrekken** *Medewerkers, personeel aantrekken.* Ingeb. germ. voor *tewerkstellen, in dienst nemen, (aan)werven.*

**aantrekken** *De prijzen trekken aan.* Ingeb. germ. voor *de prijzen lopen op, gaan omhoog, stijgen (licht).* Ook: *weer op gang komen* (economie).

**aanvang** *De aanvang van een nieuwe periode.* Vlotter is: *begin.* Bij film- en toneelvoorstellingen, concerten enz. is *aanvang* gebruikelijk: *aanvang 20.15 uur.*

**aanvangen** *Een verhaal aanvangen.* Vlotter is: *beginnen.*

**aanvangszinnen** De meeste brieven beginnen met een standaardzin als: *In antwoord op ..., Naar aanleiding van ...* Zulke zinnen zijn niet onjuist, maar afgezaagd en nietszeggend. Ze worden nogal eens gebruikt omdat velen denken dat een brief niet met *ik* of *wij* zou mogen beginnen. Dat mag gerust, maar begin niet élke zin of alinea daarmee.

Enkele standaard-aanvangszinnen: *In antwoord op ..., Ten antwoord op ..., Naar aanleiding van ..., In aansluiting op/aan ..., Onder verwijzing naar ..., Ter beantwoording van ..., Onder referte aan ..., Met referte aan ..., Als vervolg op..., Ten vervolge op ...*

U kunt *In/als vervolg op ...* alleen gebruiken om te verwijzen naar een andere brief *van uzelf.*

*Ten antwoord op ..., Ten vervolge op ...* enz. zijn erg ouderwets. ➤ staande uitdrukkingen.

De genoemde en andere aanvangszinnen kunnen eenvoudig vermeden worden door direct boven de aanhef heel kort aan te geven waarover de brief gaat: *Betreft: levering van artikel X.* ➤ hierbij.

**aanvechtbaar** *Een aanvechtbaar standpunt.* Ingeb. germ. voor *betwistbaar, bestrijdbaar.*

**aanvechten** Ingeb. germ. voor *betwisten, bestrijden.*

**aanvoegende wijs** *Men neme, het ga je goed.* ➤ wensende wijs.

**aanwenden** *Voor dit karwei moet je een grotere tang aanwenden.* (Ingeb.) germ. voor *gebruiken, toepassen, gebruikmaken van.* Wél figuurlijk: *alle middelen aanwenden.* Ook: *invloed, pogingen aanwenden.*

*Aanwending* is een (ingeb.) germ. voor *gebruik, toepassing.* Ingeb. bij figuurlijk gebruik: *aanwending van middelen, invloed, pogingen.*

**aanwennen** *Zich aanwennen.* Een gewoonte maken van. *Zich bepaalde kuren aanwennen.* Vandaar ook: *aanwensel. (Aanwendsel* bestaat niet.) ➤ aanwenden. voorwenden.

**aanwezig** We gebruiken *aanwezig* zowel voor personen als voor zaken. *Op de vergadering waren 14 mensen aanwezig. Deze artikelen zijn niet in het magazijn aanwezig.* We kunnen *aanwezig* vaak ook weglaten. ➤ tegenwoordig. vertegenwoordigd. voorhanden.

**aan wie/waaraan** Als het om personen gaat, is er nog enige voorkeur voor *aan wie: Dit is de man aan wie ik het boek heb gegeven.* Maar *waaraan* is niet onjuist. Bij *het*-woorden die een persoon aanduiden, is *waaraan* gebruikelijk: *Het meisje waaraan ik dat heb gevraagd.*

In het meervoud kunnen we voor personen ook *waaraan* enz. gebruiken: *De mensen waaraan/aan wie we dat te danken hebben.*

Als het om zaken of dieren gaat, gebruiken we *waaraan: Het bedrijf waaraan de vergunning is verleend. De hond waaraan ik een kluif heb gegeven.*

Hetzelfde geldt voor: *bij wie/waarbij, op wie/waarop, van wie/waarvan* enz.

**aanwinst** *Nieuwe aanwinst.* Pleon., omdat aanwinsten altijd nieuw zijn. Dat aanwinsten ook tweedehands spullen kunnen zijn, doet daar niets aan af: bij *aanwinst* denken we aan *nieuw.* Wél mogelijk: *nieuwste aanwinst* (laatste aanwinst).

**aanzien** *We willen nog een opmerking maken ten aanzien van ...* Een zinswending als *Ten aanzien van ...* maakt de tekst vaag. We kunnen die meestal vervangen door een voorzetsel: *We willen nog een opmerking maken over ...* ➤ duidelijkheid.

**aard** *Van dien aard.* Zodanig. Staande uitdr.

**aardrijkskundige namen** Namen van landen, provincies, steden, rivieren enz. krijgen een hoofdletter. Ze volgen de gangbare spellingregels, voorzover het om buitenlandse aardrijkskundige namen gaat: *Wenen, de Rode Zee.*

Nederlandse aardrijkskundige namen hebben nog hun 'oude' spelling, dus met *ee, oo, ph* en *sch: Heerenveen, Roodeschool, 's-Hertogenbosch, Zutphen, Leidschendam, Goereese Gat, Sneekermeer.* Ook in afleidingen van deze namen blijft de oude spelling gehandhaafd: *Heerenveense, Bossche kermis.*

Namen van straten, lanen, pleinen enz. zijn in dit verband geen aardrijkskundige namen: *Herenweg, Leidsevaart.* Gemeenten hebben de vrijheid dergelijke namen aan te passen of niet. Dikwijls worden ze beschouwd als historische gegevens, die je niet moet veranderen. Nieuwe straatnamen krijgen wél de nieuwe spelling. In het Nederlandstalige deel van België zijn de aardrijkskundige namen wél aangepast: *Oudenaarde, Walem, Schaarbeek* enz. Maar *Waterloo* heeft *oo* behouden omdat het vlak onder de taalgrens ligt.

Er is nog geen wettelijke regeling voor de schrijfwijze van buitenlandse aardrijks-kundige namen. Vandaar dat er niet veel eenheid te bespeuren is. Er zijn de laatste jaren enkele pogingen gedaan om de schrijfwijze van die namen te regelen, zonder het gewenste succes. Tegenwoordig wordt in het algemeen uitgegaan van de publi-catie *Buitenlandse aardrijkskundige namen in het Nederlands* van de Nederlandse Taalunie.

Bij buitenlandse aardrijkskundige namen wordt in principe de naam overgenomen die het land zelf gebruikt. Wordt die vorm in een ander schrift geschreven, dan wordt dat omgezet volgens internationaal aanbevolen transcriptiesystemen. Van deze regel wordt afgeweken als het Nederlands daar al een algemeen aanvaarde naam voor had, bijvoorbeeld *Parijs, Kopenhagen, Praag*.

Samengestelde aardrijkskundige namen krijgen een koppelteken: *Groot-Brittannië, Noord-Amerika, Zuid-Holland, Zuidoost-Noord-Brabant*. Hetzelfde geldt voor samenstellin-gen met *Midden-, Centraal-, Achter-, Voor-, Oud-, Nieuw-: Midden-Oosten, Centraal-Amerika, Achter-Indië, Nieuw-Zeeland*. Ook de afleidingen hiervan hebben hoofdletters en een koppelteken: *Noord-Hollands, Zuid-Amerikaan, Voor-Indisch*. Ook: *Zeeuwsch-Vlaams, Bel-gisch-Limburg*.

Als een samengestelde naam geen koppelteken heeft, krijgt ook de afleiding die niet: *Costa Rica/Costa Ricaans, New York/New Yorker*.

De meeste namen van landen en steden zijn onzijdig: *(het) Nederland, (het) Amerika, (het) Amsterdam*. Onjuist is dus: *Rotterdam en haar havens*. Moet zijn: *zijn havens*. Enkele voorbeelden van vrouwelijke aardrijkskundige namen: *Sovjet-Unie, Oekraïne, Peel, Veluwe, Betuwe*.

Bij *Verenigde Staten* is meervoud gebruikelijk: *De Verenigde Staten zijn al in 19.. begonnen met ...* Als we uitgaan van de afkorting, ligt enkelvoud meer voor de hand: *De VS is al in ... begonnen met ...*

Aardrijkskundige namen of afleidingen die figuurlijk worden gebruikt, krijgen geen hoofdletter: een *havanna* (sigaar) (maar de stad *Havana*), glaasje *cognac, champagne, edammer* (kaas).

Voorzetsels en lidwoorden in een aardrijkskundige naam worden klein geschreven: *Alphen aan den Rijn, Bergen op Zoom, Heist-op-den-Berg*. Als ze aan het begin staan, krij-gen ze wél een hoofdletter: *Den Haag* (maar: *'s-Gravenhage), De Haan*.

Als *'s-Gravenhage, 's-Hertogenbosch* enz. in hoofdletters worden geschreven/getypt, moet natuurlijk ook de *s* een hoofdletter zijn: *'S-GRAVENHAGE*.

Vermijd *het Leidse, het Groningse* enz. in zinnen als: *Toen we de vorige week even in het Groningse waren, ...* Liever: *in Groningen*.

De volgende alfabetische lijst bevat een aantal namen die nogal eens onjuist worden geschreven. In het *Groot Lexicon van Eigennamen* en de *Spellingwijzer Onze Taal* is meer informatie op dit gebied te vinden.

| | | |
|---|---|---|
| Abcoude | Belize | Brno |
| Aboe Simbel | Bergen-Belsen | Brunei |
| Abu Dhabi | Bergschenhoek | Brunssum |
| Acquoy | Bethlehem | Buenos Aires |
| Addis Abeba | Bhutan | Burkina Faso/Boerkina |
| Aerdenhout | Biafra | Faso |
| Afghanistan | Biarritz | Burundi |
| Albuquerque | Biesbosch | |
| Alphen aan den Rijn | Bildt, Het | Calais |
| Amiens | Bilt, De | Calcutta |
| Andalusië | Bilthoven | Caledonië |
| Anjou | Blackpool | Calgary |
| Antarctica | Blaricum | Camargue |
| Antigua | Blerick | Cambodja |
| Apennijnen | Bocholtz | Cannes |
| Atjeh | Boedapest | Caïro/Kaïro |
| Auschwitz | Boekarest | Canterbury |
| Austerlitz | Boerkina Faso/Burkina | Capelle aan den IJssel |
| Austraal-Azië | Faso | Caracas |
| Azerbeidzjan | Boeroendi/Burundi | Caraïbische Zee/Caribische |
| | Bolivia | Zee |
| Baarle-Nassau | Bombay | Carthago |
| Baden-Baden | Bonn | Casablanca |
| Bagdad | Borculo | Castricum |
| Bahama's | Bordeaux | Catalonië |
| Bahrein | Borsele (gem.) | Celebes |
| Balikpapan | Borssele (dorp) | Chaam |
| Bangladesh | Bosnië-Hercegovina/ | Chartres |
| Barentszzee | Bosnië-Herzegovina | Cherbourg |
| Bath | Botswana | Chicago |
| Bayreuth | Braassemermeer | Cleveland |
| Beilen | Brasschaat | Coevorden |
| Beiroet | Brazzaville | Colombia |
| Belau | Brielle | Comoren |

| | | |
|---|---|---|
| Compiègne | Eijsden | Gorssel |
| Congo/Kongo | El Salvador | Göteborg |
| Constantinopel | Elzas | Grand Canyon |
| Corfu/Korfoe | Equatoriaal-Guinea | 's-Graveland |
| Corinthe/Korinthe | Eritrea | 's-Gravendeel |
| Corsica | Essex | 's-Gravenhage |
| Costa Blanca | Ethiopië | Graz |
| Costa Rica | Etten-Leur | Griendtsveen |
| Côte d'Azur | Eufraat | Groot-Brittannië |
| Cothen | Eurazië | Grootegast |
| Cuba | | Grossglockner |
| Culemborg | Faeröer | Gstaad |
| Curaçao | Falklandeilanden | Guadalupe |
| Cuyk | Fiji | Guatemala |
| Cyprus | Filipijnen/Filippijnen | Guernsey |
| | Formosa | Guinee-Bissau |
| Dachau | Frankfurt am Main | Guyana |
| Damascus | Frans-Guyana | |
| Dantzig/Gdanks | Frederikshavn | Haifa |
| Dar es Salaam | Friedrichshafen | Haïti |
| Delhi | | Hardinxveld-Giessendam |
| Delphi | Galápagoseilanden | Havana |
| Dhaka/Dacca | Gambia | Hawaii |
| Dinant | Ganges | Hebriden |
| Djibouti | Garmisch-Partenkirchen | 's-Heerenberg |
| Dominicaanse Republiek | Gdanks/Dantzig | Heerenveen |
| Doorwerth | Gendt (Geld.) | Heeswijk-Dinther |
| Dordtse Kil | Genève | Heeze |
| Drenthe/Drente | Gent | Heiloo |
| Duinkerke | Georgetown | Helvoirt |
| Düsseldorf | Ghana | Hendrik-Ido-Ambacht |
| Dwingeloo | Gizeh | Hergenrath |
| | Goedereede | 's-Hertogenbosch |
| Ecuador | Goeree en Overflakkee | Herzegovina |
| Edinburgh | Golf van Biskaje | Himalaya |
| Egeïsche Zee | Gorinchen/Gorcum/ | Hindeloopen |
| Eifel | Gorkum | Hoenderloo |

29

Hollandsch Diep/Hollands
  Diep
Hollandse IJssel/
  Hollandsche IJssel
Hollywood
Honduras
Hongkong
Honolulu
Hooge en Lage Zwaluwe
Hoogeveen
Huissen

IJssel
Indo-China
Innsbruck
Iowa
Irak
Israël
Istanbul

Jacobswoude
Jakarta
Jamaica
Jemen
Jeruzalem

Kaapverdië
Kaïro/Caïro
Kalahari
Kameroen
Karinthië
Kashmir/Kasjmir/
  Kasjmier
Kaspische Zee
Kathmandu/Katmandu
Kenia
Kevelaer

Khartoem
Kiev/Kiëv
Kinshasa
Klein-Azië
Koerdistan
Koeweit
Kongo/Congo
Kopenhagen
Korfoe/Corfu
Korinthe/Corinthe
Koudekerk aan den Rijn
Krakatau
Krimpen aan den IJssel
Kroatië
Kuala Lumpur

Lage Vuursche
Leidschendam
Lesotho
Libië
Liechtenstein
Lille
Litouwen
Lobith
Loire
Londonderry
Los Angeles
Lotharingen
Lübeck
Lyon

Madagaskar
Madeira
Majorca/Mallorca
Malawi
Malediven
Maleisië

Malmédy
Malmö
Manhattan
Manila/Manilla
Mantsjoerije
Marowijne
Marrakeck/Marrakesj
Marseille
Marshalleilanden
Martinique
Maryland
Massachusetts
Mauritius
Mecca/Mekka
Meern, De
Meerssen
Meierij
Melbourne
Mesopotamië
Mexico
Michigan
Middellandse Zee
Mijnsheerenland
Minneapolis
Minnesota
Mississippi
Missouri
Moldau
Monaco
Monnickendam
Mont Blanc
Montreux
Mount Everest
Mozambique
München
Myanmar
Myra

Nairobi

Nazareth

Nevada

New Delhi

Newfoundland

New Jersey

New Orleans

Nicaragua

Nieuw-Beijerland

Nieuw-Caledonië

Nieuwerkerk aan den
   IJssel

Nieuw-Guinea

Nieuw-Zeeland

Noord-Korea

Noord-Rijnland-Westfalen/
   Nordrhein-Westfalen

North Carolina

Nuth


Oeganda/Uganda

Oekraïne

Ohio

Oirschot

Oisterwijk

Oranje Vrijstaat

Otterlo

Oud-Beijerland

Oudenbosch

Ouderkerk aan den IJssel

Oude-Tonge

Ourthe

Overijse

Overijssel


Palau/Belau

Palma de Mallorca

Papoea-Nieuw-Guinea

Paraguay

Pearl Harbor

Peking

Peloponnesus

Pennsylvania

Perpignan

Peru

Philadelphia

Phnom Penh/Phnom-Penh

Phoenix

Picardië

Pijnacker

Piraeus

Pittsburgh

Plymouth

Polynesië

Pompeji

Poopomeer

Porto Rico/Puerto Rico

Port Said

Prinses-Margrietkanaal

Provence

Puerto Rico/Porto Rico

Pyreneeën


Qatar

Quebec


Rangoon

Ravenstein

Reeuwijk

Reimerswaal

Reykjavik

Rheden

Rhenen

Rhode Island

Rhodos

Rhône

Rijkevorsel

Rijsel

Rijssen

Rio de Janeiro

Rocky Mountains

Roodeschool

Roosendaal

Rozendaal

Rucphen

Ruhrgebied

Rwanda


Saksen/Sachsen

San Francisco

San José

San Marino

San Salavador

Saône

São Paulo

Sao Tomé en Principe/São
   Tomé en Principe

Sarajevo

Sas van Gent

Saudi-Arabië

Schaesberg

Schin-op-Geul

Schoonebeek

Schoorl

Schouwen-Duiveland

Seine

Seoel/Seoul

Sexbierum

Seychellen

Shanghai

Shetlandeilanden

| | | |
|---|---|---|
| Sierra Leone | Ter Aar | Vier Ambachten |
| Sinaai (B.) | Ter Apel | Vietnam |
| Sinaï | Texel | Virginia |
| Singapore | Thailand | Vlijmen |
| Sint-Maarten | Theems | Voor-Indië |
| Sint-Job-in-'t-Goor | Theresienstadt | Vught |
| Sint-Michielsgestel | Tholen | |
| Sint-Oedenrode | Thorn | Waddinxveen |
| Sjanghai | Tokio/Tokyo | Wanroij |
| Skagerrak | Torquay | Warschau |
| Sleeswijk-Holstein | Transsylvanië | Washington |
| Slochteren | Triëst | Waterloo |
| Slowakije | Trinidad en Tobago | Westfalen |
| Sneekermeer | Tsjaad | Weststellingwerf |
| Soedan/Sudan | Tsjechië | West-Samoa |
| Soerabaja/Surabaya | Tsjernobyl | West Sussex |
| Somalië | Tubbergen | Westvoorne |
| Souburg | Turkestan | Wijchen |
| Sovjet-Unie | Twente | Winnipeg |
| Sprang-Capelle | Tsjechië | Wisconsin |
| Sri Lanka | | Wit-Rusland |
| Standdaarbuiten | Uganda/Oeganda | Wittem |
| Stein | Uppsala | Wognum |
| Stockholm | Uruguay | Wolphaartsdijk |
| Straatsburg | Utah | Wouw |
| Straat van Gibraltar | | |
| Stramproy | Vancouver | Yaoundé |
| Sudan/Soedan | Vaticaanstad | Yellowstone |
| Suezkanaal | Veenendaal | Yerseke |
| Sussex | Veere | Yokohama |
| Swaziland | Veghel | York |
| Syrië | Velsen | Yorkshire |
| | Vendôme | |
| Tahiti | Venetië | Zagreb |
| Taiwan | Venray | Zaïre |
| Tanganjika/Tanganyika | Verenigde Arabische | Zambezi/Zambesi |
| Tennessee | Emiraten | Zambia |

| | | |
|---|---|---|
| *Zeeuwsch-Vlaanderen* | *Zuid-Korea* | *Zutphen* |
| *Zimbabwe* | *Zürich* | *Zweeloo* |

**abonneren** *Zich aan een tijdschrift abonneren.* Gall. voor *zich abonneren op. Iemand op een tijdschrift abonneren* is ook minder juist voor: *als abonnee inschrijven/noteren.*

**academische titels** Afkortingen van (academische) titels krijgen altijd een punt, ook als de laatste letter van de afkorting de laatste letter van het niet-afgekorte woord is. Dus: *dr., drs., mr., ir., ing.* ➤ afkortingen. titels, academische.

**accenttekens** Er zijn drie soorten accenttekens. Hun Franse benaming is accent aigu (´), accent grave (`) en accent circonflexe (^). Ze komen in sommige Franse leenwoorden (alleen op de *e*) voor: *employé, café, scène, volière, crèche, crème, crêpe, fêteren, enquête* (maar: *etiquette, maquette*).

– Er komt geen ´ op de eerste lettergreep: *etage, echec, seance, email, melange.* In niet-ingeburgerde Franse woorden blijft de *é* in de eerste lettergreep echter staan: *dédain, dégénéré, a décharge.*

– Als een woord op *e* eindigt, komt de meervouds-*s* eraan vast: *café/cafés.*

– Franse vrouwelijke vormen van woorden waarvan een mannelijke vorm op *é* bestaat, krijgen geen *-ée* maar *-ee*: *employee, prostituee, logee.* (Eigennamen volgen deze regel natuurlijk niet: *Aimée, Renée.*) De mannelijke vorm is: *employé, prostitué, logé.* De mannelijke en vrouwelijke verkleinwoorden zijn gelijk: *logeetje.*

– Bij een verkleinwoord vervalt het accentteken en krijgen we *ee*: *cafeetje.* Bij afbreken krijgt het woord weer zijn oorspronkelijke vorm: *café-tje.*

– Op de Latijnse woorden *per se* (twee woorden) en *in spe* komt geen accent.

– Woorden die nog duidelijk hun Franse afkomst tonen, houden het accent ` : *crèche, crème, scène, première, volière.*

– Als de Franse afkomst nog duidelijk is, komt het accent ^ alleen op de *e* en *i* voor: *enquête, fêteren, gênant, maîtresse.* Niet-ingeburgerde woorden houden ook het accent ^ op *â, ô* en *û*: *maître d'hôtel, coûte que coûte.*

In de volgende alfabetische lijst hebben we een aantal woorden opgenomen die problemen kunnen geven. Het gaat om de accenten ´, ` en ^ en om woorden die géén accent krijgen.

| | | |
|---|---|---|
| *6 à 7* | *à propos/apropos* | *ampère* |
| *à f 25,–* | *à raison* | *appèl* |
| *à charge* | *à vue* | *appreteren* |
| *à decharge* | *acte de présence* | *après-ski* |
| *a priori/a-priori* | *allee* | *attaché(koffer)* |

au sérieux

ave

barrière

bèta

cabaretière

café

cafetaria

caissière

canapé

carré

carrière

chateaubriand

cheque

cliché

clientèle

comédienne

comité

communiqué

compote

condoleance

conference

confrère

controle

corvee

coupé

coûte que coûte

crèche

crème

crème fraîche

crêpe

curatele

debacle

decharge

decolleté

dédain

defilé

dégénéré

déjà vu

depêche

dependance

depot (maar: en dépôt)

detail

en détail

douairière

doublé

dragee

echec (maar: en échec)

egards

elan

email

éminence grise

employé/employee

enquête

ensceneren

entrecote

entree

entrepot

epoque

etage

etagère

etiquette

etui

evacué/evacuee

exposé

facsimile

fêteren

filet américain

frêle

gemêleerd

gênant

gêne

hygiëne

idee-fixe

in spe

introducé/introducee

invité/invitee

joh

leges

logé/logee

maîtresse

manege

maquette

matinee

mecanicien

melange

memoires

merite

metier

necessaire

negligé

nouveauté

papier-maché

paté

per se

plafonnière

plaquette

plissé

portee

portemonnee

pre

preadvies

precair

prehistorie

première

procédé

protégé/protégee

puree

ragout

recette

rechaud

refugié

| regime/regiem | seance | tragédienne |
| regres | soiree | trofee |
| relais | specialité | variété |
| renommee | surseance | vélocipède |
| resumé | tamboer-maître | vis-à-vis |
| reveil(le) | téte-à-téte | voilà |
| revérence | tiercé | volière |
| secretaire | tournee | zone |
| scène | tracé | |

De accenten ´ en ` worden ook gebruikt als uitspraakteken om verwarring te voorkomen: blèren, hé, hè.

Als he kort wordt uitgesproken is het hè: Je gaat toch wel mee, hè? Hè, hè, daar word je moe van.

Als uiting van verwondering of om de aandacht te trekken schrijven we hé: Hé, wist jij dat? Hé, wat vreemd. ➤ hé/hè.

We gebruiken het accent aigu (´) ook om nadruk aan te geven: mét of zónder, dé manier, hóger, láger. Wordt de klank met twee lettertekens weergegeven, dan krijgen beide een nadrukteken: óók, dáár, één, niét, móéten, zúíver, blíjft.

Bij een klank van drie letters krijgen alleen de eerste twee een accentteken: ééuwig. Bij korte woorden hebben accenttekens de voorkeur boven cursiveren. ➤ accentueren.

Als er verwarring mogelijk is over woorden die op elkaar lijken, kan een accentteken voor de klemtoon nuttig zijn: vóórkomen/voorkómen, óndergaan/ondergáán, négeren, negéren. Gebruik het accentteken in deze gevallen alleen als dat echt nodig is. ➤ werkwoorden (scheidbare/onscheidbare).

Vermijd accenttekens om nadruk te leggen zo veel mogelijk. Vooral op een kunnen ze meestal vervallen: een en ander, een of ander, een voor een, een van de duurste … Ze zijn hier steeds overbodig, omdat de uitspraak 'n uitgesloten is. Maar wel: Ik heb er maar één. Hier heeft een speciale nadruk. ➤ een van de.

Over het gebruik van accenten op (begin)hoofdletters zijn de meningen verdeeld. Als het om een beginhoofdletter gaat, geven we de voorkeur aan weglaten bij een dubbele klinker of tweeklank: Eén keer slechts ben ik daar geweest. Oúdere mensen. Het accent blijft wel op de tweede (kleine) klinker staan. Bij meer lettergrepen ('oudere') is cursivering van het hele woord vaak een fraaiere oplossing.

Men vindt in het algemeen dat accenten wenselijk (niet noodzakelijk) zijn op woorden die geheel in hoofdletters ('kapitaal') of in kleinkapitalen worden gezet, bijvoorbeeld kopjes: *GENÈVE/GENÈVE*. (Een kleinkapitaal* is een klein soort hoofdletter ter grootte van een kleine letter; een kapitaal is een gewone hoofdletter.) Omdat de combinatie van accenttekens en hoofdletters soms technisch lastig is, worden de accenten in deze gevallen ook wel weggelaten. Dat is niet aan te bevelen.

Soms wordt alleen voor de accentletter een kleinkapitaal gebruikt: *GENÈVE*. Dat is geen fraaie oplossing.

Heel lelijk is het om een kleine letter met accent te gebruiken in een woord dat in hoofdletters is gedrukt, bijvoorbeeld *GENèVE*.

Bij tekstverwerkers is het soms nodig een cijfercombinatie aan te slaan voor een letter met een accent. Voorbeelden: alt 160/ctrl v 1,27 = á; alt 130/ctrl v 1,41 = é; alt 148/ctrl v 1,63 = ö. (Zie hiervoor bij de bewuste letter.) Een andere mogelijkheid is (via 'invoer' of 'invoegen') het gewenste scherm met tekens op te roepen en daarna het bewuste teken aan te klikken.

Op welke manier een accentteken ook moet worden aangebracht, laat het (behalve eventueel op hoofdletters) nooit weg! Er zijn instellingen en instanties die ze altijd weglaten, ook in persoonsnamen. Terecht maken velen daar bezwaar tegen.

**accentueren** Voor het accentueren van een of meer woorden bestaan diverse mogelijkheden: cursief, vet, kleinkapitaal, spatiëren en onderstrepen. Cursiveren komt verreweg het meest voor. Accentuering in een cursieve tekst gebeurt door de bewuste woorden romein te zetten: *U moet de* originele *rekening insturen.*

Ook **vet** is bruikbaar om woorden te accentueren, maar de nadruk is vaak te groot. Dat bezwaar is te ondervangen door een halfvet type te gebruiken. Vooral in tijdschriften wordt nogal eens vet gebruikt, en het gebruik neemt toe.

Cursief en vet zijn eigenlijk de enige bruikbare methoden om tekst te accentueren; de overige zijn meestal storend.

Er wordt weleens gebruikgemaakt van KLEINKAPITAAL om enkele woorden nadruk te geven. Dit is niet aan te bevelen, omdat kleinkapitaal gezette tekst een iets donkerder plek in de tekst veroorzaakt. (Om dat te voorkomen, moet kleinkapitale tekst altijd licht gespatieerd worden.)

Het spreekt wel vanzelf dat (grote) KAPITALEN niet in aanmerking komen om tekst te accentueren.

Een andere mogelijkheid is onderkastletters te s p a t i ë r e n . Deze methode is niet aan te bevelen, omdat het een onrustig beeld oplevert.

Bij het onderstrepen van tekst in kopij of drukproef moeten we erop bedacht zijn dat de zetter onderstreepte woorden in het algemeen cursief zal zetten. Dat berust op een genormaliseerde afspraak, waaraan vrijwel alle zetterijen zich houden. (Twee strepen eronder betekent kleinkapitaal; drie strepen kapitaal; een golflijntje is vet.

Door middel van een onderbroken lijn wordt aangegeven dat tekst gespatieerd moet worden.) ➤ onderstrepen.

Accentueren gebeurt niet alleen om nadruk te leggen, maar ook om min of meer vreemde woorden te markeren, bijvoorbeeld *en profil*. Soms wordt een vreemd woord alleen de eerste keer gecursiveerd. Ook om de belangrijke woorden in instructieve teksten te markeren, is accentuering mogelijk: Dit verschijnsel heet *botulisme*.

Soms worden woorden onderstreept. Dat is een niet zo fraaie methode, die beter vermeden kan worden als het om meer dan enkele woorden gaat.

Als een zin in zijn geheel cursief/vet/onderstreept is, worden ook de leestekens cursief/vet/onderstreept. Is een woord/woordgroep geaccentueerd, dan worden de leestekens in het algemeen niet geaccentueerd. Haakjes en teksthaken vormen een uitzondering; die volgen meestal de accentuering van het woord.

Bij een afkorting wordt ook de (laatste) punt onderstreept/vet.

Bij sommige zetsystemen bestaat standaard de mogelijkheid om een bepaalde letterspatie te kiezen. (Letterspatie is de witruimte tussen twee letters; woordspatie is de witruimte tussen twee woorden.) De mogelijkheden variëren van 'zeer krap' (onleesbaar) tot 'zeer wijd' (o n l e e s b a a r). Beide uitersten leveren een vrijwel onleesbare tekst op.

Soms wordt letterspatiëring toegepast bij het uitvullen* van een tekst, vooral bij smalle kolommen. Dat is heel lelijk.

Om grotere tekstdelen te accentueren zijn er diverse andere mogelijkheden, bijvoorbeeld het in z'n geheel laten inspringen van de bewuste tekst, het kiezen van een ander korps, het plaatsen van een verticale lijn voor en/of achter de tekst enz. Voor al deze mogelijkheden geldt dat overdaad schaadt.

Een heel opvallende manier om een stuk tekst te accentueren, is die diapositief te zetten. Daarbij is de tekst uitgespaard in de (bedrukte) ondergrond. De tekst heeft dus de kleur van het papier. Voor diapositieve tekst moet een niet te kleine, liefst vette letter worden genomen.

In het algemeen zijn diapositieve teksten niet gemakkelijk te lezen, zeker niets als het om grote stukken gaat. Een voorbeeld:

Als we een tekst diapositief zetten, zal die meer opvallen. Maar omdat de leesbaarheid van zo'n tekst een stuk minder is, moeten we deze manier van zetten sterk beperken. Bovendien is alleen een enigszins vette letter zonder fijne details bruikbaar.

Wat we over diapositieve tekst zeiden, geldt ook voor gerasterde tekst. Een tekst op een gerasterd vlak zal zeker opvallen, maar de leesbaarheid komt snel in gevaar. Een voorbeeld:

> Als we een tekst op een gerasterd vlak zetten, zal die meer opvallen. Maar omdat de leesbaarheid van zo'n tekst een stuk minder is, moeten we deze manier van zetten sterk beperken. Bovendien is alleen een enigszins vette letter zonder fijne details bruikbaar.

**accolade** Haak die twee of meer woorden, regels, notenbalken enz. verbindt:

Ook in de wiskunde komt de accolade voor:

$$n^{n-1} \exp\left\{ - \frac{n}{2(1-\rho^2)} \left[ \frac{s_x^2}{\sigma_x^2} - \frac{2\rho r s_x s_y}{\sigma_x \sigma_y} + \frac{s_y^2}{\sigma_y^2} \right] \right\} s_x^{n-2} s_y^{n-2} (1-r^2)^{\frac{1}{2}n}$$

$$\pi \sigma_x^{n-1} \sigma_y^{n-1} (1-\rho^2)^{\frac{1}{2}n-1} \Gamma(n-2)$$

De accolade kan ook – bijvoorbeeld in tabellen – horizontaal voorkomen:

➤ tekens.

**achter** Gecombineerd met *naar* of *van* is de juiste vorm: *van achteren, naar achteren: De aanwezigen moesten naar achteren lopen. Hij werd van achteren aangevallen.*

**achtergrond** *Tegen de achtergrond van.* Dergelijke uitdrukkingen kunnen de tekst vaag maken. *Tegen de achtergrond van zijn slechte gezondheid moet hij ...* Liever: *Omdat hij een slechte gezondheid heeft .../Wegens zijn slechte gezondheid .../Met het oog\* op ...* ➤ duidelijkheid.

**achterin** *Waarom moet ik achterin zitten?* Eén woord. Maar: *Achter in de auto ligt een boek.*

**achterkantlijn** ➤ uitvullen.

**achternamen** Deze eigennamen beginnen altijd met een hoofdletter. Dat geldt ook voor achternamen die met een lidwoord of een voorzetsel beginnen: *de heer Van Es, mevrouw De Wit, Van der Meer, Ten Cate.* Als zulke namen worden voorafgegaan door een of meer voorletters, dan moeten *van, van der* enz. klein: *J. van Es.* Ook niet-Nederlandse namen volgen deze regels: *De Gaulle.*

De praktijk in Vlaanderen wijkt af: *J. De Groote, P. Van Eden.* Dus altijd *De, Van* e.d. met een hoofdletter, ook als er een voornaam of voorletters voor staan.

In Vlaamse publicaties (boeken, tijdschriften, telefoonboeken) staat *De Groote* bij de letter *d*, en *Van Eden* bij de *v*.

Het is niet correct om *v.* of *v.d.* te schrijven in plaats van *van* of *van de/van der/van den.* Maar als zo'n afkorting toch wordt gebruikt, dan in elk geval klein: *de heer v. Dam.* Als we *V. Dam* schreven, zou dat kunnen betekenen dat het om *Victor Dam* gaat.

In namen van gehuwde vrouwen heeft het voorzetsel of lidwoord van de meisjesnaam (na het koppelteken) een kleine letter: *mevrouw De Boer-de Vries.*

Samenstellingen die met een eigennaam beginnen, schrijven we als één woord: *Thorbeckeplein.*

Samenstellingen die met een naam eindigen, krijgen een koppelteken*: *kabinet-Van Agt, plan-Marshall.*

Als in een samenstelling de eigennaam niet meer wordt herkend, schrijven we een kleine letter en geen koppelteken*: *dieselmotor, montessorischool.* ➤ aaneenschrijven.

**achterstallige schuld** Pleon., want een schuld is altijd achterstallig. Liever: *achterstallige betaling óf schuld.*

**achterwege** Staande uitdr. Wordt (ten onrechte) nogal eens als *achterwegen* geschreven.

**actieve vorm** ➤ bedrijvende vorm.

**ad/à** *Ad* en *à* worden soms door elkaar gebruikt, maar ze betekenen niet hetzelfde. *Ad* is *tegen, ten bedrage van*: *een lening ad vijf procent. Een rekening ad f 650,–.* Met *à* wordt (bij prijsaanduidingen) *per stuk, per eenheid* bedoeld: *vijf boeken à f 25,–.* Onjuist is dus: *een aanbetaling à f 100,–.*

*Ad* in de betekenis 'bij' wordt gebruikt om naar genummerde paragrafen of onderdelen van een opsomming te verwijzen: *ad 1 ..., ad 2 ...* enz.

**ad-teken** (@) ➤ apenstaartje.

**addenda** Aanvullingen (achter in een boek), die de auteur niet meer in de eigenlijke tekst kon opnemen.

**adel** *Van adellijken huize.* Staande uitdr.

**ademnood** Ingeb. germ. voor *benauwdheid, gebrek aan adem, ademtekort, ademgebrek.*

**administratie** (Ingeb.) gall. of angl. voor *bestuur, overheidsapparaat, de overheid, de regering, openbare dienst.*

*Administratie-Reagan* moet zijn: *regering-Reagan.*

**adoptiefkind** (Ingeb.) germ. voor *geadopteerd kind, aangenomen kind, adoptiekind.*

**adressering** Een adres bestaat meestal uit drie regels. De eerste letters van elke regel komen onder elkaar, tegenwoordig meestal links op de pagina. Er komt geen komma of punt na de regels. Een voorbeeld:

*De heer P. de Vries*
*Leidsestraat 24*
*2341 AB  DELFT*

Aan dames (zonder titel) adresseren we altijd: *Mevrouw* ... (liever niet *mevr.* of *mw.*). *Mejuffrouw* is verouderd. ➤ aanhef.

Vóór de naam wordt *De heer* of *Mevrouw* steeds vaker weggelaten, maar dat verdient geen aanbeveling. *Aan* voor de naam is overbodig en ouderwets.

Aan iemand met een (academische) titel luidt de adressering: *De heer dr. A. de Vries*; desnoods: *Dr. A. de Vries*. Traditionele titulatuur (zoals *weledelgeleerde heer, weledelgestrenge heer,*) wordt vrijwel niet meer gebruikt.

Als we aan een bepaalde persoon van bijvoorbeeld een bedrijf adresseren, kan dat als volgt:

*Nieuwe Nederlandse Apparatenfabriek B.V.*
*T.a.v. de heer C. Pieterse*

(T.a.v. betekent *ter attentie van* = bedoeld voor.)

De aanhef is in dit geval bijvoorbeeld: *Geachte heer Pieterse,*. Niet: *Mijne heren,*!

In plaats van *T.a.v. de heer* ... gebruiken we steeds vaker kortweg: *De heer* ...

De postcode bestaat uit vier cijfers – spatie – twee letters – dubbele spatie – plaatsnaam in hoofdletters: *2361 DA  LEIDEN*. Als er een postbusnummer bekend is, kan dat het best gebruikt worden. Nooit adres én postbusnummer. Een postbus heeft een andere postcode dan het adres.

Als het te adresseren stuk voor het buitenland bedoeld is, kunnen we vóór de landnaam de landcode aangeven: de letter(s) waarmee het betrokken land wordt aangeduid. Daarvoor gebruiken we de letteraanduiding die ook geldt voor motorvoertuigen, bijvoorbeeld: *A* = Oostenrijk, *B* = België, *CH* = Zwitserland, *D* = Duitsland, *E* = Spanje, *F* = Frankrijk, *GB* = Groot-Brittannië, *I* = Italië, *L* = Luxemburg, *NL* = Nederland, *S* = Zweden.

Tussen landcode en postcode komt een streepje, met een spatie ervoor en erna. De plaatsnaam bij voorkeur in de landstaal, in hoofdletters: *London, Köln, Paris*.

In verband met de automatisering van de postverwerking adviseert PTT Post als laatste regel de landnaam (ook in hoofdletters) op te nemen (in het Nederlands of het

Engels). De landcode kan dan vervallen.

Enkele voorbeelden:

*De heer A.J. van Ommeren*
*Herenweg 16*
*2311 AB  LEIDEN*

*Extra Computers B.V.*
*T.a.v. de heer S. de Vries*
*Postbus 42*
*2412 BC  LEIDEN*

*Verzekeringsmaatschappij Onze Zorg N.V.*
*Afdeling Public Relations*
*Postbus 16*
*2233 AP  AMSTERDAM*

*Drukkerij Clauwaerts*
*Mevrouw mr. T. Janssen*
*Tiendensesestraat 34*
*2200  ANTWERPEN*
*BELGIË*

Aanduidingen als *PER EXPRESSE, AANGETEKEND* (niet: *AANTEKENEN), DRUKWERK, LUCHTPOST, VERTROUWELIJK, PERSOONLIJK* worden in hoofdletters boven het adres getypt. Tussen deze aanduidingen en de naam van de geadresseerde komt een wit-regel.

**æ** ➤ ligatuur. tekens.

**af** *Af Rotterdam*. Germ. voor *vanaf Rotterdam*. In de handelswereld is *af Rotterdam* als leve-ringsvoorwaarde ingeb.

**af** *Af september*. Germ. voor *vanaf september, van september af*. ➤ vanaf.

**afbouwen** *De behandeling wordt in de komende maanden afgebouwd.* Ingeb. germ. voor *(geleidelijk) opheffen, afbreken, beëindigen, verminderen, inkrimpen.* Eigenlijk betekent *afbouwen: voltooien: We hebben het huis de vorige week afgebouwd.* Er is geen bezwaar tegen bijvoorbeeld *een behandeling afbouwen,* als maar duidelijk is wat er wordt bedoeld.

**afbreekstreepje** ➤ afbreken van woorden.

**afbreken van woorden** Voor het afbreken (niet: 'afkorten') van woorden gebruiken we het afbreekstreepje/koppelteken (vakterm: divisie). Het is altijd het mooist om woorden bij afbreken te splitsen in de delen waaruit ze zijn samengesteld. Bijvoorbeeld *redactiewijzer* wordt dan als volgt afgebroken: *redactie-wijzer*. In de praktijk zal echter vaak op andere plaatsen afgebroken worden: *redac-tiewijzer* of *redactiewij-zer*.

Bij het verdelen in lettergrepen gelden de volgende regels:

– Samengestelde woorden worden in hun onderdelen gescheiden: *tijd-schrift, vracht-auto, daar-om*.

– Bij afleidingen blijven voor- en achtervoegsels onaangetast: *her-overen, on-denkbaar, tas-je, koor-tje, koord-je*.

– Breek niet zodanig af dat één letter op de voorgaande of de volgende regel komt: *a-linea, muse-a, o-lijk, foli-o*. Ook niet: *mensa-pen, vide-oband*.

– Een alleenstaande medeklinker (ook *ch*) gaat naar de volgende lettergreep: *le-den, bou-wen, li-chaam*.

De achtervoegsels *-achtig* en *-aard* krijgen geen medeklinker mee: *geel-achtig, wreed-aard*. Maar: *bas-taard, grijn-zaard, vein-zaard, Span-jaard*.

– Van twee medeklinkers komt de eerste bij de eerste lettergreep en de tweede bij de tweede lettergreep: *mees-te, roos-ter, pos-ten, men-gen* (ng geldt voor twee medeklinkers).

– Bij meer dan twee medeklinkers gaan er zoveel naar de volgende lettergreep als aan het begin van een Nederlands woord uitgesproken kunnen worden: *amb-ten, ern-stig, erw-ten*.

– De *y* in woorden als *royaal* gaat naar het voorafgaande woorddeel: *roy-aal*.

– De *i* in woorden als *mooier, fraaier* gaat naar het voorafgaande woorddeel: *mooi-er, fraai-er*.

– Bij vreemde woorden en eigennamen letten we op de uitspraak: *ca-chet, trans-actie, ob-scuur, res-pect*.

– Verkleinwoorden op *-tje* worden bij het afbreken geschreven alsof ze niet zijn afgeleid: *strootje/stro-tje, cafeetje/café-tje, taxietje/taxi-tje, baby'tje/baby-tje, slaatje/sla-tje*.

– Samenstellingen met *-craat, -cratie, -geen, -graaf, -grafie, -loog, -logie, -maan, -manie, -metrie, -soof* en *-sofie* worden afgebroken voor de genoemde achtervoegsels: *auto-geen, bio-grafie, grafo-logie, gonio-metrie, filo-soof*.

– Voor en na de *x* tussen klinkers wordt niet afgebroken: *exa-men, maxi-mum, exo-tisch*. Maar: *ex-cuus, ex-tase*.

– Woorden die op *-scoop* eindigen, worden voor *-scoop* afgebroken: *micro-scoop, peri-scoop*. Maar: *bios-coop*.

– Als een woord wordt afgebroken, vervalt het trema: *geëist/ge-eist, coëfficiënt/co-efficiënt, naïef/na-ief*.

– Als een woord wordt afgebroken waarvan het eerste deel tussen haakjes staat, volgt er een afbreekstreepje na het haakje:                                        *(zaken)-*
*brief.*

– Als het afgebroken woord een koppelteken had, blijft dat voor het haakje staan:
                                                                                    *(vice-)-*

*voorzitter.*

Zulke afbrekingen kunnen we beter vermijden.

– Vermijd lelijke, ongebruikelijke of verwarrende afbrekingen: *bommel-ding, hye-navel, code-ring, reserve-ring, ca-ke, ra-ce, kas-salade, vere-delen, beste-dingen, groepsex-cuus, kwart-slagen/kwarts-lagen, lood-spet/loods-pet, val-kuil/valk-uil.*

De meeste talen hebben hun eigen regels voor het afbreken van woorden, die afwijken van die voor het Nederlands. Vooral het afbreken van Engelse woorden is moeilijk. Ze worden in Nederlandse teksten afgebroken alsof het Nederlandse woorden zijn: *marke-ting, mee-ting, ma-nager, dum-pen.*

Woorden als *tape* en *cake* mogen volgens het 'Groene Boekje' worden afgebroken als *ta-pe* en *ca-ke,* maar dat kan tot verkeerd lezen leiden.

Er zijn enkele zaken waarop we uit typografisch oogpunt moeten letten.

– Bij afbreken moeten er op de nieuwe regel bij voorkeur niet minder dan drie letters van het afgebroken woord overblijven. Dus liever niet: *grote-re, sala-mi, ka-de.*

– Als de regel eindigt met een woord met een weglatingsstreepje, kan dat verkeerd lezen in de hand werken. Dus liever niet als volgt:                        *taalverwervings-*
    *en ontwikkelingsproces.*

– Breek liever niet af tussen de medeklinkercombinaties *ng* en *nk* (*wonin-gen, don-ker*). Deze afbrekingen zijn wel correct, maar we kunnen ze beter vermijden in verband met het uitspraakverschil (in bijvoorbeeld *donker* klinkt de *n* immers anders dan in *don*).

– Ook afbrekingen als *met-een* en *elk-ander* zijn niet aan te bevelen, omdat ze een verkeerde uitspraak in de hand werken.

– Vermijd meer dan drie afbrekingen onder elkaar.

– Vermijd afbrekingen in afkortingen, getallen, data, bedragen en telefoonnummers. Scheid het valutateken (*f*, $, € enz.) niet van het bedrag.

– Breek niet af tussen voorletter(s) en de rest van een persoonsnaam. Liever ook niet tussen titel en voorletters/naam. Ook niet voor of na nummers/getallen: *14.30 uur, 30 augustus 19.., 500 gulden, 50 km, Rembrandtstraat 20.* Om te voorkomen dat er toch op die plaatsen wordt afgebroken, is het bij veel tekstverwerkingssystemen mogelijk een bepaalde code te typen (vaste spatie).

– Gebruik liever geen afbrekingen in kopjes.

– Breek liever niet af in de laatste regel van een pagina of tekstkolom.

– Op het omslag (en de titelpagina) van boeken enz. worden de afbreekstreepjes soms weggelaten. Dat kan tot misverstanden leiden.

In gedrukte teksten – vooral in kranten – komen nogal eens merkwaardige afbreekfouten voor, zoals *bes-paring, di-kwijls, vers-lag, hypothee-krenten.* Zulke fouten worden veroorzaakt door het tekstverwerkingsprogramma dat de woorden aan het eind van de regel automatisch afbreekt. Een goed afbreekprogramma kan veel fouten voorkomen, maar foutloos zal het waarschijnlijk nooit worden.

Zo'n afbreekprogramma bevat een groot aantal regels, bijvoorbeeld dat na de voorvoegsels *be-, ge-* en *-ver* afgebroken mag worden. Woorden als *beloven, gebieden* en *verwonderen* zullen dus correct afgebroken worden. Maar de computer zal *bekaf, getto* en *versheid* afbreken als *be-kaf, ge-tto* en *ver-sheid.* Om dit te voorkomen, is een groot aantal woorden opgenomen in een uitzonderingenwoordenboek, dat door de computer wordt geraadpleegd.

Op deze manier kunnen veel afbreekfouten vermeden worden, maar de computer zal nooit weten of we *dij-kramp* of *dijk-ramp* bedoelen, *pijp-etuitje* of *pijpe-tuitje, val-kuil* of *valk-uil, ui-tje* of *uit- je* enz. Ook moeilijke gevallen als *autootje/auto-tje, cafeetje/café-tje, taxietje/taxi-tje, baby'tje/baby-tje* en *geïsoleerd/ge-isoleerd* kunnen problemen geven.

Omdat er dus van alles bij het automatisch afbreken mis kan gaan, is het noodzakelijk om altijd te controleren of de afbrekingen correct zijn. Dat geldt ook voor de correctie van drukproeven.

Hierna geven we nog een aantal voorbeelden van afbrekingen. Alle mogelijkheden zijn gegeven, maar sommige zijn heel lelijk.

| | | |
|---|---|---|
| *ad-mi-ni-stra-tie* | *ca-fé-tje* | *grijn-zaard* |
| *ad-spi-rant (maar:* | *di-a-gno-se* | *in-du-strie* |
| *as-pi-rant)* | *die-naar* | *in-te-res-sant* |
| *als-of* | *dien-stig* | *ka-chel* |
| *amb-te-naar* | *di-ner-tje* | *kwart-je* |
| *art-sen* | *dis-trict* | *la-chen* |
| *at-mos-feer* | *do-laard* | *Leeu-war-den* |
| *au-then-tiek* | *el-kan-der* | *loy-aal* |
| *bas-taard* | *en-thou-si-as-me* | *luis-te-ren* |
| *bes-te* | *ern-stig* | *mag-ni-fiek* |
| *bi-os-coop* | *erw-ten* | *ma-nu-script* |
| *bloem-pje* | *exa-men* | *mees-te* |
| *blood-aard* | *fas-ci-ne-ren* | *meest-al* |

| | | |
|---|---|---|
| met-een | re-gle-ment | sys-teem |
| mi-cro-scoop | re-qui-em | tek-sten |
| mooi-er | res-pect | te-le-scoop |
| ob-scuur | roy-aal | trans-actie |
| per-spec-tief | sig-naal | trans-port |
| prog-no-se | snood-aard | ui-ter-aard |
| pros-pec-tus | stan-daard | voort-aan |
| re-gi-stre-ren | stro-tje | |

Sommige woordenboeken en het 'Groene Boekje' geven de afbreekplaatsen van alle woorden. Alle mogelijke afbreekplaatsen zijn aangegeven, dus ook de minder fraaie.

**afchecken** *Een lijst maatregelen afchecken.* Eigenlijk een contam. van *afkruisen/afvinken* en *checken*. Er is geen bezwaar tegen.

**afdoend** Volkomen berekend om te bereiken of te veroorzaken wat men wil. *Een afdoend middel, afdoende maatregelen, een afdoend bewijs.*

**afgelasten** *We moesten de voetbalwedstrijd afgelasten. Aflasten* bestaat niet. *Aflassen* betekent laswerk voltooien.

**afgrendelen** Eigenlijk een contam. van *afsluiten* en *(ver)grendelen.*

**afkappingsteken** ➤ apostrof.

**afkomst** Afstamming. *Deze zanger is van Duitse afkomst.* ➤ herkomst.

**afkomstig** *Afkomstig van* heeft meestal betrekking op personen: *Van wie is dit idee afkomstig? Afkomstig van* betekent ook *voortkomend uit: Dit gif is afkomstig van een Indische plant.*

*Afkomstig uit* wordt vooral gebruikt in verband met een land, plaats of geslacht: *Mijn tante is afkomstig uit België, uit Brussel, uit een voornaam geslacht.*

**afkortingen** Als we de betekenis buiten beschouwing laten, kunnen zich bij afkortingen twee problemen voordoen: het gebruik van de punt en het gebruik van de hoofdletter. De adviezen in taalboeken en woordenboeken spreken elkaar soms tegen, maar het volgende is algemeen bruikbaar.

– Meestal komt er een punt na een afkorting: *bijv.* (bijvoorbeeld), *jl.* (jongstleden), *nov.* (november). Als de afkorting uit meer dan één woord bestaat, krijgt elk afgekort woord een punt: *o.a.* (onder andere), *o.l.v.* (onder leiding van). Uitzonderingen zijn bijvoorbeeld *a.s.* (aanstaande) en *z.o.z.* (zie ommezijde).

Na een punt die midden in een afkorting staat, komt geen spatie: *a.s., z.o.z., m.a.w.*

Er komt ook geen spatie tussen voorletters en tussen de letters *v.d.: P.J.S. van Dalen, A. v.d. Ven.* (Vermijd afkortingen in achternamen. Dus niet: *J. v.d. Broek.* Schrijf ook niet *V. Dam* enz., aangezien het niet duidelijk is of het om *Van Dam* of om *Victor Dam* gaat.)

Afkortingen krijgen ook een punt als de laatste letter van de afkorting de laatste letter van het volledige woord is: *dr.* (doctor), *drs.* (doctorandus). In deze gevallen wordt de punt vaak ten onrechte weggelaten.

In *prof. dr. J. de Vries* en *mr. dr. S. Bange* hoort er een spatie tussen beide titels, omdat het twee afzonderlijke afkortingen zijn.

Als de zin eindigt met een afkorting, volgt er niet nóg een punt: *Hierbij bevestigen wij onze afspraak van 18 juli a.s.* (niet: *a.s.*.) Na een afkorting-zonder-punt komt natuurlijk wél een punt: *De pijpleiding heeft een lengte van maar liefst 400 km.*

Sommige anderstalige afkortingen krijgen per woord een hoofdletter en een punt: *A.D.* (*Anno Domini* = in het jaar onzes Heren), *L.S.* (*Lectori Salutem* = de lezer heil), *N.B.* (*nota bene* = let wel), *P.S.* (*postscriptum* = naschrift), *S.O.S.* (*save our souls* = red ons). Maar: *d.d.* (de dato), *c.q.* (casu quo), *c.s.* (cum suis).

Namen van ondernemingsvormen worden meestal als volgt geschreven: *N.V.* (naamloze vennootschap), *B.V.* (besloten vennootschap), *C.V.* (commanditaire vennootschap), *v.o.f.* (vennootschap onder firma), maar *BVBA* (besloten vennootschap met beperkte aansprakelijkheid).

– Sommige begrippen uit het dagelijks leven krijgen geen punten: *bh, cd, cd-rom, cv, pc, tv, wc.* Ook afgekorte namen van chemische stoffen schrijven we meestal met kleine letters zonder punten: *pcb, pvc, cfk.* Met hoofdletters worden gewoonlijk geschreven bijvoorbeeld: *LPG, LSD, SM.*

Afkortingen van schooltypen, opleidingen e.d. als *hbo, lts* en *lhno* krijgen geen punten.

Algemeen ingeburgerde afkortingen met een gemakkelijk woordbeeld die we als een woord uitspreken, krijgen geen punt en geen hoofdletters: *mavo, aids, horeca.* Dat geldt ook voor andere woorden die niet meer duidelijk als afkortingen herkenbaar zijn: *radar, cara, bieb, info, doka, horeca.*

Een afkorting in kleine letters krijgt aan het begin van de zin een hoofdletter: *Adv betekent arbeidsduurverkorting.*

Sommige afkortingen hebben een afwijkende schrijfwijze: *p/a* (per adres), *t/m* (tot en met), *a/z* (aan zee), *m/v* (man/vrouw). In zulke afkortingen met een schuine streep (Duitse komma) komen geen punten.

Als de namen van de dagen afgekort moeten worden (bijvoorbeeld in een tabel), kan dat als volgt: *zo, ma, di, wo, do, vr, za.* De maandnamen kunnen als volgt worden afgekort: *jan, feb, mrt, apr, mei, jun, jul, aug, sep, okt, nov, dec.* Er komt geen punt achter. Zowel voor de dagnamen als voor de maandnamen geldt dat we deze afkortingen niet in gewone tekst moeten gebruiken.

– Over de schrijfwijze van afkortingen van namen (instanties, bedrijven enz.) is weinig eenstemmigheid. Ook de woordenboeken zijn niet eensgezind. De volgende regels zijn goed bruikbaar.

Namen met hoofdletters krijgen ook hoofdletters in de afkortingen: *Nederlandse Spoorwegen* wordt *NS*. Dus ook: *ANWB, PTT, VS, EEG*. Bij deze afkortingen-met-hoofdletters gebruiken we liever geen punten.

Een afgekorte naam die als woord wordt uitgesproken, krijgt alleen een beginhoofdletter: *Benelux, Hema, Sabena, Unesco, Unicef*.

'Letterwoorden' als *UNO, NAVO, SER, HISWA* (die we als een woord uitspreken) schrijven we in het algemeen in hoofdletters. Als de naamgever van de afkorting een afwijkende schrijfwijze heeft vastgesteld, wordt die natuurlijk gevolgd: *AbvaKabo, AutoRai, HISWA, Sdu*.

Een afgekorte naam die als letterwoord wordt uitgesproken, heeft hoofdletters zonder punten: *AOW, BTW, CAO, EHBO, MTV, VRT, VUT*.

– Er zijn ook nogal wat afkortingen die geen punt krijgen. Dat is het geval bij internationaal erkende symbolen van munteenheden, maten, gewichten, natuurkundige en scheikundige aanduidingen enz.: *ƒ* (guldenteken), cm (centimeter), kg (kilogram), A (ampère), N (newton). ➤ eenheden. grootheden. tekens.

Sinds 1978 is het SI wettelijk van kracht. SI is de afkorting van een stelsel voor het uitdrukken in eenheden van fysische grootheden (Système Internationale). ➤ SI.

– Samenstellingen met een afkorting krijgen een koppelteken: *T-balk, VUT-regeling, kleuren-tv*. Afleidingen krijgen een apostrof: *dtp'er, AOW'er, tv'tje, x'en*. ➤ apostrof. koppelteken.

Het meervoud van afkortingen wordt gevormd met *'s: a's, b's, B.V.'s, CAO's, cd's, mavo's*. Als de afkorting eindigt op een sisklank, volgt er *'en: s'en, x'en, Citroen-BX'en*.

Gebruik geen afkortingen als *A'dam* en *dhr*. Liever in het algemeen ook niet *'n, m'n, 't* enz. ➤ apostrof.

In *S-bocht, V-hals, O-benen, T-shirt* enz. gebruiken we het liefst een hoofdletter, in verband met de vorm die deze letters aanduiden. Ook als niet naar de vorm verwezen wordt, kan de hoofdletter gebruikt worden: *H-bom, T-biljet, B-weg* en *D-trein*.

Het lidwoord bij afkortingen van buitenlandse namen wordt in het algemeen bepaald door de Nederlandse vertaling van het hoofdwoord: *de NATO*, want: de organisatie (North Atlantic Treaty Organization); *het BSI*, want: het instituut (British Standards Institution).

Is het *de mavo* of *het mavo, de lbo* of *het lbo*? In het algemeen richt het lidwoord zich naar het hoofdwoord uit de afkorting. Het is dus eigenlijk *het mavo* en *het lbo* in verband met *onderwijs*. Als de afkortingen als woord worden uitgesproken gebruiken we echter meestal *de: de mavo, de havo*.

47

Het is *de ANWB* omdat het *de bond* is, *het IMF* (het fonds), *de UNO* (de organisatie), *de RIAGG*, want het is *de instelling.*

– Als een woord als 'bedrijfseconomie' wordt afgekort tot 'bedr.economie' (in een tabel bijvoorbeeld), komt er geen spatie na de punt. Dit soort afkortingen moeten we vermijden als dat enigszins kan. Dat geldt zeker voor tweemaal een afkorting in een woord, bijvoorbeeld *openl.recr.* voor *openluchtrecreatie.* Vermijd ook een onbedoeld resultaat, bijvoorbeeld *'overzichtstent.'* en *'wassenbeeldenmus.'*

Een woord met een koppelteken houdt het koppelteken als het eerste deel afgekort wordt: *adjunct-directeur/adj.-directeur.*

– Een eigenaardigheid doet zich voor bij afkortingen in bijvoorbeeld *ABN-bank*, *STER-reclame*, *APK-keuring*, *RAM-geheugen*, *hiv-virus* en *Sdu Uitgeverij.* Strikt genomen zijn het dubbelvormen: het woord 'bank' komt al voor in Algemene Bank Nederland, 'reclame' zit al in Stichting Ether Reclame, 'keuring' komt al voor in algemene periodieke keuring, en 'Sdu' (Staatsdrukkerij en uitgeverij) bevat al het woord 'uitgeverij'. Omdat zulke afkortingen een eigen leven leiden – velen weten niet wat ze precies betekenen – worden de bewuste dubbelvormen gebruikt om duidelijk te maken dat het om een bank, een uitgeverij enz. gaat.

– Afkortingen worden vaak gebruikt uit gemakzucht, bij ruimtegebrek (bijvoorbeeld in tabellen en figuren) en om kosten te besparen (advertenties). Aangezien afkortingen de leesbaarheid van een tekst kunnen verminderen, moeten ze in gewone teksten zo veel mogelijk vermeden worden.

Enkele voorbeelden van afkortingen die beter niet gebruikt kunnen worden: *i.h.b.* (in het bijzonder), *i.t.t.* (in tegenstelling tot), *a.h.w.* (als het ware), *e.e.a.* (een en ander), *t.g.v.* (ter gelegenheid van, ten gevolge van, ten gunste van, ten gerieve van), *t.b.v.* (ten behoeve van, ter bevordering van, ten bate van, ten belope van), *t.o.v.* (ten opzichte van, ten overstaan van). Er is bezwaar tegen omdat de lezer ze misschien niet kent en omdat ze de tekst onrustig maken. Vermijd afkortingen vooral als ze meer betekenissen hebben, zoals *t.g.v., t.b.v.* en *t.o.v.*

Ga er niet te snel van uit dat de lezer wel weet wat een *m.s.*-patiënt (multiple sclerose) of een *e.c.g.* (elektrocardiogram) is. Onderschat de lezer niet, maar houd er rekening mee dat hij bepaalde afkortingen misschien niet kent.

– Als een bepaald woord of begrip vaak voorkomt, is het geen bezwaar daarvoor steeds een afkorting te gebruiken.

Het is wel noodzakelijk de eerste keer dat de afkorting wordt gebruikt, aan te geven wat de betekenis is (of – en dat heeft de voorkeur – de eerste keer de afkorting tussen haakjes achter het begrip te zetten). Dit kan alleen als de tweede vermelding snel volgt, en niet pas een paar bladzijden verderop.

Voor algemeen gangbare afkortingen geldt dat we die beter kunnen gebruiken dan het onverkorte woord: *BTW*. Natuurlijk ook bijvoorbeeld *ANWB, PTT, BRTN, AVRO*.

Als in teksten steeds wordt gesproken over bijvoorbeeld *Koninklijk Nederlands Meteorologisch Instituut*, zou de tekst onleesbaar worden. Als de schrijver mag aannemen dat zo'n afkorting bij de lezer bekend is, kan hij die gerust gebruiken. Het is voldoende dat de lezer het begrip of de naam kent; het is niet noodzakelijk dat hij precies weet hoe de onverkorte naam is.

– In gedrukte teksten worden in plaats van hoofdletters vaak kleinkapitalen voor afkortingen gebruikt. Die zijn minder opvallend: NOS, ANWB, PTT. Vooral als er veel afkortingen voorkomen, heeft kleinkapitaal de voorkeur. De volgende voorbeelden maken het verschil tussen kapitaal en kleinkapitaal duidelijk:

Gepensioneerden die in Nederland wonen, zijn verzekerd ingevolge de volksverzekeringen: Algemene Kinderbijslagwet (AKW), Algemene Wet Bijzondere Ziektekosten (AWBZ), Algemene ouderdomswet (AOW), Algemene Weduwe- en Wezenwet (AWW), alsmede de Algemene Arbeidsongeschiktheidswet (AAW). De AOW/AAW-verzekeringsplicht eindigt bij het bereiken van de 65-jarige leeftijd.

Gepensioneerden die in Nederland wonen, zijn verzekerd ingevolge de volksverzekeringen: Algemene Kinderbijslagwet (AKW), Algemene Wet Bijzondere Ziektekos-ten (AWBZ), Algemene ouderdomswet (AOW), Algemene Weduwe- en Wezenwet (AWW), alsmede de Algemene Arbeidsongeschiktheidswet (AAW). De AOW/AAW-verzekeringsplicht eindigt bij het bereiken van de 65-jarige leeftijd.

De volgende lijst geeft de geadviseerde schrijfwijze van een aantal veelvoorkomende afkortingen, meestal met hun betekenis. Het gaat – op enkele overbekende gevallen na – om bestaande instanties e.d.

| | |
|---|---|
| A-kant | |
| A-omroep | |
| a | are |
| A | ampère |
| AA | Anonieme Alcoholisten |
| AAW | Algemene Arbeidsongeschiktheidswet |
| ABN | Algemeen Beschaafd Nederlands; Algemene Bank Nederland |
| ABP | Algemeen Burgerlijk Pensioenfonds |

| | |
|---|---|
| AbvaKabo | Algemene Bond van Ambtenaren/Katholieke Bond van Overheidspersoneel |
| ABVV | Algemene bijstandswet |
| ACV | Algemeen Christelijk Vakverbond |
| ACW | Algemeen Christelijk Werkgeversverbond |
| adv | arbeidsduurverkorting |
| A.D. | anno Domini |
| ahob | automatische halve overwegboom |
| a.h.w. | als het ware |
| a.i. | ad interim |
| aids | acquired immune deficiency syndrome |
| AKW | Algemene Kinderbijslagwet |
| ALN | Algemene Loterij Nederland |
| AMvB | Algemene Maatregel van Bestuur |
| A.N. | Algemeen Nederlands |
| ANC | Afrikaans Nationaal Congres |
| ANP | Algemeen Nederlands Persbureau |
| ANVR | Algemene Nederlandse Vereniging van Reisbureaus |
| ANWB | Algemene Nederlandse Wielrijders Bond |
| AOW | Algemene Ouderdomswet |
| A.P. | Amsterdams Peil |
| APK | Algemene Periodieke Keuring |
| apr. | april |
| APV | Algemene Politieverordening |
| Arbo- | Arbeidsomstandigheden- |
| AROB | Administratieve Rechtspraak Overheidsbeschikkingen |
| art. | artikel |
| a.s. | aanstaande |
| ASCII | American Standard Code for Information Interchange |
| ASLK | Algemene Spaar- en Lijfrentekas |
| aso | algemeen secundair onderwijs |
| atv | arbeidstijdverkorting |
| a.u.b. | alstublieft |
| aug. | augustus |
| AVRO | Algemene Vereniging Radio Omroep |
| AWBZ | Algemene Wet Bijzondere Ziektekosten |
| AWW | Algemene Weduwe- en Wezenwet |

| | |
|---|---|
| AZ | Academisch/Algemeen Ziekenhuis |
| | |
| B-weg | |
| B-omroep | |
| B. | bachelor |
| b.a. | bij afwezigheid |
| BB | Bescherming Burgerbevolking; Belgische Boerenbond |
| BBC | British Broadcasting Corporation |
| BBK | Beroepvereniging van Beeldende Kunstenaars |
| b.d. | buiten dienst |
| be | (Internetcode voor België) |
| BEF | Belgische frank |
| B en W | Burgemeester en Wethouders |
| bh (beha) | bustehouder |
| b.i. | bouwkundig ingenieur |
| bijv. (ook: bv. en b.v.) | bijvoorbeeld |
| BIN | Belgisch Instituut voor Normalisatie |
| bit | binary digit |
| BiZa | (Ministerie van) Binnenlandse Zaken |
| b.l.o. | buitengewoon lager onderwijs |
| blz. | bladzijde |
| bnp | bruto nationaal product |
| BOB | Bijzondere Opsporingsbrigade |
| BOC | Belgisch Olympisch Comité |
| BOVAG | Bond van Autohandelaren en Garagehouders |
| BRT | Belgische Radio en Televisie |
| BTK | Bijzonder Tijdelijk Kader |
| BTW | belasting over de toegevoegde waarde |
| BUMA | Bureau voor Muziekauteursrecht |
| BuZa | (Ministerie van) Buitenlandse Zaken |
| B.V. | besloten vennootschap |
| bvb | bijzondere verbruiksbelasting |
| BVBA | besloten vennootschap met beperkte aansprakelijkheid |
| BVD | Binnenlandse Veiligheidsdienst |
| BW | Burgerlijk Wetboek |
| BWB | Belgische Wielrijdersbond |
| BZN | Bond zonder Naam |

| | |
|---|---|
| C-omroep | |
| C | Celsius |
| ca | centiare |
| ca. | circa |
| CAI | centrale antenne-inrichting |
| camcorder | (combinatie van (video)camera en videorecorder) |
| CAO | collectieve arbeidsovereenkomst |
| cara | chronische aspecifieke respiratoire aandoeningen |
| CBR | Centraal Bureau Rijvaardigheidsbewijzen |
| CBS | Centraal Bureau voor de Statistiek |
| c.c. | kopie conform; carbon copy |
| CD | Centrumdemocraten |
| cd | candela; compactdisc |
| CD | corps diplomatique |
| CDA | Christen-democratisch Appèl |
| cd-i | cd + interactief |
| cd-rom | cd + read only memory |
| cf. | confer (vergelijk) |
| cfk | chloor fluor koolstof |
| c.i. | civiel-ingenieur |
| CIA | Central Intelligence Agency |
| Cie. | compagnie |
| cie. | commissie |
| CIP | Cataloguing in Publication |
| Cito | Centraal Instituut voor Toetsontwikkeling |
| CJP | Cultureel Jongerenpaspoort |
| c.l. | cum laude |
| cm | centimeter |
| CNV | Christelijk Nationaal Vakverbond |
| co | compagnon |
| Cobra | Kopenhagen, Brussel, Amsterdam |
| CPB | Centraal Planbureau |
| CPN | Communistische Partij Nederland |
| CPNB | Collectieve Propaganda van het Nederlandse Boek |
| c.q. | casu quo |
| CRI | Centrale Recherche Informatiedienst |
| CS | Centraal Station |

| | |
|---|---|
| c.s. | cum suis (met de zijnen) |
| CSE | Centraal Schriftelijk Eindexamen |
| cv | centrale verwarming; curriculum vitae |
| C.V. | commanditaire vennootschap |
| CVE | centrale verwerkingseenheid |
| CVP | Christelijke Volkspartij |
| | |
| D-day | |
| D-trein | |
| D66 | Democraten 66 (1966) |
| d | dag |
| dat-recorder | digital-audio-taperecorder |
| dB | decibel |
| DB | dagelijks bestuur |
| dcc | digitale compactcassette |
| d.d. | de dato |
| DDR | Deutsche Demokratische Republik |
| dec. | december |
| det | dichlorodiphenyltrichloorethaan |
| Dept. | departement |
| DHTML | Dynamic Hypertext Markup Language |
| dj | diskjockey |
| dktp | difterie, kinkhoest, tetanus, poliomyelitis |
| d | dag |
| dec. | december |
| dm | decimeter |
| DM | Deutsche Mark |
| d.m.v. | door middel van |
| DNA | desoxyribo nucleic acid |
| DNS | Domain Name Server |
| DOS | disk operating system |
| dr. | doctor |
| drs. | doctorandus |
| ds. | dominee |
| dtp | desktop publishing; difterie, tetanus, poliomyelitis |
| D.V. | Deo volente |
| dvd | digitale videodisk |

| | |
|---|---|
| d.w.z. | dat wil zeggen |
| | |
| E-weg | |
| e.a. | en andere(n) |
| e.c.g. | elektrocardiogram |
| ecu | European currency unit |
| e.d. | en dergelijke(n) |
| EEG | Europese Economische Gemeenschap |
| e.e.g. | elektro-encefalogram |
| EFTA | European Free Trade Association |
| EG | Europese Gemeenschap |
| e.g. | eerstgenoemde; exempli gratia (bijvoorbeeld) |
| EGKS | Europese Gemeenschap voor Kolen en Staal |
| EHBO | Eerste Hulp Bij Ongelukken |
| EK | Europese Kampioenschappen |
| e-mail | electronic mail |
| e.m.g. | elektromyogram |
| EMS | Europees Monetair Systeem |
| EMU | Europese Monetaire Unie |
| enz. | enzovoort |
| EO | Evangelische Omroep |
| EP | Europees Parlement |
| EPU | Europese Politieke Unie |
| ESA | European Space Agency |
| ETA | Euzkadi ta Askatasuna |
| et al. | et alii (en anderen) |
| etc. | et cetera |
| EU | Europese Unie |
| EVA | Europese Vrijhandelsassociatie |
| EVP | Evangelische Volkspartij |
| excl. | exclusief |
| EZ | (Ministerie van) Economische Zaken |
| | |
| f-sleutel | |
| F-side | |
| f | gulden |
| F | Fahrenheit |

| | |
|---|---|
| fa. | firma |
| FAO | Food and Agricultural Organisation |
| FBI | Federal Bureau of Investigation |
| FC | Football Club |
| febr. | februari |
| FIFA | Fédération Internationale de Football Associations |
| fig. | figuur, figuurlijk |
| FIOD | Fiscale Inlichtingen- en Opsporingsdienst |
| FM | frequentiemodulatie |
| FNV | Federatie Nederlandse Vakbeweging |
| FTP | File Transfer Protocol |
| | |
| g-sleutel | |
| g-snaar | |
| G-strings | |
| GAB | Gewestelijk Arbeidsbureau |
| GAK | Gemeenschappelijk Administratiekantoor |
| GATT | General Agreement on Tariffs and Trade |
| Gb | gigabyte |
| GEB | Gemeentelijk Energiebedrijf |
| gft | groente, fruit en tuin |
| GGD | Gemeentelijke Geneeskundige Dienst |
| GG en GD | Gemeentelijke Geneeskundige en Gezondheidsdienst |
| GIF | Graphics Interchange Format |
| GMT | Greenwich Mean Time |
| GOS | Gemenebest van Onafhankelijke Staten |
| GPV | Gereformeerd Politiek Verbond |
| GS | Gedeputeerde Staten |
| | |
| H-bom | |
| h | uur |
| ha | hectare |
| havo | hoger algemeen voortgezet onderwijs |
| hbo | hoger beroepsonderwijs |
| hbs | hogere burgerschool |
| hd-tv | high definition television |
| heao | hoger economisch en administratief onderwijs |

| | |
|---|---|
| hiv | human immunodeficiency virus |
| H.K.H. | Hare Koninklijke Hoogheid |
| HSL | hogesnelheidslijn |
| HST | hogesnelheidstrein |
| HTML | HyperText Markup Language |
| hts | hogere technische school |
| http | HyperText Transfer Protocol |
| H.W. | hoog water |
| Hz | hertz |
| | |
| IATA | International Air Transport Association |
| i.e. | id est (dat is, dat wil zeggen) |
| IKON | Interkerkelijke Omroep Nederland |
| IMF | Internationaal Monetair Fonds |
| incl. | inclusief |
| ing. | ingenieur |
| I.N.R.I. | Iesus Nazarenus Rex Iudaeorum |
| IOC | Internationaal Olympisch Comité |
| IQ | intelligentiequotiënt |
| ir. | ingenieur |
| IRA | Irish Republican Army |
| IRT | Interregionaal Rechercheteam |
| ISBN | Internationaal Standaard Boek Nummer |
| ISDN | Integrated Services Digital Network |
| ISO | International Standardization Organization |
| ISSN | Internationaal Standaard Serie Nummer |
| IVF | in-vitrofertilisatie |
| ivo | individueel voortgezet onderwijs |
| | |
| J-biljet | |
| J | joule |
| JAC | jongerenadviescentrum |
| jan. | januari |
| jl. | jongsleden |
| jr. | junior |
| | |
| K | Kelvin |

| | |
|---|---|
| KAV | Kristelijke Arbeidersvrouwenbeweging |
| kb | kilobyte |
| KB | Koninklijk Besluit; Koninklijke Bibliotheek |
| KBAB | Koninklijke Belgische Atletiekbond |
| KBVB | Koninklijke Belgische Voetbalbond |
| KBWB | Koninklijke Belgische Wielrijdersbond |
| KEMA | Instituut voor Keuring van Elektrotechnische Materialen te Arnhem |
| kg | kilogram |
| KGB | Russische geheime dienst |
| KI | kunstmatige inseminatie |
| kJ | kilojoule |
| k.k. | kosten koper |
| KL | Koninklijke Landmacht |
| KLM | Koninklijke Luchtvaartmaatschappij |
| km | kilometer |
| KMI | Koninklijk Meteorologisch Instituut |
| KNAC | Koninklijke Nederlandse Automobielclub |
| KNMI | Koninklijk Nederlands Meteorologisch Instituut |
| KNVB | Koninklijke Nederlandse Voetbalbond |
| KPB | Kommunistische Partij van België |
| kr. | kroon |
| KRO | Katholieke Radio-omroep |
| KvK | Kamer van Koophandel |
| KVSV | Katholiek Vlaams Sportverbond |
| kvv'er | kortverbandvrijwilliger |
| kW | kilowatt |
| kWh | kilowattuur |
| | |
| L-kamer | |
| l | liter |
| LAN | Local Area Network |
| lat | living apart together |
| lavo | lager algemeen voortgezet onderwijs |
| lbo | lager beroepsonderijs |
| l.c. | loco citato |
| LCD | liquid crystal display |

| | |
|---|---|
| leao | lager economisch en administratief onderwijs |
| LED | light emitting diode |
| lhno | lager huishoud- en nijverheidsonderwijs |
| l.i. | landbouwkundig ingenieur |
| lic. | licentiaat |
| l.k. | laatste kwartier |
| l.o. | lager onderwijs; lichamelijke oefening/opvoeding |
| lp/elpee | langspeelplaat (long-playing) |
| LPG | liquefied petroleum gas |
| L.S. | lectori salutem |
| LSD | lyserg(ine)zuurdiëthylamide |
| lts | lagere technische school |
| LVV | Liberaal Vlaams Verbond |
| | |
| m | meter |
| mavo | middelbaar algemeen voortgezet onderwijs |
| m.a.w. | met andere woorden |
| max. | maximum |
| Mb | megabyte |
| m.b.t. | met betrekking tot |
| MBA | Master of Business Administration |
| mbo | middelbaar beroepsonderwijs |
| ME | mobiele eenheid |
| M.E. | Middeleeuwen |
| meao | middelbaar economisch en administratief onderwijs |
| M.E.T. | Midden-Europese tijd |
| mevr. | mevrouw |
| m.i. | mijns inziens |
| mij. | maatschappij |
| m/min. | minuut* |
| Min. | ministerie |
| mld. | miljard |
| mln. | miljoen |
| mm | millimeter |
| m.m. | mutatis mutandis |
| m.m.v. | met medewerking van |
| m.n. | met name |

| | |
|---|---|
| m.o. | middelbaar onderwijs |
| Mr. | mister, monsieur |
| mr. | meester in de rechten |
| Mrs. | mistress, messieurs |
| mrt. | maart |
| MS | metriek stelsel |
| ms. | manuscript, motorschip |
| m.s. | multiple sclerose |
| mts | middelbare technische school |
| MUHKS | Museum voor Hedendaagse Kunst te Antwerpen |
| MvA | memorie van antwoord |
| MvT | memorie van toelichting |
| | |
| N | newton |
| NAP | normaal Amsterdams peil |
| NASA | National Aeronautics and Space Administration |
| NATO | North Atlantic Treaty Organization |
| n.a.v. | naar aanleiding van |
| NAVO | Noord-Atlantische Verdragsorganisatie |
| N.B. | nota bene, noorderbreedte |
| NBW | Nieuw Burgerlijk Wetboek |
| NCRV | Nederlandse Christelijke Radiovereniging |
| NEN | Nederlandse norm |
| NFWO | Nationaal Fonds voor Wetenschappelijk Onderzoek |
| N.H. | Nederlands-hervormd |
| NIPO | Nederlands Instituut Publieke-Opiniepeiling |
| NIS | Nationaal Instituut voor de Statistiek |
| nl | (Internetcode voor Nederland) |
| nl. | namelijk |
| NLG | Nederlandse gulden |
| N.L.W. | normaal laag water |
| N.M. | nieuwemaan |
| NMBS | Nationale Maatschappij van de Belgische Spoorwegen |
| NMKN | Nationale Maatschappij voor Krediet aan de Nijverheid |
| N.N. | nomen nescio ('ik weet de naam niet') |
| NNI | Nederlands Normalisatie-instituut |
| NOC | Nederlands Olympisch Comité |

| | |
|---|---|
| NOS | Nederlandse Omroepstichting |
| nov. | november |
| NOVIB | Nederlandse Organisatie voor Internationale Bijstand |
| N.P. | niet parkeren |
| N.R.T. | nettoregisterton |
| NS | Nederlandse Spoorwegen |
| NSB | Nationaal-socialistische Beweging |
| N.T. | Nieuwe Testament |
| NUGI | Nederlandse Uniforme Genre Indeling |
| N.V. | naamloze vennootschap |
| NVV | Nederlands Verbond van Vakverenigingen |
| N.W. | noordwest(en) |
| NWO | Nederlandse Organisatie voor Wetenschappelijk Onderzoek |
| | |
| O-benen | |
| o.a. | onder andere(n) |
| OAE | Organisatie van Afrikaanse Eenheid |
| OCenW | (Ministerie van) Onderwijs, Cultuur en Wetenschap |
| OESO | Organisatie voor Economische Samenwerking en Ontwikkeling |
| O.F.M. | Ordinis Fratrum Minorum |
| o.g. | onroerend goed |
| o.i. | onzes inziens |
| oio | onderzoeker in opleiding |
| okt. | oktober |
| O.L. | oosterlengte |
| o.l.v. | onder leiding van |
| O.L.V. | Onze-Lieve-Vrouw |
| o.m. | onder meer |
| OM | Openbaar Ministerie |
| OPEC | Organization of Petroleum Exporting Countries |
| o.r. | ondernemingsraad |
| O.S. | Olympische Spelen |
| O.T. | Oude Testament |
| OVAM | Openbare Vlaamse Afvalstoffenmaatschappij |
| OV-jaarkaart | openbaar vervoer |
| OVSE | Organisatie voor Veiligheid en Samenwerking in Europa |

| | |
|---|---|
| OW | openbare werken |
| p. | pagina |
| pabo | pedagogische academie voor het basisonderwijs |
| pag. | pagina |
| PAK | Progressief Akkoord |
| PBO | Publiekrechtelijke Bedrijfsorganisatie |
| pc | personal computer |
| p.c. | pour condoléance |
| pcb | polychloorbifenyl |
| P.D. | pro Deo |
| PEN | Provinciaal Elektriciteitsnet |
| P.G. | procureur-generaal |
| Ph.D. | Philosophiae Doctor |
| pin | persoonlijk identificatienummer |
| pk | paardenkracht |
| PLO | Palestinian Liberation Organisation |
| PMS | Psycho-Medisch-Sociale Dienst |
| pnd | postnatale depressie |
| p.p. | per persoon |
| PR | public relations |
| PRL | Parti Réformateur Libéral |
| prof. | professor |
| prop. | propedeutisch |
| Prov. St. | Provinciale Staten |
| PS | Provinciale Staten |
| P.S. | postscriptum |
| psu | persoonlijke standaarduitrusting |
| pta | peseta |
| PTE | Portugese escudo |
| PTT | Posterijen Telegrafie Telefonie |
| PVBA | personenvennootschap met beperkte aansprakelijkheid |
| pvc | polyvinylchloride |
| PvdA | Partij van de Arbeid |
| PW | Publieke Werken |
| p.w. | per week |

| | |
|---|---|
| q.q. | qualitate qua |
| | |
| R | Réaumur, Recipe |
| R.A. | registeraccountant |
| RAF | Royal Air Force; Rote Armee Fraktion |
| RAI | Rijwiel- en Automobielindustrie |
| RAM | random access memory |
| REM | rapid eye movement |
| resp. | respectievelijk |
| RGD | Rijksgebouwendienst |
| RIAGG | Regionale Instelling voor Ambulante Geestelijke Gezondheidszorg |
| R.I.P. | requiesca(n)t in pace |
| RIVM | Rijksinstituut voor Volksgezondheid en Milieuhygiëne |
| r.-k. | rooms-katholiek |
| RNA | ribo nucleic acid |
| ROA | regeling opvang asielzoekers |
| ROM | read only memory |
| r.p. | réponse payée |
| RPF | Reformatorische Politieke Federatie |
| RPI | Rijks-Psychiatrische Inrichting |
| r.s.v.p. | réponse/répondez s'il vous plaît |
| RSVZ | Rijksdienst voor Sociale Verzekering der Zelfstandigen |
| RSZ | Rijksdienst voor Sociale Zekerheid |
| RTBF | Radiodiffusion et Télévision Belges en Langue Française |
| RTL | Radio et Télévision du Luxembourg |
| RTT | Regie van Telegraaf en Telefoon |
| RU | Rijksuniversiteit |
| RVD | Rijksvoorlichtingsdienst |
| RvS | Raad van State |
| RVU | Radio Volksuniversiteit |
| RW | Rijkswaterstaat |
| RWW | Rijksgroepsregeling Werkloze Werknemers |
| | |
| S-bocht | |
| s | seconde* |
| SCP | Social Cultureel Planbureau |

| | |
|---|---|
| sec. | seconde* |
| sept. | september |
| SER | Sociaal-Economische Raad |
| SERV | Sociaal-Economische Raad voor Vlaanderen |
| SF | sciencefiction |
| SG | scholengemeenschap; secretaris-generaal |
| s.g. | soortelijk gewicht |
| SGP | Staatkundig Gereformeerde Partij |
| sh. | shilling |
| S.H. | slechthorend |
| SIRE | Stichting Ideële Reclame |
| SISO | Schema voor de Indeling van de Systematische Catalogus in Openbare Bibliotheken |
| S.J. | Societas Jesu |
| SM | sadomasochisme |
| soa | seksueel overdraagbare aandoeningen |
| sofi | sociaal-fiscaal (nummer) |
| S.O.S. | save our souls |
| SP | Socialistische Partij |
| sr. | senior |
| SS | Schutzstaffel |
| s.s.t.t. | salvis titulis |
| St. | Sint |
| s.t. | salvo titulo |
| STER | Stichting Etherreclame |
| SU | Sovjet-Unie |
| SVB | Sociale Verzekeringsbank |
| s.v.p. | s'il vous plaît |
| SVS | Stichting Vlaamse Schoolsport |
| SZW | (Ministerie van) Sociale Zaken en Werkgelegenheid |
| | |
| T-shirt | |
| T-biljet | |
| t | ton |
| t.a.v. | ten aanzien van; ter attentie van |
| tb | tuberculose |
| tbc | tuberculose |

| | |
|---|---|
| tbr | terbeschikkingstelling van de regering |
| tbs | terbeschikkingstelling |
| t.b.v. | ten bate van; ten behoeve van; ter beschikking van; ten bedrage van |
| tel. | telefoon |
| t.g.v. | ten gunste van; ten gevolge van; ter gelegenheid van |
| TGV | train à grande vitesse |
| TH | technische hogeschool |
| t.h.t. | ten minste houdbaar tot |
| TIR | Transport International Routier |
| tl-buis | tube luminiscent (= lichtgevende buis) |
| TM | transcedente meditatie |
| TNO | Toegepast Natuurwetenschappelijk Onderzoek |
| TNT | trinitrotolueen |
| t.n.v. | ten name van |
| t.o. | tegenover |
| t.o.v. | ten opzichte van; ten overstaan van |
| TROS | Televisie- en Radio-Omroepstichting |
| TT | Touring Trophy |
| TU | technische universiteit |
| tv | televisie |
| t.w. | te weten |
| TW | Touring-Wegenhulp |
| t.z.t. | te zijner tijd |
| | |
| U-bahn | |
| U-balk | |
| U-boot | |
| u | uur |
| UB | universiteitsbibliotheek |
| UDC | Universele Decimale Classificatie |
| UEFA | Union of European Football Associations |
| ufo | unidentified flying object |
| uhf | ultrahoge frequentie |
| UK | United Kingdom |
| UN | United Nations |
| Unctad | United Nations Conference on Trade and Development |

| | |
|---|---|
| Unesco | United Nations Educational, Scientific and Cultural Organization |
| Unicef | United Nations International Children's Emergency Fund |
| Unifil | United Nations Interim Force in Lebanon |
| UNO | United Nations Organization |
| UNPROFOR | United Nations Protection Force |
| UPI | United Press International |
| URL | Uniform Resource Locator |
| US | United States |
| USA | United States of America |
| USD | United States dollar |
| USSR | Unie der Socialistische Sovjet-Republieken |
| UV | ultraviolet |
| | |
| V-hals | |
| V-snaar | |
| V | volt |
| VAB | Vlaamse Automobilistenbond |
| VAD | vermogensaanwasdeling |
| VARA | Vereniging van Arbeiders-Radio-amateurs |
| v.b. | van boven |
| VBC | Vlaamse Bibliotheekcentrale |
| vbo | voorbereidend beroepsonderijs |
| VBO | Verbond van Belgische Ondernemingen |
| v.C. | voor Christus |
| v.Chr. | voor Christus |
| V.D. | volente Deo |
| v.d. | van de, van den, van der |
| VDAB | Vlaamse Dienst voor Arbeidsbemiddeling en Beroeps-opleiding |
| VEV | Vlaams Economisch Verbond |
| VHF | very high frequency |
| VHS | Video Home System |
| v.i. | voorwaardelijke invrijheidstelling |
| v.i.o. | vereniging in oprichting |
| vip | very important person |
| VITO | Vlaamse Instelling voor Technologisch Onderzoek |

| | |
|---|---|
| VLD | Vlaamse Liberalen en Democraten |
| v.l.n.r. | van links naar rechts |
| V.M. | vollemaan |
| VN | Verenigde Naties |
| v.o. | van onderen; voortgezet onderwijs |
| V.O.C. | Verenigde Oost-Indische Compagnie |
| v.o.f. | vennootschap onder firma |
| v.o.n. | vrij op naam |
| VOO | Veronica Omroeporganisatie |
| VPRO | Vrijzinnig Protestantse Radio Omroep |
| vr-ketel | verhoogd rendement |
| v.r.n.l. | van rechts naar links |
| VROM | (Ministerie van) Volkshuisvesting, Ruimtelijke Ordening en Milieubeheer |
| VRT | Vlaamse Radio en Televisie |
| VS | Verenigde Staten |
| vs. | versus |
| vso | vernieuwd secundair onderwijs |
| VTB | Vlaamse Toeristenbond |
| VTM | Vlaamse Televisiemaatschappij |
| VUT | vervroegde uittreding |
| v.v. | vice versa |
| VVB | Vlaamse Volksbeweging |
| VVD | Volkspartij voor Vrijheid en Democratie |
| VVO | Verbond van Vlaams Overheidspersoneel |
| VVV | Vereniging voor Vreemdelingenverkeer |
| vwo | voorbereidend wetenschappelijk onderwijs |
| | |
| W | watt |
| W.A. | wettelijke aansprakelijkheid |
| WAO | Wet op de Arbeidsongeschiktheidsverzekering |
| wd. | waarnemend |
| wed. | weduwe |
| wnd. | waarnemend |
| WEU | West-Europese Unie |
| WGO | Wereldgezondheidsorganisatie |
| WHO | World Health Organization |

| | |
|---|---|
| w.i. | werktuigkundig ingenieur |
| WK | wereldkampioenschap |
| W.L. | westerlengte |
| WNF | Wereld Natuur Fonds |
| WNT | Woordenboek der Nederlandsche Taal |
| WO | wereldoorlog |
| w.o. | wetenschappelijk onderwijs |
| WP | WordPerfect |
| W.P. | winterpeil; Winkler Prins |
| WVC | (Ministerie van) Welzijn, Volksgezondheid en Cultuur |
| W.v.S. | Wetboek van Strafrecht |
| WW | Wegenwacht; Werkloosheidswet |
| WWW | Worldwide Web |
| WYSIWYG | What You See Is What You Get |

| | |
|---|---|
| X-benen | |
| X-chromosoom | |
| x-foto | |
| x-stralen | |
| xtc | ecstasy |

| | |
|---|---|
| Z-opleiding | |
| Z.B. | zuiderbreedte |
| zgn. (ook: zg. en z.g.) | zogenaamd |
| Z.H. | Zijne Hoogheid |
| ZIV | Ziekte- en Invaliditeitsverzekering |
| z.j. | zonder jaar |
| Z.K.H. | Zijne Koninklijke Hoogheid |
| Z.M. | Zijne Majesteit |
| Z.O. | zuidoosten |
| z.o.z. | zie ommezijde |
| Z.P. | zomerpeil |
| ZW | Ziektewet |
| Z.W. | zuidwesten |

**aflassen** ➤ afgelasten.

**afname** Ingeb. germ. voor *afneming, daling, het afnemen, vermindering.* Ook ingeb. in de betekenis van *aankoop, afzet: De winkelier had een grotere afname verwacht. Bij afname van 10 exemplaren 5% korting.* ➤ -name.

**afnemen** *De winst is dit jaar met zo'n vijf procent afgenomen.* Ingeb. germ. voor *minder worden, verminderen.*

**afparaferen** Contam. van *aftekenen* en *paraferen.*

**afreis** Ingeb. germ. voor *vertrek.*

**afreizen** Ingeb. germ. voor *vertrekken, op reis gaan.* Vanouds correct is: *Hij heeft heel wat landen afgereisd.*

**afroep** *Kopen op afroep.* Ingeb. germ. (handelsterm) voor *op vordering, na opvraag.*

**afschieten** *Dieren afschieten.* (Ingeb.) germ. voor *schieten, neerschieten.*

**afslachten** Ingeb. germ. voor *uitmoorden, afmaken.*

**afstemmen** *De werkzaamheden zijn goed op elkaar afgestemd.* Ingeb. germ. voor *instellen op, regelen naar.*

**afstoten** Ingeb. germ. voor *(snel) verkopen, (snel) van de hand doen, zich ontdoen van, laten afvloeien* (van personeel).

**afsturen** Liever: *sturen, verzenden.* ➤ versturen.

**afwerpen** *Winst, voordeel afwerpen.* Ingeb. germ. voor *opbrengen, opleveren.*

**afwezig** *Hij keek mij afwezig aan.* Ingeb. angl./gall. voor *verstrooid, peinzend, in gedachten verzonken.*

**afwisseling** ➤ alinea. synoniemen. zinslengte. zinstype.

**afzichtelijk** Heel lelijk, onooglijk. *Zo'n afzichtelijk mens heb je nog nooit gezien.* ➤ afzienbaar.

**afzienbaar** Niet al te lang. *Binnen afzienbare tijd.* ➤ afzichtelijk.

**afzinken** Ingeb. germ. voor *(langzaam) neerlaten, laten zinken.*

**afzwakken** *Door een paar woorden te schrappen, konden we de negatieve toon van het verhaal wat afzwakken.* Ingeb. germ. voor *verzwakken, zwakker maken, minder sterk maken, verminderen, verzachten.* Ook goed is: *Gelukkig zwakt de wind wat af.*

**akkoord** *Wij vertrouwen u hiermee akkoord.* Angl. voor: *Wij vertrouwen erop dat u hiermee akkoord gaat.* 'Erop' is noodzakelijk. ➤ er-.

**akkoord zijn** (Ingeb.) gall. voor *ermee akkoord gaan, ermee instemmen, het eens zijn.* Bovendien een contam. van *eens zijn met* en *akkoord gaan met.* Correct is: *deze rekening is akkoord.*

**al** *Zoals we u al hebben meegedeeld ...* Er is geen enkele reden om *al* te vervangen door *reeds,* dat nogal ouderwets aandoet. ➤ alreeds. schrijftaal/spreektaal.

**al** *Al* (of: *Ook al*) *heb ik het druk, ik wil je wel ontvangen.* Het voegwoord *al* drukt een toegeving uit. Let op de volgorde van onderwerp en werkwoord: *ik wil.* Correct: *Al heb ik het druk, toch wil ik ...* Een constructie met *al* is wat vlotter dan met *(al)hoewel* of *ofschoon.*

**al** *Dat is al.* Angl. voor *Dat is alles.*

**al of niet/al dan niet** *Het is nog niet bekend of hij al of niet komt. Al of niet* kan hier beter weg: *of hij komt* geeft de onzekerheid al aan. Hetzelfde geldt voor: *al dan niet,* dat iets stijver is. De volgende zin geeft een keuzemogelijkheid: *U kunt er al of niet gebruik van maken.*

**alarmeren** *De mensen werden door de slechte tijding gealarmeerd.* Ingeb. angl. voor verontrusten, schrik aanjagen. Tegen *alarmeren* voor *alarm slaan* was al geen bezwaar.

**aldaar** Sterker dan *daar. De heer Jansen is in Amsterdam tot wethouder benoemd. Hij zal aldaar ook gaan wonen.* Verwijst naar een genoemde plaats. Liever (het gewonere): *daar.*

**aldus** *'Ik wist nergens van', aldus de minister.* Nogal vormelijk voor *zei, vertelde, deelde mee.*

**algemeen** *Over het algemeen.* Oorspronkelijk een contam. van *over het geheel (genomen)* en *in het algemeen.* Er is geen bezwaar tegen, maar er is wel betekenisverschil tussen *over het algemeen* en *in het algemeen. Over het algemeen* is onjuist in: *U hebt over het algemeen gelijk* als hier wordt bedoeld: *als we niet op details letten.* In dit geval moeten we gebruiken: *over het geheel (genomen)* of *in het algemeen.* Wordt er *meestal* bedoeld, dan kunnen we zowel *in het algemeen* als *over het algemeen* gebruiken.

**alhoewel** Een wat ouderwets aandoende vorm van *hoewel.* ➤ al. ofschoon.

**alinea** Een paragraaf is meestal zo lang dat die in alinea's ingedeeld moet worden. Onder een alinea verstaan we een aantal zinnen die samen een gedachtegang vormen. Indeling in alinea's is een belangrijk middel om een tekst overzichtelijker en leesbaarder te maken. Door een indeling in alinea's moet het de lezer duidelijk worden hoe de tekst in elkaar zit, hoe de opbouw is.

Er wordt weleens gedacht dat alle alinea's ongeveer dezelfde lengte moeten hebben. Aangezien de indeling in alinea's berust op logische gronden, kunnen ze niet allemaal even lang zijn. De ene gedachtegang heeft nu eenmaal meer ruimte nodig dan de andere. Bedenk wel dat lange alinea's minder prettig leesbaar zijn. Regelmatige onderbrekingen in de vorm van een nieuwe alinea zijn meestal welkom. Maar ook een opeenvolging van korte alinea's kan vermoeiend en irritant zijn. Zoek daarom een middenweg. Probeer bijvoorbeeld een alinea niet korter te maken dan zo'n drie zinnen. En meestal wordt het na ongeveer tien zinnen tijd voor een nieuwe alinea. Deze aantallen zijn niet meer dan een heel globale aanwijzing.

Ook afwisseling in alinealengte is gewenst. Die moet natuurlijk niet in strijd zijn met de regels die we aan een goede alinea moeten stellen.

De lengte van alinea's houdt ook verband met de aard/functie van de tekst. Zo zal een studieboek bij voorkeur niet al te lange alinea's moeten hebben, omdat de leerstof zo stukje bij stukje wordt aangeboden. Er ontstaan dan afgeronde gehelen, die duidelijk van elkaar gescheiden zijn. Het opzoeken van een bepaald onderdeel wordt zo eenvoudiger. Een roman bijvoorbeeld stelt heel andere eisen aan het alineagebruik. Er zijn geen scheidingen nodig; het is belangrijk dat de lezer ononderbroken kan doorlezen. Lange alinea's zijn dan niet bezwaarlijk.

Het is belangrijk dat de volgorde van de alinea's logisch is, bijvoorbeeld chronologisch of geografisch. Dikwijls staat de belangrijkste informatie in de eerste alinea. Meestal is een bepaalde zin daarin duidelijk het belangrijkst; daarin staat de informatie waar het om gaat. Dat is de kernzin (ook wel themazin of topic-zin genoemd). Zet bij voorkeur het belangrijkste vooraan of achteraan.

Voor de begrijpelijkheid van een tekst is het belangrijk dat de lezer gemakkelijk kan zien hoe de alinea's samenhangen. Die samenhang is heel goed aan te brengen door middel van structuuraanduidingen. Er zijn tussen alinea's – net als tussen zinnen – allerlei verbanden denkbaar. Met signaalwoorden wordt het verband dikwijls duidelijk gemaakt. We geven kort enkele voorbeelden van alineaverbanden:

- opsommend: ten eerste, ten tweede, ten derde;
- tegenstellend: toch, maar, echter, niettemin, hoewel, ofschoon, evenwel;
- verklarend: daarom, daardoor, als gevolg van, de oorzaak hiervan is, brengt met zich mee, heeft geleid tot;
- concluderend: dus, namelijk, hieruit volgt, concluderend, immers, want, volgt uit, spreekt uit, blijkt uit, baseren we op;
- toelichtend: bijvoorbeeld, zo, neem, stel, ter illustratie;
- samenvattend: samenvattend, dus, alles overziend, kortom, concluderend, op grond van.

Het is lang niet altijd mogelijk of nodig op een of andere manier naar een alinea te verwijzen. Dat is bijvoorbeeld het geval als er een nieuw onderwerp aan bod komt dat wel met het voorgaande verband houdt maar er niet naar verwijst. In die gevallen komt in manuscripten nogal eens een witregel voor. We moeten het gebruik van witregels echter beperken. Ze zorgen natuurlijk voor een duidelijk alineaonderscheid, maar versnipperen de tekst.

Er zijn verschillende manieren om een tekst typografisch in alinea's in te delen. We geven van de belangrijkste mogelijkheden een voorbeeld:

De komma is niet alleen een heel belangrijk leesteken, maar ook een van de moeilijkste. Het goed plaatsen van komma's vereist dan ook een behoorlijk taalgevoel. En natuurlijk is kennis van de regels heel belangrijk.

In de praktijk blijkt steeds dat men eerder te veel dan te weinig komma's plaatst. Als een tekst te veel komma's bevat, gaat dat ten koste van de leesbaarheid. Aan de andere kant is een komma soms juist noodzakelijk voor de leesbaarheid.

Een belangrijke vuistregel is: plaats een komma als we bij hardop lezen een kleine pauze horen.

---

De komma is niet alleen een heel belangrijk leesteken, maar ook een van de moeilijkste. Het goed plaatsen van komma's vereist dan ook een behoorlijk taalgevoel. En natuurlijk is kennis van de regels heel belangrijk.

In de praktijk blijkt steeds dat men eerder te veel dan te weinig komma's plaatst. Als een tekst te veel komma's bevat, gaat dat ten koste van de lees-baarheid. Aan de andere kant is een komma soms juist noodzakelijk voor de leesbaarheid.

Een belangrijke vuistregel is: plaats een komma als we bij hardop lezen een kleine pauze horen.

---

In het algemeen wordt gekozen uit deze twee methoden: inspringen of niet insprin-gen, zonder witregel. (Een derde methode – minder aan te bevelen – is: niet insprin-gen, maar een witregel.)

De meningen over het al of niet inspringen van alinea's zijn zeer verdeeld. Inspringen heeft vaak de voorkeur, behalve als het om smalle kolommen tekst gaat. Inspringen zorgt voor een duidelijk, niet te opvallend onderscheid. Er is heel duide-lijk te zien waar een nieuwe alinea begint, ook als de voorgaande regel helemaal vol is.

Meestal wordt gekozen voor 'een vierkant' inspringen. Dat is een hoeveelheid wit die even groot is als de hoogte van de gebruikte letter. Het is natuurlijk ook mogelijk om méér in te springen, bijvoorbeeld twee vierkanten, maar dat levert meestal een onrustig beeld op.

Er wordt meestal niet ingesprongen na een witregel, kopje, tabel of illustratie. Men stoort zich steeds minder aan deze regels; soms wordt er in de genoemde gevallen bewust wél ingesprongen.

Op de tekstverwerker wordt uitsluitend met de tab-toets ingesprongen; dus niet met de spatiebalk.

In brieven komt er meestal een witregel tussen de alinea's; de alinea's springen dan niet in. (Dat is de Amerikaanse briefindeling.) Als er geen witregels worden gebruikt, moet de eerste regel van elke alinea inspringen. Deze methode (de Nederlandse briefindeling) is onpraktisch en doet ouderwets aan.

De opvatting dat een brief uit drie alinea's zou moeten bestaan, is onjuist.

**alineateken (¶)** Werd vroeger gebruikt om een nieuwe alinea aan te geven (ook midden in een regel). ➤ tekens.

**allang/al lang** *Ik weet allang wat je bedoelt.* De betekenis is ongeveer: *heus wel, best.* Maar twee woorden in: *Sta je hier al lang?* ➤ aaneenschrijven.

**alle/allen** De woorden *alle, beide, enige, enkele, verschillende, verscheidene, vele, weinige, sommige, laatste, eerste, meeste, andere* krijgen in het meervoud een *-n* als er geen zelfstandig naamwoord volgt én als het om personen gaat: *Velen hadden de vraag goed beantwoord, enkelen niet. De leden waren allen aanwezig. Velen, enkelen* en *allen* zijn hier zelfstandig gebruikt.

Maar: *Sommige leerlingen waren dom, andere lui. Andere* krijgt geen *-n* omdat er eigenlijk staat: *andere leerlingen waren lui.* Hier is *andere* niet zelfstandig maar bijvoeglijk gebruikt.

*Hond en kat zijn beide zoogdieren.* Geen *-n* omdat het niet om personen gaat.

Nog wat voorbeelden: *Sommige bezoekers waren enthousiast, andere (= andere bezoekers) waren ontevreden. Enkelen van de bezoekers waren kwaad./Van de bezoekers waren enkelen kwaad. Enkelen van hen gingen vroeg weg. Ik zal de defecte apparaten alle repareren. We zullen deze mensen allen uitnodigen.*

Als het om een persoon én een niet-persoon gaat, verdient het de voorkeur geen *-n* te schrijven: *Piet en zijn hond stonden beide op de foto.* Het gaat immers niet om meer personen. Het probleem is te omzeilen met *allebei.*

Een probleem vormt een zin als: *De harde wind matte de kleinste(n) af.* Als het om kinderen gaat, is *-n* noodzakelijk, maar als het om dieren gaat, zouden we geen *-en* krijgen. Er wordt wel aanbevolen hier toch *-en* te schrijven, omdat de lezer anders niet kan weten of het om een enkelvoud (een hond bijvoorbeeld) of om een meervoud gaat. Een andere mogelijkheid is natuurlijk: *matte de kleinste dieren af.*

De zelfstandige bezittelijke voornaamwoorden *de mijne(n), de jouwe(n), de onze(n), de uwe(n)* enz. volgen dezelfde regels: *Hij is met de zijnen verhuisd. Mijn kinderen spelen vaak met de zijne* (bijvoeglijk gebruikt). *Zijn boeken en de mijne.*

Let nog op: *In u aller belang* (niet: *uw*). *In u beider belang.* Het is de tweede naamval van *u allen/u beiden,* waarin *u* persoonlijk voornaamwoord is.

**alle** *In allen gevalle.* Betekent: in elk geval, en niet: in alle gevallen. *In allen dele* (in elk opzicht). Staande uitdr.

**alle** *Alle twee. We hebben het alle twee gezien.* Liever: *allebei* (of: *beiden*). Als het om meer dan twee personen gaat: *alle drie, alle vier.*

*Alle drie de boeken had ik uit.* Het is niet aan te bevelen *de* weg te laten. Bij hogere getallen wordt *de* meestal juist wel weggelaten: *Ik heb alle dertig cd's van ...*

*Alle drie dagen.* Gall. voor *om de drie dagen.*

**alledaags** Heel gewoon. *Alledaagse opmerkingen, alledaags gezicht.* Ook: elke dag terugkerend: *alledaagse bezigheden.* ➤ dagelijks.

**alleen-** *Alleenverkoop, alleenvertegenwoordiging, alleenvertegenwoordiger.* Ingeb. germ. voor *monopolie, uitsluitende vertegenwoordiging, uitsluitend vertegenwoordiger.*

**allen** *We gaan met z'n allen/We gaan met ons allen.* Beide zinnen zijn goed. Ook *Ze gaan met z'n allen/met hun allen* zijn beide juist.

**allerwegen** Overal. *Allerwegen ondervond zijn werk waardering.* Staande uitdr. Soms (ten onrechte) zonder *-n* geschreven.

**allesbehalve/alles behalve** Er is een betekenisverschil: *Hij is allesbehalve netjes* (helemaal niet). *Je krijgt alles behalve die pen.* ➤ aaneenschrijven.

**alleszins** *Zij was alleszins tevreden.* Ouderwets voor: *in elk opzicht, volkomen, helemaal.*

**almaar/alsmaar** *Tijdens mijn rijexamen kreeg ik almaar/alsmaar commentaar.* Beide vormen zijn correct, maar *almaar* heeft enige voorkeur. Ook: *maar steeds, steeds maar, voortdurend, telkens weer.*

**alreeds** Tautologie* van *al* en *reeds.* Niet beide in één zin gebruiken. ➤ reeds.

**als/dan** Na een zogenaamde stellende trap (een gelijkwaardigheid, bijvoorbeeld: *even duur*) komt *als: De auto van onze buren is even duur (net zo duur) als die van ons.*
In de praktijk wijkt men vaak af van de regel dat na een vergrotende trap *(duurder) dan* wordt geschreven: *De auto van onze buren is duurder dan die van ons. Duurder als* in plaats van *duurder dan* wordt niet meer echt onjuist gevonden, maar *dan* heeft de voorkeur.
We krijgen *als* na: *zo, zoveel, zozeer, even, evenmin, evenwel, evenzeer, zo, hetzelfde.* ➤ als als. dan/als.
*Hij verdient drie keer meer dan ik* is een (ingeb.) gall./angl. voor *drie keer zoveel als ...*

**als/indien/wanneer** Het voegwoord *als* geeft onder andere voorwaarde en tijd aan. Het komt in de plaats van respectievelijk *indien* en *wanneer. Als* kán dus meestal in plaats van *indien* en *wanneer* gebruikt worden, maar als er kans op verwarring bestaat, dan liever *indien* of *wanneer.*
*Indien* legt meer de nadruk op een voorwaarde dan *als: Indien u verhinderd bent, moet u dat tijdig laten weten.*
*Wanneer* legt meer de nadruk op de tijd dan *als: Wanneer de muggen dansen, wordt het mooi weer.*
*Wanneer* kán gebruikt worden om voorwaarde aan te geven, maar liever niet.

**als/toen** *Als de prijzen stijgen, wordt er minder gekocht.* Het gaat om een algemene regel. *Toen de prijzen stegen, werd er minder gekocht.* Nu gaat het om een bepaald geval.

**als als** *Deze auteur is als schrijver even goed als als dichter.* Deze weinig fraaie zin is te verbeteren door een vergrotende trap: *... als schrijver niet minder goed dan als dichter.* Niet:

*Hij is als baas niet zo aardig als als buurman.* Maar bijvoorbeeld: *Hij is als baas minder aardig dan als buurman.*

**als** ... *Ze zongen als de beste.* Aangezien het niet om een gewone vergelijking maar om de uitdrukking in de betekenis 'heel goed' gaat, schrijven we niet *de besten,* maar *de beste.*

**als bijvoorbeeld** ➤ zoals bijvoorbeeld.

**alsdan** *Ik zal het u alsdan vertellen.* Verouderd voor: *op die tijd, in dat geval, op dat moment, dan.* Heeft meer nadruk dan *dan.* Wordt vooral in België gebruikt. ➤ belgicismen.

**als ..., dan** Als we het voegwoord *als* gebruiken, is *dan* eigenlijk overbodig. Als er speciaal nadruk wordt gelegd, dan is *dan* meer gerechtvaardigd (maar niet noodzakelijk). De vorige zinnen zijn voorbeelden. In gesproken taal komt *dan* vaker voor dan in geschreven taal.

**als gewoonte** Contam. van *als gewoonlijk* en uit, *naar, volgens gewoonte.*

**als gezegd** *Als gezegd, heb ik nog geen bericht ontvangen.* (Ingeb.) germ. voor *zoals is gezegd/zoals we zeiden.* Hetzelfde geldt voor *(zo)als bekend.*

**... als hij is** *Verlegen als hij is, heeft hij niet verteld dat ...* Deze zin, die een reden aangeeft, is niet onjuist, maar liever: *Hij is zo verlegen dat hij niet heeft verteld dat ...* of: *Omdat hij zo verlegen is, ...* De genoemde constructie is alleen te gebruiken als het om een reden gaat. Dus niet: *Humoristisch als hij is, kon hij de grap (toch) niet waarderen.*

**als regel** *Als regel moeten we moeilijke woorden vermijden.* (Ingeb.) angl. voor *in het algemeen, gewoonlijk, meestal, in de regel.* Correct: *Als regel geldt dat bezoekers om tien uur aanwezig zijn. Als regel worden de goederen binnen twee dagen geleverd.* Met *als regel* wordt een vaste regel aangegeven, bij *in de regel* zijn eerder uitzonderingen mogelijk.

**alsmaar** ➤ almaar.

**alsmede** *Hij verkoopt boeken, tijdschriften, kantoorbehoeften alsmede grammofoonplaten.* Ouderwets voor: *en ook, en.*

*Een ring alsmede een armband waren gestolen.* Het werkwoord moet in het meervoud.

**alsof** Dit voegwoord geeft een veronderstelling of vergelijking aan. Als er in de voorafgaande zin al een veronderstelling of vergelijking staat, zou *alsof* dubbel zijn. Dus niet: *Hij wekte de indruk alsof hij ziek was,* maar: *... dat hij ziek was.* Ook onjuist: *Het schijnt alsof, ... het lijkt erop alsof ...*

**alsook** *Hij heeft een hekel aan voetballen, tennissen, paardrijden alsook aan zwemmen.* Ouderwets voor: *en ook, en.*

**alsook** *Zowel ... alsook.* Onjuist is: *Zowel Jan alsook Piet heeft het gezien. Alsook* moet zijn: *als.* In deze constructie zetten we het werkwoord bij voorkeur in het enkelvoud: *heeft.* Maar het liefst meervoud in: *Jan alsook Piet hebben het gezien.* ➤ als (zowel ... als).

**als volgt** Na *als volgt* plaatsen we alleen een dubbele punt als er een opsomming volgt: *De volgorde van de deelnemers was als volgt: Jansen, Pietersen, De Vries enz.* Er komt geen dubbele punt als er een beschrijving volgt: *De werking van de dieselmotor is als volgt.* ...

**als ... zijnde** *Als leraar zijnde.* Contam. van *als leraar* en *leraar zijnde*.

**als** *Zowel ... als. Zowel Jansen als Pietersen is aanwezig.* Liever niet: *zijn*. Maar wél: *Zowel ik als hij zijn gegaan.* Het is immers *ik ben* en *hij is.* Of natuurlijk: *Hij en ik zijn gegaan.* (Niet: *Zowel ik als hij ben .../Zowel ik als hij is ...*)

Als één deel van het onderwerp meervoud is, komt het werkwoord in het meervoud: *Zowel rommel als bruikbare spullen lagen in het water.* ➤ zowel ... als.

*Die opmerking was zowel voor Jan als voor Piet bedoeld/voor zowel Jan als Piet bedoeld.* Beide vormen zijn juist, met enige voorkeur voor de eerste. De tweede vorm wordt steeds vaker gebruikt. Dat geldt ook voor: *zowel van ... als .../van zowel ... als ...; zowel bij ... als .../bij zowel ... als ...* enz.

**alt-codes** Bij sommige tekstverwerkingsprogramma's maken we bijzondere tekens (inclusief letters met accenten e.d.) door middel van de alt-toets plus een bepaalde cijfercombinatie. (Alt = 'alternate'.) Alt 62 is bijvoorbeeld >, alt 64 @, alt 160 á, alt 148 ö en alt 135 ç. De alt-codes worden gebruikt bij WordPerfect voor DOS, maar ook bij WordPerfect voor Windows en Word. Bij de laatste twee moet wel 'num lock' (= numeric lock) aan staan. Bij WordPerfect voor DOS kunnen honderden tekens gemaakt worden door ctrl v, gevolgd door een cijfercode te typen. (Afsluiten met 'Enter' of 'Return'.) Zo is ctrl v 4,22: ®. Bij andere programma's worden de tekens gemaakt door ze (via 'invoer' of 'invoegen' op de menubalk) aan te klikken. ➤ accenttekens. deelteken. tekens.

**alvorens** Stijf woord voor: *voordat. Alvorens* leidt een beknopte bijzin in: *Alvorens een beslissing te kunnen nemen, moeten wij de directie raadplegen.* Maar *alvorens* in nietbeknopte zinnen kan niet onjuist genoemd worden: *Alvorens wij een beslissing kunnen nemen, moeten wij ...* Liever: *Voordat wij ...*

Als in een zin *alvorens* wordt gecombineerd met *eerst*, krijgen we een pleon.: *Alvorens daarheen te gaan, wil ik eerst boodschappen doen.* We moeten *eerst* schrappen.

*Alvorens* kan ter afwisseling worden gebruikt, maar het doet wat ouderwets aan.

Soms vervangt men *alvorens* door *voor: Voor met hem in zee te gaan, ...* Dat is onjuist.

**alwaar** *Hij is in 1947 in Leiden geboren, alwaar hij tot zijn twintigste jaar heeft gewoond.* Een versterking van: *waar, op welke plaats. Alwaar* verwijst naar een genoemde plaats. Liever gewoon: *waar*.

**ambtenaar** Een ambtenaar is als zodanig door de overheid aangesteld. Is niet hetzelfde als *beambte.* ➤ beambte.

**ambtenarentaal** Ambtelijke teksten zijn vaak voor de burgers bedoeld. Die teksten zouden dan ook in voor iedereen begrijpelijke taal geschreven moeten zijn. Maar dat is lang niet altijd het geval.

We kunnen eigenlijk niet spreken van ambtenarentaal. Ambtelijk taalgebruik verschilt van ander taalgebruik door de aard van de onderwerpen, maar niet door bepaalde (onjuiste) zinnen en woorden. De 'ambtenarentaal' heeft onder andere de volgende kenmerken: onpersoonlijke stijl (➤ persoonlijke stijl), overmatig gebruik van de lijdende* vorm (*worden, door*), ouderwetse woorden (➤ woorden, ouderwetse), lange zinnen (➤ zinslengte), (te) moeilijke woorden*, wensende* wijs. ➤ beroepstaal.

**ampel** Uitvoerig. *Na ampele overwegingen werd het voorstel aangenomen.* ➤ amper.

**amper** Nauwelijks. *Hij was amper uit het ziekenhuis of hij werd weer ziek.* ➤ ampel.

**ampersand (&)** ➤ en-teken.

**ander** *Het was een ander dan ik had verwacht.* Na *ander* komt bij voorkeur *dan.* ➤ dan/als.

**andere/anderen** ➤ alle/allen.

**andere(n)** *Onder andere(n).* We gebruiken *onder andere* als het om niet-personen gaat: *Er lagen onder andere boeken en tijdschriften.* Voor personen gebruiken we *onder anderen: Onder anderen Jansen en De Vries waren aanwezig.*

**anderhalf** Het lidwoord bij *anderhalf jaar/uur* is *de: de afgelopen anderhalf uur hebben we naar muziek geluisterd.*

Is het *Er waren nog anderhalf broodje over* of *Er was nog anderhalf broodje over?* Anderhalf is dan wel meer dan één, maar het wordt – gelet op het enkelvoud *half* – als enkelvoud beschouwd.

**anders** *Het ging heel anders dan ze hadden gezegd.* Na *anders* komt bij voorkeur *dan.* ➤ dan/als.

**anderszins** Ouderwets woord. Liever: *anders, op een andere manier, in een ander geval.*

**anderzijds** Oorspronkelijk waarschijnlijk een germ. voor *aan de andere kant.* Er is geen bezwaar tegen. Gebruik het alleen als er een tegenstelling tussen de verbonden zinnen is *(enerzijds – anderzijds): Enerzijds vind ik het wel leuk om te gaan, maar anderzijds ben ik een beetje bang.* Gewoner is: *Aan de ene kant (aan één kant) ..., maar aan de andere kant* ... ➤ -zijds.

**anglicismen** Woorden en uitdrukkingen die zijn overgenomen en vertaald uit het Engels en die in strijd zijn met onze taal. Daarom moeten ze afgekeurd worden.

Enkele voorbeelden: *de problemen zijn vele* (are many) = *zijn talrijk, legio; er zijn veel problemen; meer of minder* (more or less) = *min of meer; wij leven buiten* (we live ... ) = *wij wonen buiten; gedood worden* (to be killed) = *om het leven komen; jullie moeten je jassen aan* (your coats) = *jullie jas; aansprakelijk houden* (to hold responsible) = *aansprakelijk stellen; hij is een bakker* (a baker) = *hij is bakker; de meest beroemde* (the most famous) = *de beroemdste; raffinage capaciteit* (raffinagecapaciteit) enz. ➤ aaneenschrijven.

In dit boek is een groot aantal anglicismen opgenomen. Als er 'ingeb.' (ingeburgerd) bij staat, wil dat zeggen dat men in het algemeen geen bezwaar meer tegen het bedoelde woord of de bedoelde zinswending heeft. Voorbeelden zijn: *dokwerker, iemand benaderen*. Als 'ingeb.' tussen haakjes staat, zijn de meningen verdeeld. Voorbeelden: *als regel* (as a rule) = *meestal, gewoonlijk, in het algemeen, in de regel; brandnieuw* (brand-new) = *gloednieuw*. ➤ barbarismen.

**angst hebben** (Ingeb.) germ. voor *bang zijn, in angst zitten*.

**anoniem** Zonder naam. *Anonieme brieven worden geweigerd.* ➤ unaniem.

**antedateren** Een stuk voorzien van een vroegere datum dan de werkelijke. Het tegengestelde is *postdateren**. Tegen de schrijfwijze *antidateren* is geen bezwaar meer.

**antwoord** *In antwoord op.* Een van de zinnen waarmee veel zakenbrieven beginnen. Ze zijn natuurlijk niet onjuist, maar getuigen niet van veel fantasie. Sommigen menen dat we moeten schrijven: *Als antwoord op ...* of *Ten antwoord op ....* maar daar is geen reden voor. ➤ aanvangszinnen.

**apenstaartje** (@) Het teken @ – apenstaartje, slinger-a of ad-teken genoemd – wordt vooral bij het programmeren en bij e-mail (electronic mail) gebruikt als code, maar was al eerder in de wiskunde bekend. Het werd vele tientallen jaren geleden ook al in de Angelsaksische landen gebruikt bij offertes; het gaf dan de eenheidsprijs aan. Het betekent *à*.

Het teken @ is waarschijnlijk een combinatie van de letters *a* en *t* (het Engelse *at*) of van de *a* en de *d* (het Latijnse *ad*). Het Engelse *at* is mogelijk afgeleid van het Latijnse *ad*. Dus: *Een lening ad vijf procent.* ➤ ad/à. tekens.

**apostrof** We gebruiken de apostrof (') – ook weglatingsteken of afkappingsteken genoemd – in de volgende gevallen:

– In het meervoud en de tweede naamval van woorden/eigennamen die eindigen op één enkele *a, i, o, u* en *y* (in verband met de uitspraak): *dia's, martini's, radio's, paraplu's, baby's, Lisa's computer, Rudi's gitaar, Wikky's kookkunst.* Maar niet na een toonloze *e: redes, Belgiës industrie, Elses auto, Italiës kunstschatten.* Ook *cafés, procédés* (verkeerde uitspraak is niet mogelijk).

Het is bijvoorbeeld *displays* (en niet display's) omdat het niet om een lettergreep gaat die met één enkele klinker wordt geschreven.

Na medeklinkers komt geen *'s: Toms auto, Wouters boeken, Churchills memoires.* Onder invloed van het Engels wordt in deze gevallen weleens (ten onrechte) *'s* geschreven. Franse leenwoorden als *niveau* krijgen een meervouds-*s* eraan vast: *niveaus.*

Het zou *Van Nelles koffie, Van Houtens cacao* en *Van Dales woordenboeken* moeten zijn, maar om de eigennaam goed te laten uitkomen, wordt *Van Nelle's koffie, Van Houten's cacao* en *Van Dale's woordenboeken* geschreven. Het gaat vooral om merk- en bedrijfsnamen.

– In de tweede naamval van eigennamen die eindigen op een sisklank (*s, sch, z, ce, sh, tsz* of *x*): *Ans' pop, 's-Hertogenbosch' binnenstad, Berlioz' muziek, Bush' afscheid, Barentsz' pooltocht, Max' boek.* Ook namen als *Maurice* en *Prince* eindigen (in uitspraak) op een sisklank; daarom: *Maurice' auto, Prince' optreden.* Er wordt wel geadviseerd hier een *s* of *'s* toe te voegen, maar in dat geval is een verkeerde uitspraak mogelijk: 'maurisis auto'. Er is dan een omschrijving aan te bevelen: *de auto van Maurice.*

Ook namen waarvan de slot-*x* of slot-*z* niet wordt uitgesproken krijgen een meervouds-*s* eraan vast: *Dutrouxs ontsnapping, Saint-Tropezs strand.* Als namen op een niet-uitgesproken *s* eindigen, komt er alleen een apostrof achter: *Dumas' romans, Limoges' inwoners.*

– In het meervoud en de tweede naamval van woorden die uit een spraakklank bestaan, letterwoorden, cijferwoorden, afkortingen en hun afleidingen: *a's, b'tje, x'en, PS'en, hts'en, N.V.'s, CAO's, A4'tje, 60+'er, VVD'er.* Maar een koppelteken in *hts-student,* want dit is geen afleiding maar een samenstelling met een afkorting.

Een afkorting die als woord wordt uitgesproken, krijgt geen apostrof: *vutter, pinnen.*

– In verkleinvormen van woorden die eindigen op medeklinker + *y: baby'tje.*

– Als er letters zijn weggelaten. In *m'n, z'n, 'n, 't* geeft de apostrof aan dat er een of meer (geschreven) letters zijn weggelaten.

De meningen over de wenselijkheid van dergelijke vormen zijn verdeeld. Sommigen vinden de verkorte vorm gewenst om de spellinguitspraak *mijn, zijn* enz. te voorkomen (in plaats van de onbeklemtoonde vorm). Anderen vinden de verkorte vorm de tekst ontsieren en gemakzuchtig. Vermijd de vormen met apostrof in zakelijke teksten liever. In de gevallen dat ze toch gebruikt worden, moeten we op het volgende letten.

*M'n* en *z'n* krijgen aan het begin van een zin een hoofdletter: *M'n vader zei ... Z'n oom is ...*

Maar *'n* en *'t* schrijven we klein; de vólgende letter is groot: *'n Goede tekst, 't Regent.*

Er is geen enkel bezwaar tegen vaste uitdrukkingen als: *op z'n Engels, op z'n laatst, op z'n minst, met z'n vieren, op m'n hart.* We voorkomen daarmee dat deze vormen worden uitgesproken als *op zijn Engels, op zijn laatst* enz.

We schrijven *'s winters, 's zomers, 's maandags, 's woensdags.* Let erop dat *zomers* iets anders betekent dan 'in de zomer', namelijk: 'als in de zomer' (*Hij is zomers gekleed*).
➤ dagnamen.

De schrijfwijze *zo'n* is gebruikelijker dan *zo een.*

Vermijd liever *A'dam* voor *Amsterdam, R'dam* voor *Rotterdam, A'pen* voor *Antwerpen* enz. In *de jaren '60, de jaren '80.* (Liever voluit: *de jaren zestig* enz.)

– In ongewone vormen: *dankjewel's* en *alsjeblieft's.* Al die *ach's* en *wee's,* misschien's.

We geven nog een aantal voorbeelden:

| | | |
|---|---|---|
| pre's | Mulisch' boeken | skietje |
| accu's | Alex' vrouw | autootje |
| opa's | Wies' vriendin | essaytje |
| ski's | Okki's huis | cd's |
| baby's | Theo's boek | tv'tje |
| cafés | Renés bezigheden | VVD'er |
| vla's (ook vlaas) | Inez' fiets | a'tje |
| garages | baby's fles | 3'tje |
| entrees | Ankes boek | 's maandags |
| cadeaus | Groot-Brittanniës toekomst | 's woensdagsmiddags |
| shampoos | 's-Gravenhages monumen- | 's-Hertogenbosch |
| etuis | ten | 's lands wijs 's lands eer |
| essays | clicheetje | rock-'n-roll |
| Toon Hermans' conferences | lolly'tje | |

Ten onrechte wordt weleens het teken ' als apostrof gebruikt. Dit teken kunnen we alleen als aanhalingsteken gebruiken: '...'.

Het enkele aanhalingsteken ' is hetzelfde teken als de apostrof, zowel gezet als getypt.

In drukwerk wordt weleens het teken ' als apostrof (en als aanhalingstekens) gebruikt: *Anna's pyjama's*. Dat is niet aan te bevelen.

Voor een aangehaalde zin die met een apostrof begint ➤ aanhalingstekens.

**appendix** ➤ bijlage.

**arbeidsongeschikt** Ingeb. germ. voor *ongeschikt tot werken*.

**arren moede** *In arren moede.* Teleurgesteld, verontwaardigd. (Heeft niets met armoede te maken.) Staande uitdr.

**asterisk** (\*) De asterisk wordt in hoofdzaak gebruikt om naar noten te verwijzen. De asterisk staat hoger ('superieur') dan de overige tekst, zonder spatie ervoor. Als de asterisk op een hele zin betrekking heeft, komt die na de punt: *Hij heeft daaraan in een ander boek aandacht besteed.*\* Anders vóór de punt: *Deze stijlfout heet pleonasme*\*.

Als in een formule naar een voetnoot wordt verwezen, kan dat met een asterisk (liever dan met een cijfer, om verwarring te voorkomen).

De asterisk wordt ook gebruikt om het geboortejaar aan te geven: *P. Jansen (\*1947)*. In dit boek is de asterisk gebruikt om naar een ander trefwoord te verwijzen. ➤ tekens.

**attentie** *Ter attentie van ...* Bestemd voor. Staande uitdr.

Als in het adres *T.a.v. de heer J. Jansen* staat, luidt de aanhef *Geachte heer Jansen.* ➤ adressering.

**attent maken op** Op iets wijzen dat de ander bekend is of bekend kan zijn, en dat voor hem van belang is: *Wij maken u erop attent dat u onze factuur nog niet hebt betaald.* ➤ meedelen.

**augustijn** Typografische standaardmaat, die ook cicero wordt genoemd. De augustijn of cicero, die (afgerond) 4,5 mm is, is onderverdeeld in 12 typografische punten van 0,376 mm. De grootte (het 'korps') van een letter wordt in punten uitgedrukt. Dit boek is gezet uit korps 9,5. ➤ lettergrootte. maatsystemen (grafische). regelafstand.

**augustijner** (Ingeb.) germ. voor *augustijn, augustijner monnik.* ➤ benedictijner. dominicaner. franciscaner. kapucijner.

**auteurscorrectie** ➤ extracorrectie.

**autobaan** (Ingeb.) germ. voor *auto(snel)weg.*

**autokenteken** Nederlandse autokentekens bestaan uit een combinatie van cijfers en letters. De volgorde hangt af van de datum van uitgifte. In teksten worden de letters en cijfers twee aan twee gescheiden door een divisie. Mediëvalcijfers met kleinkapitalen (xn-76-24) of tabelcijfers met kapitalen (XN-76-24) zijn het mooist.

**axiaaldruk** Germ. voor *axiale druk.*

# B

**baanbreken** *Langzamerhand gaat de overtuiging zich baanbreken dat ...* Germ. voor *doorbreken, ingang vinden, veld winnen*. Baanbrekend is ingeb.: *baanbrekend onderzoek*.

**backslash** De schuine streep (\) die bijvoorbeeld in bestandsaanduidingen op de computer wordt gebruikt: *C:\WP51\brieven*. Niet te verwarren met de 'slash': / (= deelstreep*).

**balans** ➤ tabellen.

**ballast** *Overbodige ballast*. Eigenlijk pleon., want ballast is altijd overbodig (behalve in de scheepvaart).

**band** *Band 2* (van een boek). (Ingeb.) germ. voor *deel 2*. Goed is: *vier delen in twee banden*.

**bang** *Ik ben bang dat ik u moet teleurstellen*. (Ingeb.) angl. voor *Tot mijn spijt (helaas, jammer genoeg) moet ik u teleurstellen*.

**bang van** Ingeb. gall. of angl. voor *bang voor*. In plaats van *Je hoeft er niet bang voor te zijn dat de brug instort* is ook mogelijk: *Je hoeft niet bang te zijn dat de brug instort*.

**banknummers** Deze bestaan uit negen cijfers (driemaal twee en eenmaal drie). De groepen cijfers worden door punten (eventueel spaties) gescheiden: *67.23.58.482* of *67 23 58 482*. In Belgische banknummers (12 cijfers) zetten we twee streepjes: *123-4567890-12*.

(In gironummers komen geen punten of spaties voor.)

**barbarismen** Dit zijn woorden en uitdrukkingen die zijn overgenomen en vertaald uit andere talen en die in strijd zijn met onze taal. Ze moeten dan ook afgekeurd worden. 'In strijd met onze taal' wil zeggen:

– Vreemde woordvorming, zinsconstructie enz. worden (vertaald) overgenomen (bijvoorbeeld: *voor wat betreft*).

– Men geeft een Nederlands woord een vreemde betekenis, die dat woord in onze taal niet heeft (bijvoorbeeld: *billijk* in de betekenis: goedkoop).

– Men gebruikt een (vertaald) vreemd woord voor een begrip waarvoor we al een naam hebben (bijvoorbeeld: *benutten*).

We kennen onder andere germanismen (uit het Duits), anglicismen (uit het Engels), gallicismen (uit het Frans), latinismen (uit het Latijn) en graecismen (uit het Grieks).

De germanismen zijn in Nederland het talrijkst. In België worden nogal eens galli- cismen gebruikt. ➤ belgicismen.

Enkele germanismen: *eerstens* (erstens) = ten eerste; *bemerking* (Bemerkung) = aan- merking.

Enkele germanismen die volgens sommigen ingeburgerd zijn: *een beduidend verlies* (aanzienlijk, belangrijk), *middels* (door middel van), *band* (deel).

Ingeburgerd zijn bijvoorbeeld: *minstens, de dertiger jaren, hoogbouw, zwakstroom, ver- kapt, vliegbereik, uitproberen.*

Enkele anglicismen: *meer of minder* (more or less) = *min of meer; gedood worden* (to be killed) = *om het leven komen; aansprakelijk houden* (to hold responsible) = *aansprakelijk stellen.*

Enkele anglicismen die volgens sommigen ingeburgerd zijn: *als regel* (in de regel, gewoonlijk, in het algemeen); *brandnieuw* (gloednieuw).

Ingeburgerd zijn bijvoorbeeld: *dokwerker, iemand benaderen, opereren.*

Enkele gallicismen: *Hij nam mij voor de chef* (prendre) = *hield mij voor de chef; aan een bepaalde prijs* (à) = *tegen, voor; duur kosten* (coûter cher) = *duur zijn, veel kosten* (*duur kos- ten* is bovendien een contaminatie).

Volgens sommigen zijn ingeburgerd: *voor wat betreft* (wat betreft), *akkoord zijn* (ermee akkoord gaan, ermee eens zijn), *vertrekpunt* (uitgangspunt).

Ingeburgerd is bijvoorbeeld: *terugbrengen* (verlagen, verminderen).

Leenwoorden* (bijv. *jam* en *canapé*) en bastaardwoorden* (bijv. *feliciteren* en *portemon- nee*) zijn volkomen geaccepteerd, maar barbarismen moeten vermeden worden, omdat we daarvoor goed-Nederlandse woorden kennen. Sommige barbarismen wor- den zoveel gebruikt dat ze ingeburgerd raken. Dat wil dus zeggen dat er geen bezwaar meer tegen is.

In dit boek zijn honderden barbarismen opgenomen. De barbarismen waartegen vrijwel niemand bezwaar heeft, hebben we aangegeven met: ingeb. Bij de barbaris- men die volgens velen ingeburgerd zijn, staat: (ingeb.).

Er zijn ook woorden waarvan weleens wordt gezegd dat het barbarismen zijn, terwijl dat niet zeker is (of zelfs níét zo is). Een voorbeeld is *benadrukken.* Er bestaat geen Duits woord *benachdrücken* of iets dergelijks. Er is dan ook geen sprake van een ger- manisme.

Dit woord kan gerust vervangen worden door *de nadruk leggen op* of *beklemtonen,* maar dat is niet noodzakelijk. Enkele andere vermeende barbarismen zijn: *hopelijk, daad- werkelijk, op zich, spitsuur, bedenking.*

In de volgende alfabetische lijst zijn woorden/uitdrukkingen opgenomen die oor- spronkelijk als barbarismen werden beschouwd. Ze zijn nu volkomen ingeburgerd.

*aangewezen* (het moeten hebben van, afhankelijk zijn van, nodig hebben)

*aanspreken* (indruk maken, gevoelens opwekken, in de smaak vallen)

*aanvoelen* (intuïtief begrijpen, (ge)voelen)

*adressenbestand* (de adressen)

*afgezien van* (daargelaten, niet in aanmerking nemend)

*afspelen* (zich voordoen, voorvallen, gebeuren, plaatsvinden)

*allerhande* (zeer verschillende soorten, van alle soort)

*al met al* (alles bij elkaar, in elk geval)

*bedrijfsgericht* (op het bedrijf/de bedrijven gericht)

*bijlage* (bijvoegsel, bijgevoegd stuk)

*boekdelen*; dat spreekt boekdelen (dat zegt alles, dat is veelzeggend)

*brengen* (opvoeren, vertonen, publiceren)

*briefordner* (ordener, brievenmap, briefhouder)

*briefpapier* (postpapier)

*cijfermatig* (volgens de cijfers, betrekking hebbend op de cijfers)

*conjunctuurgvoelig* (gevoelig voor veranderingen in de conjunctuur)

*contactgestoord* (niet of moeilijk in staat zijnd om contacten te leggen)

*dertiger jaren* (jaren dertig)

*diepdruk* (dieptedruk)

*doelgericht* (op een bepaald doel gericht)

*doelmatig* (geschikt voor het doel waarvoor het gemaakt is, efficiënt)

*doorkruisen* (verstoren, dwarsbomen, tegenwerken)

*doornemen* (behandelen, bespreken, doorlezen)

*doorpraten/doorspreken* (grondig bespreken)

*dundruk* (druk op zeer dun papier)

*dwangmatig* (door innerlijke dwang gedreven, gedwongen)

*erewoord* (woord van eer)

*folie* (foelie, (zeer) dun bladmetaal of (dun) plastic vel)

*formaat*; van formaat (groot, van belang)

*frequentiebereik* (frequentiegebied, -band, -kanaal)

*gaan om* (betreffen, te doen zijn om)

*gebruiksklaar* (klaar voor gebruik)

*geruisloos* (onhoorbaar, geluidloos; ook: geruisloos verwijderen)

*geslachtgebonden* (aan het geslacht gebonden)

*gevoelsmatig* (afgaand op het gevoel, emotioneel)

*golfbereik* (golf(lengte)gebied)

*haard*; – van besmetting, opstand (centrum, middelpunt, brandpunt) *halfautomatisch* (half automatisch, gedeeltelijk automatisch)

*hittebestendig* (hittevast, bestand tegen hitte)

*hoogseizoen* (drukke seizoen, hoofdseizoen)

*hoogspanning* (spanning van meer dan 300 volt)

*hoogste tijd* (hoog tijd)

*hoorspel* (door de radio uitgezonden toneelstuk, luisterspel)

*houdbaar* (bewaarbaar, duurzaam, goed blijvend)

*inblikken* (in blik conserveren/inmaken)

*ingeburgerd* (burgerrecht verkregen hebbend)

*ingevroren* (door bevriezen geconserveerd)

*invriezen* (door bevriezen conserveren)

*inschatten* (schatten, taxeren, afwegen)

*kabelbaan* (kabelspoor, berglift, stoeltjeslift)

*klantenbestand* (de klanten)

*klantgericht* (op de klant(en) gericht)

*kogellager* (bus met stalen kogeltjes om een as ter vermindering van de wrijving, kogelkussen)

*kwaliteiten*; met kwaliteiten (met goede kwaliteiten, bekwaam)

*kwark* (wrongel, ongerepte kaas)

*laagspanning* (spanning van minder dan 300 volt)

*landelijk* (zich uitstrekkend over, betrekking hebbend op het hele land)

*ledenbestand* (de leden)

*leefbaar* (leefbare wereld) (goed, prettig, gezond)

*liggen*; dat ligt hem niet (daar houdt hij niet van; daar heeft hij geen aanleg voor)

*meemaken* (beleven, ondervinden, doorstaan)

*meetbereik* (meetgebied)

*meningsverschil* (verschil van mening)

*milieuvriendelijk* (niet slecht, niet ongunstig voor het milieu, het milieu niet belastend of vervuilend)

*motorrennen* (motorrace, snelheidswedstrijd voor motorfietsen)

*naslagwerk* (encyclopedie, referentiewerk, woordenboek, handboek, naslawerk)

*oeverloos* (eindeloos, grenzeloos, onbegrensd)

*omrekenen* (herleiden)

*omstreden* (betwist)

*onderzeeboot* (duikboot, onderzeeër)

*ontoelaatbaar* (ongeoorloofd, niet toegestaan)

*onverwoestbaar* (onverslijtbaar, duurzaam, onvergankelijk)

*opblazen* (in de lucht laten springen)

*opvallend* (in het oog lopend, vallend)

*opvoeren* (ten tonele voeren, spelen, geven)

*ordner* (ordener, briefhouder, map voor het systematisch opbergen van papieren)

*partijgebonden* (aan of door een (politieke) partij gebonden)

*personeelsbestand* (het personeel)

*plaatsgebonden* (aan een (bepaalde) plaats gebonden)

*plichtmatig* (volgens plicht, zoals de plicht voorschrijft)

*praktijkgericht* (op de praktijk gericht)

*productiegericht* (op de productie gericht)

*rechtzetten* (herstellen, verbeteren, corrigeren, rectificeren)

*resonansbodem* (klankbodem, resonantiebodem)

*schijnwerper* (zoeklicht, bermlamp)

*smalfilm* ((smalle) film van 8 tot 16 mm breedte)

*speelruimte* (speling (figuurlijk))

*spits*; op de spits drijven (tot het uiterste drijven)

*stekker* (steker, contactstop)

*stelselmatig* (systematisch, ordelijk en samenhangend)

*studeren* (rechten, medicijnen studeren (in de rechten, in de medicijnen studeren)

*sterkstroom* (elektrische stroom van hoge spanning)

*tachtiger jaren* (jaren tachtig)

*temperatuurgevoelig* (gevoelig voor temperatuur)

*tendens* (strekking, bedoeling, neiging)

*teruggaan* (achteruitgaan, afnemen, dalen)

*teruglopen* (dalen, verminderen, achteruitgaan, zakken)

*tijdgebonden* (aan een bepaalde tijd gebonden, tijdelijk, voorbijgaand)

*toelaatbaar* (geoorloofd, toegestaan)

*toonaangevend* (beslissend, tot voorbeeld strekkend/leidend)

*twintiger jaren* (jaren twintig)

*uitbrengen* (op de markt brengen, uitgeven, in omloop brengen)

*uitgesproken* (echt, vooral, duidelijk, bepaald)

*uitoefenen* (invloed) (invloed oefenen)

*uitschakelen* (elimineren)

*uitvallen* (niet meer functioneren)

*vaarbereik* (actieradius van een vaartuig)

*vakbekwaam* (vakkundig, zijn vak volledig beheersend)

*van huis uit* (in wezen, van nature, oorspronkelijk)

*veebestand* (veestapel)

*veertiger jaren* (jaren veertig)

*verhouding*; gezagsverhouding (onderlinge betrekking van leiding, gezag, verantwoordelijkheid) Ook ingeb. in de betekenis 'liefdesbetrekking'

*verkrampt* (krampachtig, verwrongen)

*verschuiven* (uitstellen, naar een ander tijdstip verplaatsen)

*verslechteren* (slechter worden, slechter maken)

*vertrouwensman* (vertrouweling)

*verzendklaar* (klaar voor verzending)

*verzendkosten* (verzendingskosten)

*vijftiger jaren* (jaren vijftig)

*vliegbereik* (actieradius van een vliegtuig)

*voltrekken* (plaatsvinden, gebeuren, voorvallen)

*voordracht* (lezing, toespraak, rede)

*waardevol* (kostbaar, van grote waarde)

*warmtebestendig* (bestand tegen warmte, warmtevast)

*waterbestendig* (bestand tegen (de invloed van) water)

*wetmatig* (in overeenstemming met de wet(ten))

*wildbestand* (wildstand)

*woningbestand* (totaal aantal woningen, de woningen)

*zekering* (smeltveiligheid, smeltstop)

*zestiger jaren* (jaren zestig)

*zeventiger jaren* (jaren zeventig)

*zinvol* (zinrijk, vol betekenis)

*zwijgzaam* (stil, weinig of zelden sprekend)

**bastaardwoorden** Van oorsprong vreemde woorden die in uitspraak of in spelling vernederlandst zijn: *feliciteren, portemonnee, publiek, concert* enz.

Leenwoorden zijn woorden die ongewijzigd uit andere talen zijn overgenomen: *jam,
finish, überhaupt, canapé* enz.

Tegen zowel de leenwoorden als de bastaardwoorden bestaat in het algemeen geen
bezwaar. Anders is het met de barbarismen. Die zijn in strijd met het karakter van
onze taal en moeten daarom afgekeurd worden. ➤ barbarismen. leenwoorden. woorden, vreemde.

**be-** Woorden als *behoeven* en *behoren* doen soms wat ouderwets aan voor: *hoeven* en
*horen.*

**beambte** Een beambte verricht in een ondergeschikte functie kantoorwerk bij de overheid of een bedrijf. Is niet hetzelfde als *ambtenaar*. ➤ ambtenaar.

**bedenken** *Zich bedenken. U moet zich bedenken dat de prijs heel laag is.* (Ingeb.) gall. voor *U moet bedenken, zich realiseren, overwegen.* Ook een contam. van *bedenken* en *zich realiseren.* Hoewel *zich bedenken* al heel lang wordt gebruikt, kan *zich* beter weg.

*Zich bedenken* in de betekenis van *van besluit veranderen* is correct: *Ik heb me toch bedacht.*

**bedenken we wel dat** ... Gall. voor *Laten we wel bedenken dat .../We moeten wel bedenken dat .../Bedenk wel dat ...*

**bedenking** Wordt wel een germ. genoemd voor *bezwaar, tegenwerping,* maar ten onrechte. Er bestaat geen Duits woord 'Bedenkung'.

**bedragen** Geldbedragen van meer dan vier cijfers krijgen een punt achter de duizendtallen: *f 24.000,–.* Maar: *f 6000,–.* In tabellen en optellingen krijgen ook de bedragen van vier cijfers een punt.

Om aan te geven waar de decimalen beginnen, gebruiken we een komma (en geen punt): *f 28.000,–.* Achter de komma gebruiken we als streepje een half kastlijntje: *Deze fiets kost f 800,–.*

In kolommen heeft het (hele) kastlijntje de voorkeur:

    *f* 15.361 ,—
        821,36
       1.934,—

In getypte tekst kunnen het best twee streepjes (koppelteken, afbreekstreepje) gebruikt worden: *f 15.361,–-.* Op de tekstverwerker kan een half kastlijntje gemaakt worden. ➤ tekens.

Als er veel bedragen in een tekst voorkomen, zou in grotere bedragen (zonder decimalen) het streepje weggelaten kunnen worden: *f 29.000; Bfr. 29.000.*

Voor een optelstreep gebruiken we het onderstrepingsteken. De optelstreep moet onder het hele bedrag, inclusief het valutateken. Onder de totaaltelling komt een dubbele streep. We kunnen daarvoor het gelijkteken (=) gebruiken.

Een voorbeeld:

    *f*    324,—
         26,25
      1.484,05
    12.901,—
   *f* 14.735,30

Tussen het guldenteken (*f*) en het bedrag komt een spatie, maar tussen het pondteken (£)/dollarteken ($) en het bedrag komt geen spatie.

In een cijferopstelling wordt het valutateken steeds herhaald. Bij optel- en aftreksommen wordt het valutateken de tweede en volgende keren aangehaald met een kort streepje. Het is niet gebruikelijk het teken te herhalen of met ,, 'aan te halen'.

De economische waarde bedraagt:

| | |
|---|---|
| Gebouwen | *f* 60.000 |
| Machines | *f* 40.000 |
| Voorraad | *f* 30.000 |
| Goodwill | *f* 15.000 |

De winst bedraagt:

| | |
|---|---|
| Meerwaarde activa | *f* 30.000 |
| Goodwill | − 10.000 |
| Vervangingsreserve $+$ | − 12.000 |
| Winst | *f* 52.000 |

In gewone tekst kunnen getallen tot en met twintig en ronde bedragen beter voluit geschreven worden: *Hij zei dat ik hem nog tien gulden moest betalen.* ➤ cijfers. getallen. munteenheden.

**bedrijf** *In bedrijf stellen. De nieuwe machine wordt vandaag in bedrijf gesteld.* (Ingeb.) germ. voor *in werking stellen, in gebruik nemen. Buiten bedrijf stellen* is een (ingeb.) germ. voor *buiten werking stellen, buiten gebruik stellen.*

**bedrijfsklaar** Ingeb. germ. voor *klaar/gereed voor gebruik, gebruiksklaar.*

**bedrijfsmatig** *Deze bedrijfsmatige aanpak heeft tot behoorlijke resultaten geleid.* Ingeb. germ. voor *betrekking hebbend op het bedrijf.*

**bedrijfsvoering** Ingeb. germ. voor *bedrijfsleiding.*

**bedrijfsvormen** (N.V., B.V. enz.) ➤ afkortingen. hoofdletters.

**bedrijfszeker** Ingeb. germ. voor *betrouwbaar in gebruik.*

**bedrijven** (schrijfwijze) ➤ eigennamen, schrijfwijze.

**bedrijvende vorm** De bedrijvende vorm (actieve vorm) geeft aan dat het onderwerp de handeling verricht: *Mijn oom bouwt een huis.* In de lijdende vorm ondergaat het onderwerp de handeling: *Het huis wordt door mijn oom gebouwd.* De bedrijvende vorm verdient vaak de voorkeur boven de passieve of lijdende vorm. Dus liever niet: *Door ons* *wordt u meegedeeld*, maar: *Wij delen u mee.* De bedrijvende vorm doet persoonlijker aan en komt de leesbaarheid ten goede.

Er wordt vaak negatief over de lijdende vorm geschreven, maar er kunnen goede redenen zijn om die te gebruiken. ➤ lijdende vorm.

**beducht** Bang, bevreesd. *Ik ben daar niet zo beducht voor.* ➤ geducht.

**beduidend** *Een beduidend verlies.* Ingeb. germ. voor *aanzienlijk, aanmerkelijk, belangrijk, van betekenis.* Tegen *Het verlies was beduidend* wordt nog wel bezwaar gemaakt. *Onbeduidend* is juist.

**beëindigen** *Een brief/het werk beëindigen.* Ingeb. germ. voor *voltooien, een eind maken aan, afmaken, eindigen. Beëindigen* is vanouds goed in de betekenis *tot een eind brengen door een overeenkomst: een geschil beëindigen.*

**beeldroman** Ingeb. germ. voor *(uitvoerig) beeldverhaal, tekenverhaal, prentroman.*

**begeesterd/begeestering** (Ingeb.) germ. voor *enthousiast/enthousiasme, geestdriftig/geestdrift.*

**begeleid** *Begeleid van de politie* is een gall. *voor begeleid door.* Ook een contam.: *begeleid door* en *vergezeld van. Begeleid van een gitaar* moet zijn: *begeleid door ...*

**begin** *In den beginne.* Staande uitdr.

**beginzinnen** ➤ aanvangszinnen.

**begrijpelijkerwijs** Woorden die op *-erwijs/-erwijze* eindigen, kunnen germ. zijn, maar dat is niet zeker. Gebruik ze liever niet, want ze doen stijf aan. In plaats van *begrijpelijkerwijs* liever: *om begrijpelijke redenen/het is te begrijpen dat ...* ➤ -wijs.

**begrijpen** *Zich iets kunnen begrijpen. Ik kan het me niet begrijpen.* Eigenlijk contam. van *zich iets kunnen voorstellen* en *iets kunnen begrijpen.* Kan niet meer afgekeurd worden.

**begroeten** *Een maatregel, voorstel begroeten.* Ingeb. germ. voor *toejuichen.*

**behalve** Dit woord heeft twee (tegenovergestelde) betekenissen: *Behalve de ouders waren de kinderen aanwezig* (ook de ouders waren er). *Behalve de vader was iedereen aanwezig* (de vader was er niet). Als *behalve* onduidelijk is, kan beter een ander woord gebruikt worden: *uitgezonderd, niet alleen, ook.* ➤ behoudens. naast.

In *behalve van honden houden mijn kinderen van katten* is het eerste *van* noodzakelijk. Zonder *van* wil zeggen dat ook honden van katten houden; met *van* wil zeggen dat mijn kinderen niet allen van katten maar ook van honden houden.

**behalve ... ook** *Behalve boeken verkopen we ook tijdschriften.* Hier is *ook* overbodig, maar niet onjuist.

**behoeve** *Ten behoeve van.* Staande uitdr. Dit is een van die uitdrukkingen die een tekst vaag kunnen maken als ze veel worden gebruikt. *Wij hebben wat informatie ten behoeve van onze nieuwe collega verzameld.* Liever gewoon: *voor ... verzameld.* ➤ duidelijkheid.

**behoren tot** *Hij behoort tot een van de beste schrijvers.* Contam. van *Hij behoort tot de beste* *schrijvers* en *Hij is een van de beste schrijvers.* Ook onjuist: *Hij wordt gerekend tot een van ...*

**behoudens** *Wij geven u toestemming, behoudens goedkeuring van de burgemeester. Behoudens* betekent: *onder voorbehoud van, op voorwaarde van, uitgezonderd, met reserve ten opzichte van. Behoudens* kan soms ook in de betekenis *behalve* (= uitgezonderd) worden gebruikt: *Al deze boeken heb ik gekocht, behoudens het laatste.* Hier is *behalve* gebruikelijker. ➤ behalve.

**behulp** *Met behulp van* heeft betrekking op zaken en niet op personen/dieren: *Met behulp van een breekijzer forceerde hij de deur.* ➤ hulp.

**beide/beiden** ➤ alle/allen.

**beider** *U beider vriend. In u beider belang.* Niet: *uw beider.* ➤ alle/allen.

**bekend** *Zoals bekend.* (Ingeb.) germ. voor *zoals bekend is.* ➤ als gezegd.

**bekend veronderstellen** *Het werd bekend verondersteld dat we om 10.00 u zouden vertrekken.* Ingeb. gall. voor *veronderstellen dat iets bekend is.*

**beklag** *Zijn beklag indienen.* Contam. van *zijn beklag doen* en *een klacht indienen.*

**beknopte bijzin** Soms kunnen we een zin wat vlotter maken door een beknopte vorm te gebruiken. Lange, samengestelde bijzinnen en de daarmee samenhangende voegwoorden en werkwoorden worden dan voorkomen. De niet-beknopte zin: *Nadat de voorzitter een dankwoord had gesproken, beëindigde hij de vergadering* is in beknopte vorm: *Na een dankwoord te hebben gesproken, beëindigde de voorzitter de vergadering.*

Niet-beknopt: *Toen de goederen in Rotterdam aankwamen, werden ze overgeladen.* Beknopt: *Aangekomen in Rotterdam werden de goederen overgeladen.*

Niet-beknopt: *Toen we door Luxemburg trokken, hebben we veel leuke stadjes gezien.* Beknopt: *Door Luxemburg trekkend, hebben we veel leuke stadjes gezien.*

Aan de voorbeeldzinnen is te zien hoe de beknopte vorm ontstaat:

– het verbindingswoord weglaten *(nadat, toen)*;

– het onderwerp weglaten *(voorzitter, goederen, wij)*;

– de persoonsvorm weglaten en deze vervangen door *te* + onbepaalde wijs, voltooid deelwoord of tegenwoordig deelwoord.

Beknopte zinnen worden vaak onjuist gebruikt. Het (weggelaten) onderwerp van de bijzin moet in principe hetzelfde zijn als het onderwerp van de hoofdzin.

*De boeken controlerend, bleek onze rekening nog niet betaald te zijn.* Hier staat dat onze rekening de boeken controleerde. Ook al is de bedoeling voor iedereen duidelijk, we moeten schrijven: *De boeken controlerend, merkten wij dat ...* (of natuurlijk een niet-beknopte zin).

*Na gegeten te hebben, werd de terugtocht aanvaard.* (Had de terugtocht gegeten?) Dus: *Na gegeten te hebben, aanvaardden wij ...*

*Gesloten zijnde, moet u bellen op nummer 10. Gesloten* moet betrekking hebben op het onderwerp van de zin: *u*. Er staat hier dus eigenlijk: als ú gesloten bent. Dus: *Als we gesloten zijn, ...* Of korter: *Indien gesloten bellen op ...* (Dit kan ook betekenen: indien ú gesloten bent, maar dat is wel erg vergezocht.)

De foute beknopte bijzin is meestal te corrigeren door:

– het onderwerp van hoofdzin en bijzin gelijk te maken;

of:

– van de beknopte bijzin een volledige bijzin te maken.

Er is een uitzondering op de regel dat het onderwerp van hoofd- en bijzin hetzelfde moeten zijn. Een beknopte bijzin is ook correct als het weggelaten onderwerp overeenkomt met het *meewerkend voorwerp* van de hoofdzin: *Bij school aangekomen viel me op dat ...* Hier komt het weggelaten onderwerp *(ik)* overeen met het meewerkend voorwerp *(me)* uit de hoofdzin.

*Op weg naar huis ontmoette ik mijn zwager, druk pratend met een vriend. Druk pratend met een vriend* slaat strikt genomen op *ik* en niet op *mijn zwager*. Toch bestaat er tegen zulke zinnen geen bezwaar, omdat de beknopte bijvoeglijke bijzin direct achter het antecedent *(mijn zwager)* staat.

*Onder het zingen van het volkslied stapte de koningin in de auto. Onder luid gejuich vertrok de bus.* Eigenlijk zijn deze zinnen niet onjuist, want het zijn geen beknopte zinnen. Toch kunnen ze beter niet gebruikt worden, omdat ze op z'n minst lachwekkend zijn.

Let ook op zinnen als: *Ingesloten sturen wij u ...* (ingesloten kan op *wij* slaan); *Bijgaand sturen wij u ...; Onderstaand geven wij enkele bijzonderheden.* Hoewel *ingesloten, bijgaand, onderstaand, bovenstaand* enz. niet als deelwoorden beschouwd hoeven te worden – ze zijn *hierbij, hieronder, hierboven* gaan betekenen – kunnen we deze zinnen beter vermijden. Liever: *hierbij, hieronder, hierboven* enz. ➤ ingesloten.

**bekomen** Ouderwets, vooral in België gebruikt woord voor *(ver)krijgen*. ➤ belgicismen. Lijkt een germ., maar is dat niet. Liever niet gebruiken. Goed is: *Zij is van de schrik bekomen. Het eten bekomt me niet.*

**bekritiseren** Eigenlijk een contam. van *beoordelen* en *kritiseren*, maar *bekritiseren* is nu gebruikelijker dan *kritiseren*. *Beoordelen* is trouwens niet hetzelfde als *kritiseren*.

**belanghebbende** Degene die een (meestal materieel) belang bij iets heeft. *Het contract moet door alle belanghebbenden getekend worden.* ➤ belangstellende.

**belangstellende** Iemand die belangstelling voor iets heeft. *Er waren veel belangstellenden bij de opening.* ➤ belanghebbende.

**belangstelling trekken** Contam. van *belangstellenden trekken* en *belangstelling ondervinden* of van *belangstelling wekken* en *aandacht trekken*.

**belangwekkend** Belangstelling wekkend, interessant. *Belangwekkende bijzonderheden, een belangwekkende figuur.*

**belastingvriendelijk** *Een belastingvriendelijk land.* Ingeb. germ. voor *Een land waar de belastingen niet hoog zijn.*

**beleefd** *Hierbij verzoeken wij u beleefd ...* Gebruik het woord *beleefd* niet in brieven enz. Het is overdreven en ouderwets.

**beleefdheidshalve** Ouderwets voor: *uit beleefdheid, ter wille van de beleefdheid.* ➤ -halve.

**beleggen** *Morgen om twee uur wordt er een vergadering belegd.* Deze zin is eigenlijk onjuist, want *beleggen* betekent: *uitschrijven, organiseren, bijeenroepen.* We kunnen vandaag een vergadering beleggen die volgende week wordt gehouden. *Beleggen* in de betekenis van 'houden' is een ingeb. germ. ➤ organiseren.

**beletselteken** (...) Het beletselteken bestaat uit drie punten, met een spatie ervoor en erna. Het geeft een plotselinge afbreking, een lange pauze, een onverwachte wending of ironie aan. *Hij had het begrepen ... of niet. Ja, maar ... zo gemakkelijk is dat niet. Wat ik toen hoorde ... Toen hij dat eenmaal gezegd had ... toen was de boot pas aan.* Een komma na het beletselteken is overbodig. (In plaats van het beletselteken gebruiken we tegenwoordig steeds vaker het gedachtestreepje*: *Toen hij dat eenmaal gezegd had – toen was de boot pas aan.*)

Het beletselteken wordt ook gebruikt om aan te geven dat er in een citaat een stuk tekst is weggelaten: *'We hebben al eens opgemerkt (...) dat u altijd te laat komt.'* Hier staat het beletselteken dus tussen haakjes. Ook aan het begin en het einde van een citaat kan het beletselteken het best tussen haakjes komen. ➤ gedachtestreepjes. haakjes.

**belevenissen** Ingeb. germ. voor *avontuur/avonturen, ervaring(en), lotgeval(len).*

**belgicismen** Het taalgebruik van Nederlandstalige Belgen wijkt in enkele opzichten af van het Algemeen Nederlands. De afwijkende woorden en uitdrukkingen noemen we belgicismen. Ze zijn vaak ontstaan onder invloed van het Frans, en zijn dan gallicismen: *een gekend\* schrijver* (bekend), *aan\* de prijs van* (tegen). Het kan ook gaan om 'purismen', die in België zijn gevormd en die niet in het Algemeen Nederlands zijn opgenomen: *droogzwierder* (centrifuge), *regenscherm* (paraplu). Het kan ook om een afwijkende woordvolgorde gaan: *Ik vind niet dat hij daar kan gebruik van maken* (... gebruik van kan maken). Als we een woord of uitdrukking 'belgicisme' hebben genoemd, wil dat niet zeggen dat alle Nederlandstalige Belgen die ook gebruiken. ➤ woordvolgorde.

De volgende alfabetische lijst geeft een aantal woorden die in België worden gebruikt en die in Algemeen Nederlands beter vermeden kunnen worden.

| | |
|---|---|
| *aankondiging – advertentie* | *arbeidsonbekwaam – arbeidsongeschikt* |
| *abonneren\* aan, zich – abonneren op, zich* | *bandopnemer – bandrecorder* |
| | *beenhouwer – slager* |

best* – het best
bestemmeling – geadresseerde
bijkomend* – aanvullend, extra, nader
bureel – bureau, kantoor
bureelhoofd – bureauchef
contacteren – contact opnemen met, zich
   in verbinding stellen met, raadplegen,
   in contact komen met
dame* – echtgenote
desgevallend – eventueel
doorheen* – door, door ... heen
droogkuis – stomerij (kleding)
droogzwierder – centrifuge
duimspijker – punaise
eens* ze ... gekocht hebben – als (zodra)
   ze (eenmaal) ... gekocht hebben
eindejaarsfeesten* – de feestperiode, de
   jaarwisseling, de kerst en nieuwjaars-
   periode
elektriker – elektricien
fier – trots
in functie* van – in verband met, op
   grond van, afhankelijk van, onder
   invloed van, al naar gelang
gans* – helemaal, totaal, volledig, compleet
gedaan – afgelopen, uit
gekend* – bekend
gekwetst* – gewond
gelaat – gezicht
geldbeugel – portemonnee
gelijkaardig* – soortgelijk, gelijksoortig,
   dergelijk
dat is niet geweten* – bekend
haarkapper – kapper
hernemen – hervatten, herhalen, over-
   doen

ingang* – toegang
inkom – intree, toegang
instaan* – zorgen, zich bezighouden
kinderkribbe – crèche
kleed – jurk
komaf maken – een einde maken
kost – kosten
kuisen – schoonmaken, opruimen, poetsen
laattijdig* – te laat, niet tijdig
langsheen – langs
leefkamer – living
look – knoflook
mekaar – elkaar
middagmaal – middageten, lunch
monteerder – monteur
naar hier – hierheen
namiddag* – middag
nefast – verderfelijk, heilloos, funest
nood aan – behoefte aan, tekort aan
omwille* van – wegens, in verband met
onder de vorm van – in de vorm van
onderlijnen* – onderstrepen
optieker – opticien
overmaken* – sturen, verzenden, overbrengen
panikeren – in paniek zijn/raken
plezant – leuk, vrolijk, grappig
plooi – bocht, vouw
plooien – buigen, vouwen
politieker – politicus
privaat* – privé
regenscherm – paraplu
schoon – mooi
schouw – schoorsteen
schrik – angst
solden – uitverkoop, opruiming
stortbad – douche

*telkens\** – *telkens als, iedere keer dat*
*terug\** – *weer*
*toelaten\** – *in staat stellen, mogelijk maken*
*tussenkomen\** – *tussenbeide komen, ingrijpen*
*uit\** hout – *van hout*
*uitbaten\** – *exploiteren*
*uitwijkeling* – *emigrant*
*uitwijken* – *emigreren*
*uitzonderlijk* – *bij uitzondering*
*valschermspringer* – *parachutist*
*veeleer\** – *eerder, liever*
*verantwoordelijke\** – *baas*
*verderdoen* – *doorgaan, voortgaan, verdergaan*
*verderzetten* – *voortzetten*

*verkeerdelijk* – *ten onrechte*
*vermits\** – *omdat*
*verstaan* – *begrijpen*
*vertrekken\** – *uitgaan*
*verwittigen\** – *meedelen, laten weten*
*vooraleer\** – *voordat, alvorens*
*vooreerst\** – *in de eerste plaats*
*voormiddag* – *middag*
*onder de vorm van* – *in de vorm van*
*in vraag stellen* – *ter discussie stellen, in twijfel trekken*
*wenen* – *huilen*
*winteruur* – *wintertijd*
*zelfklever* – *sticker*
*zetel* – *stoel*
*zogezegd\** – *zogenaamd*
*zomeruur* – *zomertijd*

**belichten** *Een kwestie belichten.* Ingeb. germ. voor *toelichten, in het licht stellen, verduidelijken.*

**bemeesteren** Germ. voor *overmeesteren, zich meester maken van, overwinnen, veroveren, bemachtigen.*

**bemerken** *De penningmeester bemerkte dat nog niet iedereen had betaald.* Germ. voor in de eerste plaats *aanmerken*, maar ook wel voor *opmerken.* Correct in de betekenis van: *bespeuren, gewaarworden.*

**bemerking** Germ. voor *aanmerking* en ook wel voor *opmerking.*

**bemiddeling** *Door bemiddeling van. Hij heeft deze baan gekregen door bemiddeling van zijn broer. Bemiddeling* heeft altijd betrekking op personen. ➤ middel (door middel van). middels.

**benadrukken** Dit woord wordt nogal eens een germ. genoemd voor *beklemtonen, de nadruk leggen op.* Er bestaat echter geen Duits woord 'benachdrücken' of iets dergelijks. Daarom is er geen bezwaar tegen *benadrukken.*

**bende** *Een bende mensen liep* of *Een bende mensen liepen?* Beide zinnen zijn mogelijk. ➤ aantal.

**beneden** *Naar beneden zakken.* Pleon., want *zakken* is altijd naar beneden.

**benedictijner** (Ingeb.) germ. voor *benedictijn, benedictijner monnik.* ➤ augustijner. dominicaner. franciscaner. kapucijner.

**benodigd** *Het ministerie zal u aan de benodigde informatie helpen.* Ingeb. germ. voor *nodige, noodzakelijke informatie.* Minder juist is *benodigd* in: *Er waren heel wat artikelen benodigd.*

**bent** *U bent of u is?* ➤ u.

**benutten** *U kunt deze kamer benutten.* Waarschijnlijk een germ. voor *gebruiken.* We kunnen *benutten* wel gebruiken om iets sterkers dan *gebruiken* aan te geven: *Benut die gelegenheid, kans, omstandigheden, tijd.*

**B en W** *Burgemeester en Wethouders.* Hoofdletters in afkortingen krijgen in het algemeen geen punt. Zowel na de afkorting als na de volledige vorm komt het werkwoord in het meervoud: *B en W hebben besloten ...* ➤ afkortingen. hoofdletters.

**beoefenen** Als beroep hebben, zich toeleggen op. *De geneeskunde, een kunst beoefenen.* ➤ uitoefenen.

**beogen** *Met deze maatregelen beogen we het personeel in te lichten. Beogen* betekent: *proberen te bereiken, als doel stellen.* Het moet om personen gaan, en niet om zaken. Onjuist is dus: *Deze maatregelen beogen ...* Maatregelen, methoden, middelen enz. kunnen niet beogen. Goed is: *de beoogde maatregelen.*

**beperken** *We beperken ons slechts/alleen/uitsluitend tot ...* Pleon., want *beperken* houdt al *slechts* enz. in. *Slechts/alleen/uitsluitend* moet vervallen.

**beperkende bijzin** ➤ komma.

**berechtigd** *Hij is berechtigd om les te geven.* Germ. voor *gerechtigd, bevoegd, het recht hebbend. Gelijkberechtigd* is een ingeb. germ. voor *gelijkgerechtigd, dezelfde rechten hebbend.*

**bereid** Geen bezwaar hebbend iets te doen of te ondergaan. *Hij was bereid de gevraagde informatie te geven.* ➤ bereidwillig. genegen. geneigd.

**bereids** Ouderwets-deftig woord voor *al\*, reeds\*.* Lijkt een germ., maar is dat niet. Toch liever niet gebruiken.

**bereidwillig** Iets doen zonder bezwaar te maken, gewillig. *De ambtenaar was heel bereidwillig, en dus hadden we de vergunning snel.* ➤ bereid. genegen. geneigd.

**-bereik** *Meetbereik, vaarbereik/vliegbereik, golfbereik, frequentiebereik.* Ingeb. germ. voor *meetgebied, actieradius* (van een vaartuig/vliegtuig), *golf(lengte)gebied, frequentiegebied.*

**berekend op/voor** *Berekend op* is de nodige bekwaamheid, capaciteit bezittend voor een taak. Het onderwerp is een zaak. *Deze zaal is op 1500 mensen berekend.*
*Berekend voor* is de nodige bekwaamheid, capaciteit bezittend. Het onderwerp is een persoon. *Hij is volkomen voor zijn taak berekend.*

**bericht** *Een bericht van onze verslaggever.* Ingeb. germ. voor *verslag, reportage.*

**berichten** *Wij zien uw berichten met belangstelling tegemoet.* Germ. voor *antwoord.* Correct is: *Hij heeft bericht* (enkelvoud) *ontvangen.*
Er is geen bezwaar tegen: *Wij zullen u nog berichten ...* voor: *meedelen, laten weten, schrijven.*

**beroepsmatig** *Een beroepsmatige glimlach.* Ingeb. germ. voor *door zijn beroep, als beroep, beroepshalve, uit hoofde van zijn beroep.* ➤ -matig.

**beroepstaal** Het taalgebruik wordt onder andere beïnvloed door leeftijd, milieu en beroep. Wat het beroep betreft, worden er weleens bijvoorbeeld handelstaal, ambtenarentaal en technische taal onderscheiden. Daarvan kun je eigenlijk niet spreken, maar het is natuurlijk wél zo dat het taalgebruik in de handel bijvoorbeeld een bepaalde terminologie, zijn eigen vakjargon (handelstermen), kent. In de technische taal gaat het natuurlijk om technische woorden, en in de ambtenarentaal bijvoorbeeld om juridische termen. Vaktermen zijn soms niet te vermijden, maar het is niet zo dat er in een bepaald vak een speciaal taalgebruik nodig is. ➤ ambtenarentaal. handelstaal. technische taal.

**beschuldigen/betichten** *Hij wordt van diefstal beschuldigd./Hij wordt van diefstal beticht.* Er is verschil. Het gaat tweemaal om aan te geven dat iemand van iets onaangenaams wordt verdacht. Als we *beschuldigen* gebruiken, laten we in het midden of de aanklacht terecht is. Gebruiken we *betichten,* dan kiezen we partij voor degene die beschuldigd wordt. Daarom is *ten onrechte beschuldigen* wel mogelijk, maar *ten onrechte betichten* niet.

**besluiten** Wordt vervoegd met *hebben. Hij heeft besloten. Besloten zijn* is wel juist in de betekenis: *van plan zijn: Hij is vastbesloten op tijd te komen* (meestal in combinatie met *vast;* als één woord geschreven). ➤ hebben/zijn.

**best** *Je kunt best naar huis gaan.* Wordt in België nogal eens gebruikt in plaats van *het best. Je kunt best ...* betekent bijvoorbeeld: *gerust. Best* wil zeggen dat iets mogelijk is; *het best* spreekt een voorkeur uit. Het verschil wordt duidelijk in: *Hij kan best met roken stoppen./Hij kan het best met roken stoppen.* ➤ belgicismen. beter.

**best** *Wij doen ons uiterste best.* Onjuist is: *onze uiterste best.*

**best/beste** *Deze fiets vind ik het best(e)/Deze fiets vind ik de beste.* Beide vormen zijn mogelijk, maar er kan verschil zijn. *Deze fiets vind ik de beste (van alle fietsen). Deze fiets vind ik het best(e) (van alles in de winkel).* Een soortgelijke opmerking geldt voor *de/het grootst(e), de/het mooist(e)* enz.
*Je kunt het best/het beste vanavond komen.* Beide vormen zijn goed, maar in geschreven taal komt *best* vaker voor.

**bestaan in** *Zijn werk bestaat in het schrijven van artikelen. Bestaan in* betekent dus: *zijn.* Het gaat om het geheel. *Zijn werk is ...* In plaats van *bestaan in* wordt steeds vaker *bestaan uit* gebruikt. ➤ bestaan uit.

**bestaan uit** *Deze brief bestaat uit drie alinea's. Bestaan uit* betekent: *samengesteld zijn uit.* Het gaat om de onderdelen. Hier is niet *bestaan in* mogelijk. ➤ bestaan in.

**bestand** Ingeb. germ. voor *voorraad, aanwezige hoeveelheid, beschikbaar aantal.* Ook de samenstellingen met -*bestand* zijn ingeb. germ. Voorbeelden: *wildbestand* (wildstand), *veebestand* (veestapel), *adres(sen)bestand* (de adressen), *ledenbestand (de leden)*, *personeels-bestand* (het personeel), *woningbestand* (totaal aantal woningen), *klantenbestand* (de klanten).

**beste dank/groeten** *Met beste dank/met beste groeten*. Germ. voor *Met hartelijke dank/met vriendelijke (hartelijke) groeten*.

**bestek** Ingeb. germ. voor *eetgerei, tafelgerei, couvert.*

**-bestendig** Als tweede lid van een samenstelling (bijvoorbeeld *lichtbestendig)* is het een ingeb. germ. voor *lichtecht, lichtvast, bestand tegen licht.* Andere voorbeelden: *roestbe-stendig* (bestand tegen roest, roestvrij, roestvast), *hittebestendig* (hittevast, bestand tegen hitte), *warmtebestendig* (bestand tegen warmte), *waterbestendig* (bestand tegen (de invloed van) water), *slijtbestendig* (slijtvast, niet slijtend), *stressbestendig* (bestand tegen stress), *vochtbestendig* (bestand tegen vocht, vochtdicht, geen vocht doorlatend), *zuurbestendig* (zuurvast, bestand tegen zuur).

**bestens** *Bestens verkopen* is een germ. voor *zo goed mogelijk verkopen.* In de handelswereld is dit een ingeb. (beurs)term.

**betekenisvol** (Ingeb.) germ. voor *veelbetekenend, veelzeggend, met veel betekenis.* ➤ -vol.

**beter** *Het betere publiek, de betere stand.* Ingeb. germ. voor *het gegoede publiek, de gegoede stand.* ➤ -ere.

**beter** *Jullie gaan beter naar huis.* Om aan te geven dat het aan te raden is om iets bepaalds te doen, is een combinatie met *kunnen* nodig: *Jullie kunnen beter naar huis gaan.* De constructie zonder 'kunnen' komt in België voor. ➤ belgicismen. best.

**betichten/beschuldigen** ➤ beschuldigen/betichten.

**Betje** *Tante-Betjestijl.* Hieronder verstaan we onjuiste inversie (= omkering van onder-werp en gezegde). *Wij danken u voor uw brief en delen wij u mee ...* in plaats van: *... en (wij) delen u mee ...* ➤ inversie, onjuiste.

**betonen** *Hij betoonde vooral de nadelen.* (Ingeb.) germ. voor *beklemtonen, benadrukken, de nadruk leggen op, doen uitkomen.* Correct: *ijver, achting, vriendschap, medelijden betonen* (blijk geven van).

**betrachten** Germ. voor *bekijken, beschouwen.* Wel juist: *Zijn plicht betrachten* (volbrengen, doen).

**betreffende** *Het betreffende artikel.* Ingeb. germ. voor *bedoelde, bewuste, genoemde, desbe-treffende, betrokken, ... in kwestie, ... waar het om gaat.* Er is tegenwoordig geen enkel bezwaar meer tegen. *Desbetreffende* is een ouderwets woord. Als het wordt gebruikt, moet er in de zin een woord staan waar *desbetreffende* op slaat. Een woord als *bedoel-de, bewuste, genoemde* is een stuk moderner. We gebruiken *betrokken* liever alleen voor personen.

*Betreffende* als voorzetsel, in de betekenis van *over*, doet ouderwets aan: *Uw opmerking betreffende de uitvoering van uw bestelling ...*

**betreft** *Wat ... betreft.* Het is oorspronkelijk minder juist te schrijven: *Wat betreft uw voorstel delen wij u mee ...* De woorden *wat* en *betreft* moeten eigenlijk door een of meer woorden gescheiden zijn, want in een bijzin staat de persoonsvorm (= het vervoegde werkwoord) zo veel mogelijk achteraan. Dus: *Wat uw voorstel betreft, ...* Tegenwoordig wordt *wat betreft* vaak als een vaste uitdrukking beschouwd; er is geen bezwaar meer tegen.

Een voornaamwoord staat altijd tussen *wat* en *betreft*: *Wat dat betreft, hebt u volkomen gelijk.*

Na de constructie *wat ... betreft* zijn er drie mogelijkheden:

– *Wat ... betreft, is er nog geen beslissing genomen.*

– *Wat ... betreft, er is nog geen beslissing genomen.*

– *Wat ... betreft, moeten wij u meedelen dat er nog geen beslissing is genomen.*

De eerste mogelijkheid is het gebruikelijkst.

De constructie *Voor wat betreft* is een (ingeb.) gall. voor *Wat betreft.* Vermijd: *Waar het ... betreft.*

De (stijve) constructie *Wat betreft* kan vaak vervangen worden door *voor, over, ten aanzien\* van* of zelfs worden weggelaten.

**betrekken van** Ingeb. germ. voor *kopen van, afnemen van.*

**betrekking** *Met betrekking tot.* Dergelijke uitdrukkingen kunnen een tekst vaag maken: *Wij hebben inlichtingen gevraagd met betrekking tot ...* Liever: *over.* ➤ duidelijkheid.

**betrokken** *De betrokken personen.* (Bedoelde, genoemde, (des)betreffende\*.) *Betrokken* is niet onjuist als het om zaken gaat, maar gebruik het liever alleen voor personen. ➤ betreffende.

**bevestigen** *De ontvangst van een brief bevestigen.* Niet: *erkennen,* want dat is een angl.

**beweegbaar** Wat bewogen kan worden. *Een beweegbare brug.* ➤ beweeglijk.

**beweeglijk** Zich graag bewegend, levendig, druk. *Een heel beweeglijk kind.* Ook beweging toelatend: *De beenderen zijn beweeglijk verbonden.* ➤ beweegbaar.

**beweging** *Eigener beweging.* Staande uitdr. Oorspronkelijk een germ. *Uit eigener beweging* is een contam. van *uit eigen beweging* en *eigener beweging.*

**bewilligen** *Zijn verzoek is niet bewilligd.* Waarschijnlijk een (ingeb.) gall. (en ouderwets) voor *inwilligen, toestaan.* Gebruik *bewilliging* liever niet voor: *toestemming.*

**bij dezen** Staande uitdr. Ook: *in dezen, te dezen, voor dezen, na dezen.* Niet: *bij deze, in deze, te(n) deze, voor deze, na deze.*

**bijdragen aan/tot** *Bijdragen aan* is zijn aandeel inbrengen (geld geven): *Wij dragen bij aan de restauratie van het verwoeste gebouw.* Maar: *bijdragen in de kosten. Bijdragen tot* is bevor-

*derlijk zijn voor: Deze omstandigheden droegen bij tot die uitbarsting.*

**bijgaand** *Bijgaand sturen wij u ... Bijgaand* is strikt genomen niet juist, omdat er staat dat *wij* bijgaan. Er wordt tegenwoordig weinig bezwaar meer tegen gemaakt, maar beter is: *Hierbij sturen wij u ...* Eenzelfde opmerking geldt voor: *bovenstaand\*, ingesloten\** en *onderstaand\** voor: *hierboven, hierbij* en *hieronder.*

**bijkomend** *Voor bijkomende informatie kunt u zich wenden tot ...* In België nogal eens gebruikt in plaats van *aanvullend, nader, extra.* ➤ belgicismen.

**bijlage** Een bijlage of appendix (meervoud: appendices) bij een boek komt na de eigenlijke tekst. Een bijlage kan op talloze zaken betrekking hebben. De informatie is meestal te uitgebreid om die in de gewone tekst te verwerken. In de tekst moet wel naar de bijlagen verwezen worden. Begin niet elke bijlage met pagina 1, maar nummer het geheel gewoon door. Er komt *Bijlage* of *Appendix* boven te staan, eventueel gevolgd door een titel. Als er meer bijlagen zijn, kunnen ze worden voorafgegaan door een deeltitelpagina (rechterpagina) met daarop: *Bijlagen* of *Appendices.*
Bijlagen worden soms in een kleinere letter gezet.

**bijna** *Bijna iedereen was het met de voorzitter eens. Enkelen waren het bijna met de voorzitter eens.* Van de plaats van *bijna* hangt de betekenis van de zin af. *Bijna iedereen* is: *enkelen niet. Bijna met hem eens* betekent: *net niet helemaal eens.* ➤ niet. woordvolgorde.

**bijschriften** Afgezien van technische tekeningen hebben de meeste tekeningen, foto's enz. een bijschrift nodig. Dat geldt ook voor tabellen en grafieken. Bijschriften worden meestal kleiner gezet dan de overige tekst, bijvoorbeeld korps 8. Er wordt soms een cursieve letter of zelfs een ander type letter voor bijschriften gekozen. Ook een combinatie is mogelijk, bijvoorbeeld de aanduiding 'tabel', 'figuur' e.d. cursief en de daarna volgende tekst romein:

*Figuur 6.* Olie-export van de OPEC in 1988.

De punt achter het figuurnummer en/of aan het eind wordt ook wel weggelaten.
Bijschriften kunnen boven, onder of naast de afbeelding staan. Bij tabellen staan ze er meestal boven; bij figuren meestal eronder.
Als een afbeelding de hele pagina beslaat, kan het bijschrift op de pagina ernaast. Komen er verschillende afbeeldingen op een pagina voor, dan worden de bijschriften soms gecombineerd. Het moet natuurlijk wel duidelijk zijn welke tekst bij welke afbeelding hoort. Dat kan met nummers of met een vermelding als 'links', 'rechtsboven', 'onder' enz.
Ook al is de gewone tekst uitgevuld gezet, bij bijschriften is altijd vrije regelval\* mogelijk.

Als een omslagfoto of een foto tegenover de titelpagina (frontispice) een bijschrift nodig heeft, kunnen we dat op de achterkant van de titelpagina plaatsen.

**bijsluiten** Eigenlijk een contam. van (en mogelijk een ingeb. germ. voor) *bijvoegen* en *insluiten*. Er is geen bezwaar meer tegen. Dat geldt ook voor *bijgesloten*, waar al minder bezwaar tegen bestond. Ook tegen *bijsluiter* (bijgevoegd blaadje met aanwijzingen voor het gebruik) bestaat geen bezwaar.

*Hierbij ingesloten* is een pleon.: *hierbij\** of *ingesloten\**.

**bijsnijden, bijknippen** enz. Wordt wel onjuist genoemd, omdat je wél kunt *afsnijden* en *afknippen*, maar niet *bijsnijden* en *bijknippen*. Er is geen bezwaar tegen deze woorden, want ze betekenen ook: *snijdend/knippend in de juiste vorm brengen*.

**bijstelling** ➤ komma.

**bijtijds** Vroeg, vroegtijdig. *We staan morgen bijtijds op.* ➤ tijdig. tijdelijk. tijd (op tijd).

**bijvoeglijke bijzin** ➤ komma.

**bijvoeglijk naamwoord + zelfstandig naamwoord** Samenstellingen van een bijvoeglijk naamwoord en een zelfstandig naamwoord zijn in het algemeen on-Nederlands. Voorbeelden: *vroegzomer, axiaaldruk*. Het zijn germ. voor *vroege zomer/begin van de zomer, axiale druk*.

Als de samenstelling iets anders betekent dan de gescheiden vorm, is er geen bezwaar: *sneltrein, zuurkool*. Een *sneltrein* is niet hetzelfde als een snelle trein; *zuurkool* is niet hetzelfde als zure kool.

Niet ingeb. zijn bijvoorbeeld *grootbank* (grote bank), *instrumentaalmuziek* (instrumentale muziek), *maximaalhoeveelheid* (maximumhoeveelheid/maximale hoeveelheid), *vroegzomer* (vroege zomer, begin van de zomer).

Een (ingeb.) germ. is: *hoogzomer* (hartje zomer, midden in de zomer).

Onder andere de volgende woorden zijn ingeb.: *grootbedrijf, groothandel, grootmacht, grootstad, kleinbedrijf, kleinhandel, hoogspanning, laagspanning, hoogseizoen, hoogconjunctuur, smalspoor, smalfilm, diepzee*.

**bijvoeglijk naamwoord (met of zonder -e)** Is het *de maatschappelijk werker* of *de maatschappelijke werker, de werktuigkundig ingenieur* of *de werktuigkundige ingenieur?* ➤ -e (bijvoeglijk naamwoord met of zonder -e).

**bijvoeglijke naamwoorden, volgorde** Als een woord wordt voorafgegaan door een aantal bijvoeglijke naamwoorden, is de volgorde in het algemeen van subjectieve naar objectieve eigenschappen. Voorbeeld: *een leuk, lang, Indisch meisje*. Afwijkingen zijn echter mogelijk: *een leuk, klein, bruin hondje* kan bijvoorbeeld ook zijn: *een leuk, bruin, klein hondje*.

**bijvoorbeeld** Zoals bijvoorbeeld. *Ik houd van veel klassieke componisten, zoals bijvoorbeeld Schubert en Brahms. Zoals bijvoorbeeld* is een tautologie\*. Het is óf *zoals* óf *bijvoorbeeld*.

**bijvoorbeeld** *We zien dat bijvoorbeeld in ...*/*We zien dat in bijvoorbeeld ...* Beide vormen zijn correct, met enige voorkeur voor de eerste. ➤ woordvolgorde.

**bijvoorbeeld ... enz.** Combineer *bijvoorbeeld* niet met *enzovoort (enz.)*, *etcetera (etc.)* of *en dergelijke (e.d.)*. Met *bijvoorbeeld* wordt al aangegeven dat de opsomming niet compleet is. Hetzelfde geldt voor *onder andere*.

**bij wie/waarbij** Als het om personen gaat, is er nog enige voorkeur voor *bij wie*: *De man bij wie ik gisteren op bezoek ben geweest.* Als het om dieren of zaken gaat, gebruiken we *waarbij*: *Dit is een middel waarbij je zeker baat zult hebben.* ➤ waar-.

**bijzin, beknopte** ➤ beknopte bijzin.

**bijzin, bijvoeglijke** ➤ komma.

**bijzin, voorwaardelijke** ➤ voorwaardelijke bijzin.

**billijk** *Billijke prijzen.* Germ. voor *lage prijzen*. *Billijke prijzen* is wel juist als we bedoelen: *redelijke prijzen.*

**binnenlands/binnenslands** *Binnenlandse oorlog, binnenlands nieuws* (bijvoeglijk naamwoord), maar *binnenslands blijven* (bijwoord). ➤ buitenlands/buitenslands.

**bladspiegel** De totale oppervlakte van de pagina, dus inclusief de stand van de gezette tekst/figuren, witmarges aan de vier zijden en de paginacijfers. De bladspiegel is voor een groot deel bepalend voor de indruk van het drukwerk. (De zetspiegel is de stand van de gedrukte tekst op de pagina.)

**blijkbaar** Wat geen twijfel overlaat, zeker, klaarblijkelijk. *Hij ziet erg bleek; blijkbaar is hij ziek.* ➤ ogenschijnlijk. schijnbaar.

**blijken** Op grond van bepaalde gegevens inderdaad zijn wat er genoemd wordt. *Hij zag er heel slecht uit; hij blijkt ziek te zijn.* ➤ lijken. schijnen.

**blijven handhaven** *Deze maatregel blijft voorlopig gehandhaafd.* Pleonasme. ➤ handhaven.

**blikveld** (Ingeb.) germ. voor *gezichtsveld*.

**blind** *In den blinde.* Op goed geluk. Staande uitdr.

**bloed** *Rood bloed.* Pleon. Als stijlmiddel zijn pleon. als *rood bloed, groen gras, witte sneeuw, oude grijsaard* correct. ➤ pleonasme.

**bloed** *In koelen bloede. Koelbloedig. Van koninklijken bloede. Van vorstelijken bloede.* Staande uitdr.

**bloeddoorlopen** Ingeb. germ. voor *met bloed doorlopen*. ➤ zelfst. naamw. + deelw.

**boek, indeling** Een boek bestaat in het algemeen uit de volgende onderdelen: voorwerk*, eigenlijke tekst, nawerk*. Het voorwerk kan bestaan uit: Franse* titel (voordehandse titel), blanco pagina of naam van serie, titelpagina*, copyrightpagina*, opdracht* (dedicatie), voorwoord*, inhoudsopgave*, inleiding of voorwoord (woord vooraf) van de auteur.

Na het voorwerk komt de tekst. Die is in het algemeen onderverdeeld in een aantal hoofdstukken, die bij voorkeur Arabisch genummerd moeten zijn. De hoofdstukken kunnen in een aantal delen gegroepeerd zijn. Aan elk deel kan een deeltitelpagina voorafgaan, die aan de achterzijde meestal blanco blijft.

Het nawerk* kan uit allerlei onderdelen bestaan: nawoord*, bijlagen*, noten*, literatuuropgave*, register*, woordenlijst, illustratieverantwoording*, colofon*.

Zowel voor het voorwerk als voor het nawerk geldt dat niet alle genoemde onderdelen hoeven voor te komen. In een roman ontbreken veel onderdelen, maar in wetenschappelijke uitgaven kunnen het er méér zijn. De genoemde onderdelen zijn het belangrijkst.

**boeken** *Een reis boeken, passage boeken.* Ingeb. angl. voor *reserveren, bespreken.*

**boeken** *Succes boeken.* Ingeb. germ. voor *succes hebben.*

**boekenwoorden** ➤ woorden, ouderwetse.

**boektitel** ➤ literatuur.

**bold** ➤ vet.

**bolletjes** ➤ opsomming.

**bontgevoerd** (Ingeb.) germ. voor *met bont gevoerd.* ➤ zelfst. naamw. + deelw.

**boogje (ĕ)** ➤ breve.

**boos** *Uit den boze.* Staande uitdr.

**-bouw** *Wegenbouw, machinebouw* enz. zijn ingeb. germ. voor *wegenaanleg, machineconstructie* enz.

*Wegen bouwen, machines bouwen* zijn germ. voor *wegen aanleggen, machines construeren.*

**boven** *Naar boven stijgen.* Pleon., want *stijgen* is altijd naar boven.

**boven-** *Bovenbedoeld, bovengenoemd, bovenvermeld.* Stijve woorden voor bijvoorbeeld: *(hiervoor/hierboven) genoemd.* Ze zijn vaak overbodig. Vlotter is bijvoorbeeld: ... *waarvan (hiervoor/hierboven) sprake is* of ... *waarover we hiervoor/hierboven geschreven hebben.*

**bovenaan/boven aan** *Zijn naam stond bovenaan. Zijn naam stond boven aan de brief. Bovenaan* wordt tegenwoordig ook als voorzetsel gebruikt: *Bovenaan de brief* ...

**bovendien ook** *Bovendien verkopen we ook tijdschriften.* Tautologie* van *bovendien* en *ook.*

**bovenstaand** *Bovenstaand hebben wij enkele voorbeelden gegeven. Bovenstaand* slaat eigenlijk op *wij,* zodat er staat dat *wij* boven staan. Liever: *Hierboven hebben wij enkele voorbeelden gegeven.* Eenzelfde opmerking is te maken over *ingesloten* (bijgaand) sturen wij u* en *onderstaand* vindt u.* De genoemde woorden zijn *hierboven, hierbij, hieronder* gaan betekenen, maar het is toch beter *bovenstaand* en dergelijke woorden niet in de bedoelde betekenis te gebruiken.

**branchevreemd** *Branchevreemde goederen.* Ingeb. germ. voor *niet tot de branche behorend, niet in de branche passend.*

**brandgevaarlijk** Ingeb. germ. voor *(licht) brandbaar, brandgevaar opleverend, niet afdoende tegen brand beveiligd.* ➤ -gevaarlijk

**brandnieuw** *Onze stad heeft onlangs een brandnieuw stadhuis in gebruik genomen.* (Ingeb.) angl. voor *gloednieuw.*

**brandveilig** Ingeb. germ. voor *geen brandgevaar opleverend, beveiligd tegen brand.* ➤ -veilig.

**breed** *In den brede.* Uitvoerig. Staande uitdr.

**brengen** *Dat brengt heel wat problemen met zich mee.* Met zich meebrengen is een contam. van *meebrengen* en *met zich brengen. Met zich brengen* wordt wel een (ingeb.) germ. voor *meebrengen* genoemd. Beide vormen kunnen gebruikt worden, met enige voorkeur voor *meebrengen.*

**breuken** Breukgetallen hebben de vorm van een rangtelwoord; ze worden als één woord geschreven: *zeventwaalfde, tweederde, vier drievijfde. Een tweederde meerderheid.* Als de breuk onderwerp van de zin is, staat het werkwoord in het enkelvoud: *drievierde (driekwart) van de aanwezigen had geen mening.* Bij meervoud: *Eenderde van de opgaven was goed gemaakt, maar de andere tweederden waren onjuist.* Als de nadruk op de afzonderlijke delen van de breuk ligt, dan krijgt de noemer een meervouds-*n: Vier vijfden van het bezit waren verloren gegaan.*

Als we een heel getal plus een breuk ($2\frac{1}{2}$) in letters schrijven, scheiden we de naam van het hele getal en die van de breuk door het woord *en:* $2\frac{1}{2}$: *tweeëneenhalf.* Een uitzondering is $1\frac{1}{2}$ *(anderhalf).* Voor $\frac{1}{4}$, $\frac{1}{2}$ en $\frac{3}{4}$ zijn de namen *een kwart, een half* en *driekwart* gebruikelijk.

Nog enkele voorbeelden: $\frac{2}{5}$ = *tweevijfde*; $\frac{2}{13}$ = *tweedertiende*; $2\frac{6}{10}$ = *twee en zestiende*; $6\frac{3}{4}$ = *zes en drievierde*; $5\frac{60}{13}$ = *vijf en zestig dertiende*; $\frac{65}{13}$ = *vijfenzestig dertiende*; $\frac{210}{2640}$ = *tweehonderdtien tweeduizend zeshonderdveertigste.*

We geven breuken in cijfers meestal met een schuine streep (Duitse komma) weer: $\frac{3}{5}$.

Om verwarring te voorkomen, kan het best een spatie getypt worden tussen een heel getal en de daaropvolgende breuk: 16 $\frac{3}{5}$. In drukwerk is dat meestal niet nodig, omdat de breukcijfertjes in het algemeen superieur* (hoog) en inferieur* (laag) staan: $16\frac{3}{5}$. Maar als er in drukwerk gewone cijfers voor breuken worden gebruikt, dan liever een kleine spatie.

Enkele veelvoorkomende breuken kunnen op de tekstverwerker in één keer worden gemaakt door alt plus cijfercode of ctrl plus cijfercode; alt 171/ctrl v 4,17 = $\frac{1}{2}$; alt 172/ctrl v 4,18 = $\frac{1}{4}$; alt 243/ctrl v 4,25 = $\frac{3}{4}$. Bij andere programma's kunnen ze gemaakt worden door via 'invoer' of 'invoegen' de bewuste breuk aan te klikken.

**breukschade** (Ingeb.) germ. voor *schade door breuk.*

**breve (ĕ)** Teken (ook: 'boogje') dat niet-beklemtoonde lettergreep aangeeft (slapĕn).

**brood** *Om den brode.* Om de kost te verdienen. Staande uitdr.

**bruto** Samenstellingen met *bruto* worden aan elkaar geschreven: *brutogewicht, brutosalaris, brutovermogen.* Als het tweede deel met een klinker begint, plaatsen we een koppelteken: *bruto-ontvangst, bruto-opbrengst.* Voor *netto* geldt hetzelfde.

**buigbaar** Wat gebogen kan worden. *IJzer is buigbaar.* ➤ buigzaam.

**buigzaam** Gemakkelijk buigend. *Riet is buigzaam.* ➤ buigbaar.

**buitenissig** Afwijkend, zonderling, vreemd. *Er liepen heel wat buitenissige figuren in de optocht mee.* ➤ buitensporig.

**buitenlands/buitenslands** *Buitenlands* is een bijvoeglijk naamwoord: *Tijdens zijn buitenlands verblijf heeft hij veel gezien. Buitenslands* is een bijwoord: *Hij verbleef drie maanden buitenslands.* ➤ binnenlands/binnenslands.

**buitenlandse valuta** Alle buitenlandse valuta krijgen een kleine letter: gulden, dollar, mark, frank, franc, yen, peseta. ➤ munteenheden.

**buitensporig** Onredelijk, onmatig, verbazend. *De winkelier vroeg buitensporig hoge prijzen.* ➤ buitenissig.

# C

**c of k?** De vraag of een woord met een *c* of een *k* wordt geschreven, levert vaak problemen op. Elk woordenboek (en het 'Groene Boekje') geeft natuurlijk uitsluitsel, maar de volgende lijst geeft een aantal veelvoorkomende woorden met c/k.

| | | | |
|---|---|---|---|
| *abstract* | *actueel* | *cahier* | *categorie* |
| *academicus* | *acuut* | *caissière* | *causaal* |
| *academie* | *advocaat* | *calamiteit* | *causaliteit* |
| *acceleratie* | *akkoord* | *calculeren* | *certificaat* |
| *accelereren* | *akoestiek* | *caleidoscoop* | *clandestien* |
| *accent* | *akte* | *calendarium* | *classificatie* |
| *accepteren* | *alcohol* | *calorie* | *claxon* |
| *acceptgirokaart* | *alkalisch* | *calque* | *cliché* |
| *accidenteel* | *anekdote* | *calqueren* | *climax* |
| *acclamatie* | *aquaduct* | *camera* | *code* |
| *acclimatisatie* | *architect* | *camoufleren* | *codificatie* |
| *accolade* | *aspect* | *campagne (actie)* | *coëfficiënt* |
| *accommodatie* | *attractie* | *capaciteit* | *colbert* |
| *accorderen* | *bacterie* | *capriool* | *collage* |
| *accountant* | *balkon* | *carburateur* | *collationeren* |
| *accu* | *bascule/bascuul* | *cargadoor* | *collecte* |
| *accuraat* | *bekritiseren* | *carrière* | *collectie* |
| *accuratesse* | *blanco* | *carrosserie* | *collega* |
| *acquisitie* | *brokaat* | *carrousel* | *college* |
| *acrobaat* | *cabaret* | *cartograaf* | *colonne* |
| *acteren* | *cabine* | *cartotheek* | *combinatie* |
| *actie* | *cactus* | *catacombe* | *combineren* |
| *actief* | *cadans* | *catalogus* | *comité* |
| *activa* | *cadeau* | *catarre* | *commentaar* |
| *activiteit* | *café* | *catastrofe* | *commercieel* |

| | | | |
|---|---|---|---|
| commissie | constitutioneel | corsage | dicteren |
| communicatie | constructeur | corvee | dictie |
| communicatief | constructie | cosmetica | didacticus |
| compact | construeren | creatie | didactiek |
| compagnon | consul | credit | direct |
| compleet | consument | crediteren | directeur |
| complex | consumptie | crediteur | directie |
| complot | contact | creëren | directief |
| component | contant | crematie | disconteren |
| compressor | context | creperen | disconto |
| compromis | continu | criterium | discreet |
| computer | contract | criticus | discussie |
| concentratie | contractant | croquet (spel) | diskrediet |
| concentreren | contracteren | culminatie | district |
| concentrisch | contrast | cultiveren | document |
| concept | controle | cultureel | dukdalf |
| concern | convectie | cultuur | duplicaat |
| concessie | convector | cumulatie | economie |
| conclusie | conversatie | curatele | eczeem |
| concurrent | convocatie | curator | effect |
| condensatie | coöperatie | cursief | effectief |
| conditie | coördinaten | cursus | electoraal |
| conducteur | coördinatie | curve | electoraat |
| conferentie | coördineren | decaan | elektricien |
| conflict | corps ('studenten- | declinatie | elektriciteit |
| conform | corps') | deductie | elektrificatie |
| conformeren | correct | defect | elektrocuteren |
| congres | correctie | delicaat | elektronica |
| conisch | correctief | democraat | eskader |
| connectie | corrector | democratie | eskadron |
| consequent | correlatie | democratisch | fabricage |
| conserveren | correspondent | destructie | fabrikaat |
| consignatie | correspondentie | detective | factor |
| constant | corrigeren | dictaat | factureren |
| constellatie | corroderen | dictafoon | facultatief |
| constitueren | corrosie | dictator | faculteit |
| constitutie | corrupt | dictee | fecaliën |

| | | | |
|---|---|---|---|
| fictie | kadaver | klassikaal | kostumeren |
| fictief | kadetje | klavecimbel | kostuum |
| fiscaal | kaduuk | klerikaal | kotelet |
| fotokopie | kaki | kliniek | krediet |
| fractie | kakofonie | klinisch | kritiek |
| franco | kaliber | kobalt | kritisch |
| fricandeau | kalligraaf | koket | kritiseren |
| frikadel | kameleon | koketteren | kroket (eetwaar) |
| functie | kamille | koketterie | krokus |
| functionaris | kamizool | kokos | kwantiteit |
| genetica | kampanje (schip) | koloriet | laconiek |
| harmonica | kandidaat | komediant | lectuur |
| hectare | kandidatuur | komedie | leukoplast |
| helikopter | kantine | komfoor | locatie |
| icoon | kapucijn | komisch | locomotief |
| incarnatie | kapucijner | kompres | lokaal |
| indicatie | karabijn | konfijten | lokaliseren |
| inductie | karamel | konterfeitsel | lokaliteit |
| infectie | karbonade | konvooi | macrokosmos |
| inkarnaat | kardinaal | konvooieren | micro |
| inscriptie | karikatuur | kopie | microbe |
| insect | karmeliet | kopiëren | microfilm |
| insecticide | kartel | kopiist | microfoon |
| inspecteren | karteren | kopij | microfoto |
| instinct | karton | kopra | microkosmos |
| instructeur | kassa | kordon | micrometer |
| instructie | katafalk | kornet | micron |
| intact | katalysator | kornoelje | microscoop |
| intellectueel | katapult | korps ('letterfor- | molecule/molecuul |
| intercommunaal | katheder | maat' en 've- | musicus |
| interlokaal | katheter | eniging') | muskus |
| introductie | kathedraal | korset | nicotine |
| jakobsladder | katholiek | kosmisch | obductie |
| jurisdictie | keramiek | kosmografie | object |
| justificatie | klandizie | kosmonaut | objectie |
| kabinet | klarinet | kosmopoliet | objectief |
| kadaster | klassiek | kosmos | occult |

| | | | |
|---|---|---|---|
| octaaf | recreatie | select | tractie |
| octet | redactie | selecteren | tractor |
| octrooi | reductie | selectie | traject |
| oculair | reflectie | specificatie | traktaat |
| oculeren | rekruut | spectaculair | traktatie |
| oktober | rekwireren | spectrum | traktement |
| pact | reproductie | speculatie | trakteren |
| particulier | respect | spektakel | transcriptie |
| perfect | respecteren | strikt | truc (kunstje) |
| practicum | respectievelijk | structureel | truck (vrachtauto) |
| praktijk | risico | structuur | tweetakt |
| praktisch | Scandinavië | stukadoor | unificatie |
| predikaat | secondair | subject | vacant |
| procuratie | secondant | subjectief | vacatie |
| product | seconde | succes | vacature |
| productie | secretaire | successie | vaccin |
| productief | secretaresse | successievelijk | vaccinatie |
| productiviteit | secretariaat | sukade | vakantie |
| project | secretaris | tact | verificatie |
| publicatie | secretie | tacticus | verticaal |
| punctueel | sectie | tactiek | viaduct |
| radicaal | sector | tactisch | viscositeit |
| ratificatie | secundair | tactloos | viskeus |
| reactie | seks | tactvol | vocaal |
| reclame | sekse | taks | vocabulaire |
| recommandatie | seksualiteit | technicus | vulkaniseren |
| record | sekte | tektonisch | ➤ spelling. |

**cedille** Soort komma (omgekeerde *c*) onder de letter *c*: *ç*. Geeft aan dat die letter als *s* moet worden uitgesproken vóór *a*, *o* en *u*: *façade*, *reçu*, *Curaçao*. De *c* heeft geen cedille vóór *e*, *i* (dus ook *ij*) en *y*, omdat die altijd als *s* wordt uitgesproken. Op de tekstverwerker kunnen we de *ç* maken door een bepaalde code te typen (alt 135 of ctrl v 1,39; Ç = alt 128 of ctrl v 1,38) of de bewuste letter (via 'invoer' of 'invoegen') aan te klikken.

Omdat de combinatie van cedille en hoofdletters soms technisch lastig is, wordt de cedille in deze gevallen ook wel weggelaten. Men vindt in het algemeen dat de cedille bij de hoofdletters of kleinkapitalen gewenst (maar niet noodzakelijk) is.

Soms wordt alleen voor de letter met cedille een kleinkapitaal gebruikt. Dat is geen fraaie oplossing. Heel lelijk is het om een kleine letter met cedille te gebruiken in een woord dat in hoofdletters is gedrukt.

**Celsius** (afgekort *C*) *De temperatuur is 18 °C.* Er komt een spatie tussen het getal en °C. Voluit *18 graden Celsius.* Zonder *C* of *F* vervalt de spatie: *15°.* Als *Celsius* voluit wordt geschreven, dan het liefst alles voluit: *Het was hoogstens vijftien graden Celsius.*

**centraal-** *Centraalbestuur, centraalpunt* enz. zijn germ. voor *centraal bestuur, middelpunt (centrale punt). Centraalstation* is ingeb. voor *centraal station.*

**centreren** We spreken van centreren als regels tekst alle in het midden van de zetbreedte* staan:

*We spreken van centreren*
*als regels tekst alle in het midden van de*
*zetbreedte staan.*

**centrifugaal-** *Centrifugaalkracht, centrifugaalpomp* enz. zijn ingeb. germ. voor *centrifugale kracht/middelpuntvliedende kracht, centrifugale pomp* enz.

**chemiker** Germ. voor *chemicus, scheikundige.* ➤ -iker.

**cicero** Typografische standaardmaat (afgerond 4,5 mm). Wordt ook augustijn genoemd. ➤ lettergrootte.

**cijfers** Onze cijfers (Arabische cijfers) kunnen we onderverdelen in mediëvalcijfers en tabelcijfers. Mediëvalcijfers – ook wel (uit)hangende cijfers genoemd – zijn ongeveer even groot als onderkastletters (kleine letters): 1, 2, 3, 4, 5, 6, 7, 8, 9, 0. Tabelcijfers zijn ongeveer even groot als hoofdletters: 1, 2, 3, 4, 5, 6, 7, 8, 9, 0.

Als er veel cijfers in een tekst voorkomen, gebruiken we liever mediëvalcijfers, omdat tabelcijfers te opvallend kunnen zijn. Een nadeel van de meeste typen mediëvalcijfers is dat het cijfer 1 veel lijkt op de kleinkapitale I en het Romeinse cijfer I. En de 0 op de kleine letter o. Dat kan verwarring geven.

Tabelcijfers worden niet alleen in tabellen gebruikt. In tabellen gebruikt men vaak mediëvalcijfers.

We kunnen cijfers ook indelen in superieure en inferieure cijfers. Superieure cijfers (superieuren, exponenten, superscripten*) zijn cijfers die hoger staan en kleiner zijn dan de overige tekst: $a^2 + b^2$. Inferieure cijfers of inferieuren (ook: indexcijfers, indices, subscripten*) zijn cijfers die lager staan en kleiner zijn dan de overige tekst: $x_2 + y_2$. Ze worden gebruikt voor breuken ($^2/_3$), maten ($m^3$), nootcijfers (noot[4]) en in wiskundig werk ($a^2 + b^2$; $x_2 + y_2$).

Ook letters (en andere tekens) kunnen superieur en inferieur voorkomen, vooral in formules.

Het is gebruikelijk de getallen boven de twintig in cijfers te schrijven: *Hij heeft al 36 medailles.* Schrijf lagere cijfers, tientallen en ronde getallen bij voorkeur in letters (voorzover het geen zakelijke mededelingen zijn).

Zakelijke en exacte getallen als data, jaartallen, graden, maten, gewichten, berekeningen en geldbedragen schrijven we altijd in cijfers: *geboren op 29 maart 1947, lengte 1,87 m, een temperatuur van 18 °C, een toegangskaartje van f 25,–.*

Een getal in cijfers krijgt een punt of spatie achter de duizendtallen (bij meer dan vier cijfers): *24.120/24 120.* Maar: *2000.* In tabellen en optellingen krijgen ook getallen van vier cijfers een punt/spatie. Gebruik in geldbedragen een punt. ➤ breuken. cijfers, Romeinse. getallen. paginacijfers.

**cijfers, Romeinse** De bekendste onderverdeling van cijfers is die in Arabische en Romeinse cijfers. Veel mensen hebben moeite met Romeinse cijfers; gebruik ze dus met mate. Ze zijn gebruikelijk bij de nummering van namen van koningen, pausen enz.: *Karel V, Willem III, Lodewijk de XIVe, Pius XII* enz. (Ze worden als rangtelwoorden uitgesproken: *Karel de vijfde* enz.) Hoofdstukken van een boek worden weleens Romeins genummerd *(hoofdstuk XIV)*, maar dat is niet aan te bevelen. Ook liever niet *XVIe eeuw*, maar *zestiende eeuw.* Liever niet *Wereldoorlog II* of *WO II* voor *Tweede Wereldoorlog.*

Romeinse cijfers worden nogal eens gebruikt om het voorwerk* (inhoudsopgave, inleiding, voorwoord enz.) van een boek te nummeren.

Als er veel Romeinse cijfers voorkomen, kunnen ze het best kleinkapitaal* gezet worden. Ze vallen dan minder op. (In andere talen worden ze zelfs onderkast gezet: mcmlxv.)

Hier volgt een overzicht van de Romeinse cijfers, zowel in kapitaal als in kleinkapitaal:

| I/ı | = | 1 | XI/xı | = | 11 | XXX/xxx | = | 30 |
|---|---|---|---|---|---|---|---|---|
| II/ıı | = | 2 | XII/xıı | = | 12 | XL/xl | = | 40 |
| III/ııı | = | 3 | XIII/xııı | = | 13 | L/l | = | 50 |
| IV/ıv | = | 4 | XIV/xıv | = | 14 | LX/lx | = | 60 |
| V/v | = | 5 | XV/xv | = | 15 | LXX/lxx | = | 70 |
| VI/vı | = | 6 | XVI/xvı | = | 16 | LXXX/lxxx | = | 80 |
| VII/vıı | = | 7 | XVII/xvıı | = | 17 | XC/xc | = | 90 |
| VIII/vııı | = | 8 | XVIII/xvııı | = | 18 | C/c | = | 100 |
| IX/ıx | = | 9 | XIX/xıx | = | 19 | D/d | = | 500 |
| X/x | = | 10 | XX/xx | = | 20 | M/m | = | 1000 |

De regels voor het schrijven van een getal in Romeinse cijfers:

– V, L en D worden slechts eenmaal gebruikt.

– Van de I, X en C mogen er ten hoogste drie naast elkaar staan: XXXV.

– De hoogste cijfers komen vooraan. Daarachter in rangorde de lagere cijfers. Als er een cijfer met een kleinere waarde tussen cijfers met een hogere waarde staat, moet de waarde worden afgetrokken van het getal dat er rechts naast staat: MCM = 1000 + (1000 – 100) = 1900. MCMXCIX = 1999.

– Als Romeinse cijfers onder elkaar staan, moeten de voorste cijfers onder elkaar:

I

II

III

IV

XXXVI

**CIP** Afkorting van Cataloguing in Publication. Op de achterkant van de titelpagina van boeken komen vaak de CIP-gegevens van de Koninklijke Bibliotheek voor. Deze maakt aan de hand van de (vóór publicatie) door de uitgever verstrekte gegevens een titelbeschrijving. Hierdoor is het mogelijk boekhandel en bibliotheek zo volledig mogelijk te informeren over te verschijnen publicaties in het Nederlands taalgebied. Het gaat onder andere om: naam auteur, titel, uitgever, ISBN\*, SISO\*, UDC\* en NUGI\*.

**citaat** Stukken tekst van anderen die we overnemen, komen tussen aanhalingstekens. Een enkele geciteerde zin kan gerust in de tekst opgenomen worden, maar als het om een groot citaat gaat, kunnen we die het best van de overige tekst scheiden door een witregel erboven en eronder. Bovendien kunnen we het citaat in z'n geheel enkele spaties laten inspringen, maar die methode maakt de pagina vaak onnodig onrustig.

Het is beter om het citaat in een kleiner korps te zetten, een korps dat tussen de tekstletter en de nootletter ligt. Als de gewone tekst 10/12 is gezet, zouden citaten bijvoorbeeld 9/10 gezet kunnen worden (en noten 8/9). Het is ook mogelijk het hele citaat cursief te zetten, maar voor lange citaten is dat meestal niet aan te bevelen.

Het is onjuist om voor elke regel het aanhalingsteken te herhalen.

In citaten mag natuurlijk niets veranderd worden, ook niet in de spelling. Een uitzondering zijn duidelijke zetfouten.

Als er woorden uit een aangehaalde tekst worden weggelaten, kan dat als volgt worden aangegeven: 'Ik heb al eerder (...) aangetoond dat zijn bewering niet juist is.' Op de plaats van (...) stond bijvoorbeeld op welke plaats de geciteerde schrijver dit had aangetoond. In plaats van gewone haakjes worden ook wel teksthaakjes gebruikt: [...].

Beperk het gebruik van citaten, omdat ze de leesbaarheid – ook door de soms afwijkende vormgeving – kunnen belemmeren.

**cliché** Standaardformulering die zo vaak wordt gebruikt dat ze versleten is. Clichés zeggen de lezer niets en kunnen irritatie wekken. Enkele voorbeelden: *op de rails zetten, een prijskaartje hebben, aan de bel trekken, kamerbreed, het groene licht, het voortouw, ophoesten.* Sommige clichés verdwijnen na verloop van tijd. ➤ modewoorden.

**climax** Dit woord betekent eigenlijk niet *hoogtepunt,* maar: *opklimming, stijging naar het hoogtepunt.* Voorbeelden: *Zijn gedrag wekte weerzin, afschuw, haat zelfs. Fluisteren, zeggen, roepen, schreeuwen.* Steeds vaker ook gebruikt in de betekenis van *hoogtepunt: Het slotkoor vormt de climax van deze symfonie.*

**colofon** In boeken, uitvoerige rapporten enz. komt soms een colofon voor. Daarin kunnen de medewerkers aan die uitgave worden genoemd, maar ook de fotograaf, ontwerper, zetterij, drukkerij, binderij, gebruikte lettersoorten, papiersoort enz. Meestal komt het (of: de) colofon op de laatste pagina van de publicatie; het kan ook op de achterzijde van de titelpagina worden geplaatst. Enige logica in de opsomming is aan te bevelen, bijvoorbeeld te beginnen bij redacteuren tot en met binder. Een enkele keer wordt het colofon ook gebruikt om een verantwoording op te nemen van de foto's in het boek. De vermelding 'colofon' erboven is niet nodig.

**communicatiegestoord** *Collega De Vries is enigszins communicatiegestoord.* (Ingeb.) germ. voor: *De communicatie met collega De Vries verloopt nogal moeilijk.* ➤ zelfst. naamw. + deelw.

**communicatienummers** ➤ e-mail. telefaxnummer. telefoonnummer. telexnummer.

**computer-** Woorden als *computerberekend, computergestuurd, computerbewerkt* zijn ingeb. germ. voor *door de computer berekend, door de computer gestuurd/geleid/gecontroleerd, door de computer bewerkt.* ➤ zelfst. naamw. + deelw.

**conform** Na *conform* komt geen voorzetsel. Dus niet: *Conform met onze afspraak ...,* maar: *Conform onze afspraak.*

**contact opnemen** Ingeb. germ. voor *in contact treden, contact zoeken, zich in verbinding stellen.*

**contaminatie** Het verschijnsel dat twee woorden of uitdrukkingen met gelijke of bijna gelijke betekenis door elkaar worden gehaald, waarbij er een nieuw woord of een nieuwe uitdrukking ontstaat.
Enkele bekende voorbeelden: *aanpresenteren* (aanbieden/presenteren), *aanrecommanderen* (aanbevelen/recommanderen), *opnoteren* (opschrijven/noteren), *optelefoneren* (opbellen/telefoneren), *verassureren* (verzekeren/assureren), *verexcuseren* (verontschuldigen/excuseren).
De genoemde contaminaties zijn zo duidelijk herkenbaar dat ze in geschreven taal

vrijwel niet voorkomen. Maar de volgende voorbeelden van contaminatie worden nogal eens gebruikt. *Hij behoort tot een van de beste musici* (Hij behoort tot de beste musici/Hij is een van de beste musici), *somstijds* (soms/somtijds), *uit eigener beweging* (uit eigen beweging/eigener beweging), *verloren zijn* (verloren hebben/kwijt zijn), *zwaar wegen* (zwaar zijn/veel wegen).

We noemen nog een aantal contaminaties (de verklaring staat bij de woorden zelf):

| | | |
|---|---|---|
| *afparaferen* | *interesse hebben in* | *opstarten* |
| *akkoord zijn* | *irriteren, zich* | *optimaal, zo optimaal* |
| *als gewoonte* | *kloppen als een bus* | *mogelijk* |
| *als ... zijnde* | *kosten, duur/goedkoop* | *overnieuw* |
| *bedenken, zich bedenken* | *kosten* | *plegen, gewoonlijk* |
| *begrijpen, zich begrijpen* | *kwijt maken* | *pleidooi voeren* |
| *behoren tot een van* | *land, aan den lande bewe-* | *plotsklaps* |
| *beklag indienen* | *zen* | *prijs, goedkope/dure prijs* |
| *belangstelling trekken* | *lezen, uit uw brief lezen* | *schade betalen* |
| *beweging, uit eigener be-* | *we* | *schuld, hij is schuld aan* |
| *weging* | *luidop* | *somstijds* |
| *bijsluiten* | *met zich meebrengen* | *stopleggen* |
| *ten gehore komen* | *navolgeling* | *terug, voor een jaar terug* |
| *geleden, voor ... geleden* | *ondenkbeeldig* | *uitgesloten, kans is -* |
| *gelijkstellen aan* | *onderdeel uitmaken van* | *uitprofiteren* |
| *gemis, bij gemis aan* | *onmeedogenloos* | *vergissing, per vergissing* |
| *gepaard gaan aan* | *onontkomelijk* | *verliezen, iets verloren zijn* |
| *gevaar kunnen* | *ontlenen uit* | *verschil, verschil uitmaken* |
| *gewoonlijk, gewoonlijk* | *ook, hetzelfde ... ook* | *verveelvuldigen* |
| *plegen* | *oorzaak, oorzaak is te wij-* | *volgens mijn mening* |
| *goedgevig* | *ten aan* | *wegen, licht/zwaar wegen* |
| *hoogte, op de hoogte met* | *oppassen, pas op die ...* | *zoiets dergelijks* |

**controleren** *Een holding company controleert verscheidene N.V.'s.* (Ingeb.) angl./gall. voor *beheersen, leiden, regelen, toezicht houden op.*

*Het is moeilijk om de chemische reacties te controleren.* Liever: *... te regelen, te beheersen.*

**copyrightpagina** Op de copyrightpagina van een boek (de achterzijde van de titelpagina) kunnen – behalve gegevens over het copyright – gegevens voorkomen over de oorspronkelijke titel en uitgever (bij vertalingen), de druk, oplage, drukker, ontwerper, vertaler enz. ➤ titelpagina, achterzijde.

**copyrightteken** Het copyrightteken is ©. ➤ tekens.

**corona (å; ångström)** ➤ tekens.

**correctietekens** Bij het corrigeren/bewerken van (traditionele) kopij* wordt meestal in de tekst zelf veranderd, doorgehaald en bijgeschreven. (Vandaar dat kopij met 1 1/2 of 2 regels interlinie getypt moet worden; er moet ook een flinke voor- en achtermarge zijn.) Maar in drukproeven kan dat niet. Voor wijzigingen daarin gebruiken we genormaliseerde correctietekens. Als dat niet gebeurt, bestaat de kans dat op de zetterij bepaalde correcties verkeerd worden geïnterpreteerd.

| Nr. | Teken | Betekenis |
|---|---|---|
| 1 | | letter(s) weghalen |
| 2 | ⓔ | letter beschadigd |
| 3 | ⊗ | vlek, blokje enz. wegnemen |
| 4 | # | twee woorden van maken |
| 5 | ⊂ | één woord van maken |
| 6 | ⊃ | divisie aanbrengen (koppelwoord van maken) |
| 7 | | minder spatie |
| 8 | vet | vet zetten |
| 9 | curs. | cursief zetten |
| 10 | rom. | romein zetten |
| 11 | spat. | spatiëren |
| 12 | kap. | kapitaal zetten |
| 13 | kl.kap. | kleinkapitaal zetten |
| 14 | o.k. | onderkast zetten |
| 15 | sup. | superieur zetten |
| 16 | inf. | inferieur zetten |
| 17 | ◻ | nieuwe alinea |
| 18 | ⊏ | inspringen |
| 19 | ⊐ | niet inspringen |
| 20 | ⌒ | geen nieuwe regel |
| 21 | ═ | in de lijn brengen |
| 22 | ⩗ | woord(en) tussen zetten |
| 23 | | omhoog brengen |
| 24 | | omlaag brengen |
| 25 | ∽ | omzetten van letters/woorden |
| 26 | ----- | correctie vervalt |
| 27 | >— | meer interlinie (wit) |

28 ⊢——— minder interlinie (wit)

29  verwijzingstekens: _J⌐F९ᵭ७७LᏛ ⊢ ⊢—┤ nU_

——┤ ०—┤ ⫣—┤ ⊢—० ⫣——

Enkele opmerkingen (de nummers hebben betrekking op de nummers vóór de correctietekens):

– Als woorden in een ander lettertype gezet moeten worden – vet, cursief, romein, gespatieerd, kapitaal, kleinkapitaal, onderkast, superieur of inferieur (8 t/m 16) – moeten die omhaald worden. In de marge wordt – weer omhaald – aangegeven wat de bedoeling is. Als dit enkele keren vlak bij elkaar voorkomt, kan bovendien een verwijzingsteken gebruikt worden (zie de laatste zin van het voorbeeld). We kunnen in plaats van (rom) ook bijvoorbeeld (niet curs) , (niet vet) zetten.

Als een groot stuk tekst in een ander lettertype gezet moet worden, kunnen we dat het best aangeven met een streep voor of achter de bewuste tekst, en een horizontaal streepje erboven en eronder. Voor of achter de verticale lijn moet (omhaald) worden aangegeven wat de bedoeling is.

– Met het teken □ (17) geven we een nieuwe alinea aan. Dit teken wil níét zeggen dat de alinea moet inspringen. Het teken ⊏ (18) betekent: inspringen; en ⊐ (19) betekent: niet inspringen.

– De tekens 1 t/m 17 worden niet in de tekst maar in de marge geplaatst. Er wordt met een verwijzingsteken (29) naar verwezen. De overige tekens worden wél in de tekst geplaatst en in de marge herhaald. De tekens 'meer interlinie' (27) en 'minder interlinie' (28) worden niet herhaald.

– We hebben een aantal veelgebruikte verwijzingstekens (29) gegeven; ze kunnen met andere worden uitgebreid, maar dat is meestal niet nodig. Gebruik voor dicht bij elkaar staande zetfouten verschillende tekens.

De vijfde druk van norm NEN 632 (Correctietekens voor tekst, oktober 1988) wijkt op enkele punten af van eerdere versies (waarop het voorgaande in grote lijnen is gebaseerd). We hebben de wijzigingen niet in het lijstje opgenomen, omdat de bewuste tekens niet altijd in de praktijk gebruikt worden en omdat de wijzigingen volgens ons niet steeds een verbetering zijn (oude tekens worden wel gebruikt, maar hebben een andere betekenis).

Voor de volledigheid noemen we hierna de belangrijkste wijzigingen:

– Het teken □ ('nieuwe regel') is vervallen. Als de tekst op een volgende regel moet doorlopen, kan op de voorafgaande regel het teken ⊏ worden gebruikt.

– Het teken ∿ ('geen nieuwe regel') is vervallen. De ten onrechte op een nieuwe regel begonnen tekst moet met het teken ⊐ verplaatst worden.

– De tekens ⊏ ('inspringen') en ⊐ ('niet inspringen') zijn vervangen door ⊏ ('naar rechts én in lijn brengen') en ⊐ ('naar links én in lijn brengen').

– Het teken ∿ betekent nu 'geen nieuwe alinea'; ⌐ betekent 'nieuwe alinea'.

U kunt links of rechts in de marge corrigeren. Maar ook links én rechts. Aan één kant heeft in het algemeen de voorkeur.

We geven een voorbeeld van een (deel van een) drukproef:

> Voordat een tekst gedrukt wordt ontvangt de opdrachtgever (uitgever of auteur) een *drukproef*.
> Dat is een afdruk van de gezette tekst.
> De benaming drukprodf is dus eigenlijk onjuist; beter is zetproef. Omdat vrijwel iedereen het over zetproef heeft, houden we het daarop. Dikwijls worden de proef eerst op de zetterij gecorrigeerd (de'huiscorrectie'). De meeste fouten zijn er dus in het algemeen al uit als de klant de proef krijgt.
>
> De auteur moet de proef nauwkeurig corrigeren. Dat wil zeggen: met de kopij vergelijken en alle aangeven. Dan moet bijvoorkeur met de genormaliseerde correctie tekens.
> de gekorrigeerde proef gaat terug naar de zetterij, waar alle fouten hersteld worden Om te kunnen controleren of dat goed is gebeurd, krijgt de *opdrachtgever* tweede een proef: de REVISIEPROEF.

In het volgende voorbeeld is de tekst door middel van de correctietekens gecorrigeerd:

⌐t, ⌐Voordat een tekst gedrukt word⌐ ontvangt de opdrachtgever
⌐(com.) (uitgever of auteur) een (drukproef)
Dat is een afdruk van de gezette tekst.
∟e    De benaming drukprodf is dus eigenlijk onjuist; beter is zetproef.
⊣druk- Omdat vrijwel iedereen het over zetproef heeft, houden we het
(curs.) proef daarop. Dikwijls worden de proef eerst op de zetterij gecorrigeerd
F⊡ ∏⊂t (de'huiscorrectie'). De meeste fouten zijn er dus in het algemeen al
⌐e# uit als de klant de proef krijgt.
o—koffekies

⌐(kl.kap) De auteur moet de proef (nauwkeurig) corrigeren. Dat wil zeggen: met
∨ fouten de kopij vergelijken en alle aangeven. Dan moet bijvoorkeur met de
∂t ⊐#v genormaliseerde correctie tekens.
⌐◡

**De** gecorrigeerde proef gaat terug naar de zetterij, waar alle **fouten** hersteld worden. Om te kunnen controleren of dat goed is gebeurd, krijgt de *opdrachtgever* een tweede proef: de REVISIEPROEF.

Nadat de correcties zijn uitgevoerd, ziet de tekst er als volgt uit:

Voordat een tekst gedrukt wordt, ontvangt de opdrachtgever (uitgever of auteur) een drukproef. Dat is een afdruk van de gezette tekst.

De benaming drukproef is dus eigenlijk onjuist; beter is zetproef. Omdat vrijwel iedereen het over *drukproef* heeft, houden we het daarop.

Dikwijls wordt de proef eerst op de zetterij gecorrigeerd (de 'huiscorrectie'). De meeste fouten zijn er dus in het algemeen al uit als de klant de proef krijgt.

De auteur moet de proef NAUWKEURIG corrigeren. Dat wil zeggen: met de kopij vergelijken en alle fouten aangeven. Dat moet bij voorkeur met de genormaliseerde correctietekens.

De gecorrigeerde proef gaat terug naar de zetterij, waar alle fouten hersteld worden. Om te kunnen controleren of dat goed is gebeurd, krijgt de opdrachtgever een tweede proef: de *revisieproef.*

**corrigeren van drukproeven** Van teksten die gedrukt worden – of de kopij nu getypt of met de tekstverwerker is gemaakt – wordt vrijwel altijd een drukproef* gemaakt. Aan de hand daarvan is te controleren of er fouten in staan. In principe is het corrigeren van drukproeven niet zo moeilijk, maar een grote nauwkeurigheid en ervaring zijn noodzakelijk.

Als de tekst geheel gezet is – dus aan de hand van 'traditionele' kopij – moet de drukproef woord voor woord, en zelfs letter voor letter vergeleken worden met het manuscript; 'collationeren' heet dat. De tekst nauwkeurig lezen is niet voldoende, want daarbij worden fouten gemakkelijk over het hoofd gezien.

Een drukproef moet niet alleen op tekst gecontroleerd worden; ook de typografie en opmaak vereisen aandacht. Daarom worden proeven ook vaak door de vormgever bekeken.

Het corrigeren van digitale kopij – dus kopij die op de tekstverwerker is gemaakt – is gemakkelijker dan die van traditionele kopij. Aangezien de tekst niet opnieuw gezet is, zullen er in het algemeen geen nieuwe fouten in de proef kunnen voorkomen. Het is dus in principe niet nodig de tekst woord voor woord te vergelijken. Vaak wordt volstaan met alinea voor alinea globaal te vergelijken, de overgang naar de volgende pagina en alle afbrekingen te controleren (daarin komen nogal eens fouten voor) en nummering en zetwijze van kopjes, noten enz. te controleren.

Dit systeem is niet waterdicht, want de praktijk leert dat er toch weleens – soms onverklaarbare – fouten kunnen voorkomen. Vaak zal het gaan om heel duidelijke ontsporingen, zoals een stuk tekst geheel cursief of vet zonder dat dit de bedoeling was. Maar al is de kans op fouten heel klein, het verdient altijd aanbeveling de hele tekst een keer nauwkeurig te lezen. Nog een reden daarvoor is, dat op de floppy fouten kunnen staan! Die hadden er bij de kopijvoorbereiding natuurlijk al uitgehaald moeten zijn ...

Maak er een gewoonte van om een regel met een correctie erin nog een keer helemaal te lezen; fouten in de buurt van een correctie worden soms over het hoofd gezien.

Het komt nogal eens voor dat een correctie, bijvoorbeeld vervanging van een bepaald woord, in een verkeerde regel is uitgevoerd. Dat gebeurt vooral als het bewuste woord meermalen in een pagina voorkomt. De corrector geeft dan aan dat de correctie niet is uitgevoerd, maar ziet soms niet dat die ervoor of erna ten onrechte wél is uitgevoerd.

Om fouten in een drukproef aan te geven worden bij voorkeur gestandaardiseerde correctietekens gebruikt.

Bij het corrigeren van drukproeven is het goed om de correcties tot een minimum te beperken. Als er correcties gemaakt worden die afwijken van de kopij – die dus niet door de zetterij zijn gemaakt – kunnen die (als zgn. extracorrectie*) in rekening gebracht worden. Vaak wordt niet beseft dat correcties in drukproeven een kostbare aangelegenheid zijn. Er wordt weleens gedacht dat het geen probleem is de tekst hier en daar nog wat te verfraaien of uit te breiden, maar in het drukproefstadium is het daar te laat voor. Als de auteur zich vergist heeft of als hij na het insturen van de kopij nieuwe, echt belangrijke informatie heeft, kan hij nog weleens iets toevoegen of veranderen, maar dat moet wel zo veel mogelijk beperkt worden.

Wat we hiervoor zeiden, geldt in het bijzonder voor de opgemaakte proef, want iets toevoegen of schrappen betekent dat de tekst langer of korter wordt; ingrijpende correcties kunnen op deze manier invloed hebben op de opmaak van een groot aantal pagina's. Er doet zich dan immers verloop voor. Dat wil zeggen dat een deel van een regel naar de volgende of vorige regel gaat, van die regel weer een stuk naar de volgende/vorige enz. Het kan ook gebeuren dat er tekst naar de volgende/vorige pagina moet. Let erop of verloop consequenties heeft voor verwijzingen, paginacijfers in inhoudsopgave en register enz. ➤ correctietekens. drukproef. extracorrectie.

**corrosiebestendig** Ingeb. germ. voor *corrosievast, bestand tegen corrosie.* ➤ -bestendig.

**c.q.** De afkorting *c.q.* betekent letterlijk 'casu quo' = 'in welk geval'; wat ruimer: 'als het geval zich voordoet'. De afkorting veronderstelt een vooraf door de omstandigheden gemaakte keuze: *Jansen vervangt Pietersen bij ziekte. Pietersen c.q. Jansen tekent de contracten.* Omdat niet iedereen de betekenis van *c.q.* kent, kan deze afkorting beter vermeden worden. Vervanging door *en, of* of *respectievelijk* verdient meestal de voorkeur: *Pietersen of Jansen tekent de contracten. Onze onderneming stelt hoge eisen aan de kwaliteit van producten resp. diensten* (= *en*). *Wij handelen in boeken en cd's, die we in Nederland c.q. het buitenland inkopen* (= *respectievelijk*).

**c.s.** Cum suis = met de zijnen. *Jansen c.s. heeft onderzocht ...* Het werkwoord komt bij voorkeur in het enkelvoud. Als *c.s.* wordt opgevat als *en de zijnen* is meervoud mogelijk: *Minister-president Kok c.s. zijn van mening dat ...*

**cursief** De cursieve (schuine) letter wordt gebruikt om een of meer woorden te benadrukken:

U moet geen *kopie* sturen, maar het *origineel.*

➤ accentueren.

We gebruiken cursief ook voor:

– kopjes;

– vreemde woorden: Dat verschijnsel heet *botulisme*;

– wetenschappelijke namen: paard (*Equus caballus*);

– citaten;

– namen van boeken en tijdschriften;

– symbolen van grootheden: $l$ (lengte), $m$ (massa). (Symbolen van eenheden – bijvoorbeeld m, kg en kJ – worden niet gecursiveerd.)

Beperk het gebruik van cursiveringen om nadruk te leggen, omdat anders niet meer duidelijk is wat écht belangrijk is.

Woorden die in kopij onderstreept zijn, worden – volgens een genormaliseerde afspraak – op de zetterij meestal cursief gezet.

Hoe cursieve tekst op de tekstverwerker gemaakt wordt, hangt van het tekstverwerkingsprogramma af. Enkele mogelijkheden zijn via ctrl F8 – 2 weergave – 4 cursief te kiezen of door te klikken op het symbool 'I' (van 'italic' = cursief). (Of ctrl + I) Soms is het mogelijk via F8 te onderstrepen; onderstreping kan worden omgezet naar cursief.

Voor cursivering van leestekens ➤ accentueren.

# D

**daadkracht** (Ingeb.) germ. voor *werkkracht, wilskracht, doorzettingsvermogen, energie. Daadkrachtig* is een ingeb. germ. voor *wilskrachtig, energiek, doortastend.*

**daadwerkelijk** Dit woord wordt wel een ingeb. germ. genoemd voor *metterdaad, in feite,* maar *tatwirklich* bestaat niet. *Daadwerkelijk* is eigenlijk een contam. van het germ. *daadzaak* (Nederlands: *feit*) en *werkelijk: Dank zij haar daadwerkelijke hulp liep alles nog goed af. Daadwerkelijke hulp* is *krachtige, doeltreffende, feitelijke hulp.*

**daar** Stijf woord voor *omdat\*, aangezien\*.* Geeft een reden aan. ➤ waar.

**daar + voorzetsel** ➤ er-.

**daardoor** ➤ doordat.

**daarentegen** Daartegenover. Geeft een lijnrechte tegenstelling aan (mooi – lelijk; dik – dun). *Hij heeft een aantal gebreken, maar daarentegen ook veel goede eigenschappen. Hij is goed in Engels, zijn Frans is daarentegen slecht.* ➤ integendeel.

**daarginds** Versterking van *ginds.* Ouderwets voor *dáár.*

**daarom** ➤ omdat.

**daarom** *Ik vind haar nogal brutaal, maar daarom is ze nog wel lief.* Hoewel *daarom* gewoonlijk een reden aangeeft, kan het ook in tegenovergestelde betekenis gebruikt worden. Dat zou in de voorbeeldzin het geval zijn zonder *nog wel* (in plaats van *maar* zou er dan *en* moeten staan). Die toevoeging is hier dan ook noodzakelijk. De betekenis is: ondanks dat ...

**daarom ... omdat** *Hij is daarom niet meegegaan omdat hij ziek was.* Germ. voor *omdat. Daarom* is overbodig. Bij sterke nadruk is *daarom ... omdat* niet onjuist.

**daaromtrent** *Wat u ons daaromtrent hebt meegedeeld, verbaast ons.* Ouderwets voor: *daarover.*

**daar waar** *Gebruik vreemde woorden alleen daar waar ze echt nodig zijn.* Met *daar waar* geven we een plaats aan, maar geen tegenstelling. ➤ terwijl, waar.

**dag** *Dezer dagen. We gaan dezer dagen naar ... Dezer dagen kwamen we ... tegen. Een dezer dagen* is een ingeb. gall. voor *dezer dagen.* We kunnen *dezer dagen/een dezer dagen* zowel voor het verleden als voor de toekomst gebruiken; de betekenis is dan respectievelijk *onlangs* en *binnenkort.* Soms wordt een onderscheid gemaakt: *dezer dagen* voor 'onlangs', en *een dezer dagen* voor 'binnenkort'.

**dag** *Voor de(n) dag halen, komen. Aan de(n) dag leggen, komen.* Staande uitdr.

**dagbouw** Ingeb. germ. voor *bovengrondse ontginning, winning aan de oppervlakte.*

**dagelijks** (Op) elke dag, elke dag voorkomend. *Hij komt hier dagelijks.* ➤ alledaags.

**dagger** (†) ➤ overlijdenskruisje. tekens.

**dagnamen** De verbogen/afgeleide vormen van dagnamen zijn: *('s) ('s) zondags, ('s) zondagsmorgens, ('s) maandags, ('s) maandagsavonds, dinsdags, dinsdagsmiddags, ('s) woensdags, ('s) woensdagsavonds, donderdags, donderdagsnachts, vrijdags, vrijdagsochtends, ('s) zaterdags, ('s) zaterdagsochtends.* Denk om het verschil: *Ik ga maandagmiddag* (één keer) en: *Ik ga 's maandagsmiddags* (elke maandagmiddag). ➤ apostrof.

Als de namen van de dagen afgekort moeten worden (bijvoorbeeld in een tabel), kan dat als volgt: *zo, ma, di, wo, do, vr, za.* Gebruik deze afkortingen niet in de tekst.

**dakje** (^) Accent circonflexe: *enquête, ragoût.* ➤ accenttekens.

**dalmatiner** Ingeb. germ. voor *dalmatiër, Dalmatische hond.*

**dame** *De heer Jansen en zijn dame.* Gall. voor *vrouw, echtgenote.* Wordt vooral in België gebruikt. Ook (ingeb.) germ. voor *koningin* (in schaak- en kaartspel). ➤ belgicismen.

*Dame* is correct voor *partner aan tafel, op een bal* enz.

**dan/als** Na een vergrotende trap (*groter*) moeten we het liefst *dan* gebruiken: *Die auto is groter dan de mijne.* Men gebruikt hier vaak *als.* Dit wordt niet meer echt onjuist gevonden, maar *dan* heeft nog de voorkeur.

We gebruiken bij voorkeur *dan* in: *niemand dan, niets dan, een ander dan, anders dan.* Na een zogenaamde stellende trap (gelijkwaardigheid, bijvoorbeeld: *even groot*) komt *als*: *even groot als.*

*Dit huis is tweemaal groter dan mijn huis* is een (ingeb.) gall./angl. voor: *tweemaal zo groot als.* ➤ als/dan.

Bijwoorden als *hogerop* en *verderop* kunnen niet met *dan* worden gecombineerd, omdat ze hun functie als vergrotende trap hebben verloren. Dus niet: *Mijn auto staat verderop dan die van hem. Sommigen komen hogerop dan anderen. Hogerop* betekent 'naar een hogere plaats' of 'naar een betere betrekking'; *verderop* wil zeggen 'op een plaats verder in de bedoelde richting'.

**dan** *Als ..., dan ...* Als we het voegwoord *als* gebruiken, is *dan* eigenlijk overbodig. Als er speciaal nadruk wordt gelegd, dan is *dan* meer gerechtvaardigd, maar niet noodzakelijk. (De twee voorgaande zinnen zijn voorbeelden.)

Na een voorwaardelijke bijzin met de volgorde van een vragende hoofdzin is *dan* noodzakelijk: *Verliest hij de weddenschap, dan krijg ik zijn fiets.* ➤ voorwaardelijke bijzin.

**dan dat** *Ik heb de brief te oppervlakkig gelezen dan dat ik er al een oordeel over kan geven.* Deze constructie is alleen te gebruiken als er in de voorafgaande zin een bepaling met *te* voorkomt. Zinnen met *dan dat* zijn niet mooi. Liever: *... te oppervlakkig gelezen* *om er al een oordeel over te kunnen geven/... niet zo goed gelezen dat ik er al een oordeel over kan geven.*

**dan ook** De woorden *dan ook* geven een gevolgtrekking aan. Ze moeten daar vlak vóór staan: *De bewijzen waren overtuigend; hij is dan ook gestraft.* Dus niet: *U schreef mij dat u artikel X in voorraad hebt. Ik wil dan ook twee exemplaren ontvangen.*

**dan wel** *Wilt u ons laten weten of u hiermee akkoord gaat dan wel of u liever ...* We gebruiken *dan wel* (twee woorden) om een herhaling van *of* te voorkomen. Gebruik *dan wel* niet in plaats van *of* als dat niet nodig is. Niet: *Ik weet niet of hij vandaag komt dan wel morgen.*

**danken aan** *Hij heeft zijn promotie aan zijn chef te danken.* Heeft een gunstige betekenis. ➤ wijten aan.

**dankend** *U bij voorbaat dankend ...* Vermijd dit soort zinnen met een deelwoord: *dankend, hopend, vertrouwend.* ➤ slotzinnen.

**dankzij** Oorspronkelijk twee woorden. Wordt nu als één woord geschreven.

**dat/wat** Het betrekkelijk voornaamwoord *dat* slaat terug op een bepaald, onzijdig woord (het antecedent): *Het meisje dat daar loopt, is mijn dochter. Het huis dat vanochtend is afgebrand, was van mijn oom.* Het is onjuist hier *wat* te gebruiken.

We gebruiken *wat* als het antecedent een hele zin is: *Hij kwam op bezoek, wat we niet hadden verwacht.*

Ook na *dat* en *datgene* gebruiken we *wat*: *Dat(gene) wat je hebt gekocht, is erg mooi.* Ook bij voorkeur na *alles* en *iets*: *Alles wat je zegt, is gelogen. Er is iets wat ik je moet vertellen.*

Als het antecedent iets onbepaalds noemt, gebruiken we ook *wat*: *Dit is het leukste wat ik ooit heb meegemaakt.* (Het leukste van alles.) *Dat* zou hier ook kunnen, maar liever *wat*.

*Dit was het leukste avontuur dat ik ooit heb meegemaakt.* (Het leukste van alle avonturen.) Hier niet *wat*, omdat het om iets bepaalds gaat, namelijk *het avontuur*.

De volgende zinnen zijn dubbelzinnig: *Het meisje dat het paard had laten schrikken.* Wie liet wie schrikken? *Het publiek dat deze radio-omroep waardeert.*

Er is een verschil tussen *Dit huis is het enige dat de brand heeft overleefd* en *Dit huis is het enige wat de brand heeft overleefd.* ➤ enige.

**dat** *Zijn boek en dat van mij. Dit* in plaats van *dat* is hier een gall. Ook *deze* in plaats van *die* is in dit verband een gall. Wordt vooral in België gebruikt. ➤ belgicismen.

**dat, als** *De minister antwoordde dat, als daartoe aanleiding was, hij daarop zou terugkomen.* Het is lelijk twee voegwoorden direct na elkaar te gebruiken. Liever: *De minister antwoordde dat hij daarop zou terugkomen als daartoe aanleiding was.*

*Wij merken nog op dat, doordat u zo laat kwam, wij de trein misten.* Liever: *... dat wij de trein misten doordat u zo laat kwam.*

*Ik neem aan dat, zodra u iets weet, u mij opbelt.* Liever: *Ik neem aan dat u mij opbelt zodra u iets weet.*

*Ik had gehoopt dat, hoewel het regende, je zou komen.* Liever: *Ik had gehoopt dat je zou komen, hoewel het regende.*

**dat is al** Angl. voor *dat is alles.*

**dateren uit/van** *Dateren uit* heeft betrekking op een betrekkelijk onbepaald tijdstip: *Deze vaas dateert uit de zestiende eeuw. Dateren van* geeft een bepaald tijdstip aan, en wordt gebruikt in de volgende uitdrukkingen: *dateren van ... geleden* (een maand, drie dagen, jaren), *dateren van ...* (datum), *dateren van gisteren, verleden jaar, vorige week, de laatste maanden.*

**datgene** Het betrekkelijk voornaamwoord dat na *datgene* volgt, is *wat: Datgene wat je had moeten doen, is niet gedaan.* Ook na *dat: Dat wat je had moeten doen, ...* ➤ dat/wat. wat.

**datum** Brieven, rapporten enz. kunnen op verschillende manieren gedateerd worden. Het eenvoudigst en duidelijkst is voluit: *29 maart 1999.* In cijfers worden de dagen, maanden en jaren door een klein streepje (koppelteken*, divisie*) gescheiden: *29-3-1999.* Op deze manier worden brieven meestal gedateerd, vooral als de datum onder of achter de voorgedrukte vermelding 'datum' wordt gezet.

Soms wordt *1999-03-29* gebruikt, maar dat kan onduidelijk zijn.

In een tekst schrijven we de maand voluit: *Op 3 oktober 1574 werd Leiden ontzet.*

Als de namen van de dagen en van de maanden afgekort moeten worden (bijvoorbeeld in een tabel), doen we dat volgens bepaalde regels. ➤ antedateren. dagnamen. maandnamen. postdateren.

**datzelfde** ➤ zelfde.

**de (weglaten van)** In een aantal gevallen wordt *de* ten onrechte weggelaten. Dit zijn de belangrijkste:

*Een op drie inwoners heeft dit weleens meegemaakt.* Moet zijn: *een op de drie.*

Bij *boven, onder, beneden* en *over* + leeftijd of hoeveelheid gebruiken we meestal *de*: *hij is over de tachtig, onder de zestig kilo.*

Vergeet *de* niet voor *schrijver, spreker, dominee, dokter* enz. Niet: *Spreker beklemtoonde dat ...,* maar: *De spreker ...*

Laat *de* liever niet weg in bijvoorbeeld *de bovengenoemde persoon.* Hetzelfde geldt natuurlijk voor *het.*

Soms is *de* onnodig of onjuist. Dat is bijvoorbeeld het geval in: *Alle vier de stoelen waren kapot.* Hier is *de* overbodig.

We gebruiken geen lidwoord vóór titels of kwaliteitsaanduidingen die direct worden gevolgd door een eigennaam. Niet: *de burgemeester Jansen, de schrijver Klaesen.*

In militaire kringen is het gebruikelijk wél het lidwoord te gebruiken: *de sergeant Pietersen.*

**de en de** *De* kan óf tweemaal gebruikt óf tweemaal weggelaten worden in bijvoorbeeld: *De hand en de voet waren ontstoken./Hand en voet waren ontstoken. De Eerste Kamer en de Tweede Kamer hebben vele tientallen leden./Eerste Kamer en Tweede Kamer hebben vele tientallen leden.* Alleen de eerste keer weglaten is niet juist; alleen de tweede keer weglaten is mogelijk, maar niet aan te bevelen. Hetzelfde geldt voor een combinatie van *de* en *het*, het meervoud en *het*. ➤ het en het.

**de/het beste** ➤ best/beste.

**de dato** (d.d.) Als we d.d. (van de datum, gedateerd) gebruiken, moeten we de volledige datum vermelden, dus mét het jaartal. *Wij hebben uw brief d.d. 14 maart 19.. ontvangen.* Onjuist is: *In antwoord op uw brief d.d. 14 maart jl.* of *d.d. 14 dezer.* Een stuk vlotter is: *uw brief van 14 maart (jl.).*
Een brief van *d.d. 11 september* is een pleon.

**debet** *Uw onderneming is er voor een groot deel debet aan dat onze omzet enorm is gedaald.* De betekenis van *debet zijn aan* is negatief, namelijk: *te wijten aan.* Onjuist is dus: *... debet aan dat ... is gestegen.*

**decimaalteken** De komma die in getallen de gehelen van de decimalen scheidt: 6,40. Een punt in plaats van een komma (naar Engels/Amerikaans voorbeeld) is onjuist.

**dedicatie** ➤ opdracht.

**deel** *In allen dele. In genen dele.* Staande uitdr.

**deel** *Een deel van een erfenis, van een servies. Deel* is wat van een geheel is afgenomen of gescheiden. Het heeft een zelfstandig bestaan. Dat geldt niet voor *gedeelte: bovenste, onderste gedeelte. Deel* wordt ook wel in de betekenis van *gedeelte* gebruikt: *een deel van zijn vermogen.* ➤ gedeelte.

**deelname** Ingeb. germ. voor *deelneming,* het deelnemen. *Deelneming* in plaats van *deelname* doet sommigen te veel denken aan *rouwbeklag, medegevoel,* maar het zinsverband sluit misverstand meestal uit. Voor rouwbeklag gebruiken we uitsluitend *deelneming.* ➤ -name.

**deelnemen** *Deelnemen aan* is meedoen aan: *Hij heeft aan de wedstrijd deelgenomen. Deelnemen in* is meevoelen, meeleven: *Wij nemen deel in hun verdriet. Deelnemen in* is ook ergens zijn geld in steken: *deelnemen in een onderneming.*

**deelstreep** De schuine deelstreep of Duitse komma is de schuine streep die we gebruiken in breuken (4/6), in de betekenis 'per' (km/h = kilometer per uur; g/m$^2$ = gram per vierkante meter), om een keuzemogelijkheid aan te geven (man/vrouw, en/of, sollicitatie-/selectiegesprek, *Geachte heer/mevrouw*) en in enkele afkortingen: p/a (per adres), t/m (tot en met), a/z (aan zee). Er komt geen spatie voor en na de deelstreep.

Ook in de volgende gevallen wordt een deelstreep gebruikt:

– In plaats van een komma, bijvoorbeeld in een register om een aantal bij elkaar horende woorden aan te geven: *dezelfde/hetzelfde/eenzelfde*.

– In formulieren waar gegevens onderstreept of doorgehaald moeten worden: *gehuwd/gehuwd geweest/ongehuwd/samenwonend*.

– In de inhoudsopgave van boeken, rapporten enz.:

| | |
|---|---|
| 16 / Accenttekens | Accenttekens / 16 |
| 16 / Accent aigu | Accent aigu / 16 |
| 17 / Accent grave | Accent grave / 17 |
| 19 / Accent circonflexe | Accent circonflexe / 19 |

In dit geval komt er een spatie voor en na de deelstreep.

Computergebruikers noemen het teken / wel 'slash'. Het teken \ is 'backslash', dat in bestandsaanduidingen wordt gebruikt: *C:\data\rapporten*. ➤ tekens.

**deelteken** (:) Geeft een deling aan. Het teken wordt voorafgegaan en gevolgd door een spatie. ➤ tekens.

**deelteken** Het deelteken of trema geeft aan waar in een niet-samengesteld woord een nieuwe lettergreep begint als er kans op een verkeerde uitspraak bestaat. Dat is het geval als twee opeenvolgende klinkers als één klank gelezen worden. Het gaat om de volgende lettercombinaties: *aa, ae, ai, au, ee, ei, eu, ie, oe, oi, oo, ou, ui* en *uu*. Voorbeelden: *naïef, geëist, reëel, egoïst, ruïne, smeuïg, vacuüm*.

In woorden als *contractueel, financieel, beamen, dieet* staat geen deelteken, omdat een verkeerde uitspraak niet mogelijk is.

We gebruiken geen deelteken maar een koppelteken in samenstellingen (combinaties van woorden): *zee-eend, na-apen, zo-even, mee-eten, toe-eigenen, mede-eigenaar, twee-eiig*. Samengestelde telwoorden vormen een uitzondering: *drieëntwintig, tweeëndertig*. (Een woord als *vacuüm* heeft een deelteken, omdat het geen samenstelling is.)

Het woord *financieel* heeft geen deelteken, want er is geen gevaar voor verkeerd lezen; *financiële* krijgt wél een deelteken, omdat er gevaar is voor een verkeerde uitspraak. Soortgelijke voorbeelden zijn *officieel/officiële; ministerieel/ministeriële; principieel/principiële; gelieerd/liëren*.

Als in woorden die op *-ie* eindigen, de klemtoon niet op *-ie* ligt (*assurantie, kolonie*), komt er in het meervoud alleen een *n* achter (+ deelteken op de bestaande *e*): *assurantie/assurantiën; kolonie/koloniën*. (Ook correct: *assuranties* en *kolonies*.) Verder bijvoorbeeld: *bacterie/bacteriën, porie/poriën*.

Als de klemtoon op *-ie* ligt, wordt er *-ën* toegevoegd: *industrie/industrieën; kopie/kopieën*.

Verder bijvoorbeeld: *melodie/melodieën, categorie/categorieën, genie/genieën, knie/knieën, therapie/therapieën*. Uitzonderingen zijn *bougie (bougies)* en *reünie (reünies)*.

Deze regel geldt ook voor woorden op *-ee*. Als de klemtoon op *-ee* valt, komt er *ën* achter: *idee/ideeën, zee/zeeën, fee/feeën, wee/weeën*, of *s: abonnee/abonnees*. (Als de klemtoon niet op *-ee* valt, komt er een *s* achter: *dominee/dominees*.)

Op *ii* komt nooit een trema: *glooiing, ontplooiing, buiig*. Een verkeerde uitspraak is niet mogelijk.

Woorden met de Latijnse uitgangen *-eum, -eus* en de Franse uitgang *-ien* krijgen geen deelteken: *museum, atheneum, extraneus* (meervoud: *extranei*), *elektricien, opticien*.

Als een woord voor een deelteken wordt afgebroken, vervalt het deelteken: *reële/re-ele, coëfficiënt/co-efficiënt*. Vermijd dergelijke afbrekingen liever. Sommige zetsystemen kunnen het deelteken bij afbreken niet automatisch laten vervallen. Er kunnen dus altijd fouten voorkomen, ook als er later (na correctie) verloop optreedt.

Hier volgt een alfabetisch lijstje van woorden die een deelteken krijgen en van woorden die géén deelteken krijgen.

| | | | |
|---|---|---|---|
| *aëroclub* | *conciërge* | *egoïsme* | *ideëel* |
| *amanuensis* | *concipiëren* | *elektricien* | *ideeën* |
| *ambiëren* | *consciëntieus* | *eventuele* | *ideële* |
| *aorta* | *continueren* | *fecaliën* | *individuen* |
| *atheïsme* | *continuïteit* | *financieel* | *industrieel* |
| *bacteriën* | *conveniëren* | *financiën* | *ingrediënten* |
| *beamen* | *coöperatie* | *geëerd* | *intuïtie* |
| *bedoeien* | *coördinatie* | *geëtst* | *Israël* |
| *beëindigen* | *corveeën* | *geïdealiseerd* | *jezuïet* |
| *beïnvloeden* | *creëren* | *geïnteresseerd* | *kippenei* |
| *België* | *dieet* | *geïnvesteerd* | *koloniën* |
| *bemoeienis* | *diesrede* | *gekopieerd* | *kopieën* |
| *bemoeiingen* | *diëtist* | *geüniformeerd* | *kopiëren* |
| *beogen* | *discussiëren* | *glooiing* | *liëren* |
| *buiig* | *draaiing* | *gratiën* | *linguïst* |
| *cafeïne* | *drieëndertig* | *haut-reliëf* | *maestro* |
| *cariës* | *druïde* | *heiig* | *maïs* |
| *cliënt* | *eeneiig* | *hiërarchisch* | *maïzena* |
| *cliënteel* | *efficiency* | *hindoeïsme* | *mecanicien* |
| *clientèle* | *efficiënt* | *hobbyist* | *melodieën* |
| *coëfficiënt* | *efficiëntie* | *hygiëne* | *meniën* |

| | | | |
|---|---|---|---|
| *ministerieel* | *parlementariër* | *quotiënt* | *tatoeage* |
| *ministeriële* | *patiënt* | *reëel* | *tatoeëren* |
| *mozaïek* | *piëdestal* | *reële* | *tweeëntwintig* |
| *museum* | *pinguïn* | *reïncarnatie* | *tweeërlei* |
| *naäpen* | *poëet* | *reliëf* | *vacuüm* |
| *naïef* | *poëzie* | *reünie* | *variëren* |
| *oase* | *poriën* | *ruïne* | *Vietnam* |
| *officieel* | *prieel* | *skiën* | *virtuositeit* |
| *officiële* | *principieel* | *smeuïg* | *voltooiing* |
| *onderzeeër* | *principiële* | *sociëteit* | *weeïg* |
| *ontplooiing* | *proletariër* | *spaniël* | *zoölogie* |
| *opticien* | *prozaïsch* | *spatiëren* | |

Het deelteken of trema wordt, ten onrechte, wel umlaut* genoemd. Dat is geen Nederlands maar een Duits teken, dat bovendien een klankverandering aangeeft. Bij het deelteken is dat niet het geval.

Omdat de combinatie van deelteken en hoofdletter soms technisch lastig is, wordt het deelteken in deze gevallen ook wel weggelaten. Men vindt in het algemeen dat het deelteken boven hoofdletters of kleinkapitalen gewenst (maar niet noodzakelijk) is. (Een kleinkapitaal is een klein soort hoofdletter ter grootte van een kleine letter; een kapitaal is een gewone hoofdletter: KAPITALEN/ᴋʟᴇɪɴᴋᴀᴘɪᴛᴀʟᴇɴ.)

Soms wordt er alleen een kleinkapitaal gebruikt voor de letter waarop een deelteken voorkomt: SOCIꞆTEIT. Een gewone hoofdletter heeft de voorkeur (of het *hele* woord kleinkapitaal).

Heel lelijk is het om alleen voor de letter-met-deelteken een kleine letter te gebruiken: SOCIꞆTEIT.

In teksten die op tekstverwerkingsapparatuur tot stand zijn gekomen, worden soms alle deeltekens gemakshalve genegeerd. Er zijn zelfs instellingen en instanties die ze gewoon weglaten, ook in persoonsnamen. Het is begrijpelijk dat velen daar bezwaar tegen hebben. Zij maken terecht bezwaar tegen bijvoorbeeld *Piest* en *Labruyere* in plaats van *Piëst* en *Labruyère*.

**deeltitel(pagina)** Als de tekst van een boek in een aantal delen is onderverdeeld, wordt elk deel meestal voorafgegaan door een deeltitelpagina. Dat is een rechterpagina (achterkant blanco) waarop de naam (en soms het nummer) van het deel vermeld staat.

**degelijk** Van goede kwaliteit; betrouwbaar; met toewijding verricht. *Een degelijk huis; degelijke mensen; degelijk werk.* ➤ deugdelijk. gedegen. terdege.

**degene** *Degene* (met meer nadruk: *diegene*) wordt gebruikt voor het enkelvoud. *Degene die dat zei, heeft ongelijk. Degenen* en *diegenen* voor het meervoud. *Degenen die dat willen, kunnen ons schrijven.*

**Den Bosch/'s-Hertogenbosch** Beide vormen zijn juist, maar de officiële schrijfwijze is *'s-Hertogenbosch.*

**Den Haag/'s-Gravenhage** Beide vormen zijn juist, maar alleen in heel officiële documenten wordt de voorkeur gegeven aan *'s-Gravenhage.*

**denkbeeldig** *Het is niet denkbeeldig dat de hypotheekrente binnenkort hoger wordt.* Onjuist is *niet ondenkbeeldig. Ondenkbeeldig* is een contaminatie van *ondenkbaar* en *denkbeeldig.*

**denken** *Denken aan* is voor de geest houden: *Ik denk vaak aan hen.* Ook: niet vergeten: *Denk aan het afstapje.*

*Denken om* houdt verband met dingen die men moet doen: *Hij heeft niet om z'n boodschap gedacht.* Wordt ook gebruikt om iemand te waarschuwen: *Denk erom, val niet. Denk om uw lichten.*

*Denken over* is zijn gedachten erover laten gaan: *Ik zal er nog eens over denken.*

**der** Het gebruik van *der* (tweede naamval) in plaats van *van de* is ouderwets en daarom af te raden. Maar áls *der* wordt gebruikt (bijvoorbeeld voor de afwisseling), doe het dan volgens de regels. *Der* is alleen te gebruiken als het om een vrouwelijk woord gaat of in het meervoud: *de notulen der vergadering, het gebruik der taal, in naam der wet, het Boek der Boeken.* Onjuist is bijvoorbeeld: *de voorzitter der bond. Bond* is namelijk mannelijk. Dezelfde regel geldt voor *dezer, ener, mijner, onzer, hunner* enz.

De voorzetsels in zogenaamde voorzetseluitdrukkingen kunnen beter niet vervangen worden door *der: In afwachting van uw komst* (en niet: *uwer komst*). ➤ geslacht.

**derdens** Germ. voor *ten derde. Eerstens* en *tweedens* zijn ook germ. *(Vierdens* enz. komt zelden voor.)

**dergelijk** Daarop lijkend, soortgelijk, overeenkomend met iets dat al genoemd is. *Deze tekst wemelt van de pleonasmen, contaminaties en dergelijke stijlfouten.* Onjuist is: *De misdaad heeft een dergelijke omvang aangenomen dat* ... Moet zijn: *zo'n, zodanige, dusdanige omvang.* ➤ en dergelijke. zodanig.

**dergelijks** *Zoiets dergelijks* is een contam. van *zoiets* en *iets dergelijks.*

**derhalve** Ouderwets voor: *daarom, om die reden.*

**dermate** In die mate. *Ze was dermate van streek dat ze ons helemaal niet hoorde.* Vlotter is: *Ze was zo van streek dat* ...

Gebruik *dermate* niet als bijvoeglijk naamwoord. Niet: *Hij was een dermate stijfkop dat hij niet toegaf.* Moet zijn: *zo'n stijfkop, dermate koppig.*

Ook niet: *De uitgaven waren dermate dat ik niets meer kon kopen.* Moet zijn: *waren zodanig, dusdanig dat* ...

**des** Oude naamvalsvorm (tweede naamval mannelijk en onzijdig enkelvoud). Komt voor in vaste uitdrukkingen als: *de tand des tijds, de heer des huizes.* Ook in tijdsbepalingen (waarbij *des* wordt afgekort tot *'s): 's morgens, 's winters, tweemaal 's jaars.*

**desalniettemin** *Ik geloofde hem niet. Desalniettemin heb ik hem geholpen.* Ouderwets voor: *toch, ondanks dat, niettemin\*.*

**desbetreffende** Dit (ouderwetse) woord is alleen te gebruiken als in de zin iets wordt genoemd waar *des-* op slaat. ➤ betreffende.

**desondanks** *De vooruitzichten waren slecht, maar desondanks werden de plannen doorgezet.* Wat vlotter is: *ondanks dat.*

**des te** *Hoe rijker hij wordt, des te minder heeft hij voor een ander over.* De woordvolgorde is: *heeft hij.* Maar: *Hoe rijker hij wordt, hoe minder hij voor een ander over heeft.* Onjuist is: *Des te rijker hij wordt, des te minder ...*

**destijds** Toentertijd, in die tijd. Heeft betrekking op een bepaalde, genoemde tijd. *Mijn oom is in 1980 overleden. Destijds woonde hij in Amsterdam.* ➤ indertijd.

**deugdelijk** Van goede kwaliteit, degelijk; op goede wijze. Wordt gezegd van zaken die aan alle eisen voldoen. *De machine was van deugdelijk materiaal vervaardigd. Hij doet zijn werk altijd deugdelijk.* ➤ degelijk. deugdzaam. gedegen.

**deugdzaam** Vol deugd, van deugd getuigend. Wordt uitsluitend van personen gezegd of van iemands leven. *De zoon van de directeur is een deugdzame jongen. Hij leidt een deugdzaam leven.* ➤ degelijk. deugdelijk.

**deze** *Tijdens ons gesprek met de directeur bleek deze van plan ...* Bij terugverwijzing naar wat genoemd is, gebruiken we *deze.*

**deze** *Mijn fiets en deze van hem.* Gall. voor ... *en die van hem.* Ook *dit* in plaats van *dat* is in dit verband een gall. Wordt vooral in België gebruikt. ➤ belgicismen.

**deze/dezen** ➤ alle/allen.

**dezelfde** Samenstellingen met *-zelfde* schrijven we aan elkaar: *dezelfde, hetzelfde, eenzelfde, datzelfde, ditzelfde, diezelfde* Maar: *deze zelfde.*
*Hij heeft dezelfde fout gemaakt als ik./Hij heeft eenzelfde fout gemaakt als ik.* De betekenis is verschillend. *Dezelfde* wil zeggen: precies zo'n fout als ik. *Eenzelfde* wil zeggen: soortgelijke of overeenkomend met wat is genoemd.

**dezelfde/hetzelfde** *Deze auto is dezelfde als die we vanochtend zagen rijden.* Maar: *Deze auto is hetzelfde* (een auto van dezelfde soort).

**dezen** *Bij dezen. In dezen. Te dezen. Na dezen. Voor dezen.* Staande uitdr. De *-n* is noodzakelijk.

**dezer** ➤ der.

**dezer dagen** Binnenkort én onlangs. *Hij gaat dezer dagen naar ... Dezer dagen zagen we ... in de stad. Een dezer dagen* is een ingeb. gall. ➤ dag.

**dezerzijds** *Er is dezerzijds geen enkel bezwaar.* Ouderwets voor: *van mijn/onze kant.* Oorspronkelijk waarschijnlijk een germ. ➤ -zijds.

**dezes** *Schrijver dezes.* Verouderd. ➤ des.

**diapositief** 'Witte' tekst op een donkere ondergrond. De ondergrond is gedrukt, en de tekst is daarin uitgespaard. De tekst heeft dus de kleur van het papier. Diapositieve teksten zijn in het algemeen minder goed leesbaar, vooral als het om wat langere teksten gaat. ➤ accentueren.

**dichtbij/dicht bij** *Mijn collega woont dichtbij. Hij woont dicht bij een brievenbus.*

**die** Het betrekkelijk voornaamwoord *die* slaat terug op een mannelijk of vrouwelijk woord en op een meervoud: *De man die ..., de koningin die ..., de mensen die ...* Gebruik in plaats daarvan liever niet het ouderwetse *welke.*

De volgende zinnen zijn dubbelzinnig: *De man die de vrouw sloeg.* (Wie sloeg wie?) *De journalist die de burgemeester beledigde.*

Alleen als *die* de functie van meewerkend voorwerk heeft, kan ook *(aan) wie* gebruikt worden: *De man (aan) wie ik het boek gaf.* Dat geldt alleen voor *de*-woorden die een of meer personen aanduiden. ➤ aan wie/waaraan.

*Jij, die mijn beste vriend bent, had dit kunnen weten.* Het werkwoord richt zich naar het antecedent *jij. Ik, die hier zo lang gewerkt heb, mag niet te veel verwachten.* Maar: *Ik ben het die hier zo lang gewerkt heeft.* Nu verwijst de persoonsvorm (*heeft*) naar *die.*

**die** *De auto van hem en die van mij. Mijn kinderen en die van de buren.* Gebruik niet *deze* in plaats van *die.* Dat is een gall. Ook *dit* in plaats van *dat* is in dit verband een gall. Wordt vooral in België gebruikt. ➤ belgicismen.

**die welke** *Deze tentoonstelling is mooier dan die welke we vorig jaar hebben bezocht.* We gebruiken *welke* om tweemaal *die* achter elkaar te voorkomen. Maar tegenwoordig is ook mogelijk, en vlotter: *... dan die we vorig jaar hebben bezocht.* ➤ welk(e).

**dien** *Van dien.* Staande uitdr.

**dienaangaande** Ouderwets woord. *Wij zullen u dienaangaande nog informeren.* Liever: *hierover/daarover. Dienaangaande* heeft betrekking op een eerdergenoemde zaak.

**dienen** *U dient vóór ... te reageren.* Vlotter is: *U moet ...* Doet bovendien erg dwingend aan. Liever: *Wilt u ...*

Een (ingeb.) germ. is: *Het dient gezegd dat ... Het dient vermeld dat ...* Toevoeging van *te worden* is aan te bevelen.

**diens** *De burgemeester was de minister tegengekomen in gezelschap van zijn/diens vrouw.* Om dubbelzinnigheid te voorkomen, wordt *diens* in plaats van *zijn* gebruikt. In de voorbeeldzin slaat *zijn* op *de burgemeester* en *diens* op *de minister.* Gebruik *diens* alleen als dat noodzakelijk is. Dus niet: *De man vertelde dat diens zoon was geslaagd. Diens* kan alleen slaan op personen (alleen mannelijk enkelvoud).

**dienstbaar** Werkzaam in het belang van. *De omstandigheden dienstbaar maken aan zijn plannen.* ➤ dienstig.

**dienstig** Nuttig, geschikt. *Zij eet meer dan dienstig is voor haar gezondheid.* ➤ dienstbaar.

**dientengevolge** Ouderwets voor: *daardoor, als gevolg daarvan.*

**diepgevroren** Wordt weleens een germ. genoemd voor *bewerkt volgens het diepvries-procédé, geconserveerd door (snelle) bevriezing.* Het is echter afgeleid van (het aan het Engels ontleende) *diepvriezen.* Er is geen bezwaar tegen. Ook *diepvries* is correct.

**diepzee** Ingeb. germ. voor *zee met een diepte van meer dan 200 meter.* Tegen *diepzee-expeditie* en *diepzee-onderzoek* bestaat ook geen bezwaar.

**dier** *De grenzen dier landen.* Betekent: ... *van die landen.* Ouderwets. ➤ der.

**diernamen** Namen van dieren worden, wat hun woordgeslacht betreft, beschouwd als zaaknamen en niet als persoonsnamen. *De tijgers zaten alle* (niet: *allen*) *in hun kooi.* ➤ alle/allen. geslacht.

**differentiaalteken** ($\partial$) ➤ tekens.

**dikwijls** Synoniem van *vaak*, dat iets vlotter is.

**dinsdag** ➤ dagnamen.

**direct** *Per direct gevraagd.* Germ. voor *voor direct.*

**dit** *Bij controle van zijn paspoort bleek dat dit vervalst was.* Bij terugverwijzing naar wat genoemd is, gebruiken we *dit.*

**dit** *Mijn huis en dit van hem.* Gall. voor ... *en dat van hem.* Ook *deze* in plaats van *die* is in dit verband een gall. Wordt vooral in België gebruikt. ➤ belgicismen.

**diversen** Verschillende zaken, onderwerpen, uitgaven. Dit zelfstandig naamwoord kent alleen een meervoud en geen enkelvoud. *We hebben nog een bedrag nodig voor diversen. Diverse* is een bijvoeglijk naamwoord, met de betekenis *verschillend* (ongelijksoortig) en *verscheiden* (vele). *Deze fabriek produceert diverse artikelen.*

**divisie** Het kleinste streepje (-) dat in drukwerk voorkomt. De divisie wordt onder andere gebruikt als afbreekstreepje *(in-dus-trie)*, als koppelteken *(Groot-Brittannië)*, als weglatingsstreepje *(im- en export, tennislessen en -wedstrijden)*. Ook om in een datum de dagen, maanden en jaren van elkaar te scheiden: *29-3-1947*. En in autokentekens *(XB-BX-13)*. ➤ afbreken van woorden. gedachtestreepje. kastlijntje/half kastlijntje.

**doch** Ouderwets voor: *maar.* ➤ schrijftaal/spreektaal.

**dodelijk slachtoffer** ➤ slachtoffer.

**doden** *Hij is bij een explosie gedood.* Angl. voor *omkomen, om het leven komen, verongelukken, sneuvelen.*

**doden kosten** *De overstroming heeft enkele tientallen doden gekost.* Onjuist voor *levens*\*. ➤ leven.

**doel** *Dat heeft geen doel.* Germ. voor *zin, nut.*

**doelloos** Zonder een bepaald doel. *In het weekend hebben we wat doelloos rondgereden.* ➤ nutteloos.

**doelmatig** Efficiënt. Geschikt voor het doel waarvoor het is gemaakt. *Zijn huis is heel doelmatig ingericht. Doelmatig gereedschap.* ➤ doeltreffend.

**doelstelling** Ingeb. germ. voor *doel, voornemen, oogmerk.*

**doeltreffend** Waarmee men zijn doel bereikt. Effectief. *Doeltreffende maatregelen, bepalingen.* ➤ doelmatig.

**doen** *In goeden doen.* Geld hebbend. Staande uitdr.

**doen** *Zij hebben een huis doen bouwen.* Gall., dat vooral in België nogal eens wordt gebruikt in plaats van *laten: doen herstellen, doen waarschuwen, doen komen, doen vragen.* Vlotter is: *laten herstellen, laten waarschuwen* enz. ➤ belgicismen.

Wél gebruikelijk is: *iemand iets doen inzien, iets doen ontstaan, doen beseffen, doen denken aan.* Het zijn vaste uitdrukkingen.

*Doen opmerken. Wij doen u opmerken dat ...* Gall. voor *de aandacht vestigen op, attent maken op, wijzen op.*

*Doen toekomen* is ouderwets voor: *sturen.*

**doen** *In de vakantie hebben we ook Londen gedaan.* (Ingeb.) angl. voor *(vluchtig) bezichtigen.*

**dokwerker** Ingeb. angl. voor *havenarbeider, havenwerker, bootwerker.*

**dollar** Het teken voor dollar is $. Het wordt van het bedrag niet gescheiden door een spatie. ➤ munteenheden. tekens.

**dom** *Zich van den domme houden.* Staande uitdr.

**dominicaner** (Ingeb.) germ. voor *dominicaan* of *dominicaner monnik.* ➤ augustijner. benedictijner. franciscaner. kapucijner.

**donderdag** ➤ dagnamen.

**door** ➤ lijdende vorm.

**door bemiddeling van** ➤ bemiddeling.

**doordat** Ten gevolge van het feit dat. *Doordat* wijst op een oorzaak, iets buiten onze wil: *Doordat het regende, werden de kisten nat.* Maar: *Omdat het regent, gaan wij niet weg.* Tegenwoordig worden *doordat* en *omdat* wel door elkaar gebruikt. Dat zal in de hand gewerkt zijn doordat het verschil tussen reden en oorzaak niet altijd gemakkelijk aan te geven is.

*Dat komt doordat ...* Beter dan: *dat komt omdat,* aangezien *dat komt* een oorzakelijke zin inleidt. Het is immers ook: *Waardoor komt dat?* En niet: *Waarom komt dat? Dat komt omdat* is niet meer onjuist te noemen. ➤ omdat.

Let ook op *daardoor* (oorzaak) en *daarom* (reden).

**door dezen** Hierdoor. ➤ staande uitdr.

**doordrukken** *Iets doordrukken.* Ingeb. germ. voor *iets met veel moeite gedaan krijgen, doordrijven.*

**doorheen** Als één woord is *doorheen* onjuist. Wordt vooral in België gebruikt. We gebruiken *door* of *door ... heen: we reden door Amsterdam. Door de eeuwen heen.*

**doorlaatbaar** Minder juist voor *doorlatend. Doorlaatbaarheid* is *doorlatendheid, doorlatingsvermogen.*

**door middel van** ➤ middel.

**doorschijnend** Licht doorlatend. *Matglas is doorschijnend, maar niet doorzichtig.* ➤ doorzichtig.

**doorsnee-** *Doorsneeprijs, doorsnee-Nederlander.* Ingeb. germ. voor *gemiddelde prijs, gemiddelde, gewone Nederlander, Nederlanders in het algemeen.* Ook *in doorsnee* is een ingeb. germ.: *De proefwerken waren in doorsnee goed gemaakt* (over het geheel genomen). Er wordt soms nog wel bezwaar gemaakt tegen *doorsnee-* in combinatie met een persoonsnaam: *doorsnee-mens.*

**doorvoeren** *Een plan doorvoeren.* (Ingeb.) germ. voor *doorzetten, uitvoeren, doordrijven.*

**doorvoeren** *Een vergelijking doorvoeren.* (Ingeb.) germ. voor *doortrekken.*

**doorzichtig** Zodanig dat je erdoorheen kunt kijken. *Vensterglas is doorzichtig.* ➤ doorschijnend.

**doorzoeken** *De douane doorzoekt alle koffers* (= doorzóéken). *Hij zoekt door tot hij iets heeft gevonden* (= dóórzoeken). ➤ werkwoorden (scheidbare/onscheidbare).

**d'r** Gebruik *d'r* liever niet in plaats van *haar.* ➤ apostrof.

**draagwijdte** Ingeb. germ. voor *betekenis, strekking.* Oorspronkelijk betekende *draagwijdte*: de afstand die een projectiel kan afleggen.

**drietal** *Een -tal* wil zeggen: *ongeveer. De leerling had een drietal fouten gemaakt.* In deze zin moet dus niet *een drietal* maar *drie* staan. ➤ -tal.

**drugsverslaafden** Ingeb. germ. voor *aan drugs verslaafden.*

**druk zijn** (Ingeb.) angl. voor *het druk hebben.* Wél: *Wat is dat kind druk.*

**drukfout** De fouten die bij het zetten van een tekst worden gemaakt, zijn eigenlijk zetfouten. Tijdens het drukken kunnen er ook fouten worden gemaakt; dat zijn drukfouten. *Drukfout* voor *zetfout* is ingeb.

**drukken** *Zich drukken.* Ingeb. germ. voor *zich ergens aan (proberen te) onttrekken, wegblijven.*

**drukproef** *De auteur krijgt een drukproef van zijn werk. Drukproeven* (meervoud) is in deze betekenis eigenlijk een gall. Correct is: *Je moet voor de zekerheid alle drukproeven bewaren.* Bedoeld is: eerste proef, tweede proef enz.
De benaming *drukproef* is eigenlijk onjuist voor *zetproef*: het is een afdruk van de gezette tekst. Vrijwel iedereen heeft het over drukproef, zodat er geen bezwaar meer tegen gemaakt kan worden.

**drukproef** Op welke manier kopij ook wordt aangeleverd en volgens welk systeem die ook wordt gezet, de opdrachtgever (uitgever of auteur) ontvangt vrijwel altijd een drukproef. Dat is een afdruk van de gezette tekst. We moeten eigenlijk over 'zet-proef' spreken, maar die wordt vrijwel altijd drukproef genoemd.

Er zijn allerlei soorten drukproeven. Het verschil zit onder andere in de fase van het productieproces waarin ze zijn gemaakt. We zullen iets zeggen over de soorten, maar ze komen lang niet bij elk boek voor.

De eerste proef die na het zetten van de tekst wordt gemaakt, is de vuile proef. Die wordt in de zetterij gebruikt voor de zogenaamde huiscorrectie. De corrector van de zetterij geeft daarin de fouten en onvolkomenheden aan die het gevolg zijn van het tik- of zetproces. De bij deze huiscorrectie gevonden fouten worden in het zetwerk verbeterd. Als de tekst vanaf diskette wordt gezet (wat meestal het geval is), vervalt deze vuile proef.

Steeds vaker krijgen zetterijen de tekst aangeleverd op zogenaamde floppydisks. Afgezien van afbreekfouten zullen in de drukproef in principe geen fouten voorko-men. Fouten die op de 'floppy' staan, komen natuurlijk ook in de drukproef. ➤ cor-rigeren van drukproeven.

Soms wordt er een stroken- of slippenproef gemaakt. Dit is de proef die de opdracht-gever ontvangt. Maar tegenwoordig wordt meestal direct een opgemaakte proef gele-verd (zie verderop).

Voor de volledigheid volgt hier iets over de strokenproef. Zoals de naam al zegt, heeft deze proef niet de vorm van pagina's, maar het zijn stroken tekst. De pagina's hebben dus nog niet de goede lengte, en paginacijfers, sprekende hoofdregels e.d. ontbreken nog. Er kunnen ook nog geen verwijzingen naar andere pagina's worden ingevuld. Het is wel handig om duidelijk – bijvoorbeeld met een bepaalde kleur, eventueel in de marge – aan te geven op welke plaatsen naar een andere pagina, figuur enz. wordt verwezen. Een duidelijke methode is enkele nullen of nog liever een zwart blokje (■) te laten meezetten. Bij de volgende proef is dan snel te zien waar nog iets ingevuld moet worden.

Opmaakaanwijzingen kunnen in de linkermarge worden geschreven, bijvoorbeeld 'hier tabel 7' of 'tekening 3 ongeveer hier'. Deze aanwijzingen moeten – net als alle andere opmerkingen die niet gezet moeten worden – altijd omhaald worden.

Om problemen met verwijzingen te voorkomen, moet vermeden worden: *in de vol-gende/vorige tabel, volgende/vorige paragraaf, volgende/vorige figuur, op de volgende/vorige bladzijde* enz. Als tabellen\*, figuren\*, paragrafen enz. zijn genummerd, is verwijzing eenvoudig.

Tegenwoordig ontvangt de opdrachtgever meestal meteen de opgemaakte proef, maar als mag worden aangenomen dat er nogal wat correcties zullen komen, kan een strokenproef overwogen worden.

Na correctie gaat de proef (met het manuscript) terug naar de zetterij, waar de correcties worden uitgevoerd. Daarna wordt een nieuwe proef gemaakt: de opgemaakte proef. Elke pagina is zodanig samengesteld dat die exact gelijk is aan de uiteindelijke pagina. Aan de hand van deze proef kan gecontroleerd worden of alle correcties en de opmaakinstructies uit de vorige proef zijn uitgevoerd.

Als de tekst niet al te moeilijk is, wordt die opgemaakt aan de hand van de informatie in de zetinstructie*. Bij ingewikkelder teksten wordt soms nog eerst een plakproef gemaakt, bij voorkeur door een ontwerper of althans iemand die grafisch geschoold is. De plakproef moet aangeven hoe de tekst uiteindelijk moet worden: de pagina's zijn op lengte, de tabellen, figuren, formules enz. zijn tussengevoegd (of er is ruimte voor vrijgehouden), en ook de paginacijfers kunnen nu worden aangegeven.

In de opgemaakte proef moeten verwijzingen naar tabellen, figuren, pagina's enz. worden ingevuld.

Het komt steeds vaker voor dat teksten direct elektronisch – via het beeldscherm – worden opgemaakt. In het computerprogramma komen dan niet alleen lettersoort, cijfersoort, korps, zetbreedte, interlinie enz. voor, maar ook gegevens voor de opmaak.

Soms komen er in de opgemaakte proef nog zoveel correcties voor dat het aan te bevelen is er na correctie nog eens naar te kijken. De zetterij maakt dan – na correctie – een revisieproef (kortweg: revisie). Ook die moet zeer nauwkeurig gecontroleerd worden; het is vaak de laatste kans. Die controle gebeurt aan de hand van de vorige gecorrigeerde proef en eventueel de plakproef. Het is in het algemeen niet nodig de proef weer helemaal te lezen. Er moet in de eerste plaats gecontroleerd worden of de aangegeven correcties zijn uitgevoerd. Let daarbij vooral op verloop en afbrekingen. Heeft het verloop consequenties voor inhoudsopgave, register, verwijzingen enz.? Zijn er niet veel correcties, dan kan de revisieproef terug naar de zetterij, met de opmerking 'na correctie goed voor drukken' of iets dergelijks.

Vaak krijgt de opdrachtgever in het laatste stadium voor het drukken een lichtdruk van de al op film gezette pagina's: de ozalidproef (ozalid). Die is uitsluitend bedoeld voor een allerlaatste controle. In principe kunnen er geen correcties meer worden aangebracht, behalve ter voorkoming van grove fouten. ➤ correctietekens. corrigeren van drukproeven. extracorrectie.

**dubbel** *Hij heeft een aantal boeken dubbel.* Ingeb. gall. voor *tweemaal. Een stuk dubbel opmaken* moet zijn: *in tweevoud/in duplo. In het dubbel* is een gall. voor *in tweevoud/tweemaal.*

**dubbele ontkenning** ➤ ontkenningen.

**dubbele punt** We geven met een dubbele punt aan:
- dat er een aanhaling volgt. *Hij zei: 'Morgen kom ik op deze kwestie terug.'*
- dat er een verklaring, toelichting, omschrijving, conclusie volgt. *Wij kunnen de goederen vandaag niet leveren: ze zijn nog niet klaar.*
- dat er een opsomming volgt. *Er werd van alles verkocht: boeken, tijdschriften, cd's enz.*

Na de dubbele punt komt een kleine letter, behalve als er een citaat/hele zin of eigennaam volgt.

De dubbele punt wordt ook in de volgende gevallen gebruikt:
- bij het weergeven van bijbelteksten; de betekenis is dan 'vers': *Prediker 12:10*;
- als fonetisch teken voor een lange klank: *[kla:r]*;
- in delingen: *8 : 2 = 4* (gedeeld door);
- bij verhoudingsgetallen: *schaal 1 : 1000* (1 op 1000);
- in de betekenis 'staat tot': *7 : 14* (7 staat tot 14).

In de eerste twee gevallen komt er geen spatie voor en na de dubbele punt; in de andere gevallen wordt de dubbele punt voorafgegaan en gevolgd door een spatie.

Voor de dubbele punt na 'als volgt' ➤ als volgt.

**dubbelgreep** Ingeb. germ. voor *het gelijktijdig voortbrengen van meer dan één toon op een strijkinstrument.*

**dubbelpunt** Ingeb. germ. (maar niet aan te bevelen) voor *dubbele punt* of – volgens sommigen – *dubbelepunt*.

**dubbelzinnigheid** ➤ duidelijkheid.

**duidelijkheid** Een van de belangrijkste voorwaarden voor een goede leesbaarheid van een tekst is duidelijkheid. Een zin als *Dit is een schilderij van mijn dochter* is niet duidelijk, want er zijn drie betekenissen mogelijk: mijn dochter staat op het schilderij; zij heeft het schilderij gemaakt; het schilderij is haar eigendom. Voor tweeërlei uitleg vatbaar zijn bijvoorbeeld ook: *Wie belt u? Wat veroorzaakt rijkdom? De man die de vrouw heeft geslagen.*

Onduidelijkheid kan ook ontstaan als een woord verschillende betekenissen heeft: *slot* (kasteel/deurslot), *kater* (mannetjeskat/onpasselijkheid na overdadig drankgebruik).

Meestal geven deze zogenaamde homoniemen geen problemen, juist omdat de betekenis zoveel verschilt.

Soms hangt de betekenis af van de klemtoon: *vóórkomen/voorkómen, dóórlopen/doorló-pen, óverleggen/overléggen.* (De accenten worden gewoonlijk weggelaten.) Meestal blijkt de betekenis wel uit het zinsverband, maar gebruik bij twijfel liever een accent: *Er is onlangs onderzoek gedaan naar het vóórkomen/voorkómen van diefstal.*

Nog enkele zaken die voor onduidelijkheid kunnen zorgen, zijn synoniemen, (onjuist gebruik van) leestekens en afkortingen.

Het ging steeds om vrij concrete verschijnselen, maar er zijn ook heel wat woorden en zinswendingen die er door hun vaagheid voor zorgen dat een tekst minder duidelijk is.

De volgende zinswendingen zijn onduidelijk: ze roepen vragen op. *In principe (In principe zijn wij bereid om ...).* Op welk voorbehoud heeft *in principe* betrekking? *Ten dele (Ik ben het ten dele met u eens).* Welk deel wel en welk deel niet? *Voorlopig (Voorlopig kunt u hier wel blijven).* Tot hoelang? En zo zijn er nog veel meer voorbeelden te geven: *in hoge mate, in zijn algemeenheid, in grote lijnen, min of meer, tot op zekere hoogte, ten dele, meestal, dikwijls, enigszins, in belangrijke mate, onder andere, zo spoedig mogelijk.*

Als er geen verklaring van die beperkende formuleringen volgt, heeft de lezer er niets aan. En dat is natuurlijk vaak ook de bedoeling: de schrijver wil zich blijkbaar niet binden.

Voorbeelden van vage voorzetseluitdrukkingen (met tussen haakjes hun vervangers): *ten aanzien van* (op, over, tegen, van, voor), *tegen de achtergrond van* (voor), *ten behoeve van* (voor), *met betrekking tot* (over, voor), *als gevolg van* (door), *onder invloed van* (door), *door middel van* (door), *met het oog op* (om), *in verband met* (omdat, wegens). Dergelijke uitdrukkingen zijn meestal wel te vermijden.

Ook (lange) voorwaardelijke bijzinnen kunnen onduidelijk zijn. Een voorbeeld: *Zijn de resultaten van de proefboringen zodanig dat ze in de toekomst niet in productie zullen worden genomen, dan worden de putten voorgoed verlaten.* Het gevaar bestaat dat de lezer eerst denkt met een vragende zin te maken te hebben. En dan merkt hij ineens dat dit niet het geval is.

Met zinswendingen als *ten aanzien\* van, met betrekking\* tot, naar aanleiding\* van, uit een oogpunt\* van, in verband\* met* worden teksten soms minder duidelijk. Deze en andere uitdrukkingen zijn meestal te vermijden.

Ook allerlei woorden worden gebruikt zonder dat ze enige inhoud hebben: *aard, component, dimensie, het gebeuren, sfeer, plaatje, positie, element, mate, situatie, factor, functie.* Gebruik ze niet te pas en te onpas. Dus niet: *Het is niet waarschijnlijk dat we dit jaar een verlaging in de belastingsfeer zullen meemaken.* Maar: *... dat we dit jaar een belastingverlaging zullen meemaken.*

Een speciale categorie van vage woorden/formuleringen vormt de zogenaamde welzijnstaal: *ergens aan gaan werken, ik beleef dat heel anders, daar ben ik nog niet zo helder over, ermee omgaan, ergens denk ik dat ...* Het is het taalgebruik van degenen die in de welzijnssector werken, maar ook ambtenaren, juristen en werkers in de gezondheidszorg hebben het overgenomen. Het gaat vaak om kreten met een psychologisch tintje. Als een tekst nogal wat van de bedoelde kreten bevat, wordt die vaag, niets-zeggend en voor sommigen zelfs irritant. (Het bedoelde woordgebruik komt vooral in spreektaal voor.)

Er zijn ook nogal wat werkwoorden die zo weinig betekenis hebben en zo weinig activiteit uitstralen, dat ze vaag aandoen. Een voorbeeld: *Gisteren vond de onderteke-ning plaats van het nieuwe contract.* Als we *ondertekening* vervangen door het werkwoord *ondertekenen* zijn we het lege werkwoord *plaatsvinden* kwijt. (Als de nadruk op het ondertekenen moet komen, is er geen bezwaar.)

Andere voorbeelden van vage, lege werkwoorden: *zijn, vormen, gebeuren, geschieden, voorvallen, doen, optreden, verband houden met, verrichten, zich voordoen, verwezenlijken, maken, bestaan uit, naar voren komen, betrekking hebben op, betreffen, veroorzaken, leiden tot, tot doel hebben, komen tot, volgen op/uit.*

Vanzelfsprekend zijn er nog veel meer oorzaken voor onduidelijkheid. De schrijver moet zich dan ook voortdurend afvragen of het voor de lezer wel duidelijk is wat er staat.

**duiden op** *Alles duidt op een inbraak.* Ingeb. germ. voor *wijzen op, doen vermoeden.*

**Duits** Duitse invloed op het Nederlands. ➤ germanismen. woorden, vreemde.

**Duitse komma** De schuine streep in bijvoorbeeld *t/m, p/a, m/v.* ➤ deelstreep.

**duizend** Getallen schrijven we aan elkaar, maar na *duizend* komt een spatie: *zeventig-duizend tweehonderd* (70 200). (*Miljoen, miljard, biljoen* enz. worden niet met andere getallen gecombineerd: *zestien miljoen* (16.000.000), *vijf miljoen honderdvijfenveertigdui-zend* (5.145.000).)

In getallen worden de duizendtallen meestal door een punt gescheiden: *2.000.000.* In plaats van een punt wordt soms een spatie gebruikt: *2 000 000.* In geldbedragen heb-ben punten de voorkeur.

De punt (of spatie) wordt gebruikt in getallen van meer dan vier cijfers: *2000,* maar *12.000/12 000.* In tabellen en optellingen krijgen ook getallen van vier cijfers een punt/spatie: *4.000/4 000.* ➤ aaneenschrijven. getallen.

**duldzaam** Germ. voor *verdraagzaam. Duldzaamheid* is een germ. voor *verdraagzaamheid.*

**dus** *Dus* leidt een conclusie in: daarom, om die reden. *Ik ben erg moe, dus ik ga niet/..., dus ga ik niet/..., ik ga dus niet.* Deze drie formuleringen zijn alle correct.

**duur** *Op de(n) duur. Op de lange duur.* Als het lang duurt. Staande uitdr.

**duur kosten** Contam. van *duur zijn* en *veel kosten.* Het is bovendien een gall. (*Dure prij-zen* is een contam. van *dure artikelen* en *hoge prijzen.*)

**duurzaam** Geschikt of bestemd om lang te duren. *Duurzame vriendschap. Eikenhout is heel duurzaam.* ➤ langdurig.

**dwars** Als een tekst, figuur, foto of tabel dwars op de pagina moet komen, staat de bovenkant daarvan altijd links. Dat geldt zowel voor linker- als voor rechterpagina's. Dwars plaatsen moet zo veel mogelijk vermeden worden, want het betekent altijd dat de lezer het boek, rapport enz. moet draaien. Dwars plaatsen heeft geen invloed op de plaats van het paginacijfer.

# E

**e** Hoe een letter met een accent op de tekstverwerker wordt gemaakt, hangt af van het gebruikte programma. Een mogelijkheid is (via 'invoer' of 'invoegen') het gewenste scherm met tekens op te roepen en daarna op het bewuste teken te klikken. Bij andere programma's worden de tekens gemaakt met de alt-toets plus een cijfercode of ctrl v plus een cijfercode. Het zijn:

é – alt 130/ctrl v 1,41

è – alt 138/ctrl v 1,47

ë – alt 137/ctrl v 1,45

ê – alt 136/ctrl v 1,43

É – alt 144/ctrl v 1,40

È – alt 212/ctrl v 1,46

Ë – alt 211/ctrl v 1,44

Ê – alt 210/ctrl v 1,42

➤ accenttekens. deelteken. tekens.

**-e** *Bijvoeglijk naamwoord met of zonder -e.* Zonder *-e* schrijven we meestal: *de sociaal werker, de werktuigbouwkundig ingenieur, de particulier secretaris, de medisch adviseur, de controlerend geneesheer* enz. Het zijn vaste uitdrukkingen geworden voor een bepaald beroep, een bepaalde functie, eigenschap of werkzaamheid.

Is het *ons telefonisch gesprek* of *ons telefonische gesprek*? Regels zijn hier niet te geven; het is vaak een kwestie van ritme. Als er van een vaste verbinding sprake is, vervalt de *e* vaak: *het tandheelkundig instituut.*

*Een slecht docent* of *een slechte docent*? *Een slecht docent* geeft niet goed les. *Een slechte docent* is geen goed mens. Bij de vorm zonder *-e* gaat het meestal om de kwaliteit van 'het werken'.

Let ook op het verschil tussen *een grote man* (lang) en *een groot man* (belangrijk), *een oude burgemeester* (70 jaar) en *een oud-burgemeester* (is burgemeester geweest).

**-e** *Ik vind dit boek verdomde mooi.* Aangezien bijwoorden niet verbogen worden, moet de *e* vervallen: *verdomd mooi.* In spreektaal wordt de verbogen vorm nogal eens gebruikt als een versterking.

**-e- of -en- (tussenletter -n-)** ➤ tussenletters.

**echter** Dit woord doet wat stijver aan dan *maar*. Gebruik *echter* en *maar* niet samen in
één zin, want dat is een tautologie*: *Maar als we de voorbeelden bekijken, zal dit echter
duidelijk worden.*

Gebruik *echter* alleen als er werkelijk van een tegenstelling sprake is. Eigenlijk
onjuist is: *Firma X levert onder andere deuren en kozijnen. Hij verkoopt echter ook venster-
banken.* Liever bijvoorbeeld: *Hij verkoopt ook ...*

Een zin kan wel met *maar** beginnen, maar niet met *echter* (tenzij er een komma achter *echter* staat).

**eed** *Onder ede.* Staande uitdr.

**een/'n** Gebruik de verkorte vorm *'n* liever niet.

**een** *Hij is een boekhouder.* Angl. voor *Hij is boekhouder.*

*De situatie is een zeer gunstige.* Germ. of angl. voor *... is zeer gunstig.*

*Een nerveuze tante Ans stond mij op te wachten.* Het gebruik van *een* is hier een (ingeb.)
angl. Beter is: *(Mijn) tante Ans stond mij nerveus op te wachten.* Of: *Mijn nerveuze tante ...*
(als ze altijd nerveus is).

**een** *Hij behoort tot een van de beste schrijvers.* Contam. van *Hij is een van ...* en *Hij behoort tot
de beste ...* Geldt ook voor: *Hij wordt gerekend tot een van de beste schrijvers.*

**eenakter** Ingeb. germ. voor *toneelstuk in één bedrijf/akte, eenbedrijfsspel. Tweeakter* is een
(ingeb.) germ. voor *toneelstuk in twee bedrijven/akten.*

**een dezer dagen** Ingeb. gall. voor *dezer dagen.* Geen accenttekens op *een.* ➤ dag.

**eenduidig** *Een eenduidige conclusie is nu nog niet te trekken.* Ingeb. germ. voor *duidelijk,
ondubbelzinnig, slechts voor één uitleg vatbaar.*

**een en ander/een of ander** Accenten op *een* zijn overbodig. ➤ een van de.

De zinswendingen *(het) een en ander* en *(het) een of ander* worden te pas en te onpas
gebruikt, maar ze maken de zin onduidelijk.

We kunnen *het een en ander* (verschillende zaken die we niet nader aanduiden)
gebruiken in plaats van *iets,* maar *een en ander* (de zo-even genoemde dingen) is niet
te vervangen door *iets: een en ander zal ons nog lang heugen.*

**een of meer** *Een of meer aanwezigen waren te laat gekomen.* Na *een of meer* volgt meervoud,
omdat er niet bedoeld is: óf één óf meer dan een, maar ten minste één. We moeten
*een of meer* als een geheel beschouwen.

**een van de** *Hij is een van de weinigen die mij heeft/hebben geloofd. Dit is een van de mooiste
foto's die in dit boek voorkomt/voorkomen.* Het werkwoord moet bij voorkeur in het meervoud, omdat die betrekking heeft op een meervoudig onderwerp (weinigen, foto's):
hebben/voorkomen. Maar: *Dat is een van de mooiste foto's, die mij dan ook direct opviel.* Nu
slaat *die* terug op *een.*

Op *een* zijn accenten overbodig, want *een* kan hier niet toonloos (als 'n) uitgesproken worden. Ook: *een en ander, een of ander, een van beiden, een van de laatsten.* Maar: *Ik heb maar één fout gemaakt.*

**eenheden** Onder een eenheid verstaan we de maat waarmee grootheden (hoogte, frequentie, lengte enz.) worden gemeten. Eenheden worden meestal met symbolen weergegeven. Enkele voorbeelden: m (meter), h (uur), °C (graad Celsius). Ze worden romein (niet-cursief) gezet (ook in een cursieve tekst) en geschreven met een kleine letter (ook als de rest van de tekst in hoofdletters is). Als de naam afgeleid is van een persoon, komt er wél een hoofdletter, bijvoorbeeld W (watt). Als maten, gewichten e.d. in hoofdletters moeten, worden daarvoor kapitalen en geen kleinkapitalen gebruikt, aangezien het onderscheid anders niet duidelijk genoeg is. Dus niet A (ampère), maar A, niet kw (kiloWatt), maar kW. ➤ afkortingen. grootheden.

**eenkennig** Verlegen, bang voor vreemden. *Het eenkennige jongetje ging bij zijn moeder op schoot zitten toen er visite kwam.* ➤ eenzelvig.

**eenmaal** *Eenmaal het formulier is ingevuld, zullen we uw aanvraag behandelen.* Een zin waarin een voorwaarde wordt geformuleerd, kan niet worden ingeleid met *eenmaal.* Correct: *Als het formulier (eenmaal) is ingevuld ...* of *Zodra ...* Ook mogelijk: *Is het formulier eenmaal ingevuld, dan ...* Wordt vooral in België gebruikt. Ook onjuist is: *Eens het formulier is ingevuld, ...*

**eenmalig** *Een eenmalige gift. Eenmalige verpakking.* Ingeb. germ. voor *(slechts) voor éénmaal, voor één keer bedoeld, een (enkele) keer voorkomend. Eenmalig* is een (ingeb.) germ. in de betekenis *uniek, buitengewoon: Deze film kunnen we gerust eenmalig noemen.*

**eens** *Eens het formulier is ingevuld, zullen we uw aanvraag behandelen.* ➤ eenmaal.

**eens** *Het eens zijn, worden.* Liever niet: *het samen eens zijn,* want *samen* is overbodig. Ook liever niet: *met elkaar eens zijn.*

**eenzelfde** Samenstellingen met *-zelfde* worden aan elkaar geschreven: *eenzelfde, dezelfde, hetzelfde, ditzelfde, datzelfde, diezelfde.* Maar: *deze zelfde.* ➤ -zelfde.

**eenzelfde** Betekent 'een soortgelijke' of 'overeenkomend met wat is genoemd'. *Mijn broer wist hoe de fout voorkomen kon worden; ik had eenzelfde oplossing in gedachten.* In *Mijn broer en ik hadden dezelfde oplossing in gedachten* gaat het om gelijkheid.

**eenzelvig** Stil, graag alleen zijnd. *Hij heeft zo lang alleen gewoond dat hij heel eenzelvig is geworden.* ➤ eenkennig.

**eerlijkheidshalve** Ouderwets voor: *om eerlijk te zijn, ter wille van de eerlijkheid.* ➤ -halve.

**eerst** *Ik denk dat hij eerst volgende week komt.* Vlotter is: *pas.*

**eerst** Gebruik *eerst* en *alvorens* (of *voordat*) niet beide in één zin. Dat levert een pleon. op. Dus niet: *Voordat u aan het examen kunt deelnemen, moet u zich eerst laten inschrijven.*

**eerstdaags** Dezer dagen, binnenkort, binnen enkele dagen. Ook *eerdaags.*

**eerste/eersten** ➤ alle/allen.

**eerste(n)** *Zij waren de drie eersten.* Eigenlijk onlogisch, want er is maar één eerste. Beter: *de eerste drie.* Geldt ook voor *laatste(n), mooiste(n), duurste(n)* enz. ➤ alle/allen.

**eerste de beste/eersten de besten** *De zangers in deze opera zijn niet de eerste de besten.* Omdat *eerste de beste* als eenheid wordt gezien, is *eerste de besten* de juiste vorm.

**eerstens** Germ. voor *ten eerste, in de eerste plaats. Tweedens* en *derdens* zijn ook germ. (*Vierdens* enz. komt zelden voor.)

**eertijds** *Eertijds gingen de mannen dagelijks op jacht.* Ouderwets woord om een onbepaalde tijd in het verleden mee aan te geven: *vroeger.* Langer geleden dan *indertijd.* ➤ destijds.

**eeuwigheid** *In der eeuwigheid.* Staande uitdr.

**effectief** Doeltreffend. *De maatregelen bleken zeer effectief te zijn.* ➤ efficiënt.

**effectvol** (Ingeb.) germ. voor *effectief.* ➤ -vol.

**efficiënt** Doelmatig. *De nieuwe secretaresse ging heel efficiënt te werk.* Het zelfstandig naamwoord is *efficiëntie* (of *efficiency*). ➤ effectief.

**eigen-** *Eigengemaakt, eigengebakken, eigengebrouwen.* Correcte vormen naast: *zelfgemaakt, zelfgebakken, zelfgebrouwen.*

**eigenen** *Zich eigenen tot. Plastic eigent zich niet voor ons doel.* Germ. voor *geschikt zijn voor, zich lenen tot. Geëigend* is een (ingeb.) germ. voor *geschikt voor.*

**eigener beweging** Staande uitdr. (oorspronkelijk germ.). *Uit eigener beweging* is een contam. van *uit eigen beweging* en *eigener beweging.*

**eigenlijk** Zoals het hoort te zijn. *Hij had eigenlijk om negen uur naar huis gemoeten.* ➤ feitelijk.

**eigennaam + zelfstandig naamwoord** Woorden als *Schubertliederen, Tokioregering, Ruslandklanken, Goudakaas, Goudakaarsen* zijn germ. voor *liederen van Schubert, de regering in Tokio, Russische klanken (klanken uit Rusland), Goudse kaas, Goudse kaarsen.* Ze worden gebruikt wegens hun kortheid.

Plaatsing van een eigennaam als bijvoeglijke bepaling achter het zelfstandig naamwoord is correct: *commissie-De Wit, de wet-Van Houten, het plan-Marshall.*

Als zulke samenstellingen veel worden gebruikt, raken ze ingeburgerd: *ronde van Tokio* wordt *Tokioronde, plan-Marshall* wordt *Marshallplan.*

Als een eigennaam soortnaam wordt, is er geen bezwaar tegen: *Christuskind, Nobelprijs, Rijnvaart.* Een kleine letter als we niet meer aan een eigennaam denken: *dieselmotor, adamsappel, javakoffie, röntgenstralen.* ➤ hoofdletters.

Straatnamen die zijn gevormd met een eigennaam schrijven we als één woord: *Thorbeckeplein.* Bestaat de naam uit twee of meer delen, dan blijft de spatie: *Paulus Potterstraat.*

Bij nummering van namen van koningen, pausen enz. gebruiken we Romeinse cijfers: *Pius XII, Lodewijk XIV*. Ze worden als rangtelwoorden gelezen: *Pius de twaalfde, Lodewijk de veertiende*.

**eigennamen** *Bijvoeglijk naamwoord gevormd van eigennaam. Basedowse ziekte, Berlaagse stijl, Kantse wijsbegeerte, Kollewijnse spelling* enz. zijn germ. voor *ziekte van Basedow, stijl van Berlage, wijsbegeerte van Kant, spelling van Kollewijn (spelling-Kollewijn)*. Sommige zijn ingeb., bijvoorbeeld *Lutherse Kerk*.

**eigennamen, schrijfwijze** Wie de schrijfwijze wil weten van namen – en vooral van namen uit talen met een niet-Latijns alfabet – stuit op grote problemen. Ondanks min of meer officiële transcriptiesystemen voor sommige talen is de verwarring/variatie in schrijfwijzen groot. Enkele voorbeelden van namen die op vele manieren (soms wel meer dan tien) worden geschreven: *Chroesjtsjov, Khaddafi* en *Tsjang K'ai-sjek*. Het is hier niet de plaats om geadviseerde schrijfwijzen op te nemen. Een schat aan informatie geeft het *Groot Lexicon van Eigennamen*, maar ook de *Spellingwijzer Onze Taal* geeft veel eigennamen die nogal eens voorkomen en die een spellingprobleem geven. ➤ achternamen.

Voor geslacht van eigennamen ➤ geslacht.

De juiste schrijfwijze van bedrijfsnamen is vaak moeilijk te achterhalen, zeker als de plaats van vestiging niet bekend is. Is die wel bekend, dan is een telefoontje naar het bedrijf of de Kamer van Koophandel voldoende. Namen van talloze instanties en instellingen zijn te vinden in het Groot Lexicon van Eigennamen.

De volgende alfabetische lijst geeft een aantal vaak verkeerd geschreven namen van bedrijven, instellingen enz.

| | | |
|---|---|---|
| *ABN AMRO* | *De Nederlandsche Bank* | *Internatio-Müller* |
| *Ahoy'* | *Dow Chemical Company* | *Kas-Associatie (KasAss)* |
| *Akzo* | *DuPont de Nemours* | *Koninklijke/Shell* |
| *Albert Heijn* | *GB-Inno-BM* | *Lloyd's* |
| *American Express* | *Generale Bank* | *McDonald's* |
| *AT&T* | *General Electric* | *Macintosh* |
| *Mees & Hope* | *Gillette* | *MeesPierson* |
| *Benetton* | *Gist-brocades* | *MGM-Pathé* |
| *Black & Decker* | *Goodyear* | *Museum Boijmans Van* |
| *Citroën* | *Hagemeyer* | *Beuningen* |
| *Coco-Cola* | *IBB-Kondor* | *Nationale-Nederlanden* |
| *Crédit Lyonnais* | *IKEA* | *NedCar* (vroeger *Volvo Car*) |
| *DAF of DAF Trucks* | *ING* | *Nestlé* |

| | | |
|---|---|---|
| Nijverdal-Ten Cate | Rolls-Royce | Volker Wessels Stevin |
| Océ-van der Grinten | Samsom | Vroom & Dreesmann |
| Pepsi-Cola | Sociaal-Economische Raad | Wilton-Fijenoord |
| PolyGram | Van Gend & Loos | (Feyenoord is de voet- |
| Proost en Brandt | van der Giessen-de Noord | balclub) |
| Rabobank | VastNed | Wolters-Noordhoff |

**eind** *Een eind aan iets stellen.* Gall. voor *Een eind aan iets maken.*

**eindconclusie** In de betekenis van *besluit, slotsom* is *eindconclusie* eigenlijk dubbel (pleon.). Als er al enkele conclusies zijn getrokken, kan de uiteindelijke conclusie wel *eindconclusie* worden genoemd. Hetzelfde geldt voor *slotconclusie.*

**einde** *Te dien einde. Ten einde. Teneinde.* Staande uitdr. *Het feest is ten einde* (afgelopen). *Teneinde* (één woord) betekent: *om, met de bedoeling.*

**eindejaars-** Woorden als *eindejaarskoopjes, eindejaarsuitverkoop, eindejaarsuitkering, eindejaarspremie* zijn (ingeb.) gall. voor *oudejaarskoopjes, oudejaarsuitverkoop, decemberuitkering/kerstgratificatie.*

**eisen** Met klem iets vragen waarop men recht meent te hebben. *Op het examen wordt een goede uitspraak geëist.* ➤ vergen. verzoeken. vragen.

**eisen, doden** *De felle brand heeft vier doden geëist.* Onjuist voor: *... vier (mensen)levens geëist.* Of: *Bij de brand waren vier mensen omgekomen/om het leven gekomen.*

**elk(e)** Er wordt weleens aan *elk/elke* de voorkeur gegeven als het om zaken en dieren gaat: *elk huis, elke hond, in elk geval.* En *ieder(e)* wordt dan voor personen gebruikt: *iedere werknemer, ieder meisje.* Tegen *elk(e)* voor personen en *ieder(e)* voor niet- personen is echter geen enkel bezwaar.

In bepaalde uitdrukkingen gebruiken we *elk: voor elk wat wils; melk is goed voor elk.*

**elkaar** *Jan en Piet hebben elkaar ontmoet. Veel mensen maken het elkaar lastig. Elkaar* heeft betrekking op een meervoud, maar dat hoeft niet per se een meervoudig woord te zijn. Het kan gaan om een verzamelnaam (*menigte, groep*) of onbepaald voornaamwoord (*iedereen, men*): *De menigte ging uit elkaar. Het bestuur kwam bij elkaar. Het publiek begon tegen elkaar te schelden. Iedereen hielp elkaar. Niemand kent elkaar. Men moet elkaar helpen.*

In België wordt in plaats van *elkaar* soms *mekaar* gebruikt. ➤ belgicismen.

**elkaar** *Elkaar wederzijds beschuldigen* is een pleon. *Wederzijds* moet vervallen. *Met elkaar* is overbodig in: *Zij zijn het met elkaar eens geworden.*

**elkaar** *De auto's botsten tegen elkaar.* Eigenlijk een pleon.: *De auto's botsten óf De auto's reden tegen elkaar.* Er bestaat geen bezwaar tegen.

**-eloos/-loos** *Smakeloos/smaakloos, werkeloos/werkloos* enz. ➤ -loos/-eloos.

**e-mail** Elektronische berichten die computergebruikers met elkaar uitwisselen via het Internet of een netwerk. In een e-mailnummer komen geen spaties: *sdu@sdu.nl.*

**en** Het woordje *en* kan alleen worden gebruikt als de verbonden delen werkelijk iets met elkaar te maken hebben. Dus niet: *Ik heb een nieuwe auto gekocht en moet nog boodschappen doen.* Let bij gebruik van *en* op de woordvolgorde in het deel van de zin na *en.* Onjuist: *Wij hebben bericht van hem ontvangen en zullen wij binnenkort contact met hem opnemen.* ➤ inversie, onjuiste.

Bij gebruik van *en* komt het werkwoord meestal in het meervoud: *Jan en Piet waren aanwezig. Melk en kaas staan in de kast.* Als de zin met *er* begint, volgt een werkwoord in het enkelvoud: *Er is nog boter, kaas en melk in voorraad.*

Als de verbonden woorden samen een eenheid vormen of synoniemen zijn, dan enkelvoud: *Jong en oud was op de been. Rust en kalmte is geboden.* (Meervoud ís mogelijk.) *En Jan en Piet gaat naar Engeland. Elke man en elke vrouw is hier welkom.* In beide zinnen gebruiken we enkelvoud, omdat het om de afzonderlijke individuen gaat.

Na *meer dan een* volgt enkelvoud: *Meer dan een deelnemer werd gediskwalificeerd.*

Het is een hardnekkig misverstand dat we voor *en* geen komma zouden mogen plaatsen. In geval van een pauze is een komma zeker op zijn plaats. *Ik had het hem al een paar keer verboden, en toch doet hij het.* ➤ komma.

**en-teken** (&) Wordt vooral in firmanamen gebruikt: *Vroom & Dreesmann (V & D), C & A.* Het &-teken is een combinatie van de letters *e* en *t* van het Latijnse *et* (en). In het Engels heet het &-teken *ampersand.*

In een literatuuropgave* wordt bij meer auteurs het &-teken weleens gebruikt: *Jansen, P. & P. Claessens.* Hier heeft *en* de voorkeur. Dat geldt ook voor literatuur in andere talen.

Schrijf *B en W* (Burgemeester en Wethouders) niet als *B & W.*

**en dergelijke** Ze verkopen hier boeken, tijdschriften, ansichtkaarten e.d. We kunnen *e.d./en dergelijke* gebruiken als het niet voor de hand ligt hoe de opsomming verder gaat. Dat is bij *enz.** wel het geval. *Etc.* en *enz.* worden als synoniemen beschouwd.

Als een opsomming met *bijvoorbeeld/bijv.* of *onder andere/o.a.* begint, is *en dergelijke/e.d.* onjuist (pleonasme). Zet geen komma voor *en dergelijke/e.d.* (te vergelijken met *en* in een opsomming).

**ener** ➤ der.

**enerzijds** Oorspronkelijk waarschijnlijk een germ. voor *aan de ene kant, in één opzicht.* Er is geen bezwaar tegen. Gebruik *enerzijds* alleen als er een tegenstelling tussen de verbonden zinnen is (*enerzijds ..., anderzijds ...*): *Enerzijds heeft het plan grote voordelen, (maar) anderzijds heeft het ook wat nadelen.* Gewoner is: *Aan de ene kant (aan één kant) ..., maar aan de andere kant ...* ➤ -zijds.

**Engels** Engelse invloed op het Nederlands. ➤ anglicismen. woorden, vreemde.

**Engelse regelval** ➤ vrije regelval.

**Engelse werkwoorden** Van een groot aantal Engelse/Amerikaanse (werk)woorden zijn Nederlandse werkwoorden gevormd. Daarbij worden zo veel mogelijk de regels van de Nederlandse spelling gevolgd. Dit zijn de belangrijkste:

*afkicken – kickte af – afgekickt*
*barbecuen – barbecuede – gebarbecued*
*baseballen – baseballde – gebaseballd*
*basketballen – basketbalde – gebasketbald*
*bingoën – bingode – gebingood*
*blowen – blowde – geblowd*
*bodybuilden – bodybuildde – gebodybuild*
*bowlen – bowlde – gebowld*
*boycotten – boycotte – geboycot*
*brainstormen – brainstormde – gebrainstormd*
*brainwashen – brainwashte – gebrainwasht*
*breakdancen – breakdancete – gebreakdancet*
*bridgen – bridgede – gebridged*
*briefen – briefte/briefde – gebrieft/gebriefd*
*brunchen – brunchte – gebruncht*
*cancelen – cancelde – gecanceld*
*carpoolen – carpoolde – gecarpoold*
*cateren – caterde – gecaterd*
*charteren – charterde – gecharterd*
*checken – checkte – gecheckt*
*claimen – claimde – geclaimd*
*choken – chookte – gechookt*
*coachen – coachte – gecoacht*
*coaten – coatte – gecoat*
*computeren – computerde – gecomputerd*
*counselen – counselde – gecounseld*
*coveren – coverde – gecoverd*
*crashen – crashte – gecrasht*
*crawlen – crawlde – gecrawld*
*cricketen – crickette – gecricket*
*crossen – croste – gecrost*

*cruisen – cruiste/cruisde – gecruist/gecruisd*

*darten – dartte – gedart*

*dealen – dealde – gedeald*

*deleten – deletete – gedeletet*

*douchen – douchte – gedoucht*

*downloaden – downloadde – gedownload*

*droppen – dropte – gedropt*

*dubben – dubde – gedubd*

*dumpen – dumpte – gedumpt*

*editen – editte – geëdit*

*entertainen – entertainde – geëntertaind*

*faden – fadede – gefaded*

*faken – fakete – gefaket*

*faxen – faxte – gefaxt*

*finishen – finishte – gefinisht*

*fixen – fixte – gefixt*

*flirten – flirtte – geflirt*

*flossen – floste – geflost*

*focussen – focuste – gefocust*

*fonduen – fonduede – gefondued*

*freewheelen – freewheelde – gefreewheeld*

*golfen – golfte/golfde – gegolft/gegolfd*

*grillen – grilde – gegrild*

*hockeyen – hockeyde – gehockeyd*

*inloggen – logde in – ingelogd*

*inpluggen – plugde in – ingeplugd*

*intapen – tapete in – ingetapet*

*interviewen – interviewde – geïnterviewd*

*inzoomen – zoomde in – ingezoomd*

*joggen – jogde – gejogd*

*kicken – kickte – gekickt*

*kidnappen – kidnapte – gekidnapt*

*killen – kilde – gekild*

*labelen – labelde – gelabeld*

*lay-outen – lay-outte – gelay-out*

*leasen – leaste/leasde – geleast/geleasd*

*lobbyen – lobbyde – gelobbyd*

lunchen – lunchte – geluncht

lynchen – lynchte – gelyncht

mailen – mailde – gemaild

managen – managede – gemanaged

mixen – mixte – gemixt

mountainbiken – mountainbikete – gemountainbiket

outplacen – outplacete – geoutplacet

overrulen – overrulede – overruled

passen – passte – gepasst

picknicken – picknickte – gepicknickt

piercen – piercete – gepiercet

plannen – plande – gepland

playbacken – playbackte – geplaybackt

poolen – poolde – gepoold

pressen – preste – geprest

printen – printte – geprint

promoten – promootte – gepromoot

pushen – pushte – gepusht

puzzelen – puzzelde – gepuzzeld

racen – racete – geracet

rappen – rapte – gerapt

relaxen – relaxte – gerelaxt

recyclen – recyclede – gerecycled

restylen – restylede – gerestyled

releasen – releaste/releasde – gereleast/gereleasd

rock-'n-rollen – rock-'n-rolde – gerock-'n-rold

rugbyen – rugbyde – gerugbyd

saven – savede – gesaved

scannen – scande – gescand

scoren – scoorde – gescoord

scrabbelen – scrabbelde – gescrabbeld

screenen – screende – gescreend

settelen (zich) – settelde – gesetteld

shaken – shakete – geshaket

shocken – shockte – geshockt

shoppen – shopte – geshopt

showen – showde – geshowd

149

*skateboarden – skateboardde – geskateboard*

*smashen – smashte – gesmasht*

*sneeren – sneerde – gesneerd*

*snookeren – snookerde – gesnookerd*

*speechen – speechte – gespeecht*

*sponsoren – sponsorde – gesponsord*

*sprayen – sprayde – gesprayd*

*sprinten – sprintte – gesprint*

*squashen – squashte – gesquasht*

*stagediven – stagedivede – gestagedived*

*stencilen – stencilde – gestencild*

*stressen – streste – gestrest*

*stretchen – stretchte – gestretcht*

*strippen – stripte – gestript*

*stunten – stuntte – gestunt*

*stylen – stylede – gestyled*

*surfen – surfte/surfde – gesurft/gesurfd*

*swingen – swingde – geswingd*

*switchen – switchte – geswitcht*

*tackelen – tackelde – getackeld*

*telexen – telexte – getelext*

*tapen – tapete – getapet*

*timen – timede – getimed*

*toasten (toosten) – toastte – getoast*

*tossen – toste – getost*

*trainen – trainde – getraind*

*typen – typte – getypt*

*updaten – updatete – geüpdatet*

*yellen – yelde – geyeld*

*zappen – zapte – gezapt*

**Engelse woorden** Anderstalige woorden zijn vaak een probleem, en dan vooral Engelstalige woorden en combinaties van een Nederlands en een Engels woord. Dat komt onder andere doordat Engelstalige samenstellingen soms aan elkaar (*bedroom*), soms los (*light bulb*) en soms met een koppelteken (*dog-biscuit*) worden geschreven. Bovendien schrijven we sommige (veelvoorkomende) woorden nu aan elkaar die eerst met een koppelteken werden geschreven (*freelance, parttime*).

Er zijn wel enkele regels te geven.

Samenstellingen van Engelstalige woorden schrijven we in het algemeen aan elkaar: *comeback, knowhow, marketingmanager, salesmanager, softwareconcern.*

Samenstellingen krijgen een koppelteken als het laatste deel een voorzetsel is dat met een klinker begint: *step-in, knock-out, lay-out.* Maar: *playback, topdown.*

Engelstalige woordgroepen die uit drie delen bestaan, houden hun oorspronkelijke schrijfwijze: *ups and downs, face to face, up-to-date.*

Samenstellingen van Engelstalige en Nederlandse woorden kregen voorheen vaak een koppelteken, maar worden nu aan elkaar geschreven: *softwarebedrijf, displaymateriaal, designmeubel, returnwedstrijd, intakegesprek; doelaccount, successtory.*

Een gemengde samenstelling die begint met Engelstalige woorden krijgt een koppelteken tussen die woorden als er al een koppelteken stond of als ze los geschreven werden: *knock-out/knock-outsysteem, multiple choice/multiple-choicetest.* Anders: *kickboksen/kickboksgala, hardrock/hardrockband.*

Ongebruikelijke of moeilijke leesbare samenstellingen kunnen een koppelteken krijgen: *spreadsheet-programma, hightech-bedrijf, undercover-operatie, exit-interview.*

Engelstalige woordgroepen die uit een bijvoeglijk naamwoord en een zelfstandig naamwoord bestaan, schrijven we los: *total loss, joint venture, new age.* Als ze heel bekend zijn, worden ze als één woord geschreven: *fulltime, freelance, software, oldtimer.* Hier volgt een lijstje van veelvoorkomende woorden die geheel of gedeeltelijk Engelstalig zijn:

| | | |
|---|---|---|
| *airbus* | *comeback* | *fulltime* |
| *allright* | *compactdisc* | *happy end* |
| *all risk* | *computerprogramma* | *hardrock* |
| *all-riskverzekering* | *creditcard* | *heavy metal* |
| *allround* | *coverstory* | *hightechbedrijf* |
| *back-up* | *crosscountry* | *incompanytraining* |
| *black box* | *designmeubel* | *intakegesprek* |
| *body-art* | *direct-mailcampagne* | *interviewtechniek* |
| *bottleneck* | *displaymateriaal* | *jazzmuziek* |
| *bottom-up* | *drive-in* | *joint venture* |
| *break-evenpoint* | *drive-inwoning* | *joystick* |
| *candid camera* | *doelaccount* | *kickboksen* |
| *casestudy* | *entertoets* | *knock-out* |
| *cashflow* | *floppydisk* | *knowhow* |
| *coffeeshop* | *freelance* | *lay-out* |

151

| | | |
|---|---|---|
| *lowbudget* | *on line* | *short story* |
| *make-up* | *on-lineverbinding* | *smalltalk* |
| *managementteam* | *parttime* | *softwareonderneming* |
| *managing-director* | *parttimebaan* | *spin-off* |
| *marketingmanager* | *peptalk* | *spreadsheet-programma* |
| *multiple choice* | *playback* | *subcontractor* |
| *multiple-choicetest* | *privacyaspecten* | *successtory* |
| *music-hall* | *public relations* | *taperecorder* |
| *no-iron* | *public-relationsbureau* | *topdown* |
| *offset* | *pull-over* | *top secret* |
| *offsetpers* | *push-upbeha* | *undercover-operatie* |
| *offshore* | *returnwedstrijd* | *up-to-date* |
| *offshorebedrijf* | *salesmanager* | *voicemail* |
| *offshore-industrie* | *sciencefiction* | *weekendhuwelijk* |
| *oldtimer* | *sciencefictionfilm* | |

➤ aaneenschrijven. koppelteken.

Voor het geslacht van Engelse woorden ➤ geslacht.

**enige/enigen** ➤ alle/allen.

**enige** *Dit huis is het enige dat/wat de brand heeft doorstaan.* Het maakt een groot verschil of *dat* of *wat* wordt gebruikt. *Dat* zegt alleen iets over verbrande huizen; of er verder iets is verbrand, weten we niet. Er staat eigenlijk: *Dit is het enige huis dat de brand heeft doorstaan. Wat* wil zeggen dat alles is verbrand, behalve dit huis.

**enige die** ... *Ik ben de enige die geslaagd is.* Aangezien de persoonsvorm overeenkomt met het antecedent *de enige*, is het *die ontslagen is* en niet *die ontslagen ben*. (*Die* verwijst namelijk niet naar *ik*.)

**enigerlei** *Op enigerlei wijze.* Ouderwets voor: op een of andere manier of op wat voor manier dan ook.

**enigst(e)** *De enigste mogelijkheid.* Enig kent geen overtreffende trap. *Enigst(e)* is dan ook eigenlijk onjuist. Er wordt niet meer zo vaak bezwaar tegen gemaakt in verband met de gevoelswaarde. Dat geldt vooral voor *enigst kind*. Maar *enig(e)* heeft de voorkeur. *Enigst kind* zal ook wel in de hand gewerkt worden door de dubbelzinnigheid van *enig*, namelijk een 'erg leuk kind' en 'een kind zonder broer(s) en/of zusje(s)'.

**enkel** *We hadden enkel wat kleingeld bij ons.* Minder gebruikelijk (wel in België; ➤ belgicismen) dan *slechts, alleen, alleen maar*.

**enkele/enkelen** ➤ alle/allen.

**enkelvoud/meervoud (van werkwoord)** ➤ werkwoorden (problemen met werkwoorden).

**enkelvoud/meervoud (van zelfstandig naamwoord)** *Vergeet niet jullie jassen aan te trekken.* Angl. voor: *jullie jas.* Ook niet: *De heren waren aanwezig met hun vrouwen, maar ... met hun vrouw.*

Niet: *De Nederlandse en Belgische regeringen,* maar ... *regering.*

Veel namen van maten, gewichten, hoeveelheden, geldwaarden enz. hebben geen meervoudsuitgang als er een hoofdtelwoord voorafgaat: *keer, uur, jaar, cent, ons, km, miljoen, man, decibel, procent, ampère.* Maar er mag geen woord tussen staan: *Tien lange kilometers, zeven magere jaren.*

Maar wel meervoud bij *seconden, minuten, dagen, weken, maanden, decennia, eeuwen.*

Er is verschil tussen *drie gulden* (prijs/waarde) en *drie guldens* (munten).

**enz.** *Enz. (enzovoort/enzovoorts)* wordt gebruikt als de voortzetting van de opsomming voor de hand ligt: *Met de euro kun je betalen in Nederland, België, Duitsland enz. Even getallen zijn deelbaar door twee, namelijk 2, 4, 6, 8, 10 enz. Enz.* en *etc.* worden als synoniemen beschouwd, maar *enz.* heeft in het algemeen de voorkeur.

Als een opsomming met *onder andere* of *bijvoorbeeld* begint, moet ná die opsomming niet *enz.* komen. Dat is een pleon. Dus niet: *Ze verkopen hier onder andere boeken, tijdschriften, grammofoonplaten enz.* Zet vóór *enz.* liever geen komma (vergelijkbaar met *en**\*** in een opsomming). Hetzelfde geldt voor *e.d.* en *etc.*

**epiloog** ➤ nawoord.

**er** *De boeken die (er) de laatste tijd verschijnen, zijn nogal prijzig. Voor de volgende maand is (er) nog geen afspraak voor een bezoek gemaakt. In de Herenstraat is (er) een groot ongeluk gebeurd. Helaas ontbreken (er) nog veel stukjes aan de puzzel.* De regels voor het gebruik van *er* zijn ingewikkeld. In het algemeen geldt dat *er* weggelaten kan worden, behalve als *er* betrekking heeft op een plaatsbepaling of een zelfstandigheid in de voorgaande zin. *Ken je Londen? Nee, ik ben er nooit geweest. Dit zijn een paar voorbeelden. Straks komen er nog meer.*

Ook noodzakelijk in: *Er wordt 's middags gerust.*

**er-** *Eraan, erin, erop, ervoor, ertegenover* enz. Deze woorden worden nog weleens weggelaten: *Wij zijn overtuigd dat ... Ik vertrouw u voldoende geïnformeerd te hebben.* Dat is niet aan te bevelen, want het is: *overtuigd zijn van* en *vertrouwen op. Ervan/erop* moet er dus bij. In andere gevallen is weglating wel mogelijk: *We hopen (erop) dat het in de toekomst beter gaat. Ze is (er) bang (voor) dat we te laat komen. Ik ben (er) benieuwd (naar) of hij op tijd is.*

Samenstellingen met *er, hier, daar, waar* en een of meer voorzetsels worden aan elkaar geschreven: *erin, hiernaast, daaraan, waarover, eronderdoor, daartegenover, waartussenin.* We schrijven: *ervan uitgaan, ervan afzien* enz. *Hij ging ervan uit dat ... Ze zag ervan af ...*

Een voorzetsel wordt verbonden met een voorafgaand voorzetsel of *er, daar, hier* en waar als het niet bij het werkwoord hoort: *Zou de thee eraan komen? Het gaat om komen. Zou hij er aankomen voor ons? Het gaat om aankomen. Ze is er slecht van afgekomen.* Niet: *vanaf gekomen*, omdat het werkwoord *afkomen* en niet *komen* is.

Het is *erop afkomen*, omdat het om *afkomen* gaat; *erop uitgaan*, want er is *uitgaan* bedoeld. De uitroep 'Eropaf' of 'Eropuit' schrijven we als één woord omdat er geen werkwoord in voorkomt waarmee 'af' of 'uit' een geheel vormt. ➤ aaneenschrijven. De volgende voorbeelden verduidelijken de regels:

> *De trein komt eraan.*
> *Ik wil niet dat je er aankomt.*
> *Wij hopen niet dat ze erachter komt dat ...*
> *Het is vervelend dat hij zich erachter verschuilt dat ...*
> *Jij hoort erbij.*
> *De directeur vond dat je erboven moet staan.*
> *Ik vermoed dat ze erbovenop komt.*
> *We zijn erdoorheen.*
> *We zijn erin geluisd.*
> *Ik schenk de koffie hier in.* (in de keuken)
> *Ik schenk de koffie hierin.* (in een kopje)
> *Het ziet ernaar uit dat het gaat regenen.*
> *Ik kijk ernaar uit om daar te wandelen.*
> *Het komt erop aan dat je op tijd bent.*
> *We weten niet wie erop afkomt.*
> *Ik wist niet dat ze er een vriend op nahield.*
> *Ze hoopt dat hij eroverheen komt.*
> *Het hangt ervan af wat je biedt.*
> *Een klein foutje is ertussendoor geglipt.*
> *Ik ben zo moe; ik denk niet dat ik eruit kom.*
> *Het is wel moeilijk, maar ik zal eruit komen.*
> *Ze ging ervan uit dat ze op tijd zou zijn.*
> *Ik ga ervandoor.*
> *Ik weet niet hoe de zaken ervoor staan.*
> *We vermoeden dat we er vooruitkomen.* (in dat bedrijf)
> *Hij wilde niet ervoor uitkomen dat hij gezakt was.* (bekennen)

**-er/-ere** *Onbetrouwbaarder mensen ken ik niet.* In de vergrotende trap van woorden met twee of meer lettergrepen (als er verschillende onbeklemtoonde lettergrepen op elkaar volgen) vervalt meestal de *e*. Dus niet: *onbetrouwbaardere mensen,* maar: *onbe-trouwbaarder mensen.* Niet: *ernstigere ongelukken,* maar: *ernstiger ongelukken.*

**-ere** *Een oudere dame, rijpere jeugd* enz. Hier doet het vreemde zich voor dat *een oudere dame* minder oud is dan *een oude dame.* En *rijpere jeugd* is niet zo rijp als *rijpe jeugd.* Psychologische factoren spelen zeker een rol bij het gebruik van de bijvoeglijke naamwoorden op *-er(e).*

*Het betere publiek, de betere stand* zijn ingeb. germ. voor *het gegoede publiek, de gegoede stand.*

**erg** *Erg groot, erg lelijk, erg rijk.* In plaats van *erg* kan volgens sommigen beter *heel, zeer* gebruikt worden (in verband met de betekenis *slecht, bedenkelijk*).

Een teveel aan *erg, heel* en *zeer* maakt het taalgebruik saai. Als *straatarm* wordt bedoeld, schrijf dan liever niet *erg arm.* Dat geldt bijvoorbeeld ook voor *steenrijk, git-zwart, vuurrood, beeldschoon.* Er is vaak een klein betekenisverschil. *Erg arm* is voor velen niet zo arm als *straatarm.*

In een uitdrukking als *niet erg fijntjes* moet *erg* niet vervangen worden.

*Een erge/hele grote mond* is eigenlijk onjuist voor *erg/heel grote mond,* want als bijwoord wordt *erg/heel* niet verbogen. *Erge* en *hele* worden (vooral in de spreektaal) gebruikt om nadruk te leggen.

**erkennen** *De ontvangst van een brief erkennen.* Angl. voor *bevestigen.*

**ernstig nemen** *Iemand/iets ernstig nemen.* Ingeb. angl., gall. of germ. voor *ernstig opvatten, als gemeend opvatten.*

**ervaring** *Praktijkervaring.* Eigenlijk een pleon., want ervaring doe je in de praktijk op. Het is echter heel gebruikelijk. Hetzelfde geldt voor *praktische ervaring.*

**-erwijs** *Mogelijkerwijs, toevalligerwijs, logischerwijs* enz. ➤ -wijs.

**-erzijds** *Enerzijds, anderzijds* enz. ➤ -zijds.

**etc.** Et cetera. ➤ enz.

**eufemismen** Om woorden met een enigszins ongunstige of onplezierige betekenis te verzachten kunnen we een eufemisme gebruiken. Zo doet *vomeren* minder onsmake-lijk aan dan *kotsen.* Het formele woord verzacht de ongunstige betekenis enigszins. Vroeger sprak men bijvoorbeeld over *tering,* dat werd later *tuberculose,* daarna *tbc* en nu *tb.* En het woord *kanker* wordt wel vermeden door te spreken over *de gevreesde ziek-te* of *k.* Eufemismen worden vaak gebruikt om taboewoorden te vermijden; de vin-dingrijkheid is daarbij soms heel groot. Voor *bezuinigen* bijvoorbeeld zijn heel wat verzachtende woorden/uitdrukkingen bedacht: *temporiseren van de uitgaven, inkomsten en uitgaven in evenwicht brengen, bijstellen van de uitgaven, voorstellen om de uitgaven te beperken.* ➤ synoniemen. woorden, moeilijke.

**euro** Oorspronkelijk werd de euro met *EUR* aangeduid; in 1996 besloot de Europese

Raad dat het een *e* wordt met twee horizontale streepjes erdoorheen: €. Net als andere valutatekens komt het euroteken voor het bedrag: € *16,50,* € *20,–.* Voluit: *Een boek van dertig euro.*

De officiële code voor de euro is EUR, zoals NLG voor de gulden en BEF voor de Belgische frank. Deze valutacode wordt gebruikt in het internationale betalingsverkeer. ➤ munteenheden.

**evaluatie achteraf** Pleon., aangezien een evaluatie (beoordeling, waardeschatting) altijd achteraf plaatsvindt.

**evenals** Wijst op overeenstemming, gelijkheid: *net zoals, op dezelfde manier als. Evenals zijn voorganger heeft de huidige president dat land nog niet bezocht.* In de betekenis *en, alsmede, ook* is *evenals* niet te gebruiken: *Hier verkopen ze boeken, tijdschriften evenals sigaretten.* Moeizame constructie. Liever: *en.*

**evengoed/even goed** *Hij heeft evengoed schuld als jij* (evenzeer). *Hij had de opdracht even goed uitgevoerd* (net zo goed). ➤ aaneenschrijven. evenzogoed.

**evenmin** Zomin, net zo weinig. Pas op voor een dubbele ontkenning in een zin met *evenmin.* Dus niet: *Evenmin als jou zal het hem niet lukken.* Wél mogelijk: *Het zal hem niet lukken, evenmin als jou.* ➤ ontkenningen.

**eventueel** *Eventuele schade die hieruit zou kunnen voortvloeien.* Pleon. *Eventuele schade ... óf Schade die hieruit zou kunnen voortvloeien.*

Het woord *eventueel* wordt vaak ten onrechte gebruikt. *Als u eventueel niet kunt komen, horen wij dat graag. Eventueel* is hier overbodig. *Als* geeft al voorwaarde aan. *Eventueel* is ook overbodig in: *Eventuele orders zullen wij met zorg uitvoeren. Om eventuele ongelukken te voorkomen. Mocht u eventueel belangstelling hebben, ...*

**evenveel** Altijd één woord. *Allen krijgen evenveel. Zij hebben evenveel neven als nichten.*

**evenzogoed** *Hij vond het niet leuk, maar evenzogoed deed hij het.* Ingeb. germ. voor *evengoed.* ➤ evengoed/even goed.

**excentriek** Vreemd, buitenissig. *Hij droeg excentrieke kleren.* ➤ excentrisch.

**excentrisch** Buiten het middelpunt, afgelegen. *Zijn huis ligt heel excentrisch.* ➤ excentriek.

**explosiegevaarlijk** (Ingeb.) germ. voor *explosief, ontplofbaar, ontploffingsgevaar/explosiegevaar opleverend.* ➤ -gevaarlijk.

**explosieveilig** (Ingeb.) germ. voor *geen explosiegevaar opleverend.* ➤ -veilig.

**exponent** Een exponent staat in formules* en ander wiskundig werk hoger (= superieur) en is kleiner dan de overige tekst/cijfers: $a^2 : b^2$. Er komt geen spatie vóór de exponent. Het tegengestelde van de exponent is de index* of het indexcijfer (meervoud: indices), die lager (= inferieur) en kleiner wordt gezet: $a (x_1 + y_1)$. ➤ subscript. superscript.

**exporteren** *Exporteren naar het buitenland.* Pleon., want exporteren is altijd naar het buitenland.

**extra** Samenstellingen met *extra* worden meestal met een koppelteken geschreven: *extra-korting, extra-trein.* Sommige woorden krijgen geen koppelteken: *extracorrectie, extravagant, extraparlementair.* Als combinaties met *extra* niet als een samenstelling worden beschouwd, schrijven we: *een extra beloning.* Ook *extra voordelig* (*extra* is hier bijwoord, met de betekenis *zeer*).

**extracorrectie** De veranderingen in een drukproef in afwijking van de kopij. De drukkerij kan de kosten van extracorrectie aan de opdrachtgever in rekening brengen. Extracorrectie heet ook wel auteurscorrectie. ➤ correctietekens. drukproef.

# F

*f*-teken Guldenteken. Dit is de kleine letter *f*, bij voorkeur cursief, zonder punt. Tussen *f* en het bedrag staat een spatie: *f* 16,–. Dat is niet het geval tussen pondteken (£)/dollarteken ($) en het bedrag: £14,–/$14,–.

Op de tekstverwerker wordt het teken *f* gemaakt met een bepaalde toetsencombinatie (alt 159/ctrl v 4,14) of door het teken 'aan te klikken'.

**fabrieksmatig** *Fabrieksmatig vervaardigd.* Ingeb. germ. voor *machinaal, in de fabriek, in het groot vervaardigd.* ➤ -matig.

**Fahrenheit** (afgekort F) *De temperatuur is nu 60 °F.* Er komt een spatie tussen het getal en °F. Voluit: *60 graden Fahrenheit.* Als C of F ontbreekt, vervalt de spatie: 120°. Als *Fahrenheit* voluit wordt geschreven, dan het liefst alles voluit: *Het was hoogstens veertig graden Fahrenheit.*

**fantasieletters** Een lettergroep – ook wel (niet helemaal juist) scripten genoemd – die in zakelijk drukwerk heel weinig wordt gebruikt; ze zijn vooral in de reclamewereld in trek. Enkele voorbeelden:

*fantasieletter*      *fantasieletter*

*FANTASIELETTER*      *FANTASIELETTER*

**faxnummer** ➤ telefoonnummer.

**feestdagen** De namen van feestdagen schrijven we met hoofdletters: *Goede Vrijdag, Hemelvaart, Kerstmis* (maar: *de kerst*), *Palmpasen, Palmzondag, Pasen, Pinksteren, Hervormingsdag, Koninginnedag, Sinterklaas, Prinsjesdag, Bevrijdingsdag.* (Het 'Groene Boekje' geeft: *prinsjesdag* en *bevrijdingsdag.*) Afleidingen van en samenstellingen met zulke namen krijgen een kleine letter: *paasbrood, kerstdag, kerstboom, kerstvakantie* (maar *Kerstkind* = Jezus), *paasdag, paasei, pinkstergebruik, pinksterdag, kerstavond, pinksteravond, pinksterzondag, pinkstermaandag, pinkstertoernooi, paasavond, paaszaterdag, paaszondag, paasmaandag, eerste kerstdag, hemelvaartsdag, sinterklaasavond.* Ook met kleine letter: *carnaval, advent, oudjaar, nieuwjaar.* ➤ hoofdletters.

**feit** *Het is een feit dat hij zijn best doet.* Geeft een zekerheid aan. De volgende zinnen geven geen zekerheid aan en zijn dus onjuist. *Heel belangrijk is het feit hoeveel hij ver-dient* (moet zijn: *de vraag*). *Mijn antwoord hangt af van het feit of je mij helpt of niet* (moet zijn: *de vraag*). *Feit* wordt nogal eens onnodig gebruikt, bijvoorbeeld in: *Hij wees op het feit dat ...* in plaats van: *Hij wees erop dat ... In verband met het feit dat* = *omdat. Als gevolg van het feit* = *doordat.*

Minder juist is: *Feit is dat ...* Liever: *Het is een feit dat ...*

**feit** *In feite.* Staande uitdr.

**feitelijk** Zoals het in werkelijkheid is; in feite. *Hij zei dat hij hard had gewerkt, maar feite-lijk (in feite, in werkelijkheid) had hij bijna niets gedaan.* ➤ eigenlijk.

**fiat** Opdracht tot afdrukken nadat men er zich van overtuigd heeft dat alle correcties zijn uitgevoerd. We spreken van *fiat geven* of *fiatteren*. Ook: *goed voor (af)drukken*. De fiatproef is de proef waarop men fiat geeft. ➤ drukproef.

**figuren** Onder figuren verstaan we tekeningen, schema's en grafieken.

De tekst in figuren moet zo kort mogelijk zijn. Begin het eerste woord met een hoofdletter. Gebruik zo nodig afkortingen/symbolen. Als een tekst te lang dreigt te worden, kan die in een noot ondergebracht worden.

Figuren moeten bij voorkeur genummerd zijn, het liefst per hoofdstuk. Bij verwij-zing kan dan worden volstaan met bijvoorbeeld *Zie figuur 6-4 (6.4)* in plaats van 'Zie de tabel op deze/de vorige/de volgende pagina'. Of: 'Zie de tabel in hoofdstuk .../para-graaf ...' (Vermijd 'de vorige figuur', 'de volgende figuur' enz., omdat de definitieve plaats vaak niet zeker is.)

Figuurnummer en opschrift komen meestal onder de figuur.

Noten bij een figuur komen er direct onder, dus niet onder aan de pagina. Is er één noot, dan kan die het best een asterisk krijgen; bij meer noten worden cijfers gebruikt. Ook een bronvermelding komt direct onder de figuur, na de noten. Tussen figuur en noot/noten en bronvermelding kan een sluitlijn komen.

**fijnmechanicus** (Ingeb.) germ. voor *instrumentmaker, instrumentdraaier*.

**filmisch** *De filmische kwaliteit van dit werk is uitstekend.* Ingeb. germ. voor *Als film is dit werk uitstekend. Het is een uitstekende film.*

**font** ➤ lettertype.

**formeel** Precies volgens de voorgeschreven vorm. *Het gaat er bij hem thuis heel formeel toe.* ➤ informeel.

**formules** In wetenschappelijke teksten komen nogal eens formules voor. Voor een tekst met veel formules kan het best een gespecialiseerde zetterij ingeschakeld wor-den; die kan niet alleen moeilijke formules zonder problemen zetten, maar beschikt ook over de nodige lettertekens en symbolen.

Het voorbereiden van kopij met veel formules is moeilijk. Het is een eerste vereiste dat de kopij zeer duidelijk is. Geschreven kopij is niet bruikbaar, omdat die verwarring kan geven, bijvoorbeeld van Griekse en niet-Griekse letters; de letter x en een maalteken; een hoofdletter O, de kleine letter o en het cijfer 0; het minteken (–) en het koppelteken (-) enz. Er mogen natuurlijk geen vragen rijzen over de betekenis van bepaalde tekens of letters. Beperk die aanwijzingen zo veel mogelijk, want anders hebben ze een averechts effect. Het is meestal mogelijk formules in de kopij te typen. Met moderne tekstverwerkingsapparatuur kunnen we een groot aantal tekens maken door een bepaalde cijfercode te typen. De tekens die we niet zelf kunnen aanbrengen, moeten duidelijk in het manuscript aangegeven worden. Aangezien het dan meestal om bijzondere tekens gaat, is vermelding van de betekenis (in de marge, omhaald) meestal gewenst.

Over 'probleemgevallen' zal de zetterij – als het goed is – de auteur/uitgever benaderen.

Om problemen te voorkomen, is het noodzakelijk in een vroeg stadium te informeren of de drukkerij die we op het oog hebben, over alle bijzondere tekens beschikt in het lettertype waarin de tekst wordt gezet. Meestal zijn we daardoor sterk beperkt in de letterkeuze. Aangezien formuletekens slechts in een beperkt aantal lettertypen beschikbaar zijn, worden wiskundige en natuurwetenschappelijke boeken meestal in een schreefletter gezet, vaak de Times. Een schreefloze letter is in het algemeen niet bruikbaar, onder andere omdat er geen verschil is tussen de letters l en I en (bij bepaalde lettertypen) ook niet met het cijfer 1.

In formules kunnen we beter geen kleinkapitalen in plaats van kapitalen gebruiken: de kleinkapitale i (ɪ) lijkt veel op het Romeinse cijfer I. In combinaties van hoofdletter en kleine letter zou het onderscheid bij gebruik van kleinkapitaal te gering zijn. Dus niet: kw, wb enz.

Voor cijfers gebruiken we geen mediëvalcijfers maar tabelcijfers. Van de meeste typen mediëvalcijfers lijkt het cijfer één veel op de kleinkapitale i (ɪ) (en op het Romeinse cijfer I). En het mediëvalcijfer o lijkt op de kleine letter o.

Formules worden cursief gezet. Ook de Griekse letters zijn (indien mogelijk) cursief. Niet cursief zijn cijfers en allerlei afkortingen als log, max, diag, cos, hm, sin, afkortingen van eenheden als m, kg, kJ, en afkortingen van chemische symbolen: Na, $H_2O$. Vectoren (vectorgrootheden) worden vet en cursief gezet.

Er moet ook duidelijk aangegeven zijn wat superieur/inferieur gezet moet worden. Met tekstverwerkers is het mogelijk (kleine) superieuren en inferieuren te typen.

➤ subscript. superscript.

In formules komen allerlei soorten haakjes voor. Ze worden vaak in een van de volgende volgordes gebruikt:

[ { ( ) } ]

of

{ [ ( ) ] }

Het verdient in het algemeen aanbeveling formules niet kleiner te zetten dan de overige tekst (in verband met superieuren, inferieuren, accenten enz.). Maar door ze een korps kleiner te zetten, kunnen we weleens voorkomen dat formules afgebroken moeten worden. En dat komt de leesbaarheid ten goede.

Om afbreken zo veel mogelijk te voorkomen, moeten wetenschappelijke publicaties met formules een niet te kleine zetbreedte hebben.

Formules worden dus bij voorkeur niet afgebroken, maar dat is niet altijd te vermijden. Er zijn vaste regels voor het afbreken van lange formules. Na het =-teken is afbreken mogelijk; het =-teken wordt dan op de volgende regel herhaald, en wel precies onder de plaats waar in de eerste regel het =-teken staat. Er kan meestal ook worden afgebroken voor de tekens + − × . ± < : > ≤ ≥ en →. Ze worden op de volgende regel herhaald, maar iets meer naar rechts dan het =-teken.

Eveneens om een goede leesbaarheid te bevorderen, moeten formules met voldoende interlinie gezet worden.

Als er in een formule naar een voetnoot wordt verwezen, moet dat zodanig gebeuren dat het verwijzingsteken geen verwarring kan geven. Er zou een asterisk (*) gebruikt kunnen worden. Ook een cijfer is mogelijk, maar dan kleiner en in elk geval met een haakje erachter of het nootcijfer tussen haakjes.

In verband met een gemakkelijke verwijzing worden formules meestal genummerd met een tussen haakjes geplaatst getal rechts van de formule (tegen de kantlijn aan). Doe dat het liefst met decimalen, zoals in het volgende voorbeeld. De 6 geeft het hoofdstuknummer aan en de 3 het formulenummer.

$$x = \frac{-b \pm \sqrt{b^2 - 4ac}}{2a} \tag{6.3}$$

Eventuele leestekens worden achter de formule geplaatst, alsof de formule een onderdeel van de zin is:

Uit

$$y = ax^2 + bx + c$$

volgt

$$y = a(x - x_1)(x - x_2),$$

waarin

$$x_1 = \frac{-b + \sqrt{b^2 - 4ac.}}{2a}$$

Het is gebruikelijk formules enkele spaties te laten inspringen. Erboven en eronder komt een witregel. ➤ eenheden. Griekse letters. grootheden. symbolen. tekens.

**fotobijschrift** ➤ bijschriften.

**fotoverantwoording** ➤ illustratieverantwoording.

**fout** *Dat is mijn fout niet.* Gall. voor *Dat is mijn schuld niet. In fout zijn* is een gall. voor *schuldig zijn, schuld hebben.*

**fout** *Deze som is fout.* Onjuist. ➤ foutief.

**foutief** *Een foutief antwoord, een foutieve mening.* Betekent eigenlijk: *gedeeltelijk onjuist.* Er is dus wel een goed element. We kunnen *foutief* ook in de betekenis van *fout* gebruiken. ➤ fout.

**franc** *Franse franc, Luxemburgse franc, Zwitserse franc.* Met een *c.* Maar: *Belgische frank.* ➤ frank. munteenheden.

**franciscaner** (Ingeb.) germ. voor *franciscaan, franciscaner monnik.* ➤ augustijner. benedictijner. dominicaner. kapucijner.

**frank** *Belgische frank.* ➤ franc. munteenheden.

**Frans** Franse invloed op het Nederlands. ➤ gallicismen. woorden, vreemde.

**Franse titel(pagina)** De Franse titel of voordehandse titel is de eerste (rechter)pagina van een boek. Op deze pagina staat alleen de titel van het boek, zonder eventuele ondertitel of auteursnaam. De titel wordt meestal niet veel groter gezet dan de platte tekst. Dikwijls staat de titel tegen de bovenkant van de zetspiegel; hij moet in elk geval boven het optisch midden staan.

Als het boek een deel van een serie is, kan de serienaam op deze pagina vermeld worden. Het is gebruikelijker om die op de achterkant daarvan te vermelden. Dat is ook een geschikte plaats om andere boeken van dezelfde auteur te vermelden.

Deze linkerpagina wordt ook wel gebruikt voor een foto of andere illustratie. Zo'n titelplaat heet frontispice.

**frontispice** Afbeelding tegenover de titelpagina van een boek. Als daar een bijschrift bij nodig is, kan dat op de achterkant van de titelpagina geplaatst worden.

**frontpagina** Angl. voor *voorpagina* (van een krant).

**functie (in functie van)** *Er wordt nog maar weinig verkocht in functie van de komende prijs-verlaging. Het cijfer wordt bepaald in functie van het aantal fouten.* In België wordt het gall. *in functie van* vrij veel gebruikt in de betekenis: afhankelijk van, met het oog op, naar gelang van, uit het oogpunt van, op basis van. ➤ belgicismen.

**functie (functie zijn van)** *Het behaalde cijfer is functie van het aantal fouten. Het programma is functie van het kennisniveau van de deelnemers.* Gall. voor *afhangen van, afhankelijk zijn van, in verhouding staan tot.* Ook in verband met de vele betekenissen kan *in functie van* beter vermeden worden.

**functioneren** Zijn taak verrichten. Wordt voor zaken en personen gebruikt. *Hij is al oud, maar zijn hart functioneert nog goed. De laatste tijd functioneert Jansen niet meer zo goed als vroeger.* ➤ fungeren.

**fungeren** De taak waarnemen van, dienst doen als. Kan alleen voor personen worden gebruikt. *Tijdens de afwezigheid van A fungeert B als chef.* ➤ functioneren.

# G

**gaan** *U kunt binnenkort gaan beschikken over ... Wij zijn van plan deze bedrijven te gaan overnemen. Wie gaat de opvolger van ... worden?* In deze zinnen is *gaan* overbodig. Wordt vooral in België gebruikt. Mogelijke verbeteringen: *U kunt binnenkort beschikken over ... Wij zijn van plan deze bedrijven over te nemen. Wie wordt de opvolger van ...?/Wie zal ... worden?* ➤ belgicismen.

**gaarne** Ouderwets woord. Liever: *graag.* ➤ schrijftaal/spreektaal.

**gallicismen** Woorden en uitdrukkingen die zijn overgenomen en vertaald uit het Frans en die in strijd zijn met onze taal. Enkele voorbeelden zijn: *Hij nam mij voor de chef* (prendre) = *hield mij voor de chef; aan een bepaalde prijs* (à) = *voor, tegen een bepaalde prijs; duur kosten* (coûter cher) = *duur zijn, veel kosten* (bovendien een contam.); *Bedenken wij wel dat ...* (réalisons-nous que). Deze zinswending is een nabootsing van de Franse gebiedende wijs eerste persoon meervoud, die in het Nederlands niet voorkomt. Verbetering: *Laten we wel bedenken dat ...* of: *We moeten wel bedenken dat ...* Hetzelfde geldt voor: *Realiseren we ons ... Stellen we ons voor dat ... Nemen we als voorbeeld ...* enz.
Het is begrijpelijk dat in België meer gallicismen worden gebruikt dan in Nederland. ➤ belgicismen.
We hebben in dit boek heel wat gallicismen opgenomen. Als er 'ingeb.' (ingeburgerd) bij staat, betekent dit dat er geen bezwaar meer tegen dat woord of die uitdrukking bestaat. Voorbeelden zijn *terugbrengen* (verlagen, verminderen), *met kwaliteiten* (met goede eigenschappen), *een dezer dagen* (dezer dagen).
Als 'ingeb.' tussen haakjes staat, zijn de meningen verdeeld. Voorbeelden: *voor wat ... betreft* (wat ... betreft), *vandaag* (tegenwoordig, vandaag de dag), *de muziek was van een grote schoonheid* (was heel mooi). ➤ barbarismen.

**gang** *In gang zetten, in gang brengen* (machine). (Ingeb.) germ. of gall. voor *op gang brengen, aan de gang brengen.*

**gans** Verouderd voor *helemaal, geheel, totaal, compleet.* Soms in België gebruikt. ➤ belgicismen. Staande uitdrukking: *Van ganser harte.*

**gasgestookt** Ingeb. germ. voor *op/met gas gestookt.* ➤ zelfst. naamw. + deelw.

**gasgevuld** (Ingeb.) germ. voor *met gas gevuld/met gasvulling.* ➤ zelfst. naamw. + deelw.

**ge** ➤ gij.

**ge-** *Gelijken, gevoelen, gewennen, gelukken, geraken. Op iemand gelijken, zich ziek gevoelen, aan iets gewennen* enz. Dergelijke werkwoorden zijn ouderwets voor: *lijken, voelen, wennen, lukken, raken.* Ze worden vooral in België vaak gebruikt. ➤ belgicismen.

**geachte** ➤ aanhef.

**gebeten op** Fel tegen, vertoornd, verbitterd. *Op iemand gebeten zijn.* Slaat steeds op personen. *Gebeten op* wordt ook wel gebruikt in de betekenis van *gebrand op* (= gesteld op). Liever niet, al is het alleen maar om misverstand te voorkomen. ➤ gebrand op.

**gebeuren** *Het concert was een fantastisch gebeuren.* Ingeb. germ. voor *gebeurtenis, voorval. Gezondheidsgebeuren, kunstgebeuren, muziekgebeuren* enz. zijn ingeb. germ. voor bijvoorbeeld: *gezondheidszorg, kunstleven, muziekuitvoering.* Vermijd *het gebeuren* en samenstellingen met *gebeuren,* omdat ze nietszeggend zijn. Als indrukwekkende gebeurtenis is *gebeuren* juist: *het kerstgebeuren.*

**gebeurlijkheid** *We moeten op alle gebeurlijkheden voorbereid zijn.* Iets wat kan gebeuren, eventualiteit. Ouderwets woord. Niet te verwarren met *gebeurtenis.* ➤ gebeuren. gebeurtenis.

**gebeurtenis** Wat gebeurd is, voorval. *Zij is de gebeurtenissen van de vorige week nog niet vergeten.* ➤ gebeuren. gebeurlijkheid.

**gebied** *Op het gebied van.* Vage uitdrukking. *Het gaat ons om informatie op het gebied van computers.* Liever: *... informatie over computers.* ➤ duidelijkheid.

**gebiedende wijs** De gebiedende wijs wordt gevormd door de stam van het werkwoord: *Jan, kom eens hier. Kinderen, loop door.* In het meervoud komt er geen *t* achter. Dus niet: *Kinderen, loopt door.* (Enkele uitzonderingen: *Komt dat zien. Bezint eer ge begint.*) Wél een *t* in: *(Heren,) loopt u even door. Gaat u zitten.* Minder vormelijk is: *(Heren,) loop even door. Ga zitten.*

Bij wederkerende werkwoorden (zich melden, zich wassen) krijgt de stam alleen een *t* als het werkwoord wordt gevolgd door *u zich:* (*u* is dan namelijk onderwerp): *Meld u bij de secretaresse/Meldt u zich bij de secretaresse. Was u met deze zeep/Wast u zich met deze zeep. Bereid u voor op/Bereidt u zich voor op. Wind u niet op/Windt u zich niet op.*

De gebiedende wijs van *zijn* is: *wees.* Dus: *Wees voorzichtig* en niet: *Ben voorzichtig.*

*Nemen we het volgende voorbeeld.* Voor deze Franse vorm van de gebiedende wijs gebruiken we in het Nederlands een omschrijving met *laten: Laten we het volgende voorbeeld nemen.* Of: *Neem het volgende voorbeeld.* Of gewoon: *We nemen het volgende voorbeeld.* (*Laat ons (Laat ons aannemen dat ...)* is minder gebruikelijk dan *laten we.*)

Als de stam na een klinker eindigt op een *d* die niet wordt uitgesproken, kan de *d* ook worden weggelaten: *Rij voorzichtig. Hou hem maar in de gaten. Snij het brood. Rij eens door.* De vorm met *-d* is wat vormelijker.

**gebod** Voorschrift of bevel, dat positief of negatief kan zijn. *Ga naar huis. Doe dat niet.*
➤ verbod.

**-gebonden** Een aantal samenstellingen met *-gebonden* zijn oorspronkelijk germ., bijvoorbeeld *geslachtsgebonden* (aan het geslacht gebonden), *partijgebonden* (aan of door een (politieke) partij gebonden), *plaatsgebonden* (alleen in een bepaalde plaats voorkomend; aan een bepaalde plaats gebonden), *tijdgebonden* (aan (een bepaalde) tijd gebonden, behorend tot een bepaalde tijd, tijdelijk, voorbijgaand). Ze zijn ingeb.
➤ zelfst. naamw. + deelw.

**geboorteteken** Als geboorteteken wordt de asterisk* gebruikt: *1990.

**gebrand op** Dol op, gesteld op. *Hij is zeer gebrand op dat baantje.* ➤ gebeten op.

**gebrek** *In gebreke blijven.* Staande uitdr.

**gedaan** *We hebben onlangs Londen gedaan.* ➤ doen.

**gedachtestreepje** Gedachtestreepjes (aandachtsstreepjes; typografische vakterm: kastlijntjes) worden gebruikt om een tussenzin duidelijk van de rest af te scheiden. *Wij maken u erop attent – wij schreven dat al eerder – dat u onze rekening nog niet hebt betaald.* Hier kunnen ook komma's of haakjes gebruikt worden, maar gedachtestreepjes zijn duidelijker. Gebruik nooit meer dan twee gedachtestreepjes in een zin.

Een gedachtestreepje is (in gedrukte stukken) langer dan een koppelteken (divisie). Meestal gebruikt men voor gedachtestreepjes de halve kastlijntjes (zoals in dit boek). Die zijn korter dan het kastlijntje en langer dan het koppelteken. Kastlijntjes – vaak in Engelse/Amerikaanse teksten gebruikt – zijn te nadrukkelijk. Divisies kunnen beter niet in plaats van gedachtestreepjes worden gebruikt.

Voor en na een gedachtestreepje hoort een spatie.

Er komt geen komma voor en na een gedachtestreepje. Aan het eind van de zin vervalt het tweede gedachtestreepje: *Als we elkaar voor de derde keer tegenkomen – maar dat gebeurt niet – trakteer ik./Ik trakteer als we elkaar voor de derde keer tegenkomen – maar dat gebeurt niet.*

Het gedachtestreepje wordt ook wel gebruikt om een onverwachte wending aan te geven: *De prijzen gaan de goede kant uit – voor de producent.* Hier kunnen we ook het beletselteken (drie puntjes: ...) gebruiken, maar het gedachtestreepje is moderner.

Voor andere gevallen waarin het halve kastlijntje wordt gebruikt ➤ kastlijntje/half kastlijntje.

De divisie komt (als koppelteken/afbreekstreepje) op elk toetsenbord voor. Het halve kastlijntje kunnen we (afhankelijk van het gebruikte programma) maken met de ctrl-toets + tweemaal – of door het teken (via 'invoer' of 'invoegen') op het beeldscherm aan te klikken. Ook met ctrl v plus een cijfercode. ➤ tekens.

**gedeeld door** (:) ➤ deelteken. tekens.

**gedeelte** *Het onderste, laatste, achterste, beste gedeelte van iets. Een gedeelte van iets is* meestal niet iets zelfstandigs. *Deel* is dat meestal wél: *een deel van een servies.* ➤ deel.

**gedegen** *Een gedegen studie.* Ingeb. germ. voor *degelijk, van een hoog niveau, grondig.* ➤ degelijk. deugdelijk. terdege.

**gedeponeerd handelsmerk** ➤ merknaam.

**geding** *Zijn oprechtheid is niet in het geding.* Niet ter sprake, geen voorwerp van bespreking. ➤ gedrang.

**gedood worden** *Hij is bij een explosie gedood.* Angl. voor *om het leven komen, omkomen, verongelukken, sneuvelen.*

**gedragsgestoord** Ingeb. germ. ➤ barbarismen.

**gedrang** *Zijn baan komt in het gedrang.* Komt in een moeilijke positie, in een benarde toestand. ➤ geding.

**geducht** Vrees of ontzag inboezemend, ontzagwekkend. *Een geducht tegenstander, leger.* ➤ beducht.

**gedwongen** Onder dwang van de wet, mensen, opvattingen. *Hij werd gedwongen zijn huis te verkopen.* ➤ genoodzaakt. verplicht.

**geëigend** *Hij is de geëigende persoon voor deze klus. Plastic is zeer geëigend voor ons doel.* (Ingeb.) germ. voor *geschikt, gepast.* ➤ eigenen (zich eigenen tot).

**geen** *In genen dele.* Geenszins*, helemaal niet. Staande uitdr.

**geen** *Geen van die opmerkingen kon/konden hem overtuigen.* Als we het werkwoord naar *geen* richten, moeten we eigenlijk enkelvoud gebruiken. Als we aan *opmerkingen* denken, is meervoud te verdedigen. Het meervoud wordt steeds vaker gebruikt.

**geen ... noch** *Hij heeft geen tijd noch zin om weg te gaan. Geen ... noch* is eigenlijk een pleon. (*geen* is overbodig). Er is geen bezwaar tegen, zeker niet tegen zinnen als: *Hij heeft geen tijd om weg te gaan, noch zin.* ➤ niet ... noch.

**geenszins** Ouderwets voor: *niet in het minst, volstrekt niet, in geen geval, helemaal niet.*

**geestesziek** Ingeb. germ. voor *krankzinnig. Geestesziek*e is een ingeb. germ. voor *krankzinnig*e.

**gegrond** Op goede gronden rustend; gerechtvaardigd; redelijk. *Wij hebben gegronde redenen om aan te nemen dat u weinig aandacht aan ons verzoek hebt besteed.* ➤ grondig.

**geheel** Stijf woord voor: *helemaal* of *heel. Het huis is geheel (= helemaal) gemoderniseerd. Wij zijn de gehele (= hele) dag open.*

**geheimvol** Ingeb. germ. voor *vol geheimen.* ➤ -vol.

**gehoor** *Ten gehore komen.* Contam. van *ten gehore brengen* en *ter ore komen.*

**gehoorgestoord** Ingeb. germ. voor *slechthorend, met gehoorstoornissen, doof.* ➤ zelfst. naamw. + deelw.

**geïnformeerd** *Hij blijkt daar goed geïnformeerd over te zijn.* Waarschijnlijk een (ingeb.)

angl. voor *op de hoogte van/bekend met.* ➤ informeren (zich informeren).

**gekend** *Een gekende schrijver, een algemeen gekend feit.* Gall. voor *bekend.* Wordt vooral in België gebruikt. ➤ belgicismen. Goed is: *een goed gekende les.*

**gekwetst** *Bij de aanrijding was hij gekwetst.* Ouderwets voor: *gewond.* Wordt vooral in België nog gebruikt. Wordt wel een gall. genoemd. *Gekwetst* betekent nu: *gekrenkt, gegriefd, beledigd.* ➤ belgicismen.

**geld** Vreemd geld. ➤ munteenheden.

**geldbedragen** ➤ bedragen.

**gelding** *Hij kon zijn plannen niet tot gelding brengen.* Germ. voor *tot hun recht laten komen, ten uitvoer brengen, uitkomen.*

**geld maken** Angl. voor *(veel) geld verdienen* (vaak in ongunstige zin).

**geleden** *Voor drie maanden geleden.* Contam. van *voor drie maanden* en *drie maanden geleden.* (*Voor drie maanden* is een ingeb. germ. voor *drie maanden geleden.*)

**gelegenheid** *Ter gelegenheid van.* Vage (staande) uitdrukking die de leesbaarheid schaadt. *Wij hebben een mooi cadeau ter gelegenheid van zijn verjaardag gekocht.* Liever: *voor zijn verjaardag.*

**gelieven** *U gelieve. Gelieve* wordt wel als onjuist beschouwd voor: *u gelieve.* We kunnen *gelieve* niet met *verzoeke* vergelijken: *verzoeke* betekent: *ik verzoek,* maar *gelieve* is niet: *ik gelief.* Dus: *U gelieve mij nog mee te delen ...* De verkorte vorm *gelieve ...* is echter al oud. Een zin met *u gelieve* doet ouderwets aan. ➤ wensende wijs.

**gelijk** *Hij kwam gelijk.* Wordt weleens als een germ. beschouwd voor *direct, meteen, onmiddellijk,* maar is dat niet. *Gelijk* is niet onjuist, maar *direct, meteen* heeft enige voorkeur. Kijk vooral uit met zinnen als *Zij kwamen gelijk.* Kwamen zij direct of tegelijk/samen?

**gelijk** *Met gelijke post.* Germ. voor *met dezelfde post, separaat.*

**gelijkaardig** *Een gelijkaardige situatie zul je in ons land niet aantreffen.* (Ingeb.) gall. of germ. voor *soortgelijk, gelijksoortig, dergelijk.* Wordt veel in België gebruikt. ➤ belgicismen.

**gelijkberechtigd** Ingeb. germ. voor *gelijkgerechtigd, met gelijke rechten. Gelijkberechtiging* is een (ingeb.) germ. voor *rechtsgelijkheid, gelijkheid in rechten.*

**gelijkstellen aan** Contam. van *gelijkstellen met* en *gelijk zijn aan.*

**geloof** *Om den gelove.* Staande uitdr.

**geluiddicht** Geen geluid doorlatend. *Een geluiddichte kabine.* ➤ geluidsvrij.

**geluidsvrij** Geen geluid makend. *Dit apparaat is geluidsvrij.* ➤ geluiddicht.

**gemakshalve** Ouderwets voor: *voor het gemak, ter wille van het gemak.* ➤ -halve.

**gemeentewege** *Van gemeentewege.* Door of namens de gemeente. Staande uitdr.

**gemeenzaam** *Hij gaat gemeenzaam met zijn ondergeschikten om.* Vertrouwelijk, als gelijke. ➤ minzaam.

**gemiddeld** *De gemiddelde Nederlander is niet taalkundig geschoold.* Beter is: *De Nederlander is (Nederlanders zijn) in het algemeen niet taalkundig geschoold.* (Ook liever niet: *doorsnee-Nederlander* of *In doorsnee zijn Nederlanders ...*) ➤ doorsnee-.

**gemis** *Bij gemis aan.* Contam. van *bij gemis van* en *bij gebrek aan.*

**genegen** Bereid. *Ik ben wel genegen u te helpen.* Ook: *Iemand genegen zijn.* Hem gunstig gezind zijn. Niet te verwarren met: *geneigd.* ➤ geneigd.

**geneigd** Neiging hebbend tot. *De leraar was geneigd een kras door het werk te geven.* ➤ genegen.

**generaal-** *Generaalagent, generaalvertegenwoordiger.* (Ingeb.) germ. voor *algemeen vertegenwoordiger* of *hoofdvertegenwoordiger, landelijk vertegenwoordiger.*

**generlei** *Er is generlei gevaar.* Ouderwets voor: *geen, geen enkel, helemaal geen.*

**genoodzaakt** *Toen het zo hard regende, waren wij genoodzaakt binnen te blijven. Genoodzaakt* betekent: door omstandigheden of gebeurtenissen gedwongen. ➤ gedwongen. verplicht.

*Wij zijn genoodzaakt u een hogere prijs te moeten berekenen.* Pleon. voor *Wij moeten u een hogere prijs berekenen* en *Wij zijn genoodzaakt u een hogere prijs te berekenen.*

**gepaard** *Gepaard gaan aan* is een contam. van *gepaard gaan met* en *gekoppeld zijn aan.*

**gerechtelijk** *Gerechtelijk onderzoek, gerechtelijk akkoord.* Uitgaand van het gerecht, behorend tot het gerecht, betrekking hebbend op het gerecht. *Gerechterlijk* bestaat niet. ➤ rechtelijk. rechterlijk.

**gerechtigd** *De directeur is gerechtigd personeel te ontslaan. Gerechtigd* betekent: bevoegd, gemachtigd, het recht hebbend. Heeft betrekking op personen. ➤ gerechtvaardigd.

**gerechtvaardigd** *Uw eis tot schadevergoeding is naar onze mening niet gerechtvaardigd. Gerechtvaardigd* betekent: billijk, rechtmatig. Slaat op zaken. ➤ gerechtigd.

**geregeld** Volgens gewoonte, telkens terugkerend. *In dit gebouw worden geregeld dingen gestolen.* ➤ regelmatig.

**geregistreerd handelsmerk** ➤ merknaam.

**-gericht** Samenstellingen met *-gericht* zijn ingeb. germ./angl. voor *gericht op de/het ...* Voorbeelden: *doelgericht, klantgericht, toekomstgericht, productgericht, prestatiegericht, groepsgericht, bedrijfsgericht, marktgericht.* ➤ zelfst. naamw. + deelw.

**germanismen** Woorden en uitdrukkingen die zijn overgenomen en vertaald uit het Duits en die in strijd zijn met onze taal.

Voorbeelden van germ. zijn *eerstens* (erstens) = *ten eerste; techniker* (Techniker) = *technicus.*

Bij veel germ. staat 'ingeb.' (= ingeburgerd). Daarmee is aangegeven dat men in het algemeen vindt dat ze niet meer afgekeurd kunnen worden. Voorbeelden: *minstens, dertiger jaren, luchtgekoeld, partijgebonden.*

Als 'ingeb.' tussen haakjes staat, wil dat zeggen dat de meningen verdeeld zijn. Voorbeelden: *middels* (door middel van), *band* (deel), *beduidend* (aanzienlijk).

Germ. die niet meer als zodanig worden gevoeld, zijn niet opgenomen. Voorbeelden: *slagroom* (geklopte room), *beïnvloeden* (invloed uitoefenen op).

De meeste germ. zijn in dit boek eenvoudig te vinden. Sommige zijn niet zo gemakkelijk onder een trefwoord op te nemen omdat het bijvoorbeeld om een groep germ. of om een bepaalde zinswending gaat. Daarom het volgende.

Veel woorden op *-name* zijn (al of niet ingeb.) germ.: *ingebruikname, overname, machtsovername* enz. Ze geven een handeling aan. Ingeb. zijn bijvoorbeeld *overname, toename, stellingname.* Niet ingeb. zijn bijvoorbeeld *inachtname* (inachtneming), *kennisname* (kennisneming), *ingebruikname* (ingebruikneming). ➤ -name.

Sommige woorden met het voorvoegsel *neven-* zijn (ingeb.) germ.: *nevenbetrekking* (bijbetrekking), *nevenbedoeling* (bijbedoeling). Het Duitse *neben-* drukt een onderschikkende verhouding uit, terwijl het Nederlandse *neven-* een gelijkwaardigheid aangeeft: *nevenstaand, nevenschikking.* ➤ neven-.

*Bontgevoerd, handbediend, oliegestookt, bloeddoorlopen, zonbeschenen.* Dergelijke constructies zijn oorspronkelijk germ. (ook wel angl.). Ze eisen eigenlijk toevoeging van *met: met bont gevoerd, met de hand geknoopt, met olie gestookt, met bloed doorlopen.* Of toevoeging van *door: door de zon beschenen.* De meeste zijn ingeb. ➤ zelfst. naamw. + deelw.

*Dit huis moet nodig geverfd.* Het ontbreken van *worden* maakt deze zin tot een (ingeb.) germ.

Niet aan te bevelen is de constructie *Het moet gezegd ..., Er moet vermeld ...* enz. Toevoeging van *worden* verdient de voorkeur.

*Hij is aangenomen geworden.* Hier moet *geworden* vervallen.

*Basedowse ziekte, Weilse ziekte, Kantse wijsbegeerte, Berlaagse stijl.* Deze constructies waarvan het bijvoeglijk naamwoord is gevormd van een eigennaam, zijn germ. voor *ziekte van Basedow, ziekte van Weil, wijsbegeerte van Kant, stijl van Berlage.* Sommige zijn ingeb., bijvoorbeeld *Lutherse Kerk.*

*Goudakaas, Ruslandklanken* enz. Dergelijke samenstellingen van eigennaam en zelfstandig naamwoord zijn germ. voor *Goudse kaas, Russische klanken (klanken uit Rusland).* ➤ eigennaam + zelfst. naamw.

*Dit bedrag is voor het eind van de maand te betalen.* Germ. voor *moet ... worden betaald.* Wel juist is: *Die opgave is wel te maken,* want de betekenis is: kan worden gemaakt.

Er zijn enkele woorden die vaak germ. worden genoemd, maar dat niet zijn. Een voorbeeld is: *hopelijk* (naar wij hopen). Er is wél bezwaar tegen *hopenlijk.* Een ander voorbeeld is *benadrukken* (beklemtonen). Er is geen bezwaar tegen dit woord. Nog een paar woorden die soms (ten onrechte) voor een germ. worden aangezien: *daadwerke-*

*lijk, spitsuur, bedenkingen.* ➤ barbarismen.

Er zijn nog veel meer woorden en uitdrukkingen die vroeger als germanismen werden beschouwd maar waartegen niemand nu nog bezwaar maakt. Voor een overzicht ➤ barbarismen.

**gerucht** *Bij geruchte.* Staande uitdr.

**geruis** Germ. voor *geluid, lawaai. Het geruis van de wind, van bladeren* is natuurlijk juist.

**gerust** *U kunt gerust een beroep op hem doen. Gerust* is: zonder angst, zeker. Niet te verwarren met *rustig\**.

**geschieden** Ouderwets voor: *gebeuren, plaatsvinden.*

**geschrift** *Valsheid in geschrifte.* Staande uitdr.

**geslacht van woorden** We onderscheiden de zelfstandige naamwoorden in de-woorden (mannelijk en vrouwelijk) en het-woorden (onzijdig). Het onderscheid in mannelijke (m), vrouwelijke (v) en onzijdige (o) woorden is belangrijk in verband met de voornaamwoordelijke aanduiding: een voornaamwoord in plaats van een zelfstandig naamwoord.

De woordenboeken geven bij elk zelfstandig naamwoord het woordgeslacht aan. De *m* (mannelijk) houdt in: aanduiding door *hij – hem – zijn; v* (vrouwelijk) houdt in: aanduiding door *zij/ze – haar; o* (onzijdig) houdt in: aanduiding door *het – zijn.* Als er *v (m)* staat, wil dat zeggen: een *zij*-woord, dat ook door *hij – zijn* mag worden aangeduid.

De *Woordenlijst Nederlandse taal* (1995), gebaseerd op het Spellingbesluit-1994, onderscheidt *de-* en *het-*woorden. De verschillen in aanduiding van het woordgeslacht ten opzichte van de 'oude' *Woordenlijst* (1954) zijn als volgt:

| *oud* | *nieuw* |
| --- | --- |
| m. | de (m.) |
| m. *en* v. | de |
| m. *en* v., *of* o. | de *en* het |
| m. *en* o. | de (m.) *en* het |
| v. | de (v.) |
| v. *en* o. | de (v.) *en* het |
| o. | het |
| mv. | mv. |

'Mannelijk' zijn:
- woorden die een mannelijke persoon noemen: *neef, secretaris;*
- woorden die een mannelijk dier noemen: *kater, stier;*

– persoons- en diernamen als niet uitdrukkelijk het vrouwelijk wezen is bedoeld: *zieke, hond, geleerde*;

– van een werkwoordstam afgeleide woorden, zoals: *bloei, draai, lof, schrik, slag, stap, strijd, val, wil*.

'Vrouwelijk' zijn:

– woorden die een vrouwelijke persoon noemen: *tante, secretaresse*;

– woorden die een vrouwelijk dier noemen: *poes, merrie*;

– abstracte woorden of verzamelnamen (die niet tot de *het*-woorden behoren) die een van de volgende uitgangen hebben: *-ade (tirade, maskerade)*; *-age (tuigage, slijtage)*; *-de (hulde, koude)* (ook: *kou*); *-ea (alinea)*; *-ee (renommee, farmacopee)*; *-heid (boosheid, waarheid)*; *-ica (logica, aritmetica)*; *-ide (asteroïde, insecticide)*; *-ie (discussie, theorie)*; *-iek (gymnastiek, muziek)*; *-ij (bedriegerij, spotternij)*; *-ine (discipline)*; *-ing (achter een werkwoordstam) (regeling, regering)*; *-nis (kennis, vergiffenis)*; *-ode (methode, episode)*; *-schap (beterschap, wetenschap)*; *-se (analyse, accuratesse)*; *-sis (crisis, thesis)*; *-st (achter een werkwoordstam) (kunst, winst)* (uitzondering: *dienst*); *-suur (censuur, tonsuur)*; *-te (diepte, hoogte)*; *-teit (majesteit, subtiliteit)*; *-theek (bibliotheek, apotheek)*; *-tis (bronchitis)*; *-ture (vacature)*; *-tuur (natuur, cultuur)*; *-ude (amplitude, prelude)*; *-xis (syntaxis)*.

De abstracte woorden en verzamelnamen met deze uitgangen worden dus aangeduid met *zij/ze* – *haar*: *De wetenschap en haar beoefenaars. De regering is zich bewust van haar taak*. Over een vacature: *ze bestaat nog steeds*.

'Vrouwelijk' én 'mannelijk' zijn:

– persoonsnamen die voor mannen en vrouwen gebruikt kunnen worden: *baby, arts, deugniet*;

– zelfstandig gebruikte bijvoeglijke naamwoorden: *zieke, blinde, gewonde*;

– algemene aardrijkskundige namen en namen van hemellichamen: *stad, rivier, maan*;

– de meeste voorwerpsnamen die oorspronkelijk uitsluitend vrouwelijk waren: *bank, kast, pijp*.

Voor vrouwelijke zaken gebruiken we bij voorkeur *ze*; voor personen *ze* of *zij*. Omdat *zij* en *haar* voor niet-personen soms kunstmatig aandoen – en om het probleem hij-of-zij te omzeilen – wordt in plaats daarvan wel *die* of *deze* gebruikt. Over een motie: *Het is niet bekend wanneer ze (die/deze) wordt ingediend*. Soms is een andere formulering mogelijk: *Prestatiebeloning kan zeker haar nut hebben./Prestatiebeloning kan zeker nuttig zijn*.

'Onzijdig' zijn:

– verkleinwoorden: *beestje, huisje*;

– werkwoordstammen met de voorvoegsels *be-, ge-* en *ont-*: *bevel, gedoe, ontslag*;

– de meeste namen van landen en steden: *Engeland, Londen*.

Een 'onzijdig' woord krijgt als bezittelijk voornaamwoord *zijn*: *Het gezelschap en zijn*

172

*leden.* Hier worden nogal eens fouten tegen gemaakt, vooral bij de aanduiding van plaatsen en landen, die in het algemeen onzijdig zijn: *Nederland en zijn inwoners.* Niet: *haar inwoners,* omdat het is: *het Nederland. Rotterdam en zijn havens. Brussel heeft zijn winkelcentrum gemoderniseerd.* Maar: *De stad Amsterdam en haar talloze bruggen.* Nu verwijst *haar* niet naar *Amsterdam,* maar naar *stad.*

Enkele uitzonderingen: *Sovjet-Unie, Oekraïne, Peel, Betuwe, Veluwe.* Deze namen zijn vrouwelijk. Dus: *De voormalige Sovjet-Unie en haar bewoners.*

Mannelijk zijn: *Achterhoek, Balkan, Krim.*

Bij onzijdige persoonsnamen hoeft geen rekening gehouden te worden met het grammaticaal geslacht; het biologisch geslacht is bepalend: *Het meisje rijdt op haar nieuwe fiets. Een lid van het bestuur vroeg of hij/zij het woord mocht.* ➤ haar.

Persoonsgeslacht gaat altijd vóór woordgeslacht: *Zijne excellentie minister Jansen sprak zijn misnoegen uit over ...* Excellentie is een vrouwelijk woord, maar minister Jansen is een man! *Het hoofd van de school zal u nog benaderen; hij (zij) komt morgen naar u toe.*

In teksten wordt soms te weinig rekening gehouden met de vrouwelijke lezers. Aan dames worden brieven gericht met de aanhef *Mijne heren,* en in artikelen, brochures enz. wordt er geschreven alsof die uitsluitend voor mannen bedoeld zijn. Teksten met deze tekortkoming zullen niet het beoogde effect hebben, aangezien een deel van de doelgroep (de dames) zich niet aangesproken voelt.

Niet: *De verzekerde moet opgeven hoeveel jaar hij schadevrij heeft gereden.* Maar bijvoorbeeld: *De verzekerden moeten opgeven ...* Een andere manier om de zin te verbeteren, is *u* te gebruiken: *U moet opgeven ...* (Liever: *Wilt u ...*). Ook mogelijk, maar niet aan te bevelen, is de passieve vorm: *De verzekerde moet opgeven hoeveel jaar er schadevrij is gereden.* Lelijk is: *hij/zij (zijn/haar)* of *hij of zij (zijn of haar).*

Namen van bedrijven zijn vrijwel altijd onzijdig. Het bezittelijk voornaamwoord is dus *zijn: Philips heeft zijn productie verhoogd. Siemens en zijn personeelsbestand.* Maar het is bijvoorbeeld *de Sdu* in verband met 'de uitgeverij'.

Het woordgeslacht van eigennamen als *Aviodome* en *Louvre* kan problemen geven. In het algemeen bepalen we het geslacht in deze gevallen door associatie. Bij *Aviodome* denken we aan *museum,* dus ligt *het Aviodome* voor de hand. Hetzelfde geldt voor *het Louvre.* Maar bijvoorbeeld: *de Hermitage.*

Nog enkele voorbeelden:

   *de National Gallery* (de galerij)

   *het World Trade Centre* (het centrum)

   *het Empire State Building* (het gebouw)

   *de St. Paul's* (de kerk, de kathedraal)

   *de Arc de Triomphe* (de ark = boog)

Het geslacht van Engelse woorden geeft soms problemen. Regels zijn moeilijk te geven, maar meestal krijgen ze *de*. Er zijn enkele uitzonderingen:

– Een werkwoord dat als zelfstandig naamwoord fungeert, krijgt *het*: *het shoppen, het racen, het hiken.*

– Stofnamen die geen eetwaar zijn, krijgen altijd *het*: *het plastic, het nylon.*

– Een woord is een *het*-woord als het meest nabijgelegen Nederlandse woord een *het*-woord is. Het is *het suit* omdat het *het pak* is; het is *het panel*, want: *het paneel*; *het interview*: *het vraaggesprek.* (Nabijgelegen heeft zowel op klank als op betekenis betrekking.)

– Namen van talen: *het slang, het Basic.*

– Namen van sport en spel: *het bridge, het scrabble.*

– Abstracte verzamelnamen: *het platform, het sample, het design.*

Deze regels bieden niet *altijd* een oplossing; volg zo nodig bijvoorbeeld het 'Groene Boekje' of de *Spellingwijzer Onze Taal.*

De volgende alfabetische lijst geeft nog wat voorbeelden:

| | | | | | |
|---|---|---|---|---|---|
| het | account | de | joystick | het | sample |
| de | back-up | de | knock-out | de | sciencefiction |
| het | break-evenpoint | de | knowhow | de | short story |
| het | bridge | de | lay-out | de | smalltalk |
| de | cashflow | de/het | leaflet | de | snack |
| het | cluster | het | management | de | software |
| de | crosscountry | de/het | modem | het | spotlight |
| het | design | de | offset | de | story |
| de/het | display | de | oldtimer | het | suit |
| de | drive-in | de/het | outplacement | de | tape |
| het | entertainment | het | panel | het | team |
| de | floppy | de | paper | de/het | topic |
| de | hardrock | de | peptalk | de | voicemail |
| de | heavy metal | het | platform | de | yuppie |
| de | intake | de | playback | | |
| de | joint venture | de | pull-over | | |

Voor geslacht van afkortingen ➤ afkortingen.

**getal** *In groten getale.* Staande uitdr.

**getallen** Getallen worden aaneengeschreven: *achtenveertig, zeshonderdtachtig, tweehonderddrieëntachtig.*

Uitzonderingen:

– Na *duizend* komt een spatie: *vierduizend tweehonderd* (4200).

– *Miljoen, miljard, biljoen* enz. worden niet met andere getallen gecombineerd: *zestien miljoen* (16.000.000), *vijf miljoen honderdvijfenveertigduizend* (5.145.000).

Het is gebruikelijk de getallen één tot en met twintig, de tientallen en ronde getallen in letters te schrijven: *Zes van de elf deelnemers waren te laat. Er was op dertig deelnemers gerekend.* Getallen boven de twintig (behalve tientallen en ronde getallen) liever in cijfers: *Er waren vorig jaar 26 deelnemers.*

Zakelijke en exacte mededelingen als data, jaartallen, maten, berekeningen en geldbedragen schrijven we in cijfers: *maximumsnelheid 100 km, lengte 3,72 m, een hotel met 620 bedden.*

Als deze regels tot gevolg hebben dat er in één alinea zowel getallen in letters als in cijfers staan, kunnen (in verband met de eenheid) beter alle getallen in cijfers geschreven worden.

In rangtelwoorden worden *duizend, miljoen* enz. wel gecombineerd met de overige getallen: *zesduizendvijftigste, driemiljoenste.*

Breukgetallen schrijven we vast: *tweederde, zestiende, vier drievierde, driekwart, een tweederde meerderheid.* ➤ breuken.

In cijfers geschreven getallen krijgen een punt of spatie achter de duizendtallen bij meer dan vier cijfers: *26.100/26 100.* Maar: *6000.* In tabellen en optellingen krijgen ook getallen van vier cijfers een punt/spatie. In geldbedragen gebruiken we een punt. Jaartallen krijgen nooit een spatie of punt.

Als *eerste, zevende, achtste* in cijfers worden geschreven, kan dat op twee manieren: *1e, 7e, 8e* of *1ste, 7de, 8ste.* Maar voluit schrijven heeft de voorkeur.

Let erop dat *de drie mooiste, de vier beroemdste* eigenlijk onjuist is voor *de mooiste drie, de beroemdste vier* enz. (Er is maar één mooiste, één beroemdste.)

*Dertiger jaren, tachtiger jaren* zijn ingeb. germ. voor *jaren dertig, jaren tachtig.* ➤ bedragen. breuken. cijfers. cijfers, Romeinse.

Samenstellingen als *driepuntsgordel, eengezinswoning, achtpuntsletter* en *tweemansbedrijf* worden als één woord geschreven. Als het zelfstandig naamwoord een samengesteld woord is, wordt het telwoord ervan gescheiden: *driepunts autogordel, eenpunts meerboei, tweemans vertaalbureau.*

**getalsmatig** Ingeb. germ. voor *wat het aantal betreft, gemeten naar het getal.* ➤ -matig.

**getuige** *Getuige zijn reactie was hij heel tevreden.* Omdat *getuige* hier niet de functie van werkwoord maar van voorzetsel heeft, komt er geen *n* achter. Dus niet: *Getuigen zijn reacties …*

**gevaar kunnen** Contam. van *gevaar lopen* en *kwaad kunnen.*

175

**-gevaarlijk** Samenstellingen met *-gevaarlijk* zijn meestal (ingeb.) germ. *Explosiegevaarlijk* is een (ingeb.) germ. voor *explosiegevaar opleverend, explosief. Ontploffingsgevaarlijk* is een (ingeb.) germ. voor *ontploffingsgevaar opleverend. Brandgevaarlijk* is een ingeb. germ. voor *brandgevaar opleverend.* Ook *levensgevaarlijk* is ingeb.

**gevaarvol** Ingeb. germ. voor *gevaarlijk, hachelijk, benard, vol gevaar.* ➤ -vol.

**geval** *In allen gevalle* (in elk geval). *Je kunt in allen gevalle op hem rekenen.* Staande uitdr. *In alle gevallen* is natuurlijk in een andere betekenis juist: *In alle gevallen geldt dat ...*

**geval** *In geval van brand moet u ...* Voorzetseluitdrukking met de betekenis: *voor het geval dat er brand ontstaat.* ➤ ingeval.

**geven** *Het geeft vandaag mooi weer.* Germ. voor *Het is ...*

**gevoelig** *Gevoelige nederlaag/terechtwijzing.* Hevig, duidelijk voelbaar. In de betekenis *aanzienlijk, belangrijk* is *gevoelig* een (ingeb.) gall.

**-gevoelig** *Conjunctuurgevoelig, kleurgevoelig, lichtgevoelig, seizoengevoelig, temperatuurgevoelig.* Ingeb. germ. voor *gevoelig voor veranderingen in de conjunctuur, gevoelig voor kleuren, gevoelig voor licht, gevoelig voor de invloeden van het seizoen, gevoelig voor (veranderingen in de) temperatuur.*

**gevoelloos** Zonder gevoel, onaandoenlijk. *De tandarts maakt de kies gevoelloos. Mijn chef is een gevoelloos mens.* ➤ ongevoelig.

**gevolg** *Ten gevolge (van).* Staande uitdr. *Die handelwijze heeft ten gevolge dat ...* (als gevolg, tot gevolg). Twee woorden. Ook in de betekenis 'door'. *Ten gevolge van de hitte had hij een zonnesteek opgelopen.*

**gevolg** *Als gevolg van.* Vage uitdrukking. *Als gevolg van het slechte weer kon de wedstrijd niet doorgaan.* Liever: *Door het slechte weer ...*

**geweest** *Wat is er tijdens de vergadering besproken geweest?* Gall. voor *Wat is er ... besproken?* Ook onjuist: *Ik ben aan hem voorgesteld geweest. Hij is door de politie ondervraagd geweest. Geweest* moet vervallen. Wordt vooral in België gebruikt. ➤ belgicismen. Vervang *geweest* niet door *geworden**, want dat is een germ.

**gewelddadig** Met geweld gepaard gaand. *Een gewelddadige dood.* ➤ weldadig.

**geweten** *Het is niet geweten wie de dader is.* Gall. voor *Het is niet bekend ...* Wordt nogal eens in België gebruikt. ➤ belgicismen.

**gewetensvol** Ingeb. germ./gall. voor *nauwgezet (van geweten), nauwkeurig, stipt, trouw, eerlijk.* ➤ -vol.

**gewettigd** Waarvoor een deugdelijke grond bestaat, gerechtvaardigd. *Het vermoeden is gewettigd dat het verhaal verzonnen is.* ➤ wettelijk. wettig.

**gewezen** *Een gewezen burgemeester, gewezen echtgenoot.* Betekent: *vroegere, ex-.* We kunnen *gewezen* alleen voor personen gebruiken. Onjuist is: *Dit gebouw is een gewezen fabriek.* Moet zijn: *... was vroeger een fabriek.*

**gewoonlijk** *Hij pleegt gewoonlijk veel te laat te komen.* Pleon., want *plegen* betekent: *gewoon/gewend zijn*. Kan ook een contam. zijn: *Hij pleegt gewoonlijk veel te laat te komen./Hij komt gewoonlijk veel te laat.*

**geworden** *Hij is bevorderd geworden. Het is gestolen geworden.* Germ. *Geworden* moet vervallen.

**gezegd** *Als gezegd, zoals gezegd.* (Ingeb.) germ. voor *Zoals we zeiden, zoals is gezegd.* Hetzelfde geldt voor: *als/zoals gemeld, als/zoals geschreven* enz. Vervang *als/zoals bekend* liever door: *zoals (u) bekend is/zoals u weet.* (Ingeb.) germ. zijn: *Het moet gezegd, er moet vermeld* enz. Liever: *... worden.*

**gezien** *Gezien hij ziek is, komt hij niet.* Moet zijn: *aangezien, omdat, daar. Gezien* is een voorzetsel, met de betekenis *door, wegens, als gevolg van: gezien zijn ziekte.*

**gij/ge** Verouderd voor *je* of *u*. In de tegenwoordige tijd: *gij gaat, gij zult.* In de verleden tijd: *gij werdt, gij wildet, gij zoudt, gij kwaamt, gij aat.* Liever niet gebruiken! Ook niet *u zoudt,* maar: *u zou.*

**gironummers** Geen punten of spaties: *461328.* Banknummers krijgen punten of spaties: *36.77.24.545/36 77 24 545.*

**gisteren** Gebruik liever niet de verkorte vorm *gister.* Maar in samenstellingen is *gister*gebruikelijk: *gisterochtend, gistermiddag, gisteravond, gisternacht.*

**glansvol** Germ. voor *glansrijk, met glans, luister, ere.* ➤ -vol.

**glanzend** *Een glanzende rol spelen.* Germ. voor *schitterende rol.*

**glasvezelversterkt** Germ. voor *met glasvezel versterkt.* ➤ zelfst. naamw. + deelw.

**glossarium** ➤ woordenlijst.

**goed** *In goeden doen. Van goeden huize. Van goeden wille.* Staande uitdr.

**goedertieren** Barmhartig. Staande uitdr.

**goedgevig** Contam. van *goedgeefs* en *vrijgevig.*

**goedkoop kosten** Contam. van *goedkoop zijn* en *weinig kosten.* (*Goedkope prijzen* is een contam. van *goedkope artikelen* en *lage prijzen.*) ➤ duur kosten.

**Goudakaarsen, Goudakaas** Germ. voor *Goudse kaarsen, Goudse kaas.* ➤ eigennaam + zelfst. naamw.

**goudgerand, goudomrand** (Ingeb.) germ. voor *met een gouden rand.* ➤ zelfst. naamw. + deelw.

**graag** Zinnen met *graag* (ook: *liever, het liefst*) kunnen niet in de lijdende vorm gezet worden. Niet: *Inlichtingen worden graag door ons verstrekt.* Maar: *Wij verstrekken graag inlichtingen.* Een duidelijker voorbeeld: *Muizen worden graag door katten gegeten.* Moet zijn: *Katten eten graag muizen.* ➤ lijdende vorm.
Gebruik in plaats van *graag* niet *gaarne.* Dat is ouderwets, ook in schrijftaal.

**gradenteken** (°) *16 °C, 45 °F.* Men beschouwt °C en °F als een eenheid. Ze worden met een spatie van het voorgaande getal gescheiden. Als *C* of *F* ontbreekt, dan geen spatie: *16°*.

Het gradenteken wordt ook gebruikt voor het weergeven van geografische lengte- en breedtegraden: *15° N.B.* (noorderbreedte). In dit geval geen spatie tussen getal en °. ➤ tekens.

**grafische voorstellingen** Een belangrijk hulpmiddel om een grote hoeveelheid cijfermateriaal te ordenen en toegankelijk te maken, is de grafische voorstelling. Die geeft de lezer snel inzicht in de belangrijkste conclusies die uit de beschikbare gegevens volgen; bovendien verlevendigen grafische voorstellingen – als een soort illustraties – de tekst.

Enkele belangrijke regels die bij het opstellen van een grafische voorstelling in acht genomen moeten worden:

– Boven of onder elke grafiek wordt kort en bondig aangegeven wat die weergeeft.

– Als de gegevens uit externe bron komen, wordt dat onder de grafiek aangegeven: *Bron:* Statistisch Jaarboek 1998.

– Langs de horizontale (x-) en de verticale (y-) as wordt vermeld welke variabele de as weergeeft. De eenheid van telling moet daarbij genoemd worden.

– Langs de assen staan getallen om de waarden te kunnen aflezen. Beperk het aantal. ➤ figuren. tabellen.

**greep** *Ergens greep op krijgen.* Ingeb. angl. voor *vat krijgen op, grip krijgen op.*

**Griekse letters** In wetenschappelijke teksten komen nogal eens Griekse letters voor. Sommige daarvan lijken op andere Griekse letters (*ν* en *υ*) of op niet-Griekse letters of wiskundige tekens (a, α, ∝), zodat er gemakkelijk fouten kunnen ontstaan. De minste kans op misverstand ontstaat natuurlijk met op de tekstverwerker vervaardigde kopij. Met de tekstverwerker kunnen alle tekens gemaakt worden, bijvoorbeeld door (via 'invoer' of 'invoegen') het bewuste scherm op te roepen en de gewenste letter aan te klikken, of met ctrl v een bepaalde cijfercode te typen (zie de lijst hierna). Als de tekst niet op de tekstverwerker wordt gemaakt, moeten de Griekse letters duidelijk geschreven worden. Het verdient aanbeveling om ze dan in een bepaalde kleur te onderstrepen. Het is bovendien nuttig om zo'n letter de eerste keer dat die voorkomt, in de marge te schrijven (mét de betekenis). ➤ formules.

Griekse letters komen in romein en cursief voor. De cursieve letters worden gebruikt voor symbolen/formules.

Hier volgt het Griekse alfabet, zowel hoofdletters als kleine letters. Erachter staat de code waarmee de bewuste letter gemaakt kan worden.

| | | | | | |
|---|---|---|---|---|---|
| A | *A* | ALFA (ctrl v 8,0) | N | *N* | NU (ctrl v 8,26) |
| α | *α* | alfa (ctrl v 8,1) | ν | *ν* | nu (ctrl v 8,27) |
| B | *B* | BETA (ctrl v 8,2) | Ξ | *Ξ* | XI (ctrl v 8,28) |
| β | *β* | bèta (ctrl v 8,3) | ξ | *ξ* | xi (ctrl v 8,29) |
| Γ | *Γ* | GAMMA (ctrl v 8,6) | O | *O* | OMIKRON (ctrl v 8,30) |
| γ | *γ* | gamma (ctrl v 8,7) | o | *o* | omikron (ctrl v 8,31) |
| Δ | *Δ* | DELTA (ctrl v 8,8) | Π | *Π* | PI (ctrl v 8,32) |
| δ, ∂ | *δ, ∂* | delta (ctrl v 8,9) | π | *π* | pi (ctrl v 8,33) |
| E | *E* | EPSILON (ctrl v 8,10) | P | *P* | RHO (ctrl v 8,34) |
| ε | *ε* | epsilon (ctrl v 8,11) | ρ | *ρ* | rho (ctrl v 8,35) |
| Z | *Z* | ZETA (ctrl v 8,12) | Σ | *Σ* | SIGMA (ctrl v 8,36) |
| ζ | *ζ* | zèta (ctrl v 8,13) | σ/ς* | *σ/ς** | sigma (ctrl v 8,37/8,39) |
| H | *H* | ETA (ctrl v 8,14) | T | *T* | TAU (ctrl v 8,40) |
| η | *η* | èta (ctrl v 8,15) | τ | *τ* | tau (ctrl v 8,41) |
| Θ | *Θ* | THETA (ctrl v 8,16) | Y | *Y* | UPSILON (ctrl v 8,42) |
| θ, ϑ | *θ, ϑ* | thèta (ctrl v 8,17) | υ | *υ* | upsilon (ctrl v 8,43) |
| I | *I* | JOTA (ctrl v 8,18) | Φ | *Φ* | PHI (ctrl v 8,44) |
| ι | *ι* | jota (ctrl v 8,19) | φ | *φ* | phi (ctrl v 8,45) |
| K | *K* | KAPPA (ctrl v 8,20) | X | *X* | CHI (ctrl v 8,46) |
| κ | *κ* | kappa (ctrl v 8,21) | χ | *χ* | chi (ctrl v 8,47) |
| Λ | *Λ* | LAMBDA (ctrl v 8,22) | Ψ | *Ψ* | PSI (ctrl v 8,48) |
| λ | *λ* | lambda (ctrl v 8,23) | ψ | *ψ* | psi (ctrl v 8,49) |
| M | *M* | MU (ctrl v 8,24) | Ω | *Ω* | OMEGA (ctrl v 8,50) |
| μ | *μ* | mu (ctrl v 8,25) | ω | *ω* | omega (ctrl v 8,51) |

* Respectievelijk aan het begin en in het midden van een woord (σ) en aan het eind (ς).

**groet(en)** *Met vriendelijke groet/Met vriendelijke groeten.* Er wordt nogal eens beweerd dat de enkelvoudige vorm de voorkeur heeft: *Met vriendelijke groet,.* Er is echter geen voorkeur. Combineer deze formule liever niet met *Hoogachtend,.* Dat is te veel van het goede. Desnoods is mogelijk: *Met vriendelijke groeten en hoogachting,.* ➤ ondertekening.

**grondig** *Naar de oorzaak van de schade wordt een grondig onderzoek ingesteld. Grondig* betekent: diepgaand, niet oppervlakkig. ➤ gegrond.

**groot** Om iemands lengte aan te geven gebruiken we niet *groot,* maar *lang: Hij is 1,85 m lang.*

**groot** *In groten getale.* In groot aantal. Staande uitdr.

**groot-** Veel samenstellingen met *groot-* zijn ingeb. germ. Enkele voorbeelden: *grootbe-*

*drijf* (bedrijf in het groot), *grootindustrie* (industrie op grote schaal), *grootmacht* (grote mogendheid), *grootwinkelbedrijf* (filiaalbedrijf), *groothandel* (o.a. de handel waarbij niet rechtstreeks aan de consument wordt geleverd), *grootverbruik* (verbruik in het groot, groot verbruik), *grootverbruiker* (verbruiker in het groot, grote verbruiker), *grootmetaal(industrie)* (zware metaalindustrie), *grootstad* (grote stad, wereldstad). Niet ingeb. is bijvoorbeeld *grootbank* (grote bank). ➤ bijv. naamw. + zelfst. naamw. klein-.

**grootheden** Onder een grootheid verstaan we iets dat direct of indirect gemeten kan worden, bijvoorbeeld lengte en massa. Ze worden soms met symbolen weergegeven: $l$ = lengte, $m$ = massa. De symbolen van grootheden moeten cursief gezet worden. ➤ afkortingen. eenheden. SI. symbolen.

**groots** *De uitvoering van dit pianoconcert was groots.* Prachtig, indrukwekkend, geweldig. ➤ grotesk.

**grootschalig** *Grootschalig misbruik, iets grootschalig aanpakken.* Wordt wel een germ. genoemd voor *op grote schaal, fors, zeer omvangrijk,* maar is dat waarschijnlijk niet. Er is geen bezwaar tegen. ➤ kleinschalig.

**grootte** *In de orde van grootte.* Meestal is deze zinswending te vervangen door *ongeveer: Het verlies ligt in de orde van grootte van f 50.000,–.* Liever: ... *bedraagt (is) ongeveer* ... *Grootteorde* is een germ. voor *orde van grootte.*

**groter dan** Het teken voor 'groter dan' is >. ('Groter dan of gelijk aan' is ≥; het teken voor 'kleiner dan' is <.) ➤ tekens.

**grotesk** *Met die lange jas aan ben je een groteske figuur.* Gek, grillig, potsierlijk, lachwekkend. ➤ groots.

**guillemets** Aanhalingstekens van Franse oorsprong: «...» of »...«, ook wel ‹...› of ›...‹. Ze worden in het Nederlands niet zoveel gebruikt. ➤ aanhalingstekens. tekens.

**guldenteken** De $f$ wordt als guldenteken gebruikt. Het is de kleine letter f, bij voorkeur cursief, zonder punt. Op de tekstverwerker wordt het teken $f$ gemaakt met een bepaalde toetsencombinatie of door het teken 'aan te klikken'. ➤ tekens.

Tussen $f$ en het bedrag staat een spatie. Dat is niet het geval bij het pond- (£) en het dollarteken ($): £16. $110.

Het streepje achter de komma is een kastlijntje* of een half kastlijntje: *Deze reproductie kost f 40,–/f 40,–.* Gebruik in kolommen liever een kastlijntje dan een half kastlijntje:

$f$    134,–

22,50

1.168,–

Soms gebruikt men twee kleine streepjes (divisies): *f 2000,--.* Dat is niet aan te bevelen, behalve in getypte tekst. (Met de tekstverwerker kan het halve kastlijntje wel gemaakt worden. ➤ tekens.)

*Deze auto kost meer dan f 12.000,– gulden.* Het *f*-teken + *gulden* is dubbel. Dus *f 12.000,–* of *12.000 gulden.* ➤ bedragen. munteenheden.

# H

**haakjes** We gebruiken haakjes (vakterm: parenthesen) in de volgende gevallen:

- voor een verduidelijking, verklaring of toevoeging: *Hij woont in Warmond (bij Leiden)*;
- voor een verwijzing: *in hoofdstuk 6 (paragraaf 6.4) hebben we daar aandacht aan besteed*;
- in de betekenis 'of': *Gevraagd: leraar (lerares)*.

Als het laatste deel van een zin tussen haakjes staat, komt de punt na het sluithaakje: *Eventueel kunt u nog meer informatie krijgen (bij de heer Jansen)*. Als een hele zin tussen haakjes staat, komt de punt voor het sluithaakje: *(Als u nog meer informatie wilt, kunt u ons dat laten weten.)* Staat een deel van een samenstelling tussen haakjes, dan komt er geen spatie en/of koppelteken: *(zaken)brief, (typo)grafisch*. Als het eerste deel van het tussen haakjes geplaatste woord een koppelteken heeft, plaatsen we het koppelteken vóór het sluithaakje: *(vice-)voorzitter*. Als het tussen haakjes geplaatste woord tussen aanhalingstekens staat, komt er een koppelteken na het haakje: *('jeugd')-serie*.

We schrijven bijvoorbeeld *(besturings)systemen* zonder spatie na het sluithaakje en zonder koppelteken. Ook: *het ontwerpen van (meet-, regel- en besturings)systemen*. Vermijd zulke ingewikkelde constructies liever.

Nog enkele voorbeelden van samenstellingen waarin haakjes voorkomen: *(olie)reserves – olie(reserves) – (olie- en) gasreserves – olie- (en gas)reserves – aardappel(schil)mesje – duiven(houders)bond*.

Het netnummer in telefoonnummers staat tussen haakjes: *(071) 123 45 67*. Maar: *Het netnummer van Amsterdam is 020*.

Er wordt weleens een haakje gebruikt na een nootcijfer: *Jansen beweert[1]) dat ...* Een klein, hoger geplaatst cijfer zonder haakje is gebruikelijker: *Jansen beweert[1] dat ...* Achter het cijfer van de noot – dus onder aan de pagina – kan een haakje gezet worden, maar een punt heeft de voorkeur.

Achter de cijfers of letters in een opsomming staat weleens een haakje. *Het rapport bestaat uit vier delen: 1) Inleiding. 2) Voorbereiding. 3) Praktijk. 4) Conclusies.* Haakjes zijn hier niet mooi en niet functioneel. Zet liever een punt na het cijfer of de letter. ➤ opsomming.

Als een of meer gecursiveerde woorden tussen haakjes staan, worden ook de haakjes cursief gezet: *Gebruik (ronde) haakjes.* Als een stuk tekst met cursieve en niet-cursieve woorden tussen haakjes staat, kunnen we het tweede haakje het best afstemmen op het eerste: Ik heb daaraan al eerder (in *Alles over leestekens*) aandacht besteed.

Gebruik zo weinig mogelijk haakjes. Het is namelijk niet altijd duidelijk of tussen haakjes geplaatste woorden als verklaring, verwijzing, correctie enz. bedoeld zijn. Bovendien hebben veel mensen de neiging om over te slaan wat tussen haakjes staat! Als de tussen haakjes gegeven informatie ook gewoon in de tekst verwerkt kan worden, kunnen beter geen haakjes gebruikt worden.

In wetenschappelijke teksten worden haakjes ook wel gebruikt om naar literatuur of literatuurlijst te verwijzen: *(Jansen 1983, p. 16).* Er worden in dit geval ook wel teksthaakjes gebruikt.

Haakjes worden ook wel gebruikt om aan te geven dat er een stuk van een citaat is weggelaten: *'Ik heb al eens (...) aangetoond dat die methode onjuist is.'* Hier worden ook wel teksthaakjes gebruikt. ➤ beletselteken. teksthaakjes.

Teksthaakjes zijn rechthoekige haakjes [...], die onder andere gebruikt worden voor toevoegingen aan de originele tekst of aan een citaat door vertaler of redacteur. Als er iets tussen haakjes moet komen in een stuk tekst dat al tussen haakjes staat, kunnen teksthaakjes worden gebruikt: *(De auteur doelt waarschijnlijk op het [vermeende] verschil tussen ... en ...).* Vermijd dergelijke constructies. Eventueel kunnen hier gedachtestreepjes in plaats van teksthaakjes gebruikt worden: *(De auteur doelt waarschijnlijk op het – vermeende – verschil tussen ... en ...).*

In formules* komen zowel gewone haakjes als teksthaakjes voor:

$$\frac{d}{dx}\left[\frac{1}{g(x)}\right] = \frac{d}{dx}[g(x)]^{-1} = (-1)[g(x)]^{-2} \cdot g'(x).$$

Een derde soort haakje is de accolade. ➤ accolade.

**haar/zijn** Het persoonlijk en het bezittelijk voornaamwoord *haar* gebruiken we bij vrouwelijke zelfstandige naamwoorden:

– namen van vrouwelijke personen en dieren;

– abstracte woorden en verzamelnamen met een bepaalde uitgang (onder andere: *-heid, -schap, -ide, -ing*).

*Haar* wordt nogal eens ten onrechte gebruikt, dus bij niet-vrouwelijke woorden. Bijvoorbeeld: *Antwerpen en haar havens.* Dit moet *zijn* zijn, want het is: *het Antwerpen. Haar* wordt niet meer gebruikt om naar meer vrouwen te verwijzen. Dus niet: *De dames spraken haar verontwaardiging uit over ...,* maar: *hun verontwaardiging.* Niet: *We hebben het aan haar gegeven,* maar: *aan hen.* ➤ geslacht.

Verkleinwoorden van vrouwelijke persoonsnamen krijgen *haar*: *Het meisje en haar pop. Het vrouwtje met haar rode lokken.*

**haarlijn** Zeer dunne lijn, ongeveer 0,25 mm. Wordt onder andere in tabellen en in formulieren gebruikt. ➤ lijnen.

**haast** *In (aller) haast. In de(r) haast. Dat heb ik in de(r) haast vergeten* (doordat ik mij te veel haastte). Ook: *inderhaast.* Staande uitdr.

**háček** (ˇ) Accent in veel Slavische talen (*Dvořák*). ➤ tekens.

**halfhartig** Ingeb. angl. voor *niet van harte, aarzelend, weifelend, zonder overtuiging.*

**half kastlijntje** ➤ kastlijntje/half kastlijntje.

**halflicht** Germ. voor *schemerlicht.*

**halftint** Ingeb. germ./gall. voor *tussentint, schakering, nuance.*

**halfvet** Een van de mogelijkheden om bepaalde woorden nadruk te geven, is ze vet te zetten. De letters zijn zwaarder, 'zwarter' dan de gewone letters. Er zijn verschillende gradaties in vet, onder andere halfvet en extra vet. ➤ vet.

**halfzijdig** *Halfzijdig verlamd.* Ingeb. germ. voor *aan één kant verlamd, eenzijdig verlamd.*

**halslijn** ➤ tabellen.

**-halve** Woorden die eindigen op *-halve* doen wat formeel aan: *beleefdheidshalve* (uit beleefdheid), *eerlijkheidshalve* (om eerlijk te zijn), *gemakshalve* (voor het gemak), *kortheidshalve* (om kort te zijn), *volledigheidshalve* (voor de volledigheid), *zekerheidshalve* (voor de zekerheid). De woorden tussen haakjes zijn vlotter.
*Weshalve\** is verouderd voor: *waarom, zodat.*

**halverwege** Staande uitdr.

**hand-** Veel samenstellingen met *hand-* en een voltooid deelwoord zijn ingeb. germ. of angl.: *handbediend, handgebreid, handgeknoopt, handgenaaid, handgeschakeld, handgeschilderd, handgeschreven, handgesmeed, handgeweven* voor: *met de hand bediend, met de hand gebreid, met de hand geknoopt* enz. ➤ zelfst. naamw. + deelw.

**handel** Ingeb. angl. voor *(beweegbare) hendel, kruk, knop, handvat.* Niet: *handle.*

**handelen** *Het handelt zich om uw brief van ...* Germ. voor *betreft, gaat (hier) om, over; er is sprake van, we hebben te maken met.*

**handelsmerk** ➤ merknaam.

**handelstaal** Zakelijke correspondentie verschilt van andere briefwisseling door de aard van de onderwerpen, maar niet door het gebruik van bepaalde (onjuiste) zinnen en woorden. Er bestaat dus eigenlijk geen handelstaal. Hieronder geven we een aantal voorbeelden van wat wel handelstaal wordt genoemd, met tussen haakjes een wat vlottere formulering.
*Wij vertrouwen u hiermee akkoord\*.* (... dat u hiermee akkoord gaat.) *Onderstaand\* treft u een overzicht aan van ...* (Hieronder vindt u een overzicht van ...) *Wij hebben uw schrijven*

*in goede orde* ontvangen en delen wij u mede ...* (Wij hebben uw brief ontvangen en delen u mee ...) (➤ inversie, onjuiste.) *U gelieve ons omgaand* mee te delen ...* (Wilt u ons per omgaande meedelen ...) *Wij verzoeken* u ons te willen mededelen ...* (Wilt u ons meedelen .../Wij verzoeken u ons mee te delen ...) ➤ aanvangszinnen. slotzinnen.

**handen schudden** Angl. voor *een hand geven, elkaar de hand schudden.*

**handhaven** *Deze maatregel blijft voorlopig gehandhaafd. Gehandhaafd blijven* is een pleon. van *wordt gehandhaafd* en *blijft van kracht.*

**handmatig** *Handmatig vervaardigd, handmatig bediend.* Ingeb. germ. voor *met de hand vervaardigd, met de hand bediend.*

**hang** *De hang naar mysterie.* Ingeb. germ. voor *neiging, geneigdheid, zucht, drang.*

**hardmetaal** Germ. voor *hard metaal* (twee woorden). *Hardmetaal* is iets anders: 'een metaalcarbide waaruit de snijdende randen van sommige werktuigen vervaardigd worden'. Tegen *hardboard, hardglas, hardsoldeer, hardvoer* bestaat geen bezwaar. ➤ bijv. naamw. + zelfst. naamw.

**hare/haren** ➤ alle/allen.

**harer** ➤ der.

**harerzijds** ➤ -zijds.

**hart** *Van ganser harte.* Staande uitdr.

**hartlijden** Germ. voor *hartkwaal, hartaandoening.* Tegen *hartlijder* is geen bezwaar. ➤ -lijden.

**hé/hè** We gebruiken *hé* onder andere om aandacht te trekken (*Hé, kom eens*), als aansporing tot antwoorden (*Hé, wat zeg je?*).

*Hè* gebruiken we als uiting van pijn (*Hè, dat doet pijn*), als uiting van opluchting (*Hè, dat valt mee*), van voldoening (*Hè, dat is fijn*), en om aan te geven dat men een bevestigend antwoord verwacht (*Je gaat toch ook, hè?*).

Vóór of na *hé/hè* komt een komma.

**hebbelijkheid** Aanwensel, (eigenaardige, verkeerde) gewoonte. *Dat snuiven is een hebbelijkheid van hem.* ➤ onhebbelijkheid.

**hebben** *Wat heb je?* (Ingeb.) germ. voor *Wat scheelt je? Wat mankeert je?* ➤ mankeren. schelen.

**hebben/zijn** Met *hebben* en *zijn* worden de werkwoorden in de voltooide tijd gezet: *Ik heb gelopen, ik ben geweest.* We gebruiken *hebben* meestal voor werkwoorden die een toestand of handeling uitdrukken: *Hij heeft gedroomd, hij heeft gelopen.* We gebruiken *zijn* in het algemeen voor werkwoorden die een verandering van de ene in de andere toestand uitdrukken: *Hij is gestorven, hij is gegroeid.* Sommige werkwoorden kunnen met *hebben* én met *zijn* worden vervoegd, afhankelijk van de betekenis. Dat geldt vooral voor werkwoorden die een beweging uitdrukken (*lopen, wandelen, rijden, varen,* *zwemmen* enz.). (*Gaan* en *komen* worden uitsluitend met *zijn* vervoegd.) *Hebben* wordt gebruikt als de nadruk ligt op de beweging die heeft plaatsgehad: *Ik heb gefietst. Zijn* wordt gebruikt als de nadruk ligt op het gevolg van de beweging: *Ik ben naar Amsterdam gefietst.*

Soms is er een groter verschil in betekenis. Een voorbeeld is: *vergeten hebben/vergeten zijn. Vergeten hebben* is er niet aan gedacht hebben: *Ik heb vergeten die brief te posten.* (*Ben vergeten* is hier niet meer onjuist.) *Vergeten zijn* betekent zich niet meer (kunnen) herinneren: *Ik ben zijn leeftijd vergeten.* ➤ besluiten. opvolgen. verliezen. volgen.

**hebben gedaan/gedaan hebben** Beide vormen zijn juist. Geldt ook voor *wordt gelezen/gelezen wordt* en (in bepaalde gevallen) voor *is geweest/geweest is.* ➤ is geweest/geweest is. woordvolgorde.

**hebt/heeft** *U hebt/u heeft.* Beide vormen zijn goed, met enige voorkeur voor *u hebt.* Oorspronkelijk was *u* derde persoon enkelvoud (*Uedele*): *u heeft, u is* enz. Tegenwoordig beschouwen we *u* steeds meer als tweede persoon: *u hebt, u bent.* Let op de wederkerige voornaamwoorden: *U hebt u vergist/U heeft zich vergist. U hebt zich vergist* is dus eigenlijk niet juist (*hebt* is tweede persoon en *zich* is derde persoon). ➤ u.

**heden** Stijf voor: *nu.*

**heden** *Tot op heden.* Mogelijk een ingeb. germ. (al oud) voor *tot heden* of *tot nu (toe).*

**heeft/hebt** *U heeft/u hebt.* ➤ hebt/heeft.

**heel** *Heel duur, heel licht, heel donker* enz. Een teveel aan *heel* maakt uw taalgebruik saai. Liever bijvoorbeeld: *peperduur, zo licht als een veertje, aardedonker.* Houd er rekening mee dat er een klein betekenisverschil kan zijn. *Aardedonker* bijvoorbeeld is voor velen 'donkerder' dan *heel donker.* Hetzelfde geldt voor *erg* en *zeer.*

**heel/hele** *Het was gisteren een heel mooie dag.* Liever niet: *hele mooie,* want als bijwoord wordt *heel* niet verbogen. In gesproken taal is *hele* overigens algemeen gebruikelijk. Voor *erg* geldt hetzelfde.

**heel/geheel** *De hele/gehele dag. Geheel* is wat vormelijker dan *heel.*

**heer** Dit woord wordt met een kleine letter geschreven. *De heer Jansen.* Dat geldt ook voor de adressering en aanhef van brieven: *Geachte heer ...,.*

Als we God bedoelen, schrijven we *Heer.* ➤ hoofdletters.

*Onze heer Jansen zal u binnenkort bezoeken.* Vreemde zinswending, die beter vermeden kan worden. Verbetering: *De heer Jansen (van ons bedrijf) zal u ...*

**helaas** *Helaas is hij gezakt.* Deze zin was oorspronkelijk onjuist voor: *Helaas, hij is gezakt,* of: *Hij is helaas gezakt.* De drie zinnen zijn nu correct.

**hele/heel** ➤ heel/hele.

**heleboel/hele boel** *Hij had een heleboel fouten gemaakt* (groot aantal). *Hij gaat de hele boel verkopen* (alles).

Na *heleboel* komt het werkwoord altijd in het meervoud: *Een heleboel mensen waren gekomen.* ➤ werkwoorden (problemen met werkwoorden).

**helemaal** *Hij had het helemaal niet begrepen.* Betekent: *Hij had er niets van begrepen.* Een andere betekenis heeft: *Hij had het niet helemaal begrepen.* Dit wil zeggen: *Hij had het bijna helemaal begrepen.* ➤ woordvolgorde.

**helft** Eigenlijk onjuist is: *de grootste helft/de kleinste helft.* Twee helften zijn immers even groot. Beter: *de ene helft/de andere helft* of: *het grootste deel/het kleinste deel* of: *het ene deel/het andere deel.*

*De helft van de aanwezigen in het gebouw had .../hadden ...* Het werkwoord moet eigenlijk in het enkelvoud, want het onderwerp is *helft.* Als we aan *aanwezigen* denken, is meervoud te verdedigen, maar enkelvoud heeft de voorkeur.

**hen/hun/ze** We gebruiken *hen* als het een lijdend voorwerp is: *De politie heeft hen bekeurd.* Ook *hen* na een voorzetsel: *Ik heb dat aan hen gegeven.* Voor een meewerkend voorwerp gebruiken we bij voorkeur *hun*: *De politie heeft hun een proces-verbaal gegeven.* (Maar: *aan hen gegeven.*) Nog wat voorbeelden: *Hij heeft het hun meegedeeld, hun geschreven.* *Ik had hen niet verwacht.* In plaats van *hen* en *hun* wordt steeds vaker *ze* gebruikt. Het onderscheid *hen/hun* is kunstmatig. *Ik heb het hen verteld* kunnen we niet echt onjuist noemen, zeker niet in spreektaal.

U kunt bij personen in plaats van *hen* ook *ze* schrijven: *Ik had ze niet verwacht.* Voor zaken schrijven we altijd *ze*: (over boeken) *Ik heb ze gisteren gekocht.*

Onder andere de volgende werkwoorden krijgen *hun*:

| | |
|---|---|
| *aanreiken (het wordt hun aangereikt)* | *geven* |
| *afpakken (zij pakt het hun af)* | *gunnen* |
| *antwoorden (we hebben hun geantwoord)* | *inpeperen* |
| *beloven (het was hun beloofd)* | *inprenten* |
| *berichten* | *inschenken* |
| *berouwen* | *lenen* |
| *bevallen* | *leveren* |
| *bijbrengen* | *lukken* |
| *brengen* | *mankeren* |
| *dankbaar zijn* | *melden* |
| *doorgeven* | *ontbreken* |
| *dwarszitten* | *ontgaan* |
| *erkentelijk zijn* | *ontsnappen* |
| *faxen* | *opdragen* |
| *gehoorzamen* | *opvallen* |

| | |
|---|---|
| overkomen | toezeggen |
| passen | uitkomen |
| presenteren | vergeven |
| schenken | vergoeden |
| schikken | verstrekken |
| schrijven | vertellen |
| smeken | verwijten |
| spijten | verzoeken |
| sturen | voorspellen |
| tegenvallen | vragen |
| tegenzitten | weigeren |
| toekomen | wijsmaken |
| toestoppen | wijzen, erop - |
| toevertrouwen | zeggen |

**her-** Werkwoorden die met *her-* beginnen (*herhalen, herstellen, heropenen, hervatten* enz.) kunnen niet gecombineerd worden met *weer.* Dus niet: *weer herhalen, weer herstellen* enz. Dat zijn pleon.

*Herbeginnen* wordt in België soms gebruikt in plaats van *opnieuw beginnen.* Geldt ook voor *herdoen, hergaan, herkleden* enz. Liever niet gebruiken. *Hernemen* is onjuist in de betekenis *hervatten, overnemen, opleven, terugnemen, herstellen.* ➤ belgicismen.

**herdenken** *Het bedrijf herdenkt vandaag zijn tienjarig bestaan.* Deze zin is onjuist. Verbetering: *Het bedrijf viert vandaag zijn tienjarig bestaan* of: *Het bedrijf herdenkt vandaag voor de tiende keer zijn oprichting.*

Onjuist: *Vandaag herdenken wij zijn honderdste geboortedag/sterfdag* (= het feit dat hij honderd jaar geleden geboren werd/overleed). Onjuist: *Morgen herdenken mijn ouders hun vijfentwintigjarig huwelijk (herdenken voor de 25e keer hun trouwdag).* Of: *vieren hun vijfentwintigjarig huwelijksfeest.* Dit laatste is eigenlijk niet helemaal juist (maar gebruikelijk). ➤ jubileum.

**herhaald** *Door herhaalde oefening heeft hij het zover gebracht.* Steeds weer. *Herhaald* is een bijvoeglijk naamwoord. ➤ herhaaldelijk.

**herhaaldelijk** *Door herhaaldelijk te oefenen, heeft hij het zover gebracht.* Steeds weer. *Herhaaldelijk* is een bijwoord. ➤ herhaald.

**herhalen** *U moet de behandeling tweemaal herhalen.* In deze zin staat dat de behandeling driemaal moet gebeuren. *Herhalen* is immers iets doen wat al gedaan is.

*Weer (nogmaals, nog eens) herhalen* is een pleon. ➤ her-.

**herinneren** *Ik zal u eraan helpen herinneren.* Helpen moet hier vervallen. Eigenlijk ook onjuist: *Ik zal u helpen onthouden ... Wordt veel gebruikt.* ➤ onthouden.

**herkomst** Plaats waar iets of iemand vandaan komt. *Engeland is zijn land van herkomst.*
➤ afkomst.

**het en het** *Het* kan óf tweemaal gebruikt óf tweemaal weggelaten worden in bijvoorbeeld: *Het kabinet en het parlement hebben hun fiat gegeven./Kabinet en parlement hebben
hun fiat gegeven.* Alleen de eerste keer weglaten, is onjuist; alleen de tweede keer weglaten kán, maar is niet aan te bevelen. Hetzelfde geldt voor een combinatie van *het*
en *de,* en voor *de* (ook meervoud). ➤ de.

**het** Laat het lidwoord *het* liever niet weg in *het bovengenoemde adres* enz. Dat geldt
natuurlijk ook voor *de.*

**het/de beste, grootste enz.** ➤ best/beste.

**het/'t** Gebruik de verkorte vorm *'t* liever niet.

**het was** *Het was in 1980 dat hij slaagde voor ...* (Ingeb.) gall. voor: *In 1980 slaagde hij voor ...*
Om speciaal de nadruk te leggen, kunnen we die constructie wél gebruiken: *Ik geloof
dat hij in 1982 is geslaagd. Nee, het was in 1980 dat hij ...*

**heterdaad** *Op heterdaad.* Staande uitdr.

**hetgeen** Ouderwets voor *wat. U hebt ons het verkeerde pakket gestuurd, hetgeen (= wat) wij u
al telefonisch meedeelden. Hetgeen* slaat op de hele zin. *Wat* is minder stijf dan *hetgeen.*
Niet: *..., hetwelk wij u meedeelden.* ➤ hetwelk.

**hetwelk** Ouderwets voor *dat. Het gaat om het bericht hetwelk (= dat) wij vorige week van
u ontvingen.* Niet: *... hetgeen wij ontvingen.* ➤ hetgeen.

**hetzelfde** Samenstellingen met *-zelfde* schrijven we aan elkaar: *dezelfde, hetzelfde, eenzelfde, datzelfde, ditzelfde, diezelfde* Maar: *deze zelfde.*

**hetzelfde ... ook** *Hetzelfde geldt ook voor ...* Contam. van *Hetzelfde geldt voor ...* en *Dat geldt
ook voor ...*

**hetzelfde/dezelfde** *Deze auto is hetzelfde als die* (van dezelfde soort). *Deze auto is dezelfde
als die we vanochtend zagen rijden.*

**hetzij** Geeft een tegenstelling of verschillende mogelijkheden aan. *Er komt in elk geval
iemand, hetzij Jan of Piet.* Onjuist is: *Hij is voor dit examen geslaagd, hetzij met de hakken
over de sloot.* Moet zijn: *zij het met ...*

**hiaat** We spreken van een hiaat als een woord of woordgroep (ten onrechte) ontbreekt.
Voorbeelden, met tussen haakjes de verbetering: *Het huis moet nodig geschilderd. (...
geschilderd worden\*.) Wij zijn overtuigd dat ... (Wij zijn ervan overtuigd dat ...)* ➤ er-.
*Spreker zei, dominee vertelde (De spreker, de dominee ...)* ➤ de.
*Er werd niet meer over het voorstel gepraat en verworpen. (... gepraat en het werd verworpen.)*
➤ samentrekking, onjuiste.
*Wij vertrouwen u hiermee akkoord. (... dat u hiermee akkoord gaat.) Als we uw brief goed*

*lezen, hebt u nog geen stappen ondernomen om ... (Als we uw brief goed lezen, begrijpen we dat u ...)*

**hier** ➤ -er.

**hierbij** *Hierbij delen wij u mee dat ...* Zinnen met *hierbij* worden te pas en te onpas gebruikt, maar ze zijn meestal overbodig. Begin liever met de mededeling zelf. Dus niet: *Hierbij ...*, maar: *Wij delen u mee ...* of bijvoorbeeld: *Tot onze spijt ...* Het overbodig gebruik van *hierbij* wordt mogelijk in de hand gewerkt doordat velen denken dat een brief niet met *Wij* of *Ik* mag beginnen. Daar is echter geen bezwaar tegen. Verouderd is: *Hierdoor delen wij u mee.* ➤ aanvangszinnen. we.

**hierbij insluiten** *De rekening hebben wij hierbij ingesloten.* Pleon. voor *De rekening ontvangt u hierbij* en *De rekening hebben wij ingesloten (bijgevoegd). (Bijsluiten\** is een contam. en mogelijk een ingeb. germ.)

**hierdoor** *Hierdoor delen wij u mee dat ...* Verouderde zinswending. ➤ hierbij.

**hieromtrent** *Het heeft ons verbaasd wat u hieromtrent hebt geschreven.* Ouderwets woord. Liever: *... wat u hierover hebt geschreven.*

**hoe ... des te** *Hoe ouder hij wordt, des te minder zin heeft hij.* Let op de woordvolgorde: *heeft hij.* De volgorde *hij heeft* komt echter ook voor. Onjuist is: *Des te ..., des te ...* ➤ hoe ... hoe.

**hoe ... hoe** *Hoe ouder hij wordt, hoe minder zin hij heeft.* Let op de woordvolgorde: *hij heeft.* ➤ hoe ... des te.

**hoeden** *Wij zullen ons er wel voor hoeden haar niet te veel te geven. Niet* moet vervallen, omdat *hoeden* zelf al een negatieve betekenis heeft. ➤ ontkenningen.

**hoelang** Eén woord als we een tijd aanduiden: *Hoelang heeft hij daar gewoond?* In andere gevallen twee woorden: *Hoe lang is hij?*

**hoerenjong** We spreken van een hoerenjong als de eerste regel boven aan de pagina niet helemaal vol is. Er staan dus alleen maar de laatste woorden (of het laatste woord, of zelfs de laatste lettergreep) van de voorafgaande alinea op. Typografisch is dit lelijk, maar tegenwoordig worden zulke schoonheidsfouten soms door de vingers gezien. Het meest extreme voorbeeld van een hoerenjong is natuurlijk slechts één lettergreep (de laatste lettergreep van het voorgaande woord) boven aan de pagina. Als daaronder direct een witregel komt, is het nog lelijker. Een bijna volle regel (meer dan drievierde) wordt meestal wel geaccepteerd, vooral als de regels niet zijn uitgevuld (dus achterin ongelijk zijn). Als de alinea's inspringen, moeten er het liefst ten minste twee laatste regels van een alinea boven aan de pagina staan.

Een hoerenjong is meestal te vermijden. We noemen enkele mogelijkheden. Een witregel kan geschrapt worden. Een kopje kan geschrapt (of juist toegevoegd) worden. Als het om slechts enkele lettergrepen gaat, kan de woordspatie van een aantal

regels worden verminderd ('inwinnen') of vermeerderd (uitdrijven'). Ook zouden alinea's samengevoegd of juist gesplitst kunnen worden. Het is ook mogelijk in de vorige pagina enkele woorden te schrappen (in teksten van anderen in overleg met de
auteur), iets toe te voegen (door de auteur) of desnoods bepaalde woorden af te korten. Kijk vooral met het laatste goed uit.

(Met de moderne tekstverwerkers en zetapparatuur is het mogelijk om hoerenjon-
gen automatisch te voorkomen of weg te werken.)

'Widow' is een onjuiste benaming (klakkeloos uit het Amerikaans overgenomen)
voor hoerenjong.

**hoeven** Nodig zijn. *Ik denk dat ik niet langer hoef te blijven.* Betekent: Ik denk dat het niet
nodig is langer te blijven. *(Behoeven* is wat stijver dan *hoeven.)* ➤ moeten.

**hoever/hoe ver** *Vertel eens hoever je bent.* Maar twee woorden in: *Weet je hoe ver we hebben
gelopen?* ➤ aaneenschrijven.

**hoewel** Gebruikelijker en minder ouderwets dan *alhoewel.* Het synoniem *ofschoon* doet
ouderwets aan. ➤ al.

**hoewel ... toch/nietemin** *Hoewel het regent, gaan we toch/nietemin weg.* Dat is eigenlijk
een pleon. Niet onjuist, maar liever: *Hoewel het regent, gaan we weg.* Of: *Het regent, maar
we gaan toch ...*

**hoger** *Hogergenoemd* en *hogervermeld* zijn gall. voor *bovengenoemd, bovenvermeld, hierboven
genoemd, hierboven vermeld.* Wordt vooral in België gebruikt. ➤ belgicismen.

**hogerhand** *Van hogerhand.* Van overheidswege. Ook: van Godswege. Staande uitdr.

**homoniemen** ➤ duidelijkheid.

**honderd** ➤ getallen.

**hoofd** *Uit hoofde van. Uit anderen/dezen/dien hoofde.* Staande uitdr. Een vaste uitdrukking
als *uit hoofde van* kan beter niet veranderd worden in: *uit hoofde onzer ...*

**hoofd** *Dat is hem waarschijnlijk door het hoofd geschoten.* Contam. van *door het hoofd gegaan*
en *ontschoten.*

**hoofdjes** ➤ kopjes.

**hoofdletters** Er zijn nogal wat regels voor het gebruik van hoofdletters. Hieronder
geven we de belangrijkste.

We gebruiken een hoofdletter in de volgende gevallen:

– De eerste letter van een zin: *Hij komt niet.* Als de zin met *'n, 's* of *'t* begint (wat
meestal niet aan te bevelen is), krijgt het volgende woord een hoofdletter: *'s Avonds
studeert zij.*

Ook een citaat begint met een hoofdletter: *Wim vroeg: 'Komt u nog?'*

Als de zin met een cijfer begint, krijgt het volgende woord een kleine letter: *50 mensen namen aan de wedstrijd deel.* Schrijf het getal liever in letters. ➤ getallen.

Ook na een symbool komt een kleine letter: @ *betekent 'at'.*

Als een zin begint met een afkorting die met kleine letters wordt geschreven, gebruiken we een hoofdletter: *Adv betekent arbeidsduurverkorting.*

– Namen van een persoon of zaak die als heilig wordt beschouwd: *De Heer. God, de Almachtige. De Mensenzoon. Het Evangelie volgens Lucas. Allah. Onze Vader* (maar: *het onzevader*), *de H. Maagd.*

Persoonlijke voornaamwoorden die betrekking hebben op God krijgen een hoofdletter: *Laat de kinderen tot Mij komen.* Andere voornaamwoorden krijgen geen hoofdletter: *Eeuwig duurt zijn goedheid.*

Een samenstelling of afleiding van een heilige naam krijgt een kleine letter: *een weesgegroetje, het onzevader, goddelijk, in godsnaam.* In *Godsgezant, Christusfiguur, Mariabeeld* e.d. een hoofdletter, omdat de persoonsnaam nog een duidelijk rol speelt.

We schrijven *bijbel, koran* e.d. met een kleine letter, maar: *de Heilige Schrift.*

– Eigennamen, familienamen en voornamen: *Piet van Dam, Karel de Grote.* Ook achternamen die met een lidwoord of een voorzetsel beginnen, krijgen (als er geen voornaam of voorletter voorafgaat) een hoofdletter: *De heer Van Dam, mevrouw Van der Meer, Ten Cate.* (Maar: *mevrouw Jansen-de Groot.*)

Ook niet-Nederlandse namen volgen deze regel: *De Gaulle. Von Bismarck.*

In Vlaanderen wijkt men daarvan af: *J. De Bock, S. Van Eden.*

Het is niet correct om *v.* of *v.d.* te schrijven in plaats van *van* of *van de/van der/van den.* Als zo'n afkorting toch wordt gebruikt, dan in elk geval klein: *de heer v. Voren.* (Uit de schrijfwijze *V. Voren* zou afgeleid kunnen worden dat het om *Victor Voren* gaat.)

In woordgroepen die als eigennaam fungeren, krijgen alle woorden een hoofdletter, behalve lidwoorden en voorzetsels: *de Raad van Arbeid, de Partij van de Arbeid.*

In afkortingen die ontleend zijn aan een persoonsnaam schrijven we de eerste letter van de naam met een hoofdletter: *A* (ampère), *kWh* (kilowattuur).

Afleidingen van namen krijgen een hoofdletter: *Napoleontische tijd.* Als de afleiding van een naam een stroming of richting aangeeft, schrijven we een kleine letter: *marxisme, calvinist.* Als de namen van personen als soortnaam worden gebruikt, schrijven we een kleine letter: *stradivarius, aspirine, dieselmotor, adamsappel, jobstijding, brailleschrift, keynesiaans, francofiel, sint-bernardshond, montessorischool, pyrrusoverwinning, salomonsoordeel.* Als dergelijke samenstellingen of afleidingen daarvan nog aan de eigennaam doen denken, dan een hoofdletter: *de Nobelprijs, een Rembrandt.*

– Aardrijkskundige namen en hun samenstellingen en afleidingen, namen van straten, pleinen enz.: *Amsterdam, Den Haag, Rotterdam-Zuid, Veluwe, Noord-Holland, Amerikaans, Zuid-Afrikaan, Nieuw-Zeelands, Oost-Vlaams, New Yorks, Koningskade.*

Een aanduiding van een windstreek als onderdeel van een aardrijkskundige naam krijgt een hoofdletter: *Amsterdam-Noord*. Afkortingen van windstreken krijgen een hoofdletter: *N., Z.O.*

Afleidingen van aardrijkskundige namen die als soortnaam worden gebruikt, krijgen een kleine letter: *champagne, edammer* (kaas), *deventerkoek, rijnaak.*

– Aanduidingen voor leden van etnische groepen krijgen een hoofdletter: *Apache, Bosjesman, Noorman*. Worden ze als verzamelnaam beschouwd, dan krijgen ze een kleine letter: *indiaan, zigeuner, eskimo*. (Als 'joods' de betekenis 'inwoner van Israël' heeft, wordt een hoofdletter gebruikt: *Joden en Palestijnen*. Maar: *Amsterdamse joden, joodse godsdienst.*)

– Namen van talen en dialecten: *Duits, Fries, Drents*. Ook programmeertalen: *Fortran, Cobol*. Ook samenstellingen en afleidingen hebben een hoofdletter: *Nederlandstalig, Engelssprekend.*

Taalnamen met de voorvoegsels *Hoog-, Laat-, Middel-, Neder-, Neo-, Nieuw-* en *Oud-* krijgen een hoofdletter en worden als één woord geschreven: *Hoogduits, Middelnederlands, Nieuwgrieks, Oudgermaans*. (Dat geldt ook voor enkele ingeburgerde schrijfwijzen, bijvoorbeeld: *Angelsaksisch, Negerhollands, Creoolfrans, Standaardnederlands.*)

In taalaanduidingen met een ander voorvoegsel krijgt dat voorvoegsel een kleine letter en na een koppelteken volgt een hoofdletter: *pro-Frans, on-Nederlands, monniken-Latijn, school-Engels.*

Als het niet om een echte taalnaam gaat, komt er geen hoofdletter: *keukenlatijn.*

Als de naam met een windstreek begint, worden er twee hoofdletters en een koppelteken gebruikt: *Noord-Nederlands, Zuid-Slavisch.*

Bij twee aardrijkskundige aanduidingen worden er twee hoofdletters en een koppelteken gebruikt: *Brits-Engels, Surinaams-Nederlands, Frans-Duitse grens.*

– Namen van openbare instanties, ministeries, commissies enz.: *Burgemeester en Wethouders (B en W), Commissie-Donner, Ministerie van Binnenlandse Zaken, Gedeputeerde Staten, Hoge Raad, Eerste Kamer, Kabinet van de Koningin, Kamer, Kroon, Koninklijke Landmacht, Minister van Economische Zaken, Openbaar Ministerie, Raad van State, Rijk, Senaat, Staat.*

Ook de samenstellingen met *Kamer* schrijven we met een hoofdletter: *Kamerlid*. Samenstellingen met *Kroon, Rijk, Staat* en *Senaat* krijgen een kleine letter: *kroonlid, rijksoverheid, staatsbelang, senaatsgebouw.*

De volgende woorden krijgen een kleine letter: *burgerlijke stand, gemeente, gemeenteraad, kabinet, overheid, parlement, provincie, regering.*

– Aanduidingen van een vorstelijk persoon, staatshoofd e.d. krijgen een kleine letter: *koningin, president, premier, minister-president, minister van Binnenlandse Zaken* (maar: *Ministerie van Binnenlandse Zaken*), *commissaris van de* (vroeger: *der*) *koningin, burgemees-*

*ter, gemeentesecretaris, paus, prinses Juliana, ex-president Mitterrand, paus Johannes XXIII, prins Bernhard.*

– Namen van bedrijven, instellingen, organisaties en instanties: *N.V. Nederlandse Spoorwegen, Nationale Maatschappij der Belgische Spoorwegen, Koninklijk Nederlands Meteorologisch Instituut, Sociaal-Economische Raad, Rijkswaterstaat, de Verenigde Naties.* In het algemeen geldt dat het eerste woord, elk zelfstandig naamwoord en elk bijvoeglijk naamwoord een hoofdletter krijgen.

De ondernemingsvormen worden meestal als volgt afgekort: *N.V., B.V., v.o.f.*

– Namen van afdelingen, diensten enz.: *Directie Personeel. Afdeling Communicatie.*

– Namen van planeten, sterren, sterrenbeelden enz.: *Mars, Venus, Kleine Beer, Orion, Ram.* Maar: *aarde, maan, zon, noordpool, zuidpool.*

– Namen van schepen, vliegtuigen, gebouwen: *Titanic, Uiver, Congresgebouw, Sportpaleis.*

– Merk- en typeaanduidingen: *Volvo, Citroën, Visa.*

Merknamen die een soortaanduiding zijn geworden, krijgen een kleine letter: *aspirine, walkman.*

– Titels van boeken, wetten, films, tv-programma's enz. Meestal krijgt alleen het eerste woord een hoofdletter, en natuurlijk de woorden die al een hoofdletter hadden: *Het ontwerpen van formulieren. Leesbaar schrijven voor iedereen. In tien dagen heel Engeland zien.*

Bij namen van kranten en tijdschriften krijgt meestal elk zelfstandig en bijvoeglijk naamwoord een hoofdletter: *Tijdschrift voor Beeldende Vorming, Nederlands Juristenblad, Onze Taal, Het Financieele Dagblad, De Standaard, De Telegraaf, de Volkskrant* (niet: *De*), *Het Parool.*

Volgens de officiële Aanwijzingen voor de regelgeving krijgt alleen het eerste woord van namen van wetten, verordeningen, regels e.d. een hoofdletter: *Wet op het voortgezet onderwijs.* In oudere wetten hebben alle hoofdwoorden uit de titel een hoofdletter: *Wetboek van Koophandel, Burgerlijk Wetboek.* ➤ wetten.

Namen van overheidsteksten krijgen een kleine letter: *memorie van antwoord (MvA), memorie van toelichting (MvT),* maar: *Algemene Maatregel van Bestuur (AMvB)* en *Koninklijk Besluit (KB).*

– De meeste namen van feestdagen: *Goede Vrijdag, Hemelvaartsdag, Kerstmis, Pasen, Palmpasen, Palmzondag, Pinksteren, Hervormingsdag, Bevrijdingsdag, Koninginnedag.* De afleidingen van en samenstellingen met zulke namen krijgen een kleine letter: *kerstboom, kerstdag, paasbrood, pinksterdag, kerstavond, pinksterzondag.* Ook met een kleine letter: *carnaval, kerst, oudjaar, nieuwjaar.* ➤ feestdagen.

– Namen van tijdperken: *Middeleeuwen, Oudheid, Kruistochten, Renaissance, Romantiek,*

*Verlichting, Rococo.* Maar met een kleine letter: *prehistorie.* Afleidingen van en samenstellingen met zulke namen krijgen een kleine letter: *middeleeuwse muziek, renaissancetijd.*

Tijdperken en perioden die eindigen op *-tijd* krijgen een kleine letter: *ijstijd, vastentijd.*

– Namen van culturele verschijnselen en historische feiten/tijdperken: *Gouden Eeuw, Vrede van Munster, Industriële Revolutie, Eerste Wereldoorlog.*

– Namen van godsdienstige gezindten en politieke partijen: *Hervormde Kerk, Partij van de Arbeid.* (Maar: *een katholieke kerk* = gebouw.)

– Maatschappelijke en culturele stromingen hebben een kleine letter: *christendom, liberalisme.*

Ook afleidingen hebben een kleine letter: *hervormden, rooms-katholieken, socialisten, humanistische beginselen.*

– De aanhef en de slotformule in brieven: *Geachte heer ..., Met vriendelijke groeten,.*

– Afkortingen worden soms geheel in hoofdletters geschreven (*ANWB, OPEC*), een enkele keer met punten (*N.B., S.O.S.*). Er zijn ook heel wat afkortingen die met kleine letters worden geschreven, al of niet met punten (*atv, cfk, a.u.b., z.o.z.*). ➤ afkortingen. In de volgende gevallen gebruiken we een kleine letter:

– Namen van dagen, maanden, jaargetijden, windstreken: *woensdag, vrijdagmiddag, december, herfst, noorden, zuidoosten.* Alleen een hoofdletter bij figuurlijk gebruik: *Het rijke Westen, het ontwapeningsoverleg tussen Oost en West.* Maar: *oosterse en westerse denkbeelden.*

– Titels als *dr., drs., mr., ir.,* evenals *heer* en *u.*

– Verwijzingen naar een hoofdstuk, tabel, figuur enz. het liefst met een kleine letter: *In hoofdstuk 6 hebben we gezien ... Zoals uit tabel 7.3 blijkt, ...*

– *Bond, bestuur, vereniging, genootschap, maatschappij, stichting* enz., als ze geen onderdeel van een naam vormen: *Het bestuur heeft bekendgemaakt dat ...*

– Na een dubbele punt. Er komt echter een hoofdletter: als er een opsomming* volgt die uit meer dan één zin bestaat; als er een citaat volgt; als er een woord volgt dat al een hoofdletter heeft.

Een (begin)hoofdletter krijgt in het algemeen geen accentteken: *Eén waarschuwing krijg je nog.* Als het hele woord in hoofdletters komt, moeten de accenten bij voorkeur wel worden aangebracht. Hetzelfde geldt voor het deelteken. ➤ accenttekens. deelteken.

Ook een deelteken is noodzakelijk – indien technisch mogelijk – op hoofdletters. ➤ deelteken.

**hoofdregel, sprekende** In woordenboeken en encyclopedieën, maar ook in (populair-)wetenschappelijke boeken zijn sprekende hoofdregels (sprekende kopregels) nuttig om snel een bepaald onderdeel te kunnen opzoeken. In het algemeen staat op de linkerpagina's de titel van het hoofdonderdeel en op de rechterpagina's de titel van de subonderdelen. Nummers of cijfers die voor de hoofdstuktitel of een tussenkopje staan, komen natuurlijk niet in de sprekende hoofdregel. We noemen de belangrijkste methoden.

Een mogelijkheid is om boven elke pagina de hoofdstuktitel te plaatsen (dus links en rechts). Praktischer is links de naam van het hoofdstuk en rechts de naam van de paragraaf. Als het boek uit hoofdstukken van verschillende auteurs bestaat, zou links de auteursnaam en rechts de naam van het hoofdstuk kunnen staan. Links wordt weleens de titel van het boek gezet (wat eigenlijk overbodig is) en rechts de titel van het hoofdstuk.

Bij woordenboeken, encyclopedieën en andere naslagwerken is een sprekende hoofdregel – bijvoorbeeld het eerste en laatste trefwoord van de pagina – noodzakelijk: de lezer kan dan snel een bepaald trefwoord vinden.

Het heeft meestal geen zin om bij een roman sprekende hoofdregels te gebruiken.

Boven een hoofdstuktitel komt geen sprekende hoofdregel.

Het komt nogal eens voor dat het paginacijfer in de sprekende hoofdregel is opgenomen. Sprekende hoofdregels worden vaak kleinkapitaal of cursief gezet; ook vet komt voor. Ze moeten niet te opvallend zijn. Soms worden ze door een dunne lijn van de platte tekst gescheiden. Een kleinkapitaal gezette sprekende hoofdregel begint meestal niet met een 'gewone' kapitaal; dat is nogal ouderwets.

Als de tekst van de sprekende hoofdregel te lang zou worden, kunnen we die inkorten, als de belangrijkste woorden er nog maar in voorkomen. Gebruik liever geen afkortingen.

Aangezien sprekende hoofdregels vaak pas in de tweede drukproef (revisie) of nog later worden aangebracht, moeten die in het laatste stadium zorgvuldig gecontroleerd worden. Controleer of ze op de juiste plaats staan en of er geen fouten in voorkomen.

Soortgelijke regels komen soms aan de onderzijde (de voet) van de pagina voor. Ze heten dan sprekende voetregels. In tijdschriften staan vaak de naam, het nummer en de datum onder aan de pagina.

Welke informatie de sprekende hoofd- of voetregels ook geven, de lezer mag ze niet kunnen verwarren met tussenkopjes e.d.

**hoofdstukken** De meeste boeken bestaan uit een aantal hoofdstukken. Het eerste hoofdstuk begint op een rechterpagina. Het is niet gebruikelijk om elk hoofdstuk op een *rechter*pagina te beginnen, maar meestal wel op een nieuwe pagina.

Hoofdstukken hebben in het algemeen een nummer, het liefst in Arabische cijfers. Veel mensen hebben moeite met Romeinse cijfers. Bovendien zouden we bij verwijzing in de tekst naar een hoofdstuk krijgen: *zie hoofdstuk XVIII, paragraaf 4*. Bij nummering met Arabische cijfers zou dat eenvoudig kunnen worden: *zie paragraaf 18.4* of *zie 18.4*.

Geen nummer hebben in het algemeen: voorwoord, inhoud, inleiding, nawoord, literatuur, register.

Het is niet nodig een hoofdstuktitel kapitaal te zetten. In het algemeen voldoen onderkastletters (met beginkapitaal) goed. Breek een hoofdstuktitel liever niet af. Als die meer dan een regel inneemt, wordt de titel op een logische plaats gesplitst.

De hoofdstukaanduiding begint in elk hoofdstuk op dezelfde hoogte, meestal boven aan de zetspiegel, maar andere manieren zijn mogelijk. De aanduiding 'hoofdstuk' wordt meestal weggelaten.

Vanaf de bovenste regel van de hoofdstuktitel houden we een vast aantal regels tot het begin van de tekst aan; dat varieert meestal van drie tot tien regels, maar meer komt ook voor.

De opening van een hoofdstuk kan uit méér dan alleen de titel bestaan. Zo kan een auteursnaam vermeld worden (als de hoofdstukken door verschillende auteurs geschreven zijn), en er kan een citaat, motto of gedichtje voorkomen.

**hoofdstuktitel** ➤ titel.

**hoog** *Hij leve hoog*. Germ. voor *Lang zal hij leven*. Of desnoods: *Hij leve lang*.

**hoogachtend,** ➤ ondertekening.

**hoogbouw** Ingeb. germ. voor *hoge bouw, hoog gebouw, hoge bebouwing, bouw van hoge huizen*. (Ook *laagbouw* is ingeb.)

**hoogconjunctuur** Ingeb. germ. voor *(een periode van) zeer gunstige conjunctuur*. Ook *laagconjunctuur* is een ingeb. germ.

**hoogdruk** Germ. voor *hoge druk* (van stoom bijvoorbeeld). Tegen *hoogdruk* als drukkersterm (druk met reliëfletters) bestaat geen bezwaar.

**hoogfijn** *Hoogfijne kwaliteit*. Germ. voor *eerste kwaliteit, zeer fijne kwaliteit, allerfijnste kwaliteit*.

**hoogfrequent-** Woorden als *hoogfrequenttechniek, hoogfrequentversterker* zijn (ingeb.) germ. voor *hoogfrequentietechniek/hoogfrequente techniek, hoogfrequentieversterker/hoogfrequente versterker*. ➤ laagfrequent-.

**hoogontwikkeld** Ingeb. germ. voor *zeer gevorderd in ontwikkeling, zeer ontwikkeld*.

**hoogstens** Ingeb. germ. voor *ten hoogste, op z'n hoogst, maximaal*. Ook: in het ergste geval. *Je kunt hoogstens verliezen*.

**hoogte** *Op de hoogte met*. Contam. van *op de hoogte van* en *bekend met*.

**hoogwaardig** Ingeb. germ. voor *van hoge, goede kwaliteit, voortreffelijk, uitmuntend, met bijzonder goede eigenschappen*.

**hoogzomer** (Ingeb.) germ. voor *hartje zomer, midden in de zomer.*

**hoop** *Er waren een hoop mensen op het feest. Hoop* is eigenlijk enkelvoud, maar bij *een hoop mensen* denken we meer aan meervoud. Maar: *Er lag een hoop tijdschriften op tafel.* Hier denken we aan een stapel, dus enkelvoud. *Er lagen een hoop tijdschriften op tafel.* Hier bedoelen we: *veel.* ➤ aantal.

**hoopvol** Ingeb. germ. voor *vol hoop, vol verwachting; veelbelovend.* ➤ -vol.

**hopelijk** Wordt vaak een germ. (voor *naar we hopen*) genoemd, maar is dat niet. Het is te vergelijken met *denkelijk* en *vermoedelijk. Hopenlijk* is onjuist. In plaats van het stijve *naar we hopen* is bruikbaar: *het is te hopen dat ...* of *we hopen dat ...*

**hopend** *Hopend(e) spoedig bericht te ontvangen.* Vermijd dit soort zinnen met een deelwoord: *hopend(e) ..., vertrouwend(e) ...,* enz. ➤ slotzinnen.

**hospitaal** Ouderwets voor *ziekenhuis.* Een hospitaal is een militair ziekenhuis. Wordt vooral in België gebruikt. ➤ belgicismen.

**huidig** Van tegenwoordig, van vandaag. *De huidige regeling.* Kan alleen als bijvoeglijk naamwoord gebruikt worden. Onjuist is dus: *De huidig geldende bepalingen.* Moet zijn: *De nu, tegenwoordig geldende ...*

**huis** *Van goeden huize.* Staande uitdr.

**huis** *Een uitverkocht huis.* (Ingeb.) germ. voor bijvoorbeeld *uitverkochte zaal, volle zaal.*

**hulp** *Met hulp van* heeft betrekking op personen en dieren: *Met hulp van Jan heeft hij zijn auto gerepareerd. Met (de) hulp van een sint-bernardshond konden ze opgespoord worden.* Anders moet *met behulp van* gebruikt worden. Ook: *Met hulp van de politie, de brandweer.* Hier wordt vooral gedacht aan de personen (politieagent, brandweerman). ➤ behulp.

**hun** ➤ hen/hun/ze.

**hun** *De hunne(n).* ➤ alle/allen.

**hunnentwege** *Uit hun naam, namens hen.* Staande uitdr.

**hunner** ➤ der.

**hunnerzijds** ➤ -zijds.

**huns inziens** Volgens hen. Staande uitdr.

# I

**i** Hoe een letter met een accent op de tekstverwerker wordt gemaakt, hangt af van het gebruikte programma. Een mogelijkheid is (via 'invoer' of 'invoegen') het gewenste scherm met tekens op te roepen en daarna op het bewuste teken te klikken. Bij andere programma's worden de tekens gemaakt met de alt-toets plus een cijfercode of ctrl v plus een cijfercode. Het zijn:

í – alt 161/ctrl v 1,49

ì – alt 141/ctrl v 1,55

ï – alt 139/ctrl v 1,53

î – alt 140/ctrl v 1,51

Í – alt 214/ctrl v 1,48

Ì – alt 222/ctrl v 1,54

Ï – alt 216/ctrl v 1,52

Î – alt 215/ctrl v 1,50

➤ accenttekens. deelteken. tekens.

**ideaal-** *Ideaalbeeld, ideaalverzekering.* Ingeb. germ. voor *ideaal beeld, ideale verzekering.* Een samenstelling als *ideaaltoestand* is een germ. voor *ideale toestand.* ➤ bijv. naamw. + zelfst. naamw.

**idee** *Het idee* is: gedachte over iets of iemand, denkbeeld. *Wie is op dat idee gekomen? De idee* is: wijsgerig denkbeeld. *De idee van het recht.*

**ieder(e)** Wordt volgens sommigen bij voorkeur voor personen gebruikt: *Iedere man, ieder meisje, iedere secretaresse. Elk(e)* wordt dan het liefst voor zaken en dieren gebruikt: *elk gebouw, elke hond.* Tegen *elk* voor personen en *ieder* voor niet-personen is geen enkel bezwaar.

In sommige uitdrukkingen gebruiken we *ieder: ieder op zijn beurt; ieder voor zich; in ieders hart; (in) ieders belang.*

**iemand** *Zij is een intelligent iemand.* Een ... *iemand* is spreektaal. Liever: *Zij is een heel intelligente vrouw/persoon.* Of: *Zij is heel intelligent.*

**iets** *Hij heeft een vreemd iets over zich.* Een ... *iets* is spreektaal. Liever: *Hij heeft iets vreemds/vreemde trekjes over zich.*

**iets** *Dat is iets wat ik niet begrijp.* Na *iets* bij voorkeur *wat*, maar *dat* is niet onjuist. ➤ dat/wat.

**iets** *Iets grijs, iets fris* e.d. Onjuist is: *Dit is iets grijs', iets fris'.* In zulke gevallen, waarbij het bijvoeglijk naamwoord al op een sisklank eindigt, komt er geen apostrof: *iets grijs, iets paars, iets fris, iets flets, iets praktisch.*

**ijl** *In aller ijl.* Met de grootste spoed. Staande uitdr.

**ijlgoed** Ingeb. germ. voor *snelgoed, vrachtgoed dat met de sneltrein wordt vervoerd.*

**ijsgekoeld** Ingeb. germ. voor *met ijs gekoeld, ijskoud.* ➤ zelfst. naamw. + deelw.

**ik** De ik-vorm is niet gebruikelijk in rapporten, artikelen enz. In plaats daarvan wordt het 'bescheidenheidsmeervoud' *wij (we)* veel gebruikt. Vermijd moeizame omschrijvingen als *schrijver dezes, ondergetekende, steller dezes, uw rapporteur* enz. ➤ ondergetekende. we.

*We* is algemeen, en dus meestal wel bruikbaar, ook al is er helemaal geen sprake van een meervoud. ➤ we.

Een zakenbrief mág met *ik* of *wij* beginnen, maar het kan onbescheiden lijken. Begin niet enkele keren achter elkaar een zin of alinea met *ik* of *wij*.

**-iker** Namen van beroepen enz. die eindigen op *-iker*, zijn germ. Enkele voorbeelden, met tussen haakjes de verbetering: *chemiker* (chemicus, scheikundige), *elektriker* (elektricien), *fysiker* (fysicus, natuurkundige), *grafiker* (graficus), *kritiker* (criticus), *praktiker* (prakticus), *techniker* (technicus). *Tandtechniker* (tandtechnicus) wordt door sommigen goedgekeurd.

**illustratieverantwoording** Een verklaring van de bron van de opgenomen foto's e.d. komt meestal op de laatste bedrukte pagina van een boek, soms samen met – of gecombineerd met – het colofon*. Soms staat de illustratieverantwoording voor in het boek.

**immers** *Ik neem aan dat hij niet komt. Hij is immers ziek. Immers* geeft een reden aan. De spreker gaat ervan uit dat de luisteraar die reden weet of kon weten. ➤ namelijk.

**importeren** *Importeren uit het buitenland.* Pleon.: *importeren* is altijd uit het buitenland. Ook *exporteren naar het buitenland* is een pleon.

**imprint** Naam van de uitgever (ook wel drukker), de plaats en het jaar van uitgave van een boek, zoals vermeld op de titelpagina. Imprint wordt ook impressum genoemd.

**in de eerste plaats/op de eerste plaats** Beide vormen zijn juist. Katholieken gebruiken vaak *op. In* is algemener.

**in dezen** Staande uitdr. Ook: *bij dezen, te dezen, voor dezen, na dezen.* Niet: *in deze, bij deze, te(n) deze, voor deze, na deze.*

**inachtname** Germ. voor *inachtneming.* ➤ -name.

**inbeelden** *Hij beeldt zich in dat iedereen het op hem gemunt heeft.* Men beeldt zich iets in wat niet echt bestaat of mogelijk is. ➤ indenken.

**inbegrepen** *In de prijs inbegrepen.* Contam. van *in de prijs begrepen* en *inbegrepen.* Gebruikelijk is: *bij de prijs inbegrepen.*

**inbeslagname** Germ. voor *inbeslagneming.* ➤ -name.

**inboeten** *Dat boek heeft nog niets aan waarde ingeboet.* Ingeb. germ. voor *verliezen, verminderen.*

**inbreuk** *Inbreuk op een wet, voorschrift.* Gall. voor *overtreding, schending.* Wel correct is: *Inbreuk maken op een wet* enz.

**inch** (″) Lengtemaat van 25,4 mm. In de grafische industrie onder meer gebruikt voor regelafstanden van printers en als maataanduiding voor diskettes. ➤ tekens.

**indeling** Een goede indeling van teksten is heel belangrijk. Het gaat vooral om de opbouw van het betoog, maar ook kopjes, de indeling in alinea's enz. zijn van groot belang. ➤ alinea. kopjes.

**indeling boek** ➤ boek, indeling.

**indelingstekens** Kopjes in teksten worden vaak voorafgegaan door een letter of cijfer(s), de zogenaamde indelingstekens. ➤ opsomming.

**indenken** *Ik kan me goed indenken dat je daar geen zin in hebt.* Men denkt zich iets in als men zich iets probeert voor te stellen. ➤ inbeelden.

**inderhaast** In haast. Staande uitdr. *Ik heb inderhaast het verkeerde boek meegenomen.*

**indertijd** *Indertijd hadden de mensen nog niet zoveel vrije tijd als nu.* Indertijd betekent: vroeger, in die tijd. Het is onbepaalder dan *destijds.* ➤ destijds.

**index** ➤ inhoudsopgave. register.

**index** Een index (indexcijfer; meervoud: indices) staat in formules* en ander wiskundig werk lager (= inferieur) en is kleiner dan de overige tekst/cijfers. Bijvoorbeeld $a_1$ + $b_1$. De index wordt ook gebruikt bij breukcijfers: $^1/_{10}$. Er komt geen spatie vóór de index. Het tegengestelde van de index is de exponent*, die hoger (= superieur) en kleiner wordt gezet: $x^1$ +$y^1$. ➤ subscript.

**indien** Wijst op een voorwaarde. *Indien u niet wilt meedoen,* ... We kunnen *als* in plaats van *indien* gebruiken, maar voorkom misverstanden. ➤ als/indien/wanneer.

**indringend** *Een indringend betoog.* (Ingeb.) germ. voor *overtuigend, nadrukkelijk, diepgaand.*

**inferieur** ➤ subscript.

**informeel** Niet precies volgens de voorgeschreven vorm, niet-officieel. *Een informele ontvangst.* ➤ formeel.

**informeren** *Wij zullen u tijdig informeren.* Ingeb. angl. voor *inlichtingen geven, informatie verschaffen.*

**informeren** *Hij is blijkbaar goed geïnformeerd over dat onderwerp.* Waarschijnlijk (ingeb.) angl. voor *op de hoogte van/bekend met.*

**informeren** *Zich informeren. Hij heeft zich over de reis naar Amerika geïnformeerd.* (Ingeb.) gall. voor *zich op de hoogte stellen van, informeren naar.*

**ingang** *Vrije ingang, verboden ingang.* Gall. voor *vrije toegang/toegang vrij, verboden toegang.* Wordt vooral in België gebruikt. ➤ belgicismen.

**ingang** *Met ingang van ... verhuisd naar ...* Onjuist voor: *Op ... verhuisd naar ...* Wel: *Met ingang van ... gevestigd in ...*

**ingebruikname** Germ. voor *ingebruikneming.* ➤ -name.

**ingesloten** *Ingesloten sturen wij u ...* Deze zinswending is eigenlijk onjuist, aangezien *ingesloten* niet alleen op de bijlage maar ook op het onderwerp slaat. Het zou dan kunnen betekenen dat *wij* ingesloten zijn. Er wordt niet veel bezwaar meer tegen gemaakt, maar beter is: *Hierbij sturen wij u ...* (*Hierbij\** is dikwijls overbodig.) Er wordt wel beweerd dat we *Ingesloten sturen wij u* kunnen vervangen door: *Wij sturen u ingesloten.* Maar dat betekent hetzelfde.

Eenzelfde opmerking geldt voor *bijgaand\*, bovenstaand\** en *onderstaand\*.* Ze zijn hierbij\*, hierboven en hieronder gaan betekenen, maar gebruik ze liever niet in de bedoelde betekenis.

*Hierbij ingesloten* is een pleon.

**ingesteld** *Hij is materialistisch ingesteld.* Ingeb. germ. voor *Hij is materialistisch.*

**ingesteld op** *Wij zijn daarop niet ingesteld.* Ingeb. germ. voor *ingericht op, berekend op.*

**ingeval/in geval** *Ingeval de winkel gesloten is, kunt u ...* Als *ingeval* vervangen kan worden door *als/indien/wanneer* is *ingeval* één woord. Maar: *in geval van brand ...* ➤ aaneenschrijven. geval.

**ingevoerd** *Een goed ingevoerd vertegenwoordiger.* Ingeb. germ. voor *goed ingewerkt, ervaren, deskundig, met goede relaties, goed op de hoogte.*

**ingevolge** *Ingevolge uw verzoek ontvangt u hierbij ...* Ouderwets voor: *naar aanleiding van, ten gevolge van, overeenkomstig, op grond van.* ➤ volgens.

**ingrijpen** Ingeb. germ. voor: – grote invloed op iets hebben: *Deze maatregelen grijpen diep in het maatschappelijk leven in*; – tussenbeide komen: *Nadat de agent had ingegrepen, was het probleem opgelost.*

Ook *ingreep* (chirurgisch handelen) is een ingeb. germ.

**inhoudelijk** Ingeb. germ. voor *wat de inhoud betreft, naar de inhoud.*

**inhoudsloos** Ingeb. germ. voor *leeg, waardeloos, onbetekenend.* ➤ -loos.

**inhoudsopgave** Als een rapport enz. meer dan ongeveer tien pagina's heeft, is een inhoudsopgave wenselijk. Die staat tegenwoordig meestal voorin (en dat heeft de voorkeur). Boven de inhoudsopgave staat *Inhoud*, en liever niet *Inhoudsopgave, Inhoudstabel* of *Index.*

Als de tekst veel onderverdelingen heeft, hoeven die niet allemaal in de inhoudsopgave te komen. Meestal worden onderdelen met meer dan drie cijfers niet opgenomen. Dus liever niet: *6.3.2.1 Germanismen*. Maar wel: *6.3.2 Barbarismen*.

Vroeger werd het paginacijfer meestal na een reeks door spaties gescheiden punten gezet:

Deze ouderwetse methode heet uitpunten. De paginacijfers stonden achter aan de pagina, precies onder elkaar. Dat gebeurt nu ook nog wel, maar de punten ontbreken meestal. Het paginacijfer staat tegenwoordig meestal direct na de titel, voorafgegaan door een extra spatie en eventueel een Duitse komma (/):

Als er geen nummers voor de hoofdstuktitels en kopjes staan, kan het paginacijfer er ook aan voorafgaan. Dat is minder gebruikelijk.

De hoofdstuktitels worden vaak in een afwijkende letter gezet. In het voorbeeld is vet gebruikt, maar cursief kan ook. Ook kleinkapitaal wordt wel gebruikt. Het hoofdstuknummer kán ook vet of cursief, maar dat is niet noodzakelijk. Het is niet nodig ook de paginacijfers vet of cursief te zetten.

Boven de paginacijfers komt niet *blz.* of *pag.* te staan.

Gewoonlijk worden in de inhoudsopgave alleen de bladzijden vermeld die na de inhoudsopgave in het boek komen. Dus 'Voorwoord' kan ontbreken. (Als het voorwoord door een bekend persoon is geschreven, kan dat een reden zijn om het wél op te nemen – mét de naam.)

'Inhoud' wordt natuurlijk niet in de inhoudsopgave opgenomen.

Let erop dat correcties in de drukproef van een boek consequenties voor de inhoudsopgave kunnen hebben, bijvoorbeeld andere kopjes, andere paginacijfers.

Als er een lijst van illustraties wordt opgenomen, kan dat na de inhoudsopgave. Die kan ook daarmee gecombineerd worden. Ook een lijst van gebruikte afkortingen of symbolen kan na de inhoudsopgave komen.

Omdat de inhoudsopgave pas definitief kan worden samengesteld als de overige tekst geheel gezet is, bestaat de kans dat er in de haast fouten worden gemaakt. Controleer of de namen van de hoofdstukken en paragrafen juist zijn en of de paginacijfers kloppen. Er moet ook nagegaan worden of literatuurlijst, register, bijlagen in de inhoudsopgave staan.

Met de tekstverwerker is het, door codering van hoofdstuktitels en kopjes, mogelijk de inhoudsopgave automatisch samen te stellen.

**initiaalwoord** *Havo, VARA.* ➤ afkortingen.

**initialen** Soms wordt voor de eerste letter van een hoofdstuk van een boek of een tijdschriftartikel een grote beginletter gebruikt. Zo'n beginletter, die de hoogte van precies twee of meer tekstregels heeft, heet initiaal. Er wordt meestal een groter korps van hetzelfde lettertype voor gebruikt dan voor de gewone tekst, maar ook een heel ander lettertype is mogelijk. Dikwijls worden een of meer woorden (of de hele regel) achter de initiaal kleinkapitaal (ook wel kapitaal) gezet, zodat er een geleidelijke overgang tussen initiaal en gewone tekst ontstaat.

Het goed plaatsen van een initiaal is moeilijk. Gebruik die dan ook met mate. Het moet vooral duidelijk zijn dat de initiaal de eerste letter van de regel is!

Er zijn verschillende mogelijkheden om een initiaal te plaatsen. De meest voorkomende – en ook moeilijkste – is de *ingebouwde initiaal*, zoals hierna:

S OMS wordt voor de eerste letter van een hoofdstuk van een boek of een tijdschriftartikel een grote beginletter (kapitaal) gebruikt, die de hoogte van precies twee of meer tekstregels heeft. Zo'n beginletter heet initiaal.

Het volgende voorbeeld laat een *lijnende initiaal* zien:

S OMS wordt voor de eerste letter van een hoofdstuk van een boek of een tijdschriftartikel een grote beginletter (kapitaal) gebruikt, die de hoogte van precies twee of meer tekstregels heeft. Zo'n beginletter heet initiaal.

Met de tekstverwerker kan meestal vrij gemakkelijk een initiaal gemaakt worden (door op de grootte en op de soort te klikken).

Als de initiaal de eerste letter van een aanhaling is, kan het aanhalingsteken het best in de marge vóór de initiaal geplaatst worden, in dezelfde lettergrootte als de 'gewone' tekst; dus níét even groot als de initiaal.

**inlage** Geld dat ingelegd wordt (spaarbank, spel). Ingeb. germ. voor *inleg.*

**inleiding** De inleiding van bijvoorbeeld een boek heeft betrekking op de eigenlijke inhoud, het belang van het onderwerp, de probleemstelling, achtergronden enz. In een voorwoord* komen daarentegen onderwerpen aan bod die niet in verband staan met het onderwerp, maar die wel van belang zijn voor de lezer.

**inlossen** *Zijn woord, belofte inlossen.* Ingeb. germ. voor *zijn woord houden, zijn woord gestand doen, zijn belofte nakomen.*

**inmiddels** *Inmiddels verblijven wij/inmiddels tekenen wij.* Dergelijke zinnen lijken onuitroeibaar. Gebruik ze liever niet. *Inmiddels* heeft zijn oorspronkelijke betekenis (in de tussentijd = de tijd die verloopt tussen het schrijven van de brief en de ontvangst door de geadresseerde) verloren. ➤ slotzinnen. tekenen. verblijven.

**inname** (Ingeb.) germ. voor *inneming, het innemen.* ➤ -name.

**innemen** *Kaartjes innemen.* (Ingeb.) germ. *voor ophalen, in ontvangst nemen.*

**innerlijk** Heeft meestal betrekking op de menselijke geest: *innerlijke beschaving, innerlijke strijd, innerlijke rust.* ➤ inwendig.

**inschrift** Ingeb. germ. voor *opschrift, inscriptie.*

**insgelijks** Ook zo, op dezelfde wijze. Staande uitdr.

**insluiten** *Iemand insluiten.* Ingeb. germ. *voor gevangenzetten, opsluiten.*

**insluiten** *Hierbij sluit ik een cheque in. Hierbij insluiten* is een pleon. *Hierbij stuur ik ... óf Ik sluit ... in.*

**inspringen** De meningen over het al of niet inspringen van de eerste regel van een alinea bij boeken enz. zijn verdeeld. Inspringen heeft vaak de voorkeur. ➤ alinea.

**instaan** *Wij staan voor hem in.* Waarborg zijn, garant staan. Onjuist is dus: *Voor diefstal kunnen wij niet instaan.* Moet zijn: *Voor diefstal kunnen wij niet aansprakelijk gesteld worden.*
In de betekenis *voor iets zorgen, zich ergens mee bezighouden* is *instaan* niet te gebruiken. Onjuist: *Firma Jansen staat in voor het vervoer van deze goederen.* Moet zijn: *zorgt voor, houdt zich bezig met. Mijn zoon staat vanavond in voor de muziek.* Moet zijn: *zorgt voor.*

**in staat zijn te kunnen** *Zonder uw medewerking zijn wij niet in staat deze opdracht voor volgende maand te kunnen uitvoeren.* Pleon. voor *in staat zijn ... uit te voeren* en *... kunnen uitvoeren.*

**instantie** *In eerste/laatste instantie.* Ingeb. germ. voor *in de eerste/laatste plaats.* Het is oorspronkelijk een juridische term, evenals *in eerste aanleg. Instantie* en *aanleg* kunnen in figuurlijke zin worden gebruikt, maar *instantie* is gebruikelijker. *In eerste instantie dacht ik aan diefstal* (in het begin). *In laatste instantie* betekent: ten slotte.

**instelling** *Dat is een heel verkeerde instelling van hem.* Ingeb. germ. voor *houding, mentaliteit, standpunt.* ➤ ingesteld.

**instinctmatig** *Instinctmatige handelingen.* Ingeb. germ. ➤ barbarismen. -matig.

**instrumentaalmuziek** Germ. voor *instrumentale muziek*.

**instuderen** Muziek of een rol wordt ingestudeerd, maar leerstof wordt bestudeerd, geleerd.

**integendeel** Juist omgekeerd. Drukt een verduidelijkende tegenstelling uit. In de eerste zin komt vaak een ontkenning voor (*geen, niet*). *De nieuwe chef is geen onsympathieke man. Integendeel, hij is erg aardig. Dit gebouw is niet nieuw, het is integendeel heel oud.* ➤ daarentegen.

**integraalteken** (∫) ➤ tekens.

**interesse hebben in** Contam. van *interesse hebben voor* en *geïnteresseerd zijn in. Zich interesseren voor* is de correcte vorm. Niet: *in*.

**interessen hebben** *Ergens veel interessen in hebben.* Germ. voor *veel, grote belangstelling. Interessen hebben* is ook een germ. voor *liefhebberijen*.

**interlinie** ➤ regelafstand.

**interpunctie** Het plaatsen van leestekens. ➤ leestekens.

**intreden** *De dood trad snel in.* Ingeb. germ. voor *Hij stierf snel*.

**inversie, onjuiste** We spreken van inversie als het onderwerp achter de persoonsvorm staat: *Gisteren viel hij. Deze brief heb ik niet gelezen.* Aan deze twee voorbeeldzinnen is te zien dat we inversie krijgen als er een bepaling of voorwerp voorafgaat.

In de volgende zin komt tweemaal inversie voor: *Gisteren viel hij en brak hij zijn been.* In het eerste gedeelte van deze samengestelde zin krijgen we inversie (de bepaling *gisteren* gaat vooraf). Ook in het tweede gedeelte is er inversie, omdat *gisteren* ook op het tweede gedeelte slaat.

Als de bepaling van het eerste gedeelte niet ook bij het tweede gedeelte hoort, krijgen we in het tweede gedeelte geen inversie. De volgende zin is dus onjuist: *Gisteren ontvingen wij uw brief en delen wij u mee dat wij ... Gisteren* slaat op *ontvingen*, maar niet op *meedelen*. Het tweede gedeelte zou kunnen luiden: *... en wij delen u mee.*

Let erop dat zinnen niet altijd met *en* verbonden kunnen worden. ➤ en.

Vroeger kwam onjuiste inversie, ook wel tante-Betjestijl genoemd, nogal eens voor, vooral in zakenbrieven. Tegenwoordig wordt hiertegen niet zoveel meer gezondigd. ➤ samentrekking, onjuiste.

**invloed** *Onder invloed van. Onder invloed van al deze maatregelen wordt het steeds moeilijker.* Een van die uitdrukkingen die een tekst vaag maken. Meestal te vervangen door: *door*.

**invoelen** *Zich invoelen. Ik kan me wel invoelen in uw toestand.* (Ingeb.) germ. voor *met iemand meevoelen, begrijpen, aanvoelen*.

**invoeren** *Invoeren uit het buitenland* is een pleon. *Invoeren* is altijd uit het buitenland. Ook *uitvoeren naar het buitenland* is een pleon.

**inwendig** Van binnen zittend. Heeft meestal betrekking op het lichaam. *De inwendige*

*delen van het lichaam. Inwendig gebruik. De inwendige mens.* Ook: in de geest plaatsvindend, niet uitwendig zichtbaar: *inwendige kracht. Inwendig moest ik lachen.* ➤ innerlijk.

**inzage** *Wij danken u voor de inzage van ...* Liever: *... voor de (gegeven) gelegenheid tot inzage.*

**inzake** *Inzake uw tweede vraag verwijzen wij u naar ... Uw vraag inzake ...* Ouderwets voor:
*voor, over, betreffende*.

**inzet** *Zij voetbalden allen met een enorme inzet.* Ingeb. germ. voor *toewijding.*

*Met inzet van alle krachten.* Ingeb. germ. voor *gebruik, aanwending.*

Tegen *inzet* in de betekenis van *inleg* (bij een spel) is ook geen bezwaar.

**inzet** *Ingezet stuk in een foto, tekening, televisiebeeld of filmbeeld. De inzet is meestal ook een foto of tekening.*

**inzetten** *Mensen, treinen inzetten.* Ingeb. germ. voor *inschakelen, in actie brengen.*

**inzetten** *Zich inzetten voor.* Ingeb. germ. voor *opkomen voor, zich helemaal geven aan.*

**inzien** *Wij hopen dat u ons standpunt inziet.* Onjuist voor: *... de juistheid, redelijkheid van ons
standpunt.*

**inzien** *Mijns inziens, onzes* (ook, maar liever niet: *ons*) *inziens.* Ouderwetse vormen voor
*volgens mij/ons, naar mijn/onze mening.*

**irriteren, zich** *Wij irriteren ons al lange tijd aan zijn gedrag.* Cont. van *zich ergeren* en *irriteren.* Dus: *Wij ergeren ons al lange tijd aan zijn gedrag* of *Zijn gedrag irriteert ons al lange tijd.*

**is/bent** *U is/u bent.* Oorspronkelijk is *u* derde persoon enkelvoud (*Uedele*): *u is, u heeft* enz.
*U* wordt steeds meer als tweede persoon gezien. Daarom is *u bent* veel gebruikelijker
dan *u is. U is* doet nu ouderwets aan. ➤ hebt/heeft.

**is** *Het is niet dat ik te lui ben.* Gall. voor *Niet dat ik te lui ben.*

*Het schilderij is van een grote schoonheid.* (Ingeb.) gall. voor *is erg mooi.*

*Ons land is bewoond door ...* Gall. voor *wordt bewoond door ...*

**is te** *Het formulier is voor a.s. donderdag in te leveren.* Als hier wordt bedoeld: *moet worden
ingeleverd,* is deze zin onjuist. *Is/zijn te maken, is/zijn te geven* zijn germ. voor *moet/moe-
ten worden ...* Een zin als *Deze som is wel te maken* is correct. De betekenis is: *kan wel worden gemaakt.*

**is geweest/geweest is** *Ik weet niet of hij naar het concert is geweest/geweest is.* Sommigen
vinden dat in dergelijke zinnen de persoonsvorm (*is*) beslist vóór het voltooid deelwoord moet staan, omdat we anders een germ. zouden krijgen. Dat is niet het geval.
Beide vormen zijn juist. Hetzelfde geldt voor *heeft gelopen/gelopen heeft* en *wordt geno-
men/genomen wordt.*

De persoonsvorm móét achteraan als het gaat om een naamwoordelijk gezegde
(= een gezegde dat bestaat uit een werkwoordelijk deel en een naamwoordelijk deel).
Dat naamwoordelijk deel is een zelfstandig naamwoord of bijvoeglijk naamwoord.
Bijvoorbeeld: *Uit de brief blijkt dat de heer Jansen kwaad is.* Onmogelijk: *... is kwaad.* Ook

onjuist: *Ik denk dat die uitspraak is overdreven. Is overdreven* is een naamwoordelijk gezegde. *Overdreven* is een bijvoeglijk naamwoord in de betekenis *buitensporig.* Daarom ... *dat die uitspraak overdreven is.* Nog een voorbeeld: *We mogen verwachten dat beterschap is uitgesloten. Uitgesloten* is een bijvoeglijk naamwoord ('*onmogelijk*'). Dus: ... *uitgesloten is.*

Nog enkele voorbeelden:

*U weet dat onze winkel ook op zondag is geopend.* ('Open', dus: *geopend is.*)

*Het is vervelend dat u 's maandags bent gesloten.* ('Dicht', dus: *gesloten bent.*)

*Ik ga pas weg als het feest is afgelopen.* ('Voorbij', dus: *afgelopen is.*)

In het volgende voorbeeld hangt de volgorde af van de betekenis: *Ik denk dat mijn zoon is geslaagd./Ik denk dat mijn zoon geslaagd is.* In *is geslaagd* gaat het om een actie (namelijk 'het slagen'); hier is ook *geslaagd is* goed. *Geslaagd is* kan echter ook een toestand uitdrukken ('het geslaagd zijn'), en dan is deze volgorde noodzakelijk. Bij twijfel is dus ... *geslaagd is* aan te bevelen, omdat dit in beide gevallen goed is.

**ISBN** Afkorting van Internationaal Standaard Boek Nummer (International Standard Book Number). Het is bedoeld om boeken te coderen ten behoeve van uitgeverijen, bibliotheken enz. Het ISBN bestaat uit tien cijfers, als volgt opgebouwd: landnummer (voor Nederland: 90), uitgeverijnummer (voor Sdu/Standaard: 5797), nummer dat aan een bepaald boek is toegekend (voor dit boek: 022), ten slotte een controlecijfer of het Romeinse cijfer X (voor dit boek: 8).

De groepen cijfers worden door een spatie of een divisie* van elkaar gescheiden: 90 03 99094 8/90-03-99094-8.

Het ISBN wordt op de achterzijde van de titelpagina geplaatst én vaak op de achterkant van het omslag.

ISBN kleinkapitaal en de cijfers mediëval óf ISBN in kapitalen en tabelcijfers is het mooist:

ISBN 90 03 99094 8/ISBN 90 03 99094 8. ➤ cijfers.

ISBN-*nummer* is niet juist: N = nummer!

**-isch** Sommige woorden die op *-isch* eindigen, zijn oorspronkelijk germ. Ingeb. zijn bijvoorbeeld: *gigantisch, puristisch, provisorisch, filmisch*.*

Niet ingeb. is *fanatisch* (fanatiek).

**ISSN** Afkorting van Internationaal Standaard Serie Nummer (International Standard Serial Number). Het is bedoeld om tijdschriften, kranten, jaarboeken e.d. te coderen. Achter ISSN komen tweemaal vier cijfers, gescheiden door een spatie of een divisie: ISSN 4642 2368/4642-2368. Voor de zetwijze ➤ ISBN.

**is-teken** Het teken = wordt voorafgegaan en gevolgd door een spatie. ➤ tekens.

**italics** ➤ cursief.

# J

**jaarbericht** Ingeb. germ. voor *jaarlijks bericht, (klein) jaarverslag.*

**jaarklasse** Ingeb. germ. voor *lichting (soldaten).*

**jaarlijks** Elk jaar (plaatsvindend). *Hij komt jaarlijks. Een jaarlijks bezoek. Tweejaarlijks:* eens in de twee jaar (plaatsvindend). ➤ -jarig.

**jaartallen** We schrijven een jaartal altijd in cijfers. In *1914–1918* gebruiken we bij voorkeur een half kastlijntje* (in typewerk het koppelteken*/afbreekstreepje). Dat geldt ook voor data en andere tijdsbepalingen: *5–24 januari, 15–18 uur.* Voor en na het streepje komt geen spatie.

In *1940–'45* is de apostrof (') noodzakelijk. (Die staat in de plaats van '19'.) Ook in: *de jaren '60.* Schrijf dit liever voluit. ➤ datum.

**jaren** *De dertiger jaren, veertiger jaren, tachtiger jaren* enz. Ingeb. germ. voor *de jaren dertig, de jaren veertig* enz.

**jargon** ➤ beroepstaal.

**-jarig** ... jaren oud of durend. *Tienjarig kind, vijfjarig verblijf. Honderdjarig bestaan.*

*Een tienjarig jubileum** is eigenlijk onjuist, want een tienjarig jubileum duurt geen tien jaar. Het is echter gebruikelijk om over een *-jarig jubileum* te spreken. ➤ herdenken.

*Langjarig* is een (ingeb.) germ. voor *jarenlang, veeljarig, gedurende vele jaren.*

*Meerjarig* is een ingeb. germ. voor *(voor) meer dan een jaar, jarenlang.*

**je** Om een tekst levendiger te maken kan de schrijver zijn lezers direct aanspreken (met *je/jij* of *u**). Ze voelen zich er waarschijnlijk meer bij betrokken dan wanneer nergens uit blijkt dat het verhaal voor hen bedoeld is. De lezer wordt vrijwel nooit met *je* aangesproken, behalve natuurlijk in kinderlectuur, popbladen enz. Het gebruik ervan neemt toe. Als mag worden aangenomen dat de lezer daar geen bezwaar tegen heeft, is *je* bruikbaar. Het is riskant een groot publiek met *je* aan te spreken; jongeren zullen in het algemeen minder problemen hebben met *u* dan ouderen met *jij*. Ter vervanging van *men* kun je *je* echter weleens gebruiken. (De vorige zin is een voorbeeld.)

**je** In plaats van *jullie* als bezittelijk voornaamwoord (*jullie huis, jullie boeken*) mag *je* worden gebruikt: *Hebben jullie je huiswerk al af?* Tweemaal *jullie* is lelijk.

U kunt ook gerust *je* gebruiken in plaats van *jullie*, namelijk als het duidelijk is dat het om een meervoud gaat: *Schiet op jongens, anders kom je nog te laat.*

**je** *Je kan/je kunt, je zal/je zult.* Beide vormen zijn juist, maar de tweede persoon enkelvoud (*je kunt, je zult*) is verzorgder. Vermijd in geschreven stukken *je zal* enz. liever.

**jegens** *Verplichtingen jegens anderen.* Ouderwets voor: *tegenover, ten opzichte van.*

**jongste** *Zijn jongste werk. Jongste* wordt wel in plaats van *laatste* gebruikt om misverstand te voorkomen. Bijvoorbeeld: *Zijn jongste boek heet ...* ➤ laatste.

**jongstleden** *Maandag jongstleden was hij jarig. Jongstleden* is overbodig. Geldt ook voor: *Uw brief van 16 maart jl.* Dat het om 16 maart van dit jaar gaat, spreekt vanzelf. In zakenbrieven is de vermelding *jl.* echter gebruikelijk (maar niet noodzakelijk). ➤ aanstaande.

**jouwe/jouwen** ➤ alle/allen.

**jouwerzijds** ➤ -zijds.

**jubileum** *Wij hebben gisteren zijn 25-jarig jubileum gevierd.* Niet: *herdacht.* Eigenlijk ook niet helemaal juist (maar gebruikelijk) is *25-jarig jubileum:* het jubileum duurt geen 25 jaar! ➤ herdenken. -jarig.

**jullie** *Jullie loopt, jullie gaat.* Erg ouderwets voor: *jullie lopen, jullie gaan.* ➤ je.

**justitioneel** Onjuiste vorming onder invloed van bijvoorbeeld *emotioneel, traditioneel.* Moet zijn: *justitieel.* ➤ politioneel.

# K

**k of c?** ➤ c of k?

**kader** *In het kader van.* Zinswending die een tekst vaag maakt. *Deze regeling past niet in het kader van het bestaande systeem.* Liever: *... niet in het (bestaande) systeem.* In andere gevallen te vervangen door: *omdat\*, op grond van, voor* enz. ➤ duidelijkheid.

**kader** Een vierkant of rechthoek die opgebouwd is uit lijnen. Wordt onder andere gebruikt om een tekst te laten opvallen.

**kant** *Van de kant van.* Zinswending die een tekst vaag maakt. *Van de kant van de arts is er geen bezwaar tegen dat ...* Liever: *De arts heeft er geen bezwaar tegen dat ...* ➤ duidelijkheid.

**kantlijn** ➤ marge.

**kapitalen** Typografische naam voor hoofdletters. ➤ hoofdletters.

**kapucijner** (Ingeb.) germ. voor *kapucijn, kapucijner monnik.* ➤ augustijner. benedictijner. dominicaner. franciscaner.

**kastlijntje/half kastlijntje** Een kastlijntje is een streepje dat langer is dan het koppelteken (divisie). Het wordt gebruikt (als gedachtestreepje) om een tussenzin duidelijk van de rest te scheiden: *U schreef ons — waarop is dat eigenlijk gebaseerd? — dat wij ...* Hier worden meestal halve kastlijntjes gebruikt: *U schreef ons – waarop is dat eigenlijk gebaseerd? – dat wij ...* Halve kastlijntjes hebben de voorkeur.

Het halve kastlijntje wordt ook gebruikt om een onverwachte wending aan te geven: *De prijzen zijn heel gunstig – voor de fabrikant.* Voor en na het streepje komt een spatie. In plaats van een half kastlijntje kan hier ook het beletselteken\* (...) gebruikt worden, maar dat is wat ouderwets.

Kastlijntjes worden ook wel gebruikt voor een opsomming\*. Liever een half kastlijntje. Na het streepje komt een spatie.

In bedragen wordt een half kastlijntje gebruikt: *ƒ 180.000,–.* Voor bedragen in kolommen gebruiken we een kastlijntje:

ƒ 16.034,—

ƒ  6.126,34

Soms worden er (in getypte tekst) twee kleine streepjes (divisies) gebruikt: *ƒ 36.000,--.* Het halve kastlijntje wordt ook in de volgende gevallen gebruikt:

– Vóór de onderdelen van een opsomming*. Een divisie is ook mogelijk, maar minder aan te bevelen.

– Bij jaartallen, data, tijdsbepalingen en sportuitslagen: *1914–1918, 10–12 oktober, 14.00–16.30 uur, 5-0-overwinning*. Ook in *pag. 16–20*. Er komt geen spatie voor en na het streepje. (In *5-0-overwinning* staat er een half kastlijntje tussen 5 en 0; tussen 0 en *overwinning* staat een divisie.) Sommige typografen geven de voorkeur aan een divisie, met een halve spatie ervoor en erna: *16 - 20 mei, 1940 - 1945*.

– *Enerzijds – anderzijds, mooi – lelijk, relatie schrijver – lezer, verhouding koolstof – waterstof, óverleggen – overléggen*. Een halve spatie voor en na het streepje is aan te bevelen. Ook hier is een divisie mogelijk, met een halve spatie ervoor en erna: *mooi - lelijk*.

– Voor het minteken: *12 – 3 = 9*. Er komt een halve spatie voor en na.

In romans bijvoorbeeld worden – ter voorkoming van eindeloze aanhalingen – weleens halve kastlijntjes (liever geen hele) gebruikt bij het weergeven van een gesprek. In typewerk kan in plaats van een kastlijntje of half kastlijntje het koppelteken gebruikt worden.

Met de tekstverwerker kan ook een half kastlijntje gemaakt worden. ➤ bedragen. divisie. gedachtestreepje. koppelteken. tekens.

**keer** *Zijn huis is twee keer groter dan het mijne.* Gall. voor *twee keer zo groot als ...* Ook onjuist: *drie keer meer boeken dan ik.* Moet zijn: *drie keer zoveel boeken als ik.* ➤ -maal.

**kenbaar** Wat opgemerkt, onderscheiden kan worden. *Hij is kenbaar aan een groot litteken op zijn voorhoofd.* ➤ kennelijk.

**kengetal** Ingeb. germ. voor *netnummer* (telefoon).

**kennelijk** Duidelijk zichtbaar, merkbaar, blijkbaar. *Hij is kennelijk dronken.* ➤ kenbaar.

**kennen** *Zijn eerste cd kende direct veel succes. Ook in het buitenland heeft hij grote belangstelling gekend.* (Ingeb.) gall. voor: *had/oogstte veel succes; belangstelling ondervonden.*

**kennisname** Germ. voor *kennisneming.* ➤ -name.

**kenteken** ➤ autokenteken.

**keuze** *Gedane/gemaakte keuze.* pleonasme.

**kinderachtig** *Doe niet zo kinderachtig.* Heeft een negatieve betekenis. ➤ kinderlijk.

**kinderlijk** *Hij is nog wat kinderlijk voor zijn leeftijd.* Heeft geen negatieve betekenis. ➤ kinderachtig.

**klaarblijkelijk** Duidelijk, onmiskenbaar. *De rekening berustte klaarblijkelijk op een misverstand.* ➤ blijkbaar.

**klavier-** *Klavierconcert, klaviermuziek, klaviersonate* enz. Samenstellingen met *klavier* zijn (ingeb.) germ. voor *piano-. Klavier* als naam van het instrument is ingeb.

**kleefband** Ingeb. germ. voor *plakband.*

**kleefstof** Ingeb. germ. voor *plakmiddel, plaksel, lijm.*

**klein-** Sommige samenstellingen met *klein* zijn ingeb. germ. Voorbeelden: *kleinbeeldcamera* ('camera waarmee men kleine, zeer scherpe opnamen kan maken'), *kleinkunst* (cabaretkunst), *kleinmetaal(industrie)* (de kleine en middelgrote metaalbedrijven), *kleinverbruiker* (kleine verbruiker), *kleinindustrie* (industrie op kleine schaal), *kleinbedrijf* (bedrijf op kleine schaal), *kleinhandel* (detailhandel). (Ingeb.) germ. zijn woorden als *kleinmeubelen* (kleine meubelen) en *kleinapparaten* (kleine apparaten). ➤ groot-. bijv. naamw. + zelfst. naamw.

**kleiner dan** Het teken voor 'kleiner dan' is <. (Het teken voor 'kleiner dan of gelijk aan' is ≤; het teken voor 'groter dan' is >.) ➤ tekens.

**kleinkapitalen** Kleinkapitalen (niet hetzelfde als kleine kapitalen) zijn speciaal ontworpen hoofdletters, die ongeveer even hoog zijn als (de x-hoogte van) kleine letters, met dezelfde vetheid. Ze zijn meestal in verhouding wat breder dan de gewone kapitalen.

DIT ZIJN KLEINKAPITALEN
DIT ZIJN KAPITALEN

Kleinkapitalen worden gebruikt voor:
– afkortingen: ANWB, KLM enz. Ze maken de tekst minder onrustig dan kapitalen;
– kopjes;
– sprekende hoofdregels.
Een enkele keer worden er kleine kapitalen in plaats van kleinkapitalen gebruikt. Dat is niet aan te bevelen.
Kleinkapitaal bestaat vooral in schreefletters; bij schreeflozen komen ze minder vaak voor.
Cursief kleinkapitaal en vet kleinkapitaal zijn zeldzaam.
Soms begint een kleinkapitaal gezet woord met een 'gewone' kapitaal: VERENIGDE STATEN. Dat doet nogal ouderwets aan. Daarom liever: VERENIGDE STATEN.
Kapitalen worden – afgezien van het gebruik als beginkapitaal – vooral gebruikt in kopjes en sprekende hoofdregels. Kleinkapitalen zijn in die gevallen echter gebruikelijker.
Kleinkapitalen worden ook gebruikt voor kopjes, voor sprekende hoofdregels en een enkele keer in literatuurlijsten (de auteursnaam wordt dan kleinkapitaal gezet). De laatste toepassing verdient geen aanbeveling. ➤ afkortingen. hoofdletters. kopjes. literatuuropgave.
Als een tekst kleinkapitaal gezet moet worden, kan men dat in de kopij met twee strepen eronder aangeven. Onderstrepen met een bepaalde kleur kan ook. Dit moet

natuurlijk met de drukkerij afgesproken worden. ➤ onderstrepen.

Op de tekstverwerker worden kleinkapitale letters gemaakt met ctrl F8 – 2 weergave, of door via 'opmaak' of 'lay-out' en 'lettertype' voor deze zetwijze te kiezen.

**kleinschalig** *Kleinschalige bedrijven, kleinschalige woningbouw.* Kan een ingeb. germ. zijn voor *op kleine schaal, met geringe omvang,* maar dat is niet waarschijnlijk. Er is geen bezwaar tegen. ➤ grootschalig.

**klemtoon** ➤ accenttekens.

**kloppen** *Dat klopt als een bus.* Contam. van *dat klopt* en *dat sluit als een bus.*

**koel** *In koelen bloede.* Staande uitdr.

**koersval** Ingeb. germ. voor *koersdaling.*

**koffie maken** Angl. voor *koffie zetten.* Wordt ook wel een germ. of gall. genoemd. *Thee maken* moet zijn: *thee zetten.*

**kogelvrij** Er wordt weleens bezwaar tegen *kogelvrij* gemaakt; het zou moeten zijn: *kogelwerend, bestand tegen kogels, ondoordringbaar voor kogels.* Er is geen bezwaar tegen.

**komen** *Dat komt doordat ...* Beter dan: *Dat komt omdat ...,* aangezien *dat komt* een oorzakelijke zin inleidt. Het is immers ook: *Waardoor komt dat?* En niet: *Waarom komt dat?* ➤ doordat. omdat.

**komma** De komma is een heel belangrijk leesteken: het al of niet plaatsen ervan kan een zin een heel andere betekenis geven.

We plaatsen een komma in de volgende gevallen:

– Tussen persoonsvormen (vervoegde werkwoorden): *Zoals wij u al schreven, zullen wij de goederen vandaag verzenden.*

– Voor en na een bijstelling: *Jan, de slechtste leerling, was weer afgewezen.*

– Voor of na de aangesproken persoon: *Mag ik een vuurtje van je, Karel?/Karel, mag ik een vuurtje van je?*

– In een opsomming, behalve voor de voegwoorden *en* en *of*: *Hier verkopen ze kranten, weekbladen en boeken.* (Voor *enz.*\*, *etc.* en *e.d.* komt in het algemeen geen komma: *Ze verkopen hier kranten, weekbladen, boeken enz.* Als er een duidelijke pauze is, kan er toch een komma geplaatst worden.)

Soms is het aan te bevelen voor *en* en *of* een komma te zetten, namelijk als er een duidelijke pauze te horen is: *Ik riep hem nog, en toch stak hij over. Je zou me nog schrijven, of heb je er niet meer aan gedacht?*

– In uitbreidende bijvoeglijke bijzinnen voor de bijzin. Een uitbreidende bijzin kan weggelaten worden zonder dat de betekenis van de zin verandert: *De directeur, die gisteren zestig jaar is geworden, zal binnenkort aftreden.*

Er komt geen komma voor een beperkende bijvoeglijke bijzin. Een beperkende bijzin kan niet weggelaten worden zonder dat de betekenis van de zin verandert: *De man die door de auto was aangereden, moest naar het ziekenhuis.*

– Tussen bijvoeglijke naamwoorden: *Ze speelden er mooie, ouderwetse muziek.* De muziek was mooi en ouderwets. Maar: *Ze speelden er mooie klassieke muziek. Klassieke muziek* wordt als eenheid gezien. Ook: *een vervelende oude man, leuk jong hondje* enz. In deze gevallen is een komma mogelijk, namelijk als er een duidelijke pauze bedoeld is.

In *een originele houten tafel* staat geen komma, omdat hier niet bedoeld is dat de tafel origineel én van hout is; *origineel* en *hout* horen bij elkaar. In dit geval kunnen de bijvoeglijke naamwoorden niet van plaats wisselen. Dus niet: *een houten originele tafel.*
➤ bijvoeglijke naamwoorden, volgorde.

– Als de zin zonder komma onduidelijk zou zijn: *De directeur vroeg mij nog eens te schrijven.* Er zijn vier mogelijkheden: – *De directeur vroeg, mij nog eens te schrijven;* – ... *vroeg mij, nog eens te schrijven;* – ... *vroeg mij nog, eens te schrijven;* – ... *vroeg mij nog eens, te schrijven.*

Er is verschil tussen: *Jan ging niet vissen, omdat het regende* en: *Jan ging niet vissen omdat het regende.* In de eerste zin bleef Jan thuis; in de tweede zin ging hij wél vissen, maar om een andere reden dan de regen.

– In de datering van een brief: *Warmond, 15 mei 19..*

– Na de aanhef in brieven: *Geachte mevrouw,.*

– Na *Hoogachtend,* of *Met vriendelijke groeten,* in brieven.

– In getallen en geldbedragen: *3,72 m, 6,5%, f 24,16.* De komma geeft aan waar de decimalen beginnen. Een punt is hier onjuist.

Let op de komma's in: *Wilt u ons meedelen of u, en zo ja wanneer, de volgende artikelen kunt leveren?*

Let ook op de plaats van de komma in zinnen met een aanhaling: *'Morgen', zei Jan, 'kom ik weer.'* ➤ aanhalingstekens.

In de volgende zin kunnen de komma's beter door gedachtestreepjes vervangen worden. *Om twaalf uur, we hebben dan drie uur gelopen, krijg ik last van mijn voeten.* De tussenzin wordt door – duidelijk van de rest afgescheiden: – *we hebben dan drie uur gelopen* – ➤ gedachtestreepjes.

In de praktijk blijkt steeds dat er eerder te veel dan te weinig komma's worden geplaatst. Een teveel aan komma's is hinderlijk en doet ouderwets aan.

Voor voegwoorden als *dat, omdat* en *terwijl* kan de komma meestal vervallen. Niet: *Hij vertelde, dat hij was geslaagd.* Als er een rust is, komt er een komma: *Het voordeel van deze werkwijze is, dat er veel minder afval is.*

Enkele gevallen waarin geen komma wordt gebruikt:

– In de regels van het adres* in brieven.

– In *£15.000.000* en *$15.000.000*. Het zetwerk (films) van Engelstalig werk met veel cijfermateriaal kan dan ook nooit zonder meer voor een Nederlandstalige publicatie gebruikt worden. Voor de decimalen gebruiken Engelstaligen wel een punt, maar daar hoort in het Nederlands een komma!

**komma, Duitse** De schuine deelstreep in bijvoorbeeld *t/m*. ➤ deelstreep.

**kommapunt** ➤ puntkomma.

**koning** Ingeb. germ. voor *heer* (kaartspel).

**koningspaar** Ingeb. germ. voor *koninklijk paar. (Vorstenpaar* is een ingeb. germ. voor *het koninklijk/vorstelijk paar.)*

**koninklijk** *Van koninklijken bloede*. Staande uitdr.

**koperbeslagen** (Ingeb.) germ. voor *met koper beslagen.* ➤ zelfst. naamw. + deelw.

**koperblik** (Ingeb.) germ. voor *koperplaat.*

**kopij** Onder *kopij* verstaan we tekst die voor grafische verwerking bedoeld is. (De benamingen *kopie* en *copy* zijn onjuist.) Kopij komt in diverse vormen voor, waarvan de belangrijkste de traditionele kopij (getypte) en digitale/elektronische kopij (met tekstverwerker gemaakt) zijn.

Een enkele keer zijn manuscripten nog getypt (meestal op de elektrische of elektronische schrijfmachine), maar meestal worden ze op de tekstverwerker gemaakt. Op welke manier de kopij ook is vervaardigd, er moet altijd aan enkele eisen voldaan worden. Dit zijn de belangrijkste (waarvan sommige vooral voor getypte kopij gelden):

– Typ kopij op ondoorschijnend, met inkt beschrijfbaar papier van A4-formaat, en slechts aan één kant.

– Gebruik een niet te kleine letter.

– De regelafstand moet $1^{1}\!/_{2}$ of 2 zijn (in verband met correcties en aanwijzingen.

– Houd links een marge van minimaal 4 cm, rechts minimaal 2 cm en boven en onder minimaal 3 cm.

– Nummer de kopijbladen doorlopend en op een vaste plaats, bijvoorbeeld bovenaan in het midden.

– Typ op alle bladen zo veel mogelijk hetzelfde aantal regels.

– Begin elk hoofdstuk op een nieuwe pagina.

– Typ voetnoten, tabellen, figuurbijschriften enz. op afzonderlijke bladen.

– Houd zelf een kopie van het definitieve manuscript.

Tegenwoordig worden teksten vrijwel altijd via een wordprocessor of personal computer met tekstverwerkingsprogramma op een diskette/floppydisk ('floppy') vastgelegd. Deze methode van tekstvervaardiging heeft allerlei voordelen, zoals de mogelijkheid om teksten onbeperkt te wijzigen en te corrigeren, zonder dat opnieuw typen nodig is. Op elk gewenst moment is de tekst op het beeldscherm op te roepen. Zo is in principe een tekst zonder typefouten mogelijk. Met de tegenwoordige tekstverwerkingsprogramma's is heel veel mogelijk, onder andere:

- afbreken van woorden aan het eind van de regel;
- uitvullen van tekst;
- verplaatsen van tekst;
- inspringen van tekstblokken;
- opzoeken (en eventueel wijzigen) van bepaalde woorden;
- controle op typefouten, grammatica en spelling;
- trekken van lijnen;
- op lengte brengen van pagina's;
- kop- of voetregels aanbrengen;
- register of woordenlijsten maken;
- onderstrepen, cursief of vet zetten;
- tekst indelen in kolommen;
- centreren van tekst.

Als de bewuste tekst bedoeld is om uiteindelijk gedrukt te worden, is er een flinke besparing in tijd en kosten mogelijk. En omdat de tekst niet meer gezet hoeft te worden, kunnen er geen nieuwe fouten ontstaan.

Diskettes kunnen niet zonder meer in de zetmachine. Op de zetterij worden ze eerst geconverteerd ('gekraakt'); dat wil zeggen: bruikbaar gemaakt voor verwerking op de fotozetapparatuur. Dat betekent onder andere dat de codes van het tekstverwerkingsprogramma vervangen moeten worden door zetcodes. Zetterijen kunnen dan wel vrijwel alle aangeleverde diskettes verwerken, maar soms moet er heel wat gebeuren voordat het zover is. Het is daarom van groot belang tijdig met de zetterij te overleggen en goede afspraken te maken. Het gaat daarbij vooral om de manier waarop men met het tekstverwerkingsprogramma omgaat en om het aanbrengen van codes in het tekstbestand. De auteur zal – als het goed is – vaak rekening houden met allerlei voorwaarden ten aanzien van de te gebruiken functiecodes, de manier van inspringen enz., maar meestal zullen allerlei grafische codes niet worden meegetypt. Dat moet dus nog op de zetterij of uitgeverij gebeuren.

We noemen een aantal belangrijke punten waaraan een tekst moet voldoen die op de tekstverwerker wordt vervaardigd:

- Typ de tekst eindloos, dat wil zeggen zonder afbreek- en uitvulprogramma te gebruiken. Gebruik ook geen afbreekstreepjes aan het eind van de regel. Het uiteindelijke zetsel loopt immers altijd anders dan de tekst van de tekstverwerker.

- Kies één keer – aan het begin van het document – het lettertype, de marges links en rechts, de regelafstand enz., en verander daar in de loop van de tekst zo weinig mogelijk aan.

– Alinea's worden beëindigd met de returntoets ('enter'). De tekst gaat dan op een nieuwe regel verder. Nieuwe alinea's kunnen inspringen; doe dat niet met de spatiebalk, maar met de tabtoets (één keer). (Typ nooit meer dan één spatie.) Voorin beginnen kan ook. In de zetinstructie* wordt aangegeven of alinea's moeten inspringen of niet. (De manier van typen heeft daar dus geen invloed op.)

– Gebruik de (kleine) letter l niet voor het cijfer 1; en de (kleine) o niet voor het cijfer 0.

– Geef elk document ('file') een naam, die slechts uit een beperkt aantal tekens mag bestaan. Maak een document niet te lang, liever niet méér dan enkele tientallen pagina's. Er mogen gerust meer documenten op één diskette staan.

– Maak in elk geval een kopie van de diskette; houd het origineel zelf.

– Lever altijd de geprinte tekst bij de diskettes in. Daarin mogen geen (nog uit te voeren) correcties voorkomen. Bijzondere tekens en andere zaken die niet aangebracht konden worden, kan men in de tekst aangeven. Dat moet heel duidelijk herkenbaar zijn, omdat bij het aanbrengen van correcties, bijzondere tekens e.d. op de diskette alle wijzigingen/aanwijzingen in de tekst gezocht moeten worden. Markering met een kleur is daar een goede methode voor.

Aanwijzingen voor de zetter moeten altijd (omhaald) worden; anders worden ze misschien gezet. Dat geldt bijvoorbeeld voor verduidelijkingen in de marge.

**kopjes** Een wat langere tekst – bijvoorbeeld een artikel of een hoofdstuk – is voor de overzichtelijkheid vaak onderverdeeld in een aantal paragrafen, die elk een kopje hebben.

Als er maar één onderverdeling is, kunnen we de kopjes met een cijfer nummeren:

1. Zinsbouw
2. Woordgebruik
3. Leestekens

(De punt achter het cijfer wordt soms weggelaten; een haakje in plaats van een punt is lelijk. Achter een kopje komt geen punt.)

Is er een verdere onderverdeling nodig, dan kunnen we een cijfer toevoegen:

3.1 Komma
3.2 Punt
3.3 Puntkomma

Met deze zogenaamde decimale indeling is een nog verdere onderverdeling mogelijk:

3.1.1    Tussen persoonsvormen
3.1.2    Aangesproken persoon
3.1.3    Bijvoeglijke bijzinnen

Een onderverdeling met meer dan drie cijfers kan beter vermeden worden. Dus liever niet:

3.1.3.1    Beperkende bijvoeglijke bijzinnen
3.1.3.2    Uitbreidende bijvoeglijke bijzinnen

Om de onderverdeling nog duidelijker te maken, is het mogelijk – en gebruikelijk – gevarieerde zetwijzen voor de kopjes toe te passen, bijvoorbeeld cursief en vet.
Een bruikbare onderverdeling is: vet – kleinkapitaal – cursief:

3.1      **Komma**
3.1.1.    TUSSEN PERSOONSVORMEN
3.1.1.1   *Bijvoeglijke bijzinnen*

Als er méér soorten kopjes zijn, moeten we van geval tot geval bekijken hoe de onderverdeling duidelijk gemaakt kan worden. Er zijn allerlei andere typografische middelen, zoals diverse lettergrootten, onderstreping, verschil in witruimte boven en onder de kopjes enz.
Tussen de indelingstekens en de titel kan steeds één spatie aangehouden worden. Dat is gebruikelijk als het indelingsteken een letter of cijfer is. Ze nemen elk slechts één spatie in. De titel kan ook steeds op dezelfde afstand van de linkermarge beginnen (bijvoorbeeld tien spaties). In dat geval staan de eerste letters van de kopjes precies onder elkaar. (Zie de voorbeelden.)
Voor de volledigheid zullen we ook iets zeggen over een andere methode, die minder aan te bevelen is. Daarbij worden niet alleen (Arabische) cijfers gebruikt, maar ook Romeinse cijfers, kleine letters en hoofdletters.
We beginnen met 1, 2, 3 enz. Onderverdelingen maken we met a, b, c enz. Als er een derde onderverdeling nodig is, krijgen we eerst A, B, C enz., dan 1, 2, 3 enz., dan a, b, c enz. Is er een vierde onderverdeling, dan beginnen we met I, II, III enz., de tweede onderverdeling krijgt A, B, C enz., de derde onderverdeling 1, 2, 3 enz., en de vier-

de a, b, c enz. Om de onderverdeling duidelijk te maken, is het ook hier mogelijk gevarieerde schrijfwijzen toe te passen, bijvoorbeeld hoofdletters, vet of cursief. Een voorbeeld:

I    KOMMA
A    **Wanneer zet u een komma?**
1    *Bijvoeglijke bijzinnen*
a    Beperkende bijvoeglijke bijzinnen

Deze methode is een stuk minder duidelijk dan de decimale indeling; daarom is die in gedrukte teksten af te raden. Voor rapporten e.d. kán die gebruikt worden, maar ook dan liever niet.

Er wordt wel geadviseerd de indelingstekens buiten de zetspiegel* te houden. De kopjes vallen dan misschien beter op, maar het geheel kan er onrustig door worden. Als de titel twee regels inneemt, is het aan te bevelen die zodanig te splitsen dat de bovenste regel langer is dan de tweede. Breek liever geen woorden af.

Het verdient in het algemeen aanbeveling de letters of cijfers vóór een kopje op dezelfde manier (bijvoorbeeld cursief of vet) te zetten als het kopje zelf.

De auteur moet duidelijk aangeven hoe de onderverdeling is. Heeft hij de kopjes decimaal genummerd, dan kan er bijna geen misverstand ontstaan. Ook door middel van hoofdletters en/of onderstreping/cursivering kan hij de 'waarde' van de koppen aangeven.

Bij de voorbereiding van een manuscript voor de zetterij moeten we aangeven hoe de koppen gezet moeten worden. Dat kan door ze op de tekstverwerker bepaalde codes te geven. In het manuscript kunnen ze ook met bepaalde kleuren onderstreept worden. Er moet ook aangegeven worden hoeveel 'wit' er boven en/of onder de kopjes moet komen.

In het algemeen komt er boven en/of onder een kopje een extra witregel (interlinie, 'wit'). Dat hangt af van allerlei factoren – bijvoorbeeld de 'waarde' van het kopje – en van de smaak van de ontwerper/redacteur. Een extra witregel *boven* een kopje is in het algemeen aan te bevelen. Als er met halve witregels gewerkt wordt (bijvoorbeeld $1^1/_2$ boven en $^1/_2$ onder de kop), probeer dan altijd in totaal op hele regels uit te komen. Anders is de zetspiegel niet op elke pagina even lang. Het zou kunnen dat de tekst er aan de andere kant van de pagina doorheen te zien is. De regels horen namelijk precies 'op elkaar' te liggen (de regels moeten 'registeren').

De tekst na een kopje moet bij voorkeur gelezen kunnen worden alsof er geen kopje staat. Dus niet:

*Pleonasme*
Dit is het verschijnsel dat nogmaals wordt gezegd wat al in een ander woord ligt opgesloten.

Maar:

*Pleonasme*
Onder pleonasme verstaan we het verschijnsel dat nogmaals ...

Lelijk is:

We besluiten dit hoofdstuk met een stijlfout die nogal eens wordt gemaakt, namelijk:

*Pleonasme*

Als er onder aan de pagina (of de kolom) een kopje staat, is het uit typografisch oogpunt van belang dat er onder dat kopje nog ten minste twee regels tekst staan. Anders moet het kopje naar de volgende pagina.

**koplijn** ➤ tabellen.

**koppelteken** We gebruiken een koppelteken (-), in vaktaal: divisie, ook wel trait-d'union genoemd, als er in een samenstelling klinkers naast elkaar staan die tot een verkeerde uitspraak kunnen leiden, vooral als ze samen het teken voor één klank kunnen vormen (*aa, ee, ei, eu, oe, oo, ou* enz.). Voorbeelden: *gala-avond, file-ellende, confectie-industrie, vakantie-uitkering, netto-export, bruto-omzet, solo-uitvoering.* Bij *ii, ij, iij* en *iji* komt een koppelteken in verband met de leesbaarheid: *sproei-installatie, ski-jack, tosti-ijzer, zij- ingang.*

We schrijven bijvoorbeeld *politieauto, autoalarm* en *milieueffect*, omdat *ea, oa, ue* niet samen één klank vormen.

Sinds het Spellingbesluit-1994 wordt in samenstellingen vrijwel altijd een koppelteken gebruikt in plaats van een deelteken: *zee-egel, zo-even, na-apen, mee-eten, toe-eigenen.* Een woord als *vacuüm* houdt het deelteken, omdat het geen samenstelling is.

Samengestelde telwoorden krijgen geen koppelteken maar een deelteken: *tweeëntwintig.* Met een koppelteken zou er een te vreemd woordbeeld ontstaan.

Op de volgende pagina staat een alfabetische opsomming van een aantal woorden die al of niet met een koppelteken geschreven moeten worden:

| | | |
|---|---|---|
| assurantieagent | informatieoverdracht | psychoanalyse |
| astma-aanval | informatie-uitwisseling | raceauto |
| autoalarm | klassenavond | radioactief |
| auto-industrie | klassenonderwijzer | radio-omroep |
| auto-ongeluk | machineolie | reclameafdeling |
| bruto-export | massa-artikel | reserveapparaat |
| cholera-epidemie | mede-eigenaar | routineonderzoek |
| confectieatelier | medeondertekenaar | ski-internaat |
| confectie-industrie | mee-eter | ski-jack |
| consumptieaardappelen | meiavond | skiuitrusting |
| consumptie-ijs | milieueffect | slaolie |
| contra-indicatie | modeartikel | theeaanplanting |
| correspondentieafdeling | na-apen | toe-eigenen |
| dia-avond | naoorlogs | twee-eiig |
| diepzee-expeditie | netto-export | twintigste-eeuws |
| diepzeeonderzoek | netto-opbrengst | urineonderzoek |
| douaneonderzoek | octrooiaanvrage | vakantie-uitkering |
| douane-unie | olieaandelen | vanille-ijs |
| fantasieartikel | opinieonderzoek | video-installatie |
| file-ellende | penicilline-injectie | visite-uur |
| fotoartikel | politieagent | vreugde-uren |
| gala-avond | politieautoriteit | warmteoverdracht |
| geboorteakte | politieoptreden | zee-eend |
| gemeentearchief | precisieapparaat | zijaanzicht |
| guerrillaoorlog | precisie-instrument | zijuitgang |
| gummiartikel | premieafdracht | zo-even |
| gummi-jas | productieapparaat | |

Het koppelteken wordt ook in de volgende gevallen gebruikt:

– In samengestelde aardrijkskundige namen: *Noord-Amerika*, *West-Europa*, *Nieuw-Zeeland*, *Noordoost-Drenthe*. Ook de afleidingen krijgen een koppelteken: *Noord-Amerikaan*, *West-Europees*, *Zuid-Hollands*.

– In samenstellingen die uit drie delen bestaan, waarbij het tweede deel met een hoofdletter begint: *Rode-Kruispost*, *Tweede-Kamerlid*.

Woorden als *kortetermijnplanning* en *onroerendgoedmarkt* krijgen geen koppelteken meer: *kleineboerenpartij*, *hardeschijfruimte*, *eigenwoningbezit*, *lopendebandwerk*, *ruimtelijke-ordeningsbeleid*, *modernetalenonderwijs*, *gekkekoeienziekte*. Als de betekenis onduidelijk is, komt er wél een koppelteken: *basis-woordenboek/basiswoorden-boek*.

– In samenstellingen met twee gelijkwaardige delen: *secretaris-penningmeester*, *minister-president*, *dichter-zanger*, *prins-gemaal*, *directeur-eigenaar*, *politiek-economisch*, station *Heemstede-Aerdenhout*, *rood-witte jurk* (maar *paarsblauw*, omdat het om een soort blauw gaat), *mevrouw Jansen-Pietersen*.

– In samenstellingen die een titel, waardigheid of status aanduiden: *commies-titulair*, *kandidaat-notaris*.

– In samenstellingen met bepaalde woorden en voorvoegsels. Meestal na: *adjunct*, *aspirant*, *assistent*, *ex*, *interim*, *kandidaat*, *leerling*, *loco*, *niet*, *non*, *oud*, *privé*, *pro*, *pseudo*, *quasi*, *semi*, *substituut*, *vice*: *adjunct-secretaris*, *aspirant-lid*, *assistent-bedrijfsleider*, *ex-man*, *interim-manager*, *kandidaat-notaris*, *leerling-journalist*, *loco-burgemeester*, *niet-roker*, *non-acceptatie*, *oud-voorzitter*, *privé-vermogen*, *pro-Amerikaans*, *pseudo-wetenschap*, *quasi-filosofisch*, *semi-literair*, *substituut-officier*, *vice-voorzitter*.

(Na *assistent*, *kandidaat*, *leerling* komt alleen een koppelteken als het om de betekenis 'bijna' of 'plaatsvervangend' gaat. *Leerlingbegeleider* heeft dus geen koppelteken.)

We schrijven de voorvoegsels *anti*, *co*, *des*, *post* en *sub* in het algemeen aan het woord vast: *antivries*, *anticlimax* (maar: *anti-Amerikaans*), *copiloot* (maar: *co-ouder*), *desbetreffende*, *postdoctoraal*, *subtotaal*.

Tussen een voorvoegsel en een hoofdletter komt een koppelteken: *niet-Amerikaans*, *on-Nederlands*, *oer-Engels*.

Samenstellingen met *concept*, *ontwerp* en *in* schrijven we zonder koppelteken: *conceptovereenkomst*, *ontwerpstreekplan*, *intreurig*.

Een koppelteken zou gebruikt kunnen worden (in afwijking van de regel) om onderscheid te maken: *concepthouder/concept-reglement* en *ontwerpafdeling/ontwerp-begroting*.

– Als het tweede lid van de samenstelling een bepaling bij het eerste lid is: *ontwerp-Bakker*, *rekening-courant*, *proces-verbaal*, *minister-president*.

– Voor de leesbaarheid of om misverstand te voorkomen: *bas-aria*, *as-analyse*, *jazz-zanger*, *tabaks-teler/tabak-steler*, *pijp-etuitje/pijpe-tuitje*, *kwarts-lagen/kwart-slagen*, *hyena-vel*. Kijk vooral uit bij afbreken!

– In samenstellingen met *Sint (St.)*: *St.-Nicolaas*. *St.-Bernard*, *Sint-Bavo*, *sint-juttemis*. Plaatsnamen vormen vaak een uitzondering: *Sint Aagtendorp*, *Sint Agatha*, *Sint Annaland*, *Sint Annerhuisjes*, *Sint Anthonis*, *Sint Jansteen*, *Sint Odiliënberg*, *Sint Pancras*.

– In samenstellingen met afkortingen, letters, cijfers en andere tekens: *hts-student* (maar: *hts'er*), *tbc-gevaar*, *T-balk*, *S-bocht*, *alt-toets*, *18-jarige*, *40+-kaas*, *5–0-overwinning*, *@-teken*, *kleuren-tv*.

Als we een verkorting of afkorting in samenstellingen niet meer als zodanig ervaren, komt er geen koppelteken: *aidspatiënt*, *infocentrum*, *ecosysteem*, *demodiskette*, *latrelatie*, *pincode, sofinummer.* (Afkortingen van onderwijsvormen krijgen een koppelteken: *havo-diploma, vwo-leerling.*) ➤ afkortingen.

– In ongewone samenstellingen als: *een gezicht van wie-doet-mij-wat, vergeet-mij-nietjes, kruidje-roer-me-niet, manusje-van-alles, laag-bij-de-gronds, minister-af, dat ge-waarom, doe-het-zelver.*

Drieledige samenstellingen hebben geen koppelteken voor het laatste lid: *glas-in-lood-raam, kant-en-klaarmaaltijd, mond-op-mondbeademing, mond-tot-mondreclame, winst-en-ver-liesrekening, plus-en-minmethode, nek-aan-nekrace, half-om-halfgehakt.*

– In samenstellingen die eindigen met een eigennaam: *wet-Cals, kabinet-Lubbers.*

Een speciale categorie vormen anderstalige woorden, en dan vooral Engelstalige woorden en combinaties van een Nederlands en een Engels woord. In het algemeen schrijven we Engelstalige woorden aan elkaar: *coffeeshop, compactdisc, freelance, marke-tingmanager, taperecorder.* Maar sommige samenstellingen krijgen een koppelteken. Dat is het geval als het laatste deel een voorzetsel is dat met een klinker begint: *step-in, knock-out, lay-out, make-up.* Maar: *playback, topdown.*

Een gemengde samenstelling die met Engelstalige woorden begint, krijgt een kop-pelteken tussen die woorden als er al een koppelteken stond of als ze los geschreven werden: *knock-out/knock-outsysteem, multiple choice/multiple-choicetest.* ➤ aaneenschrijven. Engelse woorden.

Ook woorden uit andere talen dan het Engels kunnen problemen geven. We geven en-kele voorbeelden van woorden die geheel of gedeeltelijk aan het Frans zijn ontleend:

| | | | |
|---|---|---|---|
| *avant-garde* | *en profile* | *haut-reliëf* | *lits-jumeaux* |
| *coupe soleil* | *enfant terrible* | *haute cuisine* | *plan de campagne* |
| *coûte que coûte* | *force majeure* | *idee-fixe* | |

➤ aaneenschrijven. afbreken van woorden. divisie.

In een samenstelling waarin haakjes voorkomen, plaatsen we alleen een koppelte-ken als dat er ook zonder haakjes zou staan: *bedrijfsjournalist/(bedrijfs)journalist; West-Europa/(West-)Europa.*

Samenstellingen waarvan een deel tussen aanhalingstekens staat, krijgen geen kop-pelteken: *'jeugd'serie, 'teer'gehalte.* Als het deel dat tussen aanhalingstekens staat, al een koppelteken heeft, blijft dat er staan: *'semi-'literair.*

Er komt geen koppelteken in *'s morgens, 's winters.* Maar wel in *'s-Gravenhage* (= *des-Gravenhage*).

Voor het koppelteken wordt de zogenaamde divisie gebruikt; die wordt ook gebruikt als afbreekstreepje (*in-du-strie*), als weglatingsstreepje (*im- en export*), om in een datum de dagen, maanden en jaren van elkaar te scheiden (*29-3-1947*), in autokentekens (*JX-56-PK*) en in het ISBN (*ISBN 90-03-99094-8*) en ISSN (*0165-9510*).

**kopregel** Sprekende kopregel. ➤ hoofdregel (sprekende hoofdregel).

**koptelefoon** Ingeb. germ. voor *hoofdtelefoon, oortelefoon*.

**korps** Vakterm voor de grootte van een letter. ➤ lettergrootte.

**kort** *Er zijn er te kort*. Maar één woord: *een tekort aan ...* (zelfstandig naamwoord). Ook: *tekortdoen, tekortkomen, tekortschieten*.

**kostbaar** Duur. *Zij bezit een kostbare diamant*. ➤ kostelijk.

**kostelijk** *Kostelijke goederen*. Verouderd voor *kostbare goederen*. Wordt wel een gall. genoemd, maar is dat waarschijnlijk niet. *Kostelijk* betekent: heerlijk, voortreffelijk, bijvoorbeeld: *kostelijke wijn*. ➤ kostbaar.

**kosten** *De kosten van deze reis bedragen ƒ ...* Wat betaald moet worden om iets te krijgen of gedaan te krijgen. Het enkelvoud *kost* is hier niet mogelijk (in België soms gebruikt). ➤ belgicismen. onkosten.

**kosten** *Duur kosten* is een contam. van *duur zijn* en *veel kosten*. Het is bovendien een gall. *Goedkoop kosten* is een contam. van *goedkoop zijn* en *weinig kosten*.

**kosten-** *Kostenbesparend, kostenverhogend, kostendekkend* enz. Ingeb. germ./angl. voor bijvoorbeeld *maatregelen die kosten besparen, die de kosten verhogen, die de kosten dekken* enz.

**krachtens** *Krachtens speciale machtiging kregen zij toegang*. Vlotter: *op grond van, volgens (de regels van)*.

**kritiek** Gevaarlijk, bedenkelijk, zorgelijk, netelig. *Een kritieke toestand, een kritiek ogenblik*. ➤ kritisch.

**kritisch** Scherp keurend, geneigd tot kritiek. *Een kritische blik, iets kritisch bekijken*. ➤ kritiek.

**kruisje (†)** ➤ overlijdenskruisje. tekens.

**kuisen** In België soms gebruikt in plaats van *schoonmaken, reinigen, poetsen, opvegen*. De schoonmaak wordt dan weleens *kuis* genoemd. ➤ belgicismen. We kunnen *kuisen* alleen in figuurlijke betekenis gebruiken: *zijn taalgebruik kuisen, een gekuiste versie van iets*.

**kunnen** *Wij hopen dat u in staat bent de goederen nog voor aanstaande vrijdag te kunnen leveren*. Pleon. voor *in staat zijn* en *kunnen*. Let ook op zinnen als *Het verschaft te weinig mogelijkheden om dat te kunnen doen*. Ook een pleon.

**kunnen** *De deelnemers aan de race toonden hun kunnen*. *Kunnen* als zelfstandig naamwoord is waarschijnlijk een ingeb. germ. voor *wat zij kunnen*.

**kunnen** *U kan* of *U kunt*? *U* was oorspronkelijk derde persoon enkelvoud (*Uedele*), maar tegenwoordig beschouwen we *u* steeds meer als tweede persoon. Daarom liever *u kunt* dan *u kan*, maar *u kan* is niet onjuist. ➤ u.

**kwetsen** ➤ gekwetst.

**kwijt** *Ik ben mijn pen kwijt.* Ik heb hem verloren. Onjuist is: *kwijt maken.* Dat is een contam. van *kwijt zijn* en *zoek maken.*

*Mijn boek is kwijt.* Eigenlijk een contam. van *ik ben ... kwijt* en *... is zoek.* Er is niet veel bezwaar meer tegen.

# L

**laagbouw** Ingeb. germ. voor *lage bouw, laag gebouw, bouwen van huizen met weinig verdiepingen.*

**laagconjunctuur** Ingeb. germ. voor *zeer ongunstige conjunctuur.* Ook *hoogconjunctuur* is een ingeb. germ.

**laagfrequent-** Woorden als *laagfrequenttechniek, laagfrequentversterker* zijn (ingeb.) germ. voor *laagfrequentietechniek/laagfrequente techniek, laagfrequentieversterker/laagfrequente versterker.* ➤ hoogfrequent-.

**laatste** *Zijn laatste boek heet ...* Gaat het om zijn nieuwste, jongste boek of heeft hij daarna niets meer geschreven? Om verwarring te voorkomen, kunnen we in het eerste geval *nieuwste, jongste, meest recente* gebruiken.

**laatste/laatsten** ➤ alle/allen.

**laatste(n)** *Zij waren de drie laatsten.* Eigenlijk onjuist, want er is maar één laatste. Beter: *de laatste drie.* Geldt ook voor: *eerste(n), mooiste(n), duurste(n)* enz.

**laatstelijk** Ouderwets voor: *onlangs, pas (geleden).*

**laattijdig** Onjuist voor *te laat, niet tijdig.* Correct is wel: *vroegtijdig\*.* Wordt wel in België gebruikt. ➤ belgicismen.

**lager** ➤ kogellager.

**lamleggen** *De strenge vorst heeft het treinverkeer volledig lamgelegd.* Ingeb. germ. voor *stilleggen, stremmen, belemmeren, tot stilstand brengen, verlammen.*

**land** *In den lande. Den lande bewezen.* Staande uitdr. *Aan den lande bewezen* is een contam. van *aan het land bewezen* en *den lande bewezen.*

**landcode** ➤ adressering.

**landnamen** Namen van landen zijn vrijwel allemaal onzijdig: *(het) Nederland, (het) Engeland, (het) België.* Dus: *Nederland en zijn provincies* (ten onrechte vaak: *haar*). *Sovjet-Unie* bijvoorbeeld is vrouwelijk: *de voormalige Sovjet-Unie en haar regering.*

Voor *de Verenigde Staten hebben ...* (meervoud) ➤ werkwoorden (problemen met werkwoorden).

Voor afkortingen van landnamen in adressen ➤ adressering.

➤ aardrijkskundige namen. geslacht.

**langdurig** Lange tijd durend. *Een langdurige droogte.* ➤ duurzaam.

**lange woorden** ➤ woordlengte.

**lange zinnen** ➤ zinslengte.

**langjarig** (Ingeb.) germ. voor *jarenlang, veeljarig, gedurende vele jaren.* ➤ -jarig.

**lastauto, lastwagen** Germ. voor *vrachtauto, vrachtwagen.*

**laten** *Laat ons ...* of *Laten wij ...?* Beide vormen zijn juist, maar *laat ons* doet meestal erg ouderwets, plechtig aan: *Laat ons bidden. Laat ons gaan.* Wordt vooral in België gebruikt. Liever: *Laten we gaan* enz. ➤ belgicismen. gebiedende wijs.

**latinismen** Woorden en uitdrukkingen die uit het Latijn zijn vertaald en die in strijd zijn met het Nederlands. Er zijn niet zoveel latinismen. Een voorbeeld: *De winkel gesloten zijnde, moet u bellen op nummer ...* Dit moet zijn: *Als de winkel gesloten is, moet u ...* Of: *Indien gesloten bellen op ...* (Dit kán echter ook betekenen: *Indien ú gesloten bent.*) Niet: *Gesloten zijnde, moet u bellen ...* ➤ beknopte bijzin.

**leeftijd** *In de leeftijd van/op de leeftijd van ... Zij is overleden in de leeftijd van 80 jaar./Zij is overleden op de leeftijd van 80 jaar.* Hoewel *in de leeftijd van* de oudste rechten heeft, is *op de leeftijd van* niet meer echt af te keuren.

Maar: *Een man op leeftijd. En dat op zijn leeftijd. Op de gevaarlijke leeftijd.* Leeftijd heeft betrekking op personen en dieren. Anders gebruiken we *ouderdom: de ouderdom van een boom, auto.* ➤ ouderdom.

*Derde leeftijd* is een gall. Gangbare benamingen voor oudere mensen is: *ouderen, gepensioneerden, bejaarden, senioren.*

**leenwoorden** Er komen in onze taal talloze woorden voor die ongewijzgd uit andere talen zijn overgenomen. Enkele voorbeelden: *jam, überhaupt, canapé, tram, procédé, finish, café.* Recenter zijn bijvoorbeeld: *supporter, manager, fan, interview, service, stunt, drugs, brainstormen.* Tegen het gebruik van leenwoorden bestaat geen bezwaar, maar gebruik ze niet te veel en zeker niet als de kans bestaat dat de lezer ze niet kent.

Tegen bastaardwoorden is geen enkel bezwaar (dat zijn woorden uit andere talen die in spelling of uitspraak vernederlandst zijn: *feliciteren, concert, portemonnee*).

Wél bezwaar bestaat er tegen barbarismen. Dat zijn woorden en uitdrukkingen die zijn overgenomen en vertaald uit andere talen en die in strijd zijn met onze taal. ➤ barbarismen. woorden, vreemde.

**leesbaarheid** Om informatie zo goed mogelijk over te dragen – of het nu om een boek, een rapport of een artikel gaat – zal de schrijver moeten zorgen dat zijn tekst goed leesbaar is. Hoe leesbaarder een tekst is, hoe begrijpelijker die zal zijn en hoe meer die zal aanspreken.

Als de lezer een tekst niet of niet direct begrijpt, kan dat aan het onderwerp liggen: de werking van een computer is nu eenmaal moeilijker uit te leggen dan die van een schakelaar. Maar als we moeite met een tekst hebben, kan dat ook aan de schrijver liggen. De een kan een onderwerp immers begrijpelijker beschrijven dan de ander.

Al tientallen jaren geleden hebben psychologen en taalkundigen onderzocht welke factoren een tekst leesbaar maken. Het belangrijkste is, dat de schrijver probeert zich de lezer voor te stellen. Voor wie schrijft hij: voor kleine kinderen, oudere scholieren, studenten, academici? Elke doelgroep vraagt zijn eigen benadering, want de taalbeheersing is niet bij elke groep gelijk, evenmin als de intelligentie. Natuurlijk speelt ook de voorkennis een belangrijke rol. Het taalgebruik moet dan ook afgestemd zijn op de groep die de schrijver wil bereiken.

We noemen – in het kort – enkele belangrijke punten die invloed hebben op de leesbaarheid.

*Zinslengte\**. Korte zinnen zijn meestal prettiger leesbaar dan lange.

*Woordlengte\**. Korte woorden zijn vaak beter leesbaar dan lange.

*Vreemde/moeilijke woorden\**. Die kunnen een negatieve invloed op de leesbaarheid hebben.

*Persoonlijke\* stijl*. Een tekst met *u, ik, we* enz. leest prettiger dan een verhaal met *men, ondergetekende* enz.

*Lijdende\* vorm*. Gebruik die niet zonder noodzaak.

*Ontkenningen\**. Woorden met een negatieve betekenis hebben een ongunstige invloed op de leesbaarheid. Vermijd dus een teveel aan: *niet, geen, nooit*. Dat geldt ook voor werkwoorden met een negatieve betekenis: *beletten, verbieden, voorkomen* (= voorkómen), *ertegen waken* enz.

*Afkortingen\**. Gebruik ze met mate en alleen als ze algemeen gebruikelijk zijn (of als de betekenis verklaard is).

*Leestekens\**. Als in een tekst de leestekens goed toegepast worden, zal die begrijpelijker worden.

*Synoniemen\**. Herhaling van woorden maakt een tekst eentonig en daardoor minder goed leesbaar. Synoniemen kunnen soms echter onduidelijk zijn.

*Voorzetsels\**. Als in een tekst veel voorzetsels voorkomen, benadeelt dat de leesbaarheid. Niet: *In antwoord op de van u op ... ontvangen brief over ...*

*Duidelijkheid\**. Het spreekt vanzelf dat onduidelijk taalgebruik wel de meest negatieve invloed op de leesbaarheid heeft. Het kan bijvoorbeeld gaan om zinswendingen als: *in het algemeen, met name, ten dele, voorlopig, in principe, vooral, tot op zekere hoogte*. En de volgende uitdrukkingen verhogen de leesbaarheid ook zeker niet: *met betrekking tot, ten aanzien van, ten behoeve van*.

*Naamwoordstijl\**. Dikwijls kan een zelfstandig naamwoord vervangen worden door een werkwoord. Dat komt de leesbaarheid ten goede. Bijvoorbeeld: *De afdelingschefs*

229

*eisen verbetering van de werkomstandigheden.* Liever: ... *eisen dat de werkomstandigheden beter/verbeterd worden.*

*Tangconstructie\**. Dat is de zinsconstructie waarbij de zinsdelen die bij elkaar horen, (te) ver uit elkaar staan. Bijvoorbeeld: *Ik <u>ben</u> direct nadat ik het slechte bericht had gekregen, <u>gekomen</u>. De directie gaf een toelichting op <u>de</u> in de brief van de heer Jansen vermelde <u>gegevens</u>.* Twee bij elkaar horende woorden (*ben ... gekomen* en *de ... gegevens*) worden door andere woorden gescheiden. Als de twee delen te ver uit elkaar liggen, wordt de zin stroef en onnatuurlijk.

*Vragende\* zin.* Een vragende zin kan in een tekst heel verfrissend zijn. Hij houdt de aandacht vast. Bijvoorbeeld: *Wat heeft het onderzoek tot nu toe opgeleverd?* Beter dan: *We zullen nu eens nagaan wat het onderzoek tot nu toe heeft opgeleverd.* ➤ vraag.

Enkele niet-taalkundige zaken die invloed hebben op de leesbaarheid, zijn: lettertype\*, lettergrootte\*, kopjes, soort en kleur papier, ruimte tussen de regels. ➤ regelafstand.

**leestekens** Leestekens zijn heel belangrijk omdat ze – als ze goed worden toegepast – een tekst begrijpelijker maken. Het niet of verkeerd gebruiken ervan kan zelfs tot misverstanden leiden. De leestekens zijn: *punt\**, *komma\**, *puntkomma\**, *dubbele\* punt*, *vraagteken\**, *uitroepteken\**, *beletselteken\**, *haakje\**, *teksthaakje\**, *accolade\**, *gedachtestreepje\**.

Soms worden ook de letter-, woord- en schrijftekens tot de leestekens gerekend:

– Lettertekens: cedille\* *(reçu)*, accent\* aigu *(café)*, accent\* grave *(crème)*, accent\* circonflexe *(enquête)*, tilde\* *(España)*.

– Woordtekens: apostrof\* of weglatingsteken *(Rudi's computer)*; deelteken\* of trema *(industrieën)*; samentrekkingsteken\* of contractieteken *(weêr = weder)*.

– Schrijftekens: koppelteken\* *(Noord-Holland)*; vervangingsteken of weglatingsstreepje\* *(binnen- en buitenland)*; afbreekstreepje\* *(vra-gen)*; aanhalingstekens\* ('...', '...', "..." en "...").

**legenda** Verklaring van tekens bij een landkaart, diagram enz.

**lengte** ➤ woordlengte. zinslengte.

**lettergrepen** Verdelen in lettergrepen. ➤ afbreken van woorden.

**lettergrootte** Zetterijen/drukkerijen kunnen letters in allerlei grootten zetten. De grootte van een letter heet het korps. Het wordt gemeten in typografische punten. Eén punt is 0,376 mm. De standaardmaat waarmee de drukkerswereld nog steeds werkt – hoewel die in 1978 officieel is afgeschaft – is de augustijn\* (wordt ook wel cicero genoemd). De augustijn is 12 punten groot (= 4,5 mm).

Letters komen meestal voor in de korpsen 4 t/m 72.

We berekenen de korpshoogte van de bovenkant van de stokletter (b, d, f, h, k, l) tot de onderkant van de staartletter (g, j, p, q, y).

Enkele voorbeelden:

Deze regel is gezet uit korps 6
Deze regel is gezet uit korps 8
Deze regel is gezet uit korps 10
Deze regel is gezet uit korps 12
Deze regel is gezet uit korps 18
Deze regel is gezet uit korps 24

# Deze regel is gezet uit korps 36

Dit boek is gezet uit een letter van 9,5 punten (= korps 9,5). Een 'gewone' tekstletter moet niet kleiner zijn dan 9 punten. Voor noten, literatuurlijst en register gebruikt men vaak een achtpuntsletter. Het is níét zo dat een tekst leesbaarder wordt naarmate de gebruikte letter groter is.

De invloed van de lettergrootte op de leesbaarheid is betrekkelijk. Een heel kleine letter (bijvoorbeeld korps 6) is voor gewone tekst ongeschikt. Letters van korps 9 t/m korps 12 hebben een gelijke leesbaarheid. Grotere letters zijn minder goed leesbaar. Het is duidelijk dat bijvoorbeeld affiches en woordenboeken heel andere eisen stellen dan 'gewone' leesteksten.

Hoe op de tekstverwerker de lettergrootte wordt bepaald, hangt van het gebruikte programma af. Hij kan worden gekozen met ctrl F8 – 4 basislettertype, of door op het gewenste korps te klikken.

**letterspatie** ➤ spatiëren.

**lettertype** Er bestaan vele honderden lettertypen (Engels: fonts), elk met een eigen naam en eigen karakter. Een veelgebruikt lettertype is de Times. Enkele andere lettertypen zijn Bembo, Baskerville, Garamond, Univers. Dit boek is gezet uit de Swift. Al die lettertypen kunnen we in twee grote groepen verdelen: letters met schreef en schreefloze letters. Schreven zijn de dwarsstreepjes aan een letter. De Times bijvoorbeeld is een letter met schreef; de Univers bijvoorbeeld is een schreefloze letter. Een schreefloze letter wordt vaak als minder goed leesbaar beschouwd dan een letter met schreef. (Deze regel is gezet uit een schreefloze letter, namelijk de Frutiger.) Vrijwel alle lettertypen komen voor in romein (de 'gewone' letter), cursief ('schuin'), vet en kapitaal (hoofdletter). Kleinkapitaal komt vrijwel alleen bij schreefletters voor.

Bij tekstverwerkers hebben we de keuze uit een behoorlijk aantal lettertypen. Ze worden gekozen met ctrl F8 – 4 basislettertype, of door via 'opmaak' of 'lay-out' voor deze zetwijze te kiezen.

**lettervormen** Bijna alle lettertypen komen weer in verschillende vormen voor. De rechtopstaande, gewone letters noemen we 'romein'. (Een tekst wordt 'romein' gezet; cijfers kunnen we 'Romeins' zetten.) Alle letters komen als kleine letters en als hoofdletters voor. De vakterm voor kleine letters is onderkast*; hoofdletters noemen we kapitalen.

Zie voor het (taalkundig) gebruik van hoofdletters ➤ hoofdletters.

**letterwoord** ➤ afkortingen.

**leven** *Zij leven tegenwoordig buiten.* Angl. voor *wonen.*

**leven** *De overstroming heeft honderden levens gekost.* Niet: *doden.* Wel: *Er waren ... doden/slachtoffers te betreuren.*

**levend** In leven, niet dood. Niet te verwarren met: *levendig*.

**levend** *In levenden lijve.* Staande uitdr.

**levendig** Beweeglijk, druk, opgewekt. *Levendige kinderen, levendige handel.* Onjuist is: *Hij is levendig uit de auto gehaald.* Moet zijn: *levend*.

**levertermijn** Ingeb. germ. voor *leveringstermijn.*

**levertijd** Ingeb. germ. voor *leveringstijd.*

**lezen** *Wij lezen uit uw brief ...* Contam. van *Wij lezen in uw brief ...* en *Wij begrijpen (maken op) uit uw brief ...*

**lezeraanduiding** ➤ je. u.

**licht** *In het licht van.* Dergelijke zinswendingen maken een tekst vaag. *In het licht van het onjuist beantwoorden van deze vraag moet u terug naar de vorige vraag.* Liever: *Omdat u deze vraag onjuist hebt beantwoord, moet u ...* ➤ duidelijkheid.

**licht wegen** Contam. van *licht zijn* en *weinig wegen.*

**lichtbestendig** Ingeb. germ. voor *lichtecht, lichtvast, bestand tegen licht.* ➤ -bestendig.

**lichterlaaie** *In lichterlaaie staan.* Fel branden. Staande uitdr.

**lichtmetaal** Ingeb. germ. voor *licht metaal.*

**lichtvaardig** *Je moet niet lichtvaardig over iemand oordelen.* Ondoordacht. ➤ lichtzinnig.

**lichtzinnig** Zonder na te denken over de gevolgen. *Zijn lichtzinnigheid zal hem nog weleens opbreken.* ➤ lichtvaardig.

**lieverlede** *Van lieverlede.* Langzamerhand. Staande uitdr.

**ligatuur** Combinatie van twee (of meer) letters die met elkaar verbonden zijn, bijvoorbeeld æ (*cæcum*), œ (*œuvre*). Ook in hoofdletters: *CÆCUM/ŒUVRE*. Ook lettercombinaties als *ff*, *fi* en *fl* zijn ligaturen. Ze worden ook wel koppelletters genoemd. In Nederlandse teksten is het gebruik van ligaturen niet noodzakelijk. ➤ tekens.

**liggen** *Zo liggen de zaken. Dat ligt nogal gevoelig, eenvoudig* enz. *Liggen* in de betekenis van *zijn* is een ingeb. germ.

**lijdelijk** Niet handelend, passief. *Lijdelijk toezien.* ➤ lijdzaam.

**-lijden** *Borstlijden, darmlijden, hartlijden, keellijden, longlijden, maaglijden* enz. zijn germ. voor *borstkwaal, darmkwaal, hartkwaal, keelaandoening, longaandoening, maagkwaal* enz. Tegen *hartlijder, maaglijder, ooglijder* (iemand die aan een -kwaal lijdt) is geen bezwaar.

**lijdende vorm** Dat een tekst slecht leesbaar is, komt vaak door de lijdende (of passieve) vorm. In de lijdende vorm (dus met *worden* of *zijn*) is het oorspronkelijke lijdend voorwerp onderwerp geworden. Het onderwerp van de lijdende zin ondergaat de handeling; het oorspronkelijke onderwerp wordt als een bijkomstigheid vermeld. Lijdende vorm: *Deze scriptie is door Jan geschreven.* Bedrijvende (actieve) vorm: *Jan heeft deze scriptie geschreven.* Lijdende vorm: *Zoals u al (door ons) is meegedeeld, ...* Bedrijvende vorm: *Zoals we u al hebben meegedeeld, ...* Vooral ambtenaren en technici gebruiken de lijdende vorm nogal eens onnodig.

Er wordt vaak negatief over de lijdende vorm geschreven, maar soms zijn er goede redenen om die te gebruiken. We noemen er enkele:

– De spreker/schrijver kan of wil het onderwerp niet noemen: *Er wordt vaak negatief over de lijdende vorm geschreven.* We hadden kunnen schrijven: *Men schrijft vaak negatief over de lijdende vorm...,* maar tegen *men* bestaat evenveel bezwaar als tegen (misbruik van) de lijdende vorm. Natuurlijk wordt de lijdende vorm soms met opzet gebruikt om in het midden te laten wie er verantwoordelijk is: *Zoals u al is meegedeeld, ... Het onderzoek is uitgevoerd ...*

– De spreker/schrijver haalt een bepaald zinsdeel naar voren om er de nadruk op te leggen: *Amerika is gisteren door een zware orkaan getroffen.* (Actieve vorm mág natuurlijk wel.)

– Men wil misverstanden voorkomen: *De jongen die de man heeft geslagen, is naar de politie gegaan.* Wie heeft wie geslagen? Daarom: *De jongen die door de man is geslagen, ...* Nog een voorbeeld: *Wat veroorzaakt rijkdom?* (*Wat wordt door rijkdom veroorzaakt?* of *Door welke oorzaken ontstaat rijkdom?*)

Gebruik de lijdende vorm alleen als daar een goede reden voor is. Vermijd vooral een aantal lijdende constructies vlak na elkaar. Onnodig gebruik ervan maakt een tekst te zakelijk, onpersoonlijk en minder goed leesbaar.

Zinnen met *graag* kunnen niet in de lijdende vorm gezet worden. Niet: *Inlichtingen worden graag door de directeur verstrekt.* (De inlichtingen worden niet graag verstrekt.) *Muizen worden graag door katten gegeten.*

233

Niet fraai zijn zinnen als: *Gewacht werd op de komst van de koningin* in plaats van: *Er werd gewacht op ...* (of een niet-lijdende constructie).

**lijdzaam** Berustend, gelaten. *Hij droeg lijdzaam zijn lot.* ➤ lijdelijk.

**lijf** *Te lijf. Aan den lijve. In levenden lijve.* Staande uitdr.

**lijken** *Hij lijkt wel ziek.* Men heeft een indruk, maar is niet zeker. ➤ blijken. ogenschijnlijk. schijnen.

**lijnen** In de typografie hebben lijnen allerlei functies. We noemen de belangrijkste.

Lijnen worden weleens gebruikt om woorden – door ze te onderstrepen – te accentueren.

Boven en onder een tekst die van de overige tekst gescheiden moet worden, kunnen we een lijn plaatsen. Ook onder sprekende hoofdregels komt weleens een lijn. Boven voetnoten komt soms een lijn, maar die is meestal overbodig.

Door middel van lijnen kunnen we onderdelen van tabellen* en formulieren van elkaar scheiden, zowel horizontaal als verticaal. In tabellen moeten verticale lijnen zo veel mogelijk vermeden worden; het wit tussen de kolommen geeft meestal genoeg scheiding.

Omdat lijnen bij een overdadige of onjuiste toepassing eerder storen dan ondersteunen, moet het aantal zo veel mogelijk beperkt worden.

Er zijn lijnen in allerlei soorten en maten. Vroeger werd de lijndikte aangegeven in de typografische maat *punt*. Er waren 2-puntslijnen, 4-puntslijnen enz.

Tegenwoordig geven we de lijndikte meestal aan in (tienden van) millimeters.

Met moderne tekstverwerkende apparatuur kunnen we zowel horizontale als verticale lijnen trekken.

Een – in tabellen en formulieren – veelgebruikte lijn is de zogenaamde haarlijn (ongeveer 0,25 mm). De stippellijn wordt bijvoorbeeld in formulieren wel gebruikt, om aan te geven waar iets ingevuld moet worden.

Enkele van de vele mogelijkheden:

| | |
|---|---|
| 0,1 mm | 0,6 mm |
| 0,2 mm | 0,7 mm |
| 0,3 mm | 0,8 mm |
| 0,4 mm | 1 mm |
| 0,5 mm | stippellijn |

Voor halslijn, koplijn en sluitlijn ➤ tabellen.

**limiet** *Uiterste limiet* is een pleon. Goed is bijvoorbeeld: *uiterste prijs, uiterste bod; limiet.*

**linker** Samenstellingen met *linker* (en *rechter*) schrijven we als één woord: *linkerbladzijde, linkervoet*. Als er na *linker* een samenstelling volgt, zodat er een minder gebruikelijke combinatie ontstaat, is los schrijven gebruikelijk: *linker zolderraam.*

**literatuuropgave** In veel (populair-)wetenschappelijke boeken en tijdschriften is een literatuuropgave opgenomen. Aan de hand daarvan kan de lezer een bepaalde publicatie achterhalen, bijvoorbeeld voor verdere studie.

Een literatuuropgave kan na elk hoofdstuk worden geplaatst, maar een lijst achterin heeft meestal de voorkeur: het voorkomt gezoek.

Bij een omvangrijke literatuuropgave kan het aan te bevelen zijn de opgave per hoofdstuk achterin op te nemen, met per hoofdstuk een kopje.

Als er slechts naar enkele boeken of tijdschriften wordt verwezen, kan dat beter gewoon in de tekst of in een noot gebeuren. ➤ noten.

De kop boven een literatuurlijst kan zijn: *Literatuur, Geraadpleegde literatuur* of *Aanbevolen literatuur*. Liever niet: *Literatuurlijst* of *Referenties*.

Een literatuuropgave verdient de grootste aandacht. Eenheid is heel belangrijk. Er bestaan internationale regels voor wetenschappelijke publicaties, maar die zijn niet zo geschikt voor algemene uitgaven. Uitgeverijen hebben vaak hun eigen regels, vooral voor de volgorde van de gegevens en de interpunctie. De hierna beschreven methode voldoet in het algemeen goed.

We gaan uit van een eenvoudig voorbeeld:

Kloos, P., *Filosofie van de antropologie*. Nijhoff, Leiden 1987.

U ziet in dit voorbeeld de gebruikelijke volgorde: auteursnaam, titel, uitgeversnaam, plaatsnaam, jaartal.

*Boeken*

*Auteur*. We beginnen altijd met de achternaam van de auteur (in verband met de alfabetische volgorde), gevolgd door de voorletter(s) en eventueel *de, van, van der, ter*. Daarna komt een komma (geen punt of dubbele punt). Titels als *drs., dr., ir., mr.* worden weggelaten. Bij een niet-alfabetische lijst heeft het geen zin om de voorletters achter de auteursnaam te zetten.

Als een boek door twee of drie auteurs is geschreven, geven we alle namen: *Jansen, J., P. ten Cate en C. Smal*. Alleen de eerste auteur begint met de achternaam. Bij meer dan drie auteurs geven we de eerste drie namen (soms alleen de eerste), gevolgd door *e.a.*

(en anderen) of *et al.* (et alii = en anderen). Bij meer dan één auteur komt er *en* voor de laatste naam (niet &*, *and, und, et*).

Soms is de auteur van een publicatie niet een persoon maar een instelling, bedrijf, stichting enz. In dat geval gaan we op dezelfde manier te werk als bij een persoon: *Nederlandsche Bank, De, ...*

Een deel van een publicatie die door verschillende auteurs is geschreven, behandelen we als volgt:

Duijn, J.J. van, De fluctuaties van innovaties in de tijd. In: *Innovatie: preadviezen van de Vereniging voor de Staathuishoudkunde.* Stenfert Kroese, Leiden, 1979.

Als de auteur onbekend is, beginnen we met de titel van het boek: *Nieuwe Gids voor het Rijksmuseum.* Een lidwoord of rangtelwoord komt nooit vooraan: *Grote boek van de Weg, Het. Ruimtevaartcongres, Het eerste.*

Er kunnen diverse publicaties van één auteur in de literatuurlijst staan; in dat geval wordt de auteursnaam herhaald. Gebruik geen aanhalingstekens, streepjes of 'idem'. Ze worden in chronologische volgorde geplaatst.

Als er sprake is van een redacteur, wordt dit na de naam vermeld, bijvoorbeeld: *Janssen, P. (red.).*

Soms staat het jaar van publicatie tussen haakjes achter de auteursnaam; na de plaats van uitgave is logischer.

*Titel.* Na de auteursnaam of -namen komt de titel van het boek, zoals die op de titelpagina is vermeld. Er komt een punt achter. Als omslag en titelpagina niet exact gelijk zijn, zijn de gegevens op de titelpagina bepalend. Het is gebruikelijk de naam van de publicatie te cursiveren. Als dat technisch niet mogelijk is, kan die onderstreept worden. Ook een ondertitel wordt meestal gecursiveerd of onderstreept. De eerste letter is een hoofdletter; alle andere woorden krijgen een kleine letter (tenzij een grammaticale regel een hoofdletter voorschrijft). Titels in andere talen wijken hiervan soms af; we houden dan aan wat er in het boek is vermeld.

Als het boek vertaald is, kan de oorspronkelijke titel tussen teksthaakjes [ ] worden geplaatst: Brontë, Emily, *De woeste hoogte.* [Wuthering Heights].

*Uitgever.* De naam van de uitgever wordt zo kort mogelijk weergegeven. Aanduidingen als *Uitgeverij, B.V., Publishing* en *Book* nemen we niet op. Drukkerij en Uitgeversbedrijf Lecturis B.V. wordt Lecturis; Sdu Uitgevers wordt Sdu; John Wiley and Sons wordt Wiley; Penguin Books wordt Penguin. Een naam als Swets & Zeitlinger moet niet verkort worden.

Laat de naam van de uitgever liever niet weg.

*Plaatsnaam.* De plaats van uitgave vinden we meestal op de titelpagina of de achterkant daarvan. We kunnen de Nederlandse naam gebruiken. Dus niet *The Hague,* maar *'s-Gravenhage/Den Haag*, niet *London*, maar *Londen*. Als de plaatsnaam niet bekend is, wordt dat aangegeven met *z.pl.* (zonder plaats).

*Jaartal*. Na de naam van de uitgever komt het jaar van uitgave. Als dat niet op de titelpagina te vinden is, nemen we het jaar van copyright. Dit staat meestal op de achterkant van de titelpagina. Is er nergens een jaartal te vinden, dan zetten we *z.j.* (zonder jaar). Als er meer publicaties van één auteur worden genoemd uit hetzelfde jaar, dan voegen we een letter aan het jaartal toe: *Amsterdam, 1995a*.

(Soms staat het jaar van publicatie tussen haakjes achter de auteursnaam. Dat gebeurt vooral als in de tekst naar literatuur wordt verwezen met auteursnaam + jaartal, en niet met auteursnaam + titel. Helemaal achteraan, na de plaats van uitgave, is logischer.)

*Druk*. Het kan belangrijk zijn te weten om welke druk van het boek het gaat. Noem die zo kort mogelijk, bijvoorbeeld *2e dr.* (na het jaartal). Het heeft geen zin om aan te geven dat het om een eerste druk gaat. Een eenvoudige methode is het nummer van de druk in een superieur cijfer aan het jaartal toe te voegen: $1997^3$. (De derde druk is in 1997 verschenen.)

*Tijdschriftartikelen*

Voor de volgorde bij tijdschriftartikelen gaan we weer uit van een eenvoudig voorbeeld:

Simons, F., Het internationale karakter van de petrochemische industrie. *Natuurkundig Tijdschrift, 14* (1987), nr. 5, p. 16.

We beginnen weer met de auteursnaam. Daarna komt de naam van het artikel. Die wordt soms tussen (enkele) aanhalingstekens gezet, maar dat heeft weinig zin. Dan volgt de naam van het tijdschrift. Die wordt cursief gezet (of onderstreept). De belangrijkste woorden van de titel krijgen meestal een hoofdletter (zie de tijdschrifttitel zelf). Vooral in wetenschappelijke uitgaven kan de naam – volgens bepaalde internationale regels – worden afgekort. De aanduiding *jrg.* wordt meestal weggelaten, maar in populaire uitgaven kan die soms beter worden opgenomen. Het nummer van de jaargang kan cursief gezet worden, maar dat is niet noodzakelijk. Na de aanduiding van de jaargang kan – tussen haakjes – het jaartal vermeld worden. Daarna komen het nummer en de pagina's.

Eventuele afkortingen worden meestal gezet in de taal van het bewuste artikel. Dus *red.* is *ed.* (editor), *blz.* wordt *p.* of *pp.* In verband met de eenheid kunnen we ook voor Nederlandse publicaties gerust *p.* of *pp.* gebruiken.

Een enkele keer zijn alle onderdelen van een literatuurlijst genummerd, ook als die alfabetisch is. In de tekst kan dan eenvoudig met een nummer naar die lijst worden verwezen.

Hier volgen nog enkele voorbeelden, waarin de regels toegepast zijn:

Hofstee, W.K.B., Evaluatie: beoordelen van kwaliteit. *Tijdschrift voor Onderwijsresearch*, 10 (1985), p. 285–288.

Licklider, J.C.R., Quasi-linear Models in the Study of Manual Tracking. In: R.D. Luce (ed.), *Development in Mathematical Psychology.* Free Press, Glencoe, Ill., 1960, pp. 169–182.

Oudkerk, R., en R. van der Ploeg, Durven kiezen in de gezondheidszorg. *Trouw*, 9 augustus 1994.

Miller, D.E., *Bodymind: The Whole Person Health Book.* Prentice-Hall, Englewood Cliffs, N.J., 1974.

Pieete, A., *Incorrect Nederlands. Behandeling van veel voorkomende stijlfouten.* Thieme, Zutphen, 1988[8].

Royen, G., De nieuwe ambtenaar. *De Nieuwe Taalgids, 40* (1947), p. 70–75.

Verkuyl, H.J., Taal en logica. *Tijdschrift voor taal- en tekstwetenschap, 3* (1983), nr. 1, p. 1–20.

Het is gebruikelijk een literatuurlijst kleiner te zetten dan de overige tekst. Dikwijls wordt korps 8 gekozen (zoals in het voorbeeld). Soms wordt de lijst in twee of meer kolommen gezet.

De tweede regel en volgende regels (de zogenaamde overlopende regels) springen meestal in.

**literatuurverwijzing** Onder literatuurverwijzing wordt vaak een literatuurlijst verstaan. We bedoelen hier echter een verwijzing in de tekst naar bepaalde boeken, tijdschriftartikelen enz. Bijvoorbeeld: *Deze toetsing is geen experiment in een laboratorium, maar het betreft de mogelijkheid de bestaande, natuurlijke talen eruit af te leiden. (Engelshoven, 1986, p. 23)* Of: *In de taalwetenschap heeft de Amerikaan N. Chomsky (1982, p. 31) dieptestructuren in de taal onderzocht.* In geval van twee auteurs: *(Jansen en De Vries, 1997).* Bij meer auteurs: *(Jansen e.a., 1997).*

Natuurlijk kan in de tekst op de volgende manieren naar publicaties worden verwezen: *We hebben in de Economist (1976, p. 14–17) kunnen lezen dat ... '. J. Jansen schrijft in 'Vreemde woorden in het Nederlands' (1994) dat ...*

Er wordt ook wel met een nummer naar de literatuur verwezen: *In de taalwetenschap heeft de Amerikaan N. Chomsky (4) dieptestructuren in de taal onderzocht.* Het nummer 4 verwijst naar nummer 4 van de literatuurlijst, die meestal ook alfabetisch is. In dat geval kan de nummering natuurlijk pas na het samenstellen van de lijst gebeuren. Het gebruik van nummers heeft het nadeel dat tussenvoegen of schrappen van een literatuuropgave betekent dat alle nummers (en de verwijzingen) veranderd moeten worden.

Als er slechts enkele keren naar boeken of tijdschriften wordt verwezen, kunnen die in de tekst zelf of in een noot worden genoemd. ➤ literatuuropgave. noten.

**logenstraffen** Onjuistheid aantonen, doen blijken. *De feiten logenstraffen zijn bewering.* ➤ loochenen.

**logischerwijs** *Hij heeft logischerwijs verloren.* Kan een germ. zijn, maar dat is niet zeker. Gebruik dit soort woorden op *-erwijs* toch liever niet, want ze doen stijf aan. Liever: *Het is logisch/vanzelfsprekend dat hij heeft verloren.* Of: *Natuurlijk/vanzelfsprekend heeft hij ...* ➤ -wijs.

**logo** Herkenningsteken dat bedrijven enz. op briefpapier, brochures enz. gebruiken.

**lonen** *Het loont zich.* Germ. voor *Het is de moeite waard, het loont de moeite.*

**loochenen** Ontkennen. *Dat valt niet te loochenen.* ➤ logenstraffen.

**loos** *Er is iets loos met hem.* (Ingeb.) germ. voor *Er is iets aan de hand, niet in orde met hem.*

**-loos** Enkele samenstellingen met *-loos* zijn ingeb. germ.: *geruisloos* (onhoorbaar, geluidloos), *inhoudsloos* (waardeloos, onbetekenend), *uitdrukkingsloos* (zonder uitdrukking, nietszeggend), *uitzichtloos* (hopeloos, zonder vooruitzichten).

Een (ingeb.) germ. is *statenloos* voor *staatloos, zonder nationaliteit. Restloos* is een (vrijwel niet meer gebruikt) germ. voor *volkomen, volledig, totaal.*

Het achtervoegsel *-loos* betekent *zonder*; er hoeft dus niet altijd Duitse invloed te zijn. Tegen woorden als *eerloos, ademloos, hopeloos, machteloos, gewetenloos* bestaat geen bezwaar.

**-loos/-eloos** Het is niet eenvoudig aan te geven wanneer we *-loos* en wanneer *-eloos* als achtervoegsel gebruiken. Soms is er betekenisverschil. Enkele voorbeelden: *smaakloos* (zonder smaak) en *smakeloos* (niet van smaak getuigend); *zoutloos* (zonder zout) en *zouteloos* (zonder pit); *zinloos* (zonder betekenis) en *zinneloos* (dwaas).

Er wordt ook nog wel onderscheid gemaakt tussen *werkloos* (zonder werk) en *werkeloos* (niet willend werken). Dit (kunstmatige) verschil wordt meestal niet meer zo gevoeld.

**'los' schrijven** ➤ aaneenschrijven.

**luchtgekoeld** Ingeb. germ. voor *met (door) lucht gekoeld, met luchtkoeling.* ➤ zelfst. naamw. + deelw.

**luid** *Met luider stem.* Staande uitdr.

**luidop** Contam. van *luid* en *hardop.*

**luxe** *Luxe* wordt vooral in samenstellingen gebruikt (aan elkaar, zonder koppelteken): *luxegoederen, luxehotel, luxeartikel.* Wél een koppelteken in *luxe-editie* enz. Ook juist is *luxe goederen, luxe artikelen.* Minder juist is: *Dit huis is heel luxe ingericht.* Liever: *luxueus. Luxe* is ook zelfstandig naamwoord: *Hij kan zich die luxe veroorloven.*

*Overbodige luxe* is eigenlijk een pleon., maar wordt wel vaak gebruikt. ➤ overbodig.

# M

**maagbezwaren** (Ingeb.) germ. voor *maagklachten.*

**maaglijden** Germ. voor *maagkwaal, maagaandoening.* Tegen *maaglijder* (iemand die aan een maagkwaal lijdt) bestaat geen bezwaar. ➤ -lijden.

**-maal** Samenstellingen met *-maal* schrijven we aan elkaar: *tweemaal, tienmaal, honderdmaal.* Dit geldt voor de getallen tot en met twintig en alle tientallen, honderdtallen en duizendtallen: *achttienmaal, honderdmaal, zesendertig maal.* Maar *drie maal drie is negen.* Samenstellingen met *keer* schrijven we los: *twee keer.*

*Hij heeft tweemaal meer boeken dan ik.* Gall. voor ... *tweemaal zoveel boeken als ik.* Ook onjuist: *driemaal groter dan.* Moet zijn: *driemaal zo groot als.*

**maalpunt** (·) In rekenkundige en wiskundige formules* komt de maalpunt (·) als maalteken voor. Deze staat op 'halve hoogte', met een spatie voor en na de punt: *16 · 14 (16 × 14).* ➤ tekens.

**maalteken** Het teken × wordt als maalteken gebruikt. Er komt een spatie voor en na. In getypte tekst kan eventueel de (kleine) letter x gebruikt worden. In rekenkundige en wiskundige formules* komt ook de maalpunt* voor: *84 · 16.*

**maandag** ➤ dagnamen.

**maandnamen** De namen van de maanden kunnen – als dat echt nodig is, bijvoorbeeld in tabellen – als volgt worden geschreven: *jan, feb, mrt, apr, mei, jun, jul, aug, sep, okt, nov, dec.* Gebruik deze afkortingen niet in de tekst. Als dat nodig is, dan: *jan., febr., mrt., apr., (mei, juni, juli), aug., sept., okt., nov., dec.* (We kunnen *mei* niet afkorten; *juni/juli* afkorten tot *jun./jul.* geeft geen ruimtebesparing.)

**maar** Heeft de voorkeur boven het ouderwetse *doch.* Liever niet: *Ik heb het hem wel gezegd, doch hij wilde niet luisteren.*

*Niet Jansen maar De Vries is gekomen.* Het werkwoord staat in het enkelvoud.

Gebruik *maar* niet in plaats van *pas, niet eerder dan.* Dus niet: *Aan hun ruzie kan maar een eind komen als ...* Wordt soms in België gebruikt. ➤ belgicismen.

**maar** Er wordt weleens bezwaar tegen gemaakt een zin met een voegwoord (vaak *maar, want, of* of *en*) te beginnen, omdat dit niets wezenlijks aan een zin toevoegt. Een voorbeeld: *De meeste leden van de ondernemingsraad hebben een aantal bezwaren tegen* *de voorgestelde regeling. Maar als de directie voldoende garanties geeft om grote problemen op te lossen, ...* Er is geen bezwaar tegen, omdat het voegwoord ook dan het verband aangeeft. De tekst kan er bovendien wat levendiger door worden.

**maar ... echter** *Maar als u ruim op tijd komt, zult u echter nog wel aan kaartjes kunnen komen.* Maar én *echter* in één zin is een tautologie*. Een van beide moet vervallen.

**maatgevend** *Dat is niet maatgevend.* (Ingeb.) germ. voor *toonaangevend, gezaghebbend, beslissend, bepalend, geschikt als maatstaf.*

**maatsystemen (grafische)** De standaardmaat waarmee de drukkerswereld nog steeds werkt (hoewel die in 1978 officieel is afgeschaft), is de augustijn (ook wel cicero genoemd). De augustijn is 12 punten groot (4,512 mm). Een typografische punt is (afgerond) 0,376 mm. De Fransman Didot heeft het typografische stelsel gestandaardiseerd. Vandaar dat we wel spreken over didot-punten.

De augustijn of cicero en de punt zijn gebruikelijk in Nederland. In Engeland en Amerika werkt men met pica-punten (0,351 mm), waarvan er twaalf in een pica (circa 4,217 mm) gaan. (De pica is ongeveer 7 procent kleiner dan de augustijn.)

Als derde maat, afkomstig uit Engeland, is er nog de inch. 1 inch is 25,4 mm. In de grafische industrie wordt de inch onder meer gebruikt voor regelafstanden van schrijfmachines en printers en als maataanduiding voor diskettes.

Er bestaan grafische maatlatten waarop we de maatsystemen vrij nauwkeurig tegenover elkaar kunnen aflezen. Ook de typometer (meestal van doorzichtige kunststof) is heel praktisch, omdat daarmee zowel korpsen als regelafstanden gemeten kunnen worden. ➤ korps. regelafstand.

Niet alle letters van hetzelfde korps maar van een ander lettertype zijn even groot. De 10-punts Hollander (Hollander) is bijvoorbeeld aanzienlijk groter dan de 10-punts Times (Times). Er is vooral verschil in x-hoogte. Er zijn zelfs verschillen tussen dezelfde letter bij verschillende zetsystemen. Er kunnen dus problemen ontstaan als er correcties in zetsel worden uitgevoerd op een ander systeem dan waarmee het oorspronkelijk is gezet.

**machinebouw** Ingeb. germ. voor *het vervaardigen, de constructie van machines.*

**macht** *Bij machte.* Staande uitdr.

**machtsovername** Ingeb. germ. voor *machtswisseling, staatsgreep, het overnemen van de macht.*

**macron** (ā) Het teken dat een beklemtoonde lettergreep aangeeft (slāpen).

**maken** *Tien maal drie maakt dertig.* Germ. voor *... is dertig.*

**maken** *Koffie, thee maken.* Angl. voor *koffie, thee zetten.* Wordt ook weleens een germ. of gall. genoemd.

**maken** *Dat kun je niet maken.* Ingeb. angl. voor *Dat kun je niet doen.*

**maken** *Hij heeft het gemaakt.* Ingeb. angl. voor *bereiken, (erin) slagen, succes hebben.*

**mankeren** *Wat mankeert hij/zij?* Eigenlijk minder juist voor: *Wat mankeert hem/haar?* Ook minder juist: *Wij/zij mankeren niets* voor: *Ons/hun mankeert niets.* Er is geen bezwaar meer tegen. ➤ schelen.

**mannelijk** ➤ geslacht.

**mannelijk (teken: ♂)** ➤ tekens.

**mantel** *Mevrouw Jansen droeg een rode mantel.* Dames dragen een mantel (*jas* kan ook), maar heren dragen geen *mantel* maar een *jas. Mantel* in plaats van *jas* wordt in België nogal eens gebruikt. ➤ belgicismen.

**marge** Bij gedrukte teksten is een marge (ruimte naast de tekst) belangrijk voor een goede bladspiegel*. Die beïnvloedt het totale aanzien van het drukwerk.

Kopij moet altijd links een flinke marge (zo'n vier centimeter) hebben, in verband met correcties en aanwijzingen voor de drukkerij. Rechts is één à twee centimeter voldoende.

**mark, Duitse** ➤ munteenheden.

**massa** *Een massa mensen stond* of *stonden?* Beide vormen zijn mogelijk. ➤ aantal.

**mate** *In ruime mate.* Omslachtig voor: *veel, groot. Hij heeft in die baan een grote mate van zelfstandigheid.* Liever: *... een grote zelfstandigheid.*

**maten** Afkortingen van maten, gewichten, natuurkundige en scheikundige aanduidingen enz. krijgen geen punt: *ca* (centiare), *J* (Joule), *l* (liter), *pk* (paardenkracht), *V* (volt). ➤ afkortingen.

In de grafische wereld moet eigenlijk sinds 1978 officieel het metrieke stelsel (*cm* e.d.) worden gebruikt, maar er wordt toch nog heel veel met augustijnen (cicero's) gewerkt. ➤ lettergrootte. maatsystemen (grafische).

**materiaal** Bouwstoffen, grondstoffen die verwerkt worden. *De metselaar had geen gebrek aan materiaal.* Wordt steeds vaker in plaats van *materieel* gebruikt. ➤ materieel.

**materieel** Hulpmiddelen, werktuigen die worden gebruikt maar niet verbruikt. *De brandweer heeft nieuw materieel aangeschaft. Rollend materieel. Materiaal* wordt steeds vaker in plaats van *materieel* gebruikt. *Materieel* is ook een bijvoeglijk naamwoord, in de betekenis van stoffelijk: *materiële schade.* ➤ materiaal.

**-matig** Sommige bijvoeglijke naamwoorden die eindigen op *-matig* zijn oorspronkelijk germ., maar nu ingeb. Voorbeelden: *cijfermatig, doelmatig, dwangmatig, gevoelsmatig, instinctmatig, kunstmatig, plichtmatig, stelselmatig, schetsmatig, wetmatig, regelmatig, beroepsmatig, fabrieksmatig, getalsmatig, handmatig, planmatig, routinematig.*

Vermijd gezochte combinaties met *-matig,* zoals *verhaalmatige kwaliteit, softwarematige aanpassing.* Een omschrijving verdient de voorkeur, bijvoorbeeld: *kwaliteit van het verhaal, aanpassing in (van) de software.*

*Bovenmatig, gelijkmatig, middelmatig* zijn geen germ.: het zijn geen afleidingen op -*matig*, maar op -*ig* (*middelmatig* is niet afgeleid van *middel*, maar van *middelmaat*).

**maximaal-** Samenstellingen met *maximaal* zijn germ. als ze als één woord worden geschreven: *maximaalbedrag, maximaalhoeveelheid, maximaaltemperatuur*. Correct is: *maximumbedrag/maximaal bedrag, maximumtemperatuur/maximale temperatuur*. ➤ maximum.

**maximum** Samenstellingen met *maximum* schrijven we als één woord: *maximumeis, maximumloon, maximumprijs*. Als er na *maximum* een samenstelling volgt, waardoor er een minder gebruikelijke combinatie ontstaat, is los schrijven mogelijk: *maximum bedrijfswinst*. ➤ maximaal-.

**mediëvalcijfers** ➤ cijfers.

**medio** *Het boek verschijnt medio april.* Vlotter is: *midden april, half april.*

**meebrengen** *Met zich meebrengen*. Eigenlijk een contam. van *met zich brengen* en *meebrengen*. Beide vormen worden tegenwoordig gebruikt. *Met zich meebrengen* komt het meest voor. Met *zich brengen* is een (ingeb.) germ. voor *meebrengen*.

**meedelen** Iets bekend maken wat de ander moet weten. *Wij delen u mee dat het bedoelde boek is uitverkocht. Meedelen* is vlotter dan *mededelen*.

Onjuist is: *Tot onze spijt delen wij u mee …* Hier staat dat wij het jammer vinden dat wij iets meedelen. Het moet zijn: *Tot onze spijt moeten wij u meedelen …* ➤ attent maken op. berichten.

Voor de veelgebruikte zinswending *Hierbij delen wij u mee* ➤ hierbij.

**meer** *Meer beroemd, meer bekend* enz. Angl. of gall. voor *beroemder, bekender*.

*Meer* wordt ook gebruikt als er twee eigenschappen van één persoon of zaak worden vergeleken: *Hij is meer slim dan intelligent. Deze tafel is meer hoog dan breed.*

*Dit boek is tweemaal duurder dan deze cd.* Gall. voor *… tweemaal zo duur als.*

**meer** *Zonder meer*. Ingeb. germ. voor *zomaar, voetstoots, zonder nadere verklaring.*

**meer-** Enkele samenstellingen die als eerste lid *meer-* hebben, zijn ingeb. germ.: *meerkosten* (hogere kosten, bijkomende kosten), *meeropbrengst* (hogere opbrengst), *meerverbruik* (groter verbruik), *meerwaarde* (hogere waarde, overwaarde), *meerprijs* (bijbetaling, toeslag).

**meer en meer** *Je ziet meer en meer dat …* Ingeb. angl. voor *… steeds meer, hoe langer hoe meer.*

**meer of minder** *Het orkest gaf een meer of minder geslaagde uitvoering van …* Angl. voor *min of meer*. In de volgende zin is *meer of minder* correct: *Diverse auteurs hebben meer of minder uitvoerig over dit probleem geschreven* (de ene auteur uitvoeriger dan de andere).

Ook correct: *Hij kijkt niet op een borrel meer of minder.*

**meerdere** *Hij heeft meerdere medailles*. Ingeb. germ. voor *verschillende, verscheidene, meer* *(dan één), diverse. Meerdere malen* moet zijn: *meermalen* of *verschillende/verscheidene malen.* Correct is: *Hij is mijn meerdere* (= superieur). Ook *iemands meerdere* (in kennis bijvoorbeeld) is juist.

**meerderwaardigheidsgevoel** Minder juist (maar gebruikelijker) dan *meerwaardigheidsgevoel.* Mogelijk ontstaan onder invloed van *minderwaardigheidsgevoel.*

**meerjarig** *Een meerjarige studie.* Ingeb. germ. voor *meer dan een jaar, jarenlang, veeljarig, voor vele jaren.* ➤ -jarig.

**meermaals** Verscheidene keren, dikwijls. Dit woord is correct, maar *meermalen* is gebruikelijker.

**meermalig** Germ. voor *herhaald.*

**meervoud/enkelvoud** ➤ enkelvoud/meervoud (van zelfstandig naamwoord). werkwoorden (problemen met werkwoorden).

**meest** *Meest beroemd, meest bekend* enz. Angl. voor *beroemdst, bekendst.* In het Nederlands gebruiken we *-st* voor de overtreffende trap. Soms gebruiken we wél *meest,* namelijk als de normaal gevormde overtreffende trap moeilijk uit te spreken is, vooral bij woorden op *-st* en *-isch: het meest gerust, het meest juist, het meest logisch, het meest praktisch.* Ook om bijzondere nadruk te geven is *meest* mogelijk: *Hier zie je de meest ongewone types lopen.*

Onjuist is natuurlijk: *de meest opzienbarendste.* Dat is dubbel.

**meeste/meesten** ➤ alle/allen.

**mekaar** ➤ elkaar.

**melden** *Hij moest zich bij de politie melden.* Ingeb. germ. voor *zich aanmelden. Aanmelden* doet nu zelfs wat vreemd aan.

**men** Als we *men* veel gebruiken, wordt een tekst onpersoonlijk en dus slecht leesbaar. Meestal is wel aan te geven wie met *men* wordt bedoeld. Dus niet: *Men heeft ons meegedeeld dat ...,* maar: *De commissie, de fabrikant heeft ons meegedeeld dat ...* Wél kan bijvoorbeeld: *Men is er nog niet van overtuigd dat ...* De schrijver gebruikt *men* omdat hij de handelende persoon niet kan noemen of het niet nodig vindt die te noemen.

*Men* is ook te gebruiken om de lijdende\* vorm te vermijden of voor de afwisseling.

Let erop wat met *men* wordt bedoeld: – *men mag aannemen* (= u en ik); – *men heeft toestemming gegeven* (hij of zij). Vermijd *men* in die verschillende betekenissen vlak na elkaar. Niet: *Men mag aannemen dat men daarvoor toestemming heeft gegeven.* ➤ we.

We kunnen *men* soms ook vervangen door *ze: Ze zeggen dat ...* of *je: Wat kun je anders doen dan ...* of *we: We moeten maar aannemen dat ...* of *u: U moet lange zinnen vermijden.* In zakelijke teksten is *je* of *ze* niet gebruikelijk.

*Men diene te bedenken dat ...* Pleon. ➤ wensende wijs.

*Men klopt* enz. is een gall. voor *Er wordt geklopt.*

**menen** *Wij menen te weten dat ...* Deze zinswending wordt weleens afgekeurd, maar er is geen bezwaar tegen, aangezien *menen* betekent: denken, vermoeden, oordelen. Natuurlijk is ook goed: *Wij denken te weten.*

**menig(e)** *Menige stad kan een voorbeeld nemen aan ...* Ouderwets voor *heel wat steden.* Na *menig(e)* komt het zelfstandig naamwoord in het enkelvoud.

**menigte** *Een menigte mensen is of een menigte mensen zijn?* Enkelvoud is gebruikelijk, maar meervoud is ook mogelijk. ➤ aantal.

**mening** *Naar mijn/onze mening. Volgens mijn/onze mening* is een contam. van *volgens mij/ons* en naar *mijn/onze mening. Volgens mijn/onze mening* is niet echt onjuist meer, maar gebruik het liever niet.

**menselijkerwijs** Kan een germ. zijn, maar dat is niet waarschijnlijk. Liever: *menselijk gesproken,* aangezien *menselijkerwijs* stijf aandoet. ➤ -wijs.

**merknaam** Volgens het merkenrecht moet een merknaam in een tekst onderscheiden kunnen worden van een soortnaam. Dikwijls is een beginhoofdletter voldoende, maar ook cursief, vet of helemaal in hoofdletters zijn mogelijkheden. Afgezien van een beginhoofdletter kan de merknaam voorzien worden van het symbool ™ (trademark) of ® (registered). Het symbool ® wil zeggen dat de merknaam is geregistreerd. Het symbool ™ betekent alleen dat het woord waar het betrekking op heeft, als een merknaam wordt beschouwd (het zegt niets over registratie). ➤ tekens.

**merkwaardigerwijs** Kan een germ. zijn, maar dat is niet zeker. Toch liever: *merkwaardig genoeg, vreemd genoeg,* omdat *merkwaardigerwijs* stijf aandoet. ➤ -wijs.

**met** *Met z'n allen/met ons allen.* ➤ allen.

**met name** ➤ naam.

**metterdaad** Door daden, werkelijk. *Hij heeft mij metterdaad getoond mij te willen helpen.* Staande uitdr.

**metterhaast** In haast. Staande uitdr.

**mettertijd** Op den duur. Staande uitdr.

**metterwoon** *Hij heeft zich daar metterwoon gevestigd.* Hij heeft daar zijn vaste woonplaats gekozen. Staande uitdr.

**met vriendelijke groet(en),** ➤ groet(en).

**met wie/waarmee** Als het om personen gaat, is er nog enige voorkeur voor *met wie: De vrouw met wie ik gesproken heb.* Als het om dieren of zaken gaat, gebruiken we *waarmee: Dat is een opmerking waarmee je heel voorzichtig moet zijn.* ➤ waar-.

**micron (μ)** ➤ tekens.

**middel** *Door middel van.* Met behulp van, door gebruik te maken van. Kan uitsluitend voor zaken worden gebruikt. *Door middel van een breekijzer forceerde de inbreker de deur.* (Vlotter is: *Met een breekijzer ...*) ➤ bemiddeling (door bemiddeling van). middels.

**middel-** Samenstellingen met *middel-* (*middelgroot, middelzwaar, middellang*) zijn ingeb. germ. voor *middelmatig groot, zwaar, lang.*

**middels** *U kunt zich middels dit formulier opgeven.* (Ingeb.) germ. voor *door middel van, met behulp van.* Of gewoon: *met.*

**middenin** *Hij liep middenin.* Maar: *Midden in het bos staat een huis.*

**mijn/m'n** ➤ m'n.

**mijne/mijnen** ➤ alle/allen.

**Mijne heren,** Ouderwetse aanhef boven een brief. Als de ontvanger van de brief ook een vrouw kan zijn, staat *Mijne heren,* natuurlijk vreemd. Deze vrouwonvriendelijke formulering kan irritatie wekken. We kunnen bijvoorbeeld *Geachte heer/mevrouw, Geachte mevrouw/mijnheer,* of *Geachte mevrouw of mijnheer,* schrijven. ➤ aanhef.

**mijnentwege** Uit mijn naam, wat mij betreft. Staande uitdr.

**mijner** ➤ der.

**mijnerzijds** ➤ -zijds.

**Mijnheer,** In zakenbrieven wordt als aanhef nog steeds vaak *Mijnheer,* gebruikt als de geadresseerde één man is. Minder afstandelijk is *Geachte heer,* eventueel gevolgd door de achternaam van de geadresseerde. Het laatste hangt af van de relatie. ➤ aanhef.

**mijns inziens** Ouderwets voor: *naar mijn mening, volgens mij.* Staande uitdr. ➤ inzien.

**milieugevaarlijk** Ingeb. germ. voor *gevaarlijk, schadelijk voor het milieu.*

**miljard** Samenstellingen met *miljard* schrijven we los: *dertien miljard.* ➤ getallen.

**miljoen** Samenstellingen met *miljoen* schrijven we los: *achtenzestig miljoen.* ➤ getallen.

**minder** *Te minder.* Staande uitdr. Versterkt een negatieve mededeling. *Hij was niet van plan te komen, te minder omdat ...* In plaats van *te minder* wordt vaak *vooral niet, juist niet* gebruikt.

**minimaal-** Samenstellingen met *minimaal-* zijn germ. als ze als één woord worden geschreven: *minimaalbedrag, minimaaltemperatuur.* Correct is: *minimumbedrag/minimaal bedrag, minimumtemperatuur/minimale temperatuur.*

**minimum** Samenstellingen met *minimum* schrijven we als één woord: *minimumeis, minimumloon, minimumprijs.* Als er na *minimum* een samenstelling komt, is los schrijven mogelijk: *minimum bedrijfswinst.* ➤ minimaal-.

**minister/ministerie** *minister* wordt met een kleine letter geschreven, ook als de naam van het departement volgt: *de minister van Buitenlandse Zaken.* Ook: *minister-president.* De namen van departementen krijgen een hoofdletter: *het Ministerie van Buitenlandse Zaken, het Openbaar Ministerie.* Maar een kleine letter in: *Een woordvoerder van het ministerie heeft zojuist bekendgemaakt ...*

Voor buitenlandse ministeries geldt dat we *ministerie* met een kleine letter schrijven: het is geen deel van de officiële naam: *Het Franse ministerie van Buitenlandse Zaken heeft bekendgemaakt ...*

**minne** *In der minne schikken.* Tot ieders tevredenheid. Staande uitdr.

**minst** *Ten minste* (twee woorden) betekent op z'n minst: *Hij heeft ten minste twee onvoldoendes. Tenminste* (één woord) betekent *althans: Hij komt niet, tenminste niet vandaag.* ➤ aaneenschrijven.

**minst** *Niet het minst. Wij waren niet het minst geschrokken van die harde knal.* Wij waren enorm geschrokken, misschien wel het meest. Met de zinswending *niet in het minst* wordt het tegenovergestelde uitgedrukt. ➤ minst (niet in het minst).

**minst** *Niet in het minst. Wij waren niet in het minst geschrokken.* Wij waren helemaal niet geschrokken. Niet te verwarren met: *niet het minst.* ➤ minst (niet het minst).

**minstens** Ingeb. germ. voor *ten minste, op z'n minst.*

**minteken** Als minteken wordt meestal een half kastlijntje (–) gebruikent: *56 – 14 = 42.* Een divisie is niet aan te bevelen; een (heel) kastlijntje is lelijk. Voor en na het minteken komt een spatie. Bij *–5* (in *5 – 10 = –5*) geen spatie, want het gaat niet om een bewerkingsteken.

Bij berekeningen komt het minteken – of -/- links van het telstreepje.

**minuut** In tijdsaanduidingen worden minuten met min aangegeven (zonder punt). Volgens het Internationaal Stelsel van Eenheden (SI: Système Internationale) schrijven we 6 uur, 10 minuten en 5 seconden als: *6h10min5s.* Dus zonder spaties. (In andere gevallen heeft de afkorting *min.* een punt.)

Om geografische lengte- en breedtegraden weer te geven, wordt het teken ' (voor minuten) en " (voor seconden) gebruikt. Dus 85 graden, 10 minuten en 45 seconden schrijven we als: *85°10'45".* ➤ gradenteken. seconde. tekens.

**minzaam** *De koningin onderhield zich minzaam met de aanwezigen.* Beminnelijk, vriendelijk, innemend. Wordt vooral tegen een mindere gebruikt. Daarom is *minzaam aanbevelend* onjuist.

**miskennen** Niet naar waarde schatten. *Heel wat kunstenaars worden miskend.* ➤ ontkennen.

**misschien** *Misschien bestaat de mogelijkheid dat we naar Brussel gaan.* Pleon. voor *Misschien (mogelijk) gaan we ...* en *Het is mogelijk dat we ... gaan.*

**missen** *Er missen twee bladzijden.* (Ingeb.) gall./angl. voor *Er ontbreken twee bladzijden.* Mogelijk een contam. van *Er ontbreken ...* en *We missen ...*

**mits** Indien (wel). Nadrukkelijker dan *indien* of *als. We gaan op uw aanbod in, mits u de prijs iets verlaagt.* Niet te verwarren met *tenzij* (= indien niet) en *vermits* (ouderwets, in België gebruikelijk, voor: *omdat, aangezien*). ➤ belgicismen.

**mitsdien** *De vereniging komt geld te kort; mitsdien wordt de contributie verhoogd.* Ouderwets voor: *daarom.*

**m'n/mijn** Gebruik de verkorte vorm *m'n* liever niet. Maar er is geen bezwaar tegen bijvoorbeeld: *Ik liep op m'n hardst.* ➤ apostrof.

**mocht** *Mocht hij ziek worden, dan moet je dokter Jansen waarschuwen.* Na een bijzin van veronderstelling komt *dan.* ➤ dan.

**modewoorden** Er zijn op elk moment wel bepaalde woorden of uitdrukkingen die te pas en te onpas worden gebruikt. Enkele recente modekreten zijn: *tig* (*er staan tig fouten in de tekst*), *een x-aantal, kostenplaatje, achterban, ophoesten, naar de lezer toe.* Probeer ze zo veel mogelijk te vermijden, omdat ze meestal weinig betekenis hebben en omdat ze de lezer kunnen irriteren. ➤ cliché.

**modisch** *Mijn vrouw is altijd heel modisch gekleed.* Germ. voor *modieus, modern.*

**moede** *In arren moede.* Teleurgesteld, verontwaardigd. Staande uitdr. Heeft niets met armoede te maken.

**moedwillig** *De jongens gooiden moedwillig de ruiten van het nieuwe gebouw in.* Met baldadig opzet. De betekenis is dus ongunstig. ➤ opzettelijk.

**moeilijk** Wat alleen met moeite bereikt, volbracht, opgelost kan worden. *Een moeilijke taak, moeilijke omstandigheden.* ➤ moeizaam.

**moeilijke impasse** Pleon., want een impasse is altijd moeilijk.

**moeilijke woorden** ➤ woorden, moeilijke.

**moeizaam** Met grote of voortdurende moeite gepaard gaand. *Moeizame onderhandelingen. Hij liep moeizaam de trap op.* ➤ moeilijk.

**moeten** *Ik denk dat ik langer moet blijven.* Kan betekenen: *verplicht zijn* en *behoren.* ➤ hoeven.

*Het moet gezegd dat ... Het moet vermeld dat ...* (Ingeb.) germ. voor *Het moet gezegd/vermeld worden dat ...*

*Wij hebben gemeend u te moeten kiezen.* Volgens sommigen moet *moeten* vervallen. Er is echter geen bezwaar tegen. De betekenis is: *We vonden dat we moesten kiezen.*

**mogelijk zijn te kunnen** *Het is helaas niet mogelijk op de afgesproken tijd aanwezig te kunnen zijn.* Pleon. voor *Het is niet mogelijk* en *Wij kunnen niet.*

**mogelijkerwijs** Kan een germ. zijn voor *mogelijk, misschien,* maar dat is niet zeker. Gebruik het liever niet, want het is een stijf woord. ➤ -wijs.

**mogen** *Ik moge u verzoeken ... Het moge duidelijk zijn ...* Ouderwetse zinswending voor: *Ik verzoek u* of desnoods: *Mag ik u verzoeken.*

**moleculairgewicht** (Ingeb.) germ. voor *moleculegewicht.*

**mond** *Bij monde van.* Gezegd of voorgelezen door. Staande uitdr.

**monddood** *Iemand monddood maken.* Ingeb. germ. voor *het zwijgen opleggen, beletten zijn bezwaren te uiten, de mond snoeren.*

**mondeling bespreken** Pleon., omdat bespreken altijd mondeling is. *Mondeling* moet dus vervallen. *Mondeling gesprek* is ook een pleon. Als we *niet-telefonisch* bedoelen, is er geen bezwaar tegen.

**monstername** (Ingeb.) germ. voor *monsterneming, het nemen van een monster.* ➤ -name.

**moraal** Zedenleer en zedenles. *De moraal was op een heel laag peil gekomen. De moraal van het verhaal is ...* ➤ moreel.

**moreel** Zedelijke kracht. *Het moreel van de groep was uitstekend. Moraal* is in deze betekenis niet meer onjuist te noemen, maar *moreel* heeft de voorkeur. Ook zedelijk: *Uit morele overtuiging.* ➤ moraal.

**morgen** We kunnen *morgen/'s morgens* en *ochtend/'s ochtends* door elkaar gebruiken. Maar om verwarring met *morgen* (= de dag na vandaag) te voorkomen, wordt soms de voorkeur gegeven aan *ochtend/'s ochtends.*

**motto** Een uitdrukking of citaat boven een tekst die in het kort de bedoeling ervan aangeeft. Komt soms aan het begin van een hoofdstuk voor en is vaak in een kleinere letter gezet.

**munteenheden** Enkele bekende munteenheden met hun afkorting/symbool: Duitse mark (*DM*), Belgische frank, Franse franc, Zwitserse franc en Luxemburgse franc (*F.* of *Fr.*), Italiaanse lire (*L.*), Spaanse peseta (*pta*), Britse pond sterling (£), Europese euro (€), Amerikaanse dollar ($), Noorse, Deense en Zweedse kroon (*kr.*).

Voor de duidelijkheid zet men soms een letter vóór het valutateken: *Bfr.* (Belgische frank), *Ffr.* (Franse franc), *Nkr.* (Noorse kroon), *Zkr.* (Zweedse kroon).

Tussen het guldenteken/euroteken (*f*/€) en het bedrag komt een spatie, maar tussen pondteken (£)/dollarteken ($) en het bedrag komt geen spatie.

Er zijn – vooral voor monetaire teksten – internationale afkortingen van munteenheden. Deze zogenaamde alfacode voor valuta's heeft drie letters. De eerste twee letters vormen een code die uitsluitend aan het land is toegekend. De code is zo veel mogelijk afgeleid van de naam. De derde letter is afgeleid van de naam van de valuta-eenheid.

Hier volgen enkele veelvoorkomende internationale afkortingen:

| | |
|---|---|
| Amerikaanse dollar: *USD* | Europese euro: *EUR* |
| Australische dollar: *AUD* | Finse markka: *FIM* |
| Belgische frank: *BEF* | Franse franc: *FRF* |
| Britse pond: *GBP* | Griekse drachme: *GRD* |
| Bulgaarse lev: *BGL* | Hongaarse forint: *HUF* |
| Canadese dollar: *CAD* | Ierse pond: *IEP* |
| Deense kroon: *DKK* | Iraakse dinar: *IQD* |
| Duitse mark: *DEM* | Italiaanse lire *ITL* |

Japanse yen: *JPY*
Joegoslavische dinar: *YUD*
Luxemburgse franc: *LUF*
Marokkaanse dirham: *MAD*
Nederlandse gulden: *NLG*
Nederlands-Antilliaanse gulden: *ANG*
Nieuw-Zeelandse dollar: *NZD*
Noorse kroon: *NOK*
Oostenrijkse schilling: *ATS*
Poolse zloty: *PLZ*

Portugese escudo: *PTE*
Roemeense leu: *ROL*
Russische roebel: *SUR*
Spaanse peseta: *ESP*
Surinaamse gulden: *SRG*
Tsjechische koruna: *CSK*
Turkse lira: *TRL*
Zuid-Afrikaanse rand: *ZAR*
Zweede kroon: *SEK*
Zwitserse franc: *CHF*

# N

**-n- (tussenletter -n-)** ➤ tussenletters.

**'n/een** Gebruik de verkorte vorm *'n* liever niet. ➤ apostrof.

**naam** *Met name. Met name Jan heeft goed zijn best gedaan.* Bij de naam noemen zodat duidelijk is om wie/wat het gaat. *Met name door de gladde wegen hadden we vertraging.* Steeds vaker wordt *met name* tegenwoordig ook gebruikt voor *vooral, voornamelijk.*

**naamvalsvormen, oude** In onze taal komen nogal wat oude naamvalsvormen voor. Enkele voorbeelden: *te allen tijde, ter plaatse, bij dezen, allerwegen, terzelfder tijd, van koninklijken bloede, van goeden huize.* Ze worden vaak onjuist geschreven. Vermijd ze liever. ➤ staande uitdrukkingen.

**naamwoordstijl** We spreken van naamwoordstijl als er in plaats van werkwoorden veel zelfstandige naamwoorden worden gebruikt die zijn afgeleid van die werkwoorden. Zinnen met meer vervoegde werkwoorden zijn beter leesbaar. Naamwoordstijl is een van de hoofdkenmerken van de zakelijke stijl van rapporten, ambtelijke verslagen, wetenschappelijke artikelen enz. We geven enkele voorbeelden.

Niet: *De werknemers verwachten een stijging van de lonen.* Liever: *... verwachten dat de lonen zullen stijgen (hoger worden).*

Niet: *Door het verstrekken van onjuiste informatie kan uw uitkering in gevaar komen.* Liever: *Als u onjuiste informatie verstrekt, kan uw uitkering in gevaar komen.*

Niet: *We zijn uiteindelijk tot de constatering gekomen dat uitbreiding van het aantal leerlingen niet mogelijk is.* Liever: *We hebben uiteindelijk geconstateerd dat het niet mogelijk is het aantal leerlingen uit te breiden.*

Ook allerlei omschrijvingen kunnen we vaak beter door een werkwoord vervangen: *in beschouwing nemen* (beschouwen), *ten uitvoer brengen* (uitvoeren), *in rekening brengen* (berekenen), *tot ontwikkeling brengen* (ontwikkelen), *in behandeling komen* (behandeld worden; behandelen). Deze omschrijvingen kunnen wel een andere gevoelswaarde hebben dan het werkwoord.

Een bijkomend nadeel van de naamwoordstijl is, dat die soms leidt tot een opeenstapeling van voorzetsels: *uw brief van 16 januari over de beschadiging van de ramen in de loods.* ➤ leesbaarheid.

**naar den vleze** *Het gaat hem naar den vleze.* Zijn zaken gaan goed. Het gaat hem stoffe-lijk (materieel) goed. Staande uitdr.

**naar gelang (van)** Er volgt een zelfstandig naamwoord. *Naar gelang (van) de omstandig-heden.* Ook *al naar gelang* is gebruikelijk. ➤ naargelang.

**naargelang** Naarmate. Er volgt een zin. *Naargelang het later werd, nam de verveling toe.* Wordt ook als twee woorden geschreven. ➤ naar gelang (van).

**naar voren brengen** Ingeb. angl. voor *in het midden brengen, aanvoeren, opmerken, onder de aandacht brengen.*

**naarmate (dat)** *Naarmate (dat) hij meer honger kreeg, werd hij vervelender. Naarmate* kan niet gecombineerd worden met *des te.* Dus onjuist: *Naarmate (dat) hij meer honger kreeg, des te vervelender werd hij.* ➤ hoe ... des te. hoe ... hoe.

**naast** Wordt nogal eens in de betekenis van *behalve* gebruikt. *Naast de ouders waren de kinderen aanwezig.* Dit is niet onjuist, maar let erop dat er geen misverstand kan ontstaan. *Naast een bakkerij heeft hij een slagerij.* Twee winkels naast elkaar? ➤ behalve.

**nachecken** Mogelijk een contam. van *nagaan/narekenen* en *checken.* Er is geen bezwaar tegen. Enkele synoniemen: *vergelijken, controleren, verifiëren, natrekken.*

**nader** *Nader toelichten* is een pleon. *Nader* moet vervallen, behalve als de toelichting pas later is gebeurd.

**-name** Veel woorden die eindigen op *-name* zijn (al of niet ingeb.) germ. Ze kunnen meestal vervangen worden door een vorm op *-ing* (*kennisname – kennisneming*) of een omschrijving met *het* (het kennis nemen).

Ingeb. zijn bijvoorbeeld *afname* (in de betekenis: aankoop, verkoop, afzet; verminde-ring, afneming), *deelname* (rouwbeklag is uitsluitend: *deelneming*)*, overname* (overne-ming), *toename* (stijging, uitbreiding), *stellingname* (positiebepaling, houding, stand-punt), *opname* (foto, band, film; opname van een tijdschriftartikel; opname in een ziekenhuis).

Volgens sommigen zijn ingeb.: *aanname* (veronderstelling, hypothese; aanneming, het aannemen), *afname* (in de betekenis: vermindering, afneming), *inname* (het inne-men, de inneming), *ontslagname* (ontslagneming, het nemen van ontslag).

Niet ingeb. zijn *inachtname* (inachtneming), *inbeslagname* (inbeslagneming), *kennisna-me* (kennisneming), *ingebruikname* (ingebruikneming, het in gebruik nemen).

**namelijk** *Ik neem aan dat hij niet komt. Hij is namelijk ziek. Namelijk* geeft een reden. De spreker gaat ervan uit dat de luisteraar die reden niet weet of niet kon weten. ➤ immers.

**namen** ➤ achternamen.

**namen** *Aardrijkskundige namen.* ➤ aardrijkskundige namen.

**namen van bedrijven e.d.** ➤ eigennamen, schrijfwijze.

**namen van dagen** ➤ dagnamen.

**namen van landen** ➤ aardrijkskundige namen.

**namen van maanden** ➤ maandnamen.

**namen van personen** ➤ achternamen. eigennamen, schrijfwijze.

**namiddag** In België gebruikt voor *middag* (tijd van 12 tot 18 uur). ➤ belgicismen.

**nationaliseren** Tot eigendom van de staat maken. *Gronden nationaliseren.* ➤ naturaliseren.

**nationaliteit** Moet er achter 'Nationaliteit: ...' op een formulier *Nederlands/Belgisch* of *Nederlandse/Belgische* worden ingevuld? Het is gebruikelijk hier *Nederlandse* of *Belgische* in te vullen. We zien het als het antwoord op de vraag *Wat is uw nationaliteit? De Nederlandse.* (Dat 'Nederlandse' de vrouwelijke vorm van 'Nederlander' is, doet daar niet aan af.)

**naturaliseren** Een buitenlander tot staatsburger maken. *Een genaturaliseerde Rus.* ➤ nationaliseren.

**natuurkundige aanduidingen** ➤ afkortingen.

**nauwelijks** *Nauwelijks* betekent oorspronkelijk *net, pas: Ik was nauwelijks thuis of hij kwam.*

*Het zal nauwelijks zijn bedoeling geweest zijn om ...* Ingeb. angl. voor *Het zal waarschijnlijk/toch niet zijn bedoeling geweest zijn om ... Het is nauwelijks toeval dat ... Het zal wel niet toevallig zijn dat ...*

*Nauwelijks* betekent oorspronkelijk *net, pas: Ik was nauwelijks thuis of hij kwam.*

**nauwkeurig** Juist, zorgvuldig, stipt. *Die cijfers zijn nauwkeurig gecontroleerd. Een nauwkeurig onderzoek.* ➤ nauwlettend.

**nauwlettend** Zeer oplettend, opmerkzaam. *Ergens nauwlettend op toezien. Een nauwlettend opzichter. Ik heb hem nauwlettend in de gaten gehouden.* ➤ nauwkeurig.

**navolgeling** Contam. van *navolgen* en *volgeling.*

**navolgende** *Wilt u de navolgende vragen beantwoorden?* Eigenlijk een pleon., want wat volgt, is altijd erna. Niet onjuist, maar liever: *volgende.*

**nawerk** Een globale indeling van de onderdelen van een boek is: voorwerk – eigenlijke tekst – nawerk. Het nawerk is alles wat na de eigenlijke tekst (hoofdstukken) komt. Niet alle boeken hebben een nawerk (romans bijvoorbeeld niet), maar in (populair-)wetenschappelijke werken kan een omvangrijk nawerk voorkomen.

Tot het nawerk behoren onder andere de volgende onderdelen: nawoord*, bijlagen* (appendices; enkelvoud: appendix), samenvatting*, noten*, literatuuropgave*, register(s)*, verantwoording van foto's en dergelijke, inhoudsopgave* (staat meestal voorin), colofon*.

Dit zijn de meest voorkomende onderdelen van het nawerk. Er kunnen er nog meer voorkomen: woordenlijst(en), addenda (aanvullingen), lijst van afkortingen enz. ➤ boek, indeling.

**nawoord** Ingeb. germ. voor *slotwoord, narede, nabericht.*

**nawoord** In het nawoord van een boek kan de auteur iets zeggen over veranderde opvattingen over het onderwerp, speciale problemen vermelden die hij bij het schrijven heeft ondervonden, bepaalde verwachtingen uitspreken enz. Een nawoord heeft meestal dezelfde vorm als een hoofdstuk; het is dan uit dezelfde letter gezet. ➤ boek, indeling.

**N.B.** Het is gebruikelijk de afkorting *N.B.* (nota bene) met hoofdletters en bij voorkeur met punten te schrijven. De tekst erna begint met een hoofdletter: *N.B. Vermijd afkortingen zo veel mogelijk.*

**Nederlands** *Nederlands van P. de Vries* (bijvoorbeeld op de titelpagina van een boek). (Ingeb.) germ. voor *Vertaald door ...* of desnoods: *Vertaling van ...*

**neen** Ouderwets voor: *nee.* ➤ woorden, ouderwetse.

**negatieve woorden** Als een tekst veel negatieve woorden bevat, schaadt dat de leesbaarheid. Voorbeelden: *niet, nooit, geen.* ➤ ontkenningen.

**neigen** ➤ geneigd.

**neme** *Men neme.* Ouderwetse beleefdheidsvorm om een wens of aansporing uit te drukken. Komt vooral in kookboeken voor. ➤ wensende wijs.

**nemen** *Dat neemt veel tijd.* (Ingeb.) angl. voor *Dat kost veel tijd.*

**nemen** *Hij nam mij voor de chef.* Gall. voor *Hij hield mij voor de chef.*

**netto** Samenstellingen met *netto* schrijven we aan elkaar: *nettosalaris, nettogewicht.* Als het tweede deel met een klinker begint, komt er een koppelteken: *netto-ontvangst, netto-opbrengst.* Voor *bruto* geldt hetzelfde.

**neutraliseren** Neutraal, onwerkzaam maken. *De werking van een zuur neutraliseren.* ➤ naturaliseren.

**neven-** Het Nederlandse *neven-* is correct als het een gelijkwaardigheid aangeeft: *nevenstaand, nevenschikking.* Als met *neven-* wordt bedoeld dat het om iets bijkomstigs, iets ondergeschikts gaat, dan is het vaak een (ingeb.) germ. We kunnen *neven-* meestal vervangen door *bij-,* maar soms door andere woorden. Voorbeelden: *nevenbetrekking* (bijbetrekking), *nevenbedoeling* (bijbedoeling), *nevenoorzaak* (bijkomende oorzaak). Ingeb. zijn bijvoorbeeld *nevenfunctie* en *nevenbedrijf.*
Niet ingeb. zijn bijvoorbeeld *nevenkosten* (bijkomende kosten), *nevenomstandigheden* (bijkomende omstandigheden), *nevenverdiensten* (bijverdiensten).
Het is niet altijd zeker wat de betekenis is. *Nevenproduct* is goed als het gaat om een product dat gelijkwaardig is aan een ander. Maar als we *nevenproduct* als het tegen-

gestelde van *hoofdproduct* zien, is het een (ingeb.) germ. Dat geldt ook voor onder andere *nevengebouw.*

**niemand** *Ik vertel het tegen niemand (anders) dan Piet.* Na *niemand* komt bij voorkeur *dan.* ➤ dan/als.

**niet** Het woord *niet* staat soms op een verkeerde plaats. *Vergeet uw formulier niet tijdig in te leveren* moet zijn: *Vergeet niet uw formulier tijdig ... Alle oplossingen zijn nog niet binnen* moet zijn: *Nog niet alle oplossingen zijn binnen. Niet* moet in het algemeen zo dicht mogelijk bij het woord waar het bij hoort. In werkwoorden als *vinden, denken, graag hebben* is er geen voorkeur: *Ik denk niet dat hij komt/Ik denk dat hij niet komt* zijn dus beide goed. ➤ woordvolgorde.

**niet** *Hij wist nog net te voorkomen dat de verkeerde rekening niet zou worden verzonden.* Dubbele ontkenning, aangezien *voorkomen* al betekent: *ervoor zorgen dat het niet gebeurt.* ➤ ontkenningen.

**niet** Samenstellingen met *niet-* krijgen meestal een koppelteken: *niet-roker, niet-gebonden, niet-officieel, niet-ontvankelijk.* Als de combinatie niet als een eenheid wordt beschouwd, gebruiken we geen koppelteken: *Hij voelt zich niet gebonden aan het contract.*

**niet dan na/nadat** *Niet dan na iedereen een hand gegeven te hebben, ging hij weg. Niet dan nadat hij iedereen had bedankt, ...,* Moeizame constructie. Liever bijvoorbeeld: *Nadat hij iedereen een hand had gegeven, ...* of: *Hij ging (pas) weg toen (nadat) hij ...* Als *dan* wordt weggelaten, krijgt de zin een heel andere betekenis.

**niet het minst** ➤ minst (niet het minst).

**niet in het minst** ➤ minst (niet in het minst).

**niet ... noch** *Dat is niet het enige noch het belangrijkste verschil.* Deze zin is niet echt onjuist, maar liever: *Dat is het enige noch het belangrijkste verschil.* Of met wat meer nadruk: *... noch het enige noch het belangrijkste.* ➤ geen ... noch. noch.

**niet zozeer ... als wel ...** *Ik doe dit werk niet zozeer om het geld als wel om de voldoening.* Niet: *dan wel.*

**niets** *Er was daar niets dan ellende.* Na *niets* komt bij voorkeur *dan.* ➤ dan/als.

**niettegenstaande** *Niettegenstaande zijn ziekte is hij gekomen.* Ouderwets voor: *ondanks.* Ook: *Niettegenstaande (dat) hij ziek is geweest, is hij geslaagd.* Ouderwets voor: *hoewel.* Liever niet: *Niettegenstaande ... is hij toch ...* Dat is eigenlijk dubbel. *Toch* kan beter vervallen. Vlotter: *Hoewel hij ziek is geweest, is hij geslaagd.*

**niettemin** Ondanks dat, toch. *Hij was ziek; niettemin is hij gekomen.* Onjuist (een pleon.) is: *Hij was ziek; niettemin is hij toch gekomen. Toch* moet vervallen. Of (en dat is beter): *...; hij is toch gekomen.*

**nietwaar** *Dit is toch duidelijk, nietwaar?* Maar twee woorden in: *Wat hij zegt, is niet waar.*

**nieuw-** Sommige samenstellingen van *nieuw* en een zelfstandig naamwoord zijn oorspronkelijk germ. *Nieuwbouw* is ingeb. voor *nieuwe bouw, nieuwe bebouwing, nieuwe wijk, huizen in aanbouw. Nieuwvorming* is ingeb. voor *neologisme* (= nieuwgevormd woord); ook: *vorming van nieuwe cellen in een lichaamsdeel. Nieuwwaarde* is ingeb. voor *waarde van voorwerpen in nieuwe staat.* Een (ingeb.) germ. is: *nieuwprijs* (prijs van nieuw, oorspronkelijke prijs).

**nieuwe aanwinsten** Pleon., want aanwinsten zijn altijd nieuw. (Dat er sprake kan zijn van tweedehands zaken, doet daar niets aan af.) *Laatste aanwinst* is correct: *laatste* geeft nadere informatie over de aanwinst.

**nieuwe woorden** ➤ woorden, nieuwe.

**nieuwkomer** (Ingeb.) angl. voor *nieuweling, pas aangekomene.*

**noch** Ook niet, ook geen. *Jan noch Piet had dit verwacht.* Het werkwoord het liefst in het enkelvoud, maar meervoud is niet onjuist. Vooral na eenmaal *noch* is meervoud ook mogelijk: *Jansen noch Pietersen hebben het gezien.* Met tweemaal *noch* is de nadruk groter: *Noch Jan noch Piet.* Soms vermijdt het dubbele *noch ... noch* misverstanden. *Mijn baas weet hoe hij zijn mensen moet motiveren noch hoe hij de prijs kan drukken.* De lezer denkt eerst dat de baas zijn mensen kan motiveren, maar met *noch* blijkt ineens dat dit juist niet het geval is. Duidelijk is ook: *... weet niet hoe hij ... noch hoe hij ...*

Tweemaal *noch* wordt wel een gall. genoemd, maar is dat waarschijnlijk niet.

Is het *Noch Jansen noch ik is/ben daar blij mee? Jansen* vraagt een andere persoonsvorm dan *ik.* In dat geval biedt het meervoud de oplossing: *Noch Jansen noch ik zijn daar blij mee.* ➤ zowel ... als.

Als één deel van het onderwerp meervoud is, krijgen we meervoud: *Noch Piet noch zijn vrienden hadden er zin in.*

Liever niet: *Beschermde diersoorten mogen niet gehouden noch verhandeld worden.* Beter: *... mogen (noch) gehouden noch verhandeld worden* of *... mogen niet gehouden of verhandeld worden.*

Onjuist is: *(Noch) Jan noch Piet is niet komen opdagen. Niet* moet vervallen.

**noemer** *Onder één noemer brengen.* Deze uitdrukking wordt weleens onjuist gevonden: je kunt niet iets onder een noemer brengen, maar wel ónder een teller of óp een noemer. In een breuk staat de teller immers boven de deelstreep. Dat is vergezocht; er is geen bezwaar tegen.

**nog** Tot op dit ogenblik. *Ik heb nog geen bericht ontvangen.* Ook: meer, verder, boven het genoemde. *Tegenwoordig gaat het nog slechter met hem.* ➤ noch.

**nog** *Nog eens herhalen.* Contam. van *nog eens zeggen* en *herhalen.* Ook *nogmaals herhalen* en *weer herhalen* zijn onjuist. Er is natuurlijk geen bezwaar als de herhaling voor de tweede keer gebeurt.

**nood** *Van node*. Nodig. Staande uitdr.

**noodgedwongen** Ingeb. germ. voor *door nood ertoe gebracht, omdat het niet anders kan.* ➤ zelfst. naamw. + deelw.

**noodzakelijkerwijs** Kan een germ. zijn voor *noodzakelijk*, maar dat is niet zeker. Gebruik het liever niet, omdat het een stijf woord is. ➤ -wijs.

**nootcijfer** ➤ noten.

**nopen** *Deze maatregelen nopen tot bezinning*. Ouderwets voor: ... *maken bezinning noodzakelijk*.

**normaal-** Samenstellingen met *normaal-* zijn ingeb. germ. Voorbeelden: *normaalblad* (normblad, normalisatieblad, norm), *normaaldruk* (normale druk), *normaalfilm* (film van 35 mm breedte), *normaalformaat* (genormaliseerd formaat), *normaalloon* (standaardloon), *normaalspoor* (spoor van normale breedte).

**normalerwijs** Kan een germ. zijn voor *normaal, normaliter, gewoonlijk, in het algemeen*, maar dat is niet zeker. Het doet wel stijf aan. ➤ -wijs.

**nota nemen** *Wilt u hiervan nota nemen?* Kennis nemen, aandacht schenken, goed onthouden. ➤ notitie nemen.

**noten** In veel (vooral wetenschappelijke) boeken komen noten voor. Ze geven een verklaring, verduidelijking, gegevens over een publicatie enz. Die informatie wordt niet in de gewone tekst opgenomen, omdat dit de aandacht te veel zou afleiden en de tekst te veel zou verbrokkelen.

Ze worden meestal kleiner gezet dan de overige tekst. Als de tekst korps 10 is, zouden de noten korps 8 kunnen zijn.

In de tekst wordt met een asterisk (asterisk*) of nootcijfer (nootcijfer[1]) naar de noot verwezen. Een asterisk is alleen mogelijk als de noot op dezelfde pagina staat. Er komt geen spatie voor de asterisk of het cijfer. Gebruik niet te veel verwijzingen met een asterisk (maximaal drie) op een pagina. (De tweede verwijzing krijgt natuurlijk twee asterisken; de derde drie.) Asterisk en nootcijfer worden superieur* gezet, d.w.z. hoger dan de tekst. Een haakje erachter is ouderwets en meestal onnodig. Als er in de gewone tekst nogal wat superieure cijfers voorkomen (wiskundig werk bijvoorbeeld) kunnen nootcijfers voor de duidelijkheid beter wél een haakje krijgen.

Een niet aan te bevelen (Angelsaksische) methode is het gebruik van verschillende tekens, in een vaste volgorde: asterisk, overlijdensteken ('dagger'), dubbel overlijdensteken ('double dagger'), paragraafteken, alineateken.

Als de noot op een hele zin slaat, komt het nootcijfer of de asterisk ná de punt: *De heer De Vries heeft in een andere publicatie uitvoerig aandacht aan dat onderwerp besteed.*[4] Slaat de noot op het laatste woord, dan eerst het nootcijfer/de asterisk: *In dit boek wordt nogal wat aandacht besteed aan leestekens*.*

De asterisk in de noot zelf is superieur, het nootcijfer is dat meestal niet. Soms wordt de punt na het nootcijfer weggelaten. Tussen nootcijfer/asterisk en noottekst komt een spatie. De tekst van de noot begint altijd met een hoofdletter, zowel na een nootcijfer als na een asterisk.

Als de noten direct betrekking hebben op de tekst (verklarende noten), dan heeft plaatsing onder aan de pagina de voorkeur (voetnoten). Bestaan ze uit bronverwijzingen of literatuuropgaven (verwijzende noten), dan kunnen ze het best verzameld worden en achter in het hoofdstuk of het boek geplaatst. Komen er veel noten voor, dan kunnen die het best ook bij elkaar achterin worden opgenomen, of na elk hoofdstuk. De opmaak is dan veel gemakkelijker, en mooier. Soms komt er meer dan een halve pagina noten in de 'gewone' tekst voor. Dat is niet aan te bevelen. Maar sommigen vinden dat prettiger dan alle noten achterin.

Noten onder aan de pagina plaatsen is duurder dan alle noten achterin. Het opmaken van een pagina met voetnoten erin kost namelijk meer tijd.

Noten worden ook weleens in de marge geplaatst. Dat heeft natuurlijk wel consequenties voor de paginabreedte.

Nummer de noten het liefst per hoofdstuk. Als alle noten bij elkaar achter in de publicatie komen, moeten ze per hoofdstuk van een kopje worden voorzien: *Noten bij hoofdstuk ...*

Als er maar een paar noten zijn, kunnen die het best onder aan de pagina worden gezet. Gebruik dan liever asterisken dan cijfers.* (Soms is het heel goed mogelijk de inhoud van een noot gewoon in de tekst te verwerken.)

Als de noten onder aan de pagina staan, is een extra witregel (of twee) erboven voldoende. Een horizontaal lijntje (nootlijntje) is overbodig. Het is mogelijk om over de hele zetbreedte een dunne lijn (haarlijn) te zetten. Aangezien de noten zich door hun kleinere letter duidelijk van de tekst onderscheiden, is dat niet nodig.

Zijn de noten even groot als de overige tekst, dan is een lijntje (3 à 4 cm) aan te bevelen.

De laatste regel van voetnoten staat altijd helemaal onder aan de zetspiegel, ook als de pagina niet helemaal vol staat met 'gewone' tekst (bijvoorbeeld het eind van een hoofdstuk).

De noten die bij een tabel of figuur horen, komen daar direct onder (en niet onder aan de pagina). Eén noot krijgt een asterisk; meer noten krijgen een cijfer.

Bij noten onder aan de pagina is het (in verband met de ruimtewinst) niet echt

---

* Dit is een voorbeeld van een 'echte' voetnoot, onder aan de pagina dus. De witregel tussen de gewone tekst en de noot – en de kleinere letter – maakt duidelijk dat deze tekst een noot is.

nodig de cijfers vrij te houden; staan ze achterin bij elkaar, dan kan dat beter wel gebeuren. (We spreken van 'vrijhouden' als de tekst van de tweede regel en volgende regels niet voorin – onder het cijfer – begint, maar onder de tekst van de eerste regel.)

Als er tien of meer noten onder elkaar staan waarbij de nootcijfers zijn vrijgehouden, dan moeten de cijfers 1 t/m 9 een positie inspringen. Gebeurt dat niet, dan zou de tekst van noot 9 en van noot 10 niet voorin lijnen.

| Dus niet: | Maar: |
|-----------|-------|
| 9. .... | 9. .... |
| 10. .... | 10. .... |

Het kan voorkomen dat er niet genoeg ruimte voor de noot is, namelijk als de noot-verwijzing in de onderste 'gewone' tekstregel staat. Het heeft geen zin om een of meer tekstregels naar de volgende pagina te verplaatsen, want dan gaat ook de verwijzing naar de volgende pagina. (En dan hebben we ook geen ruimte meer voor die noot nodig.) Als het niet anders kan, kunnen we dit oplossen door de (laatste) voetnoot of het laatste deel daarvan naar de volgende pagina te brengen. We geven dat aan met bijvoorbeeld: 16. Zie volgende pagina. Of desnoods met een klein pijltje (→). Als een noot op de linkerpagina begint en doorloopt naar de rechterpagina, moet het aantal nootregels op beide pagina's het liefst ongeveer gelijk zijn.

Om in noten naar een eerdergenoemde publicatie te verwijzen, worden soms (cursief gezette) afkortingen gebruikt als: *a.w.* (aangehaalde werk), *artikel cit.* (*articulo citato* = in het aangehaalde artikel), *ibid.* (*ibidem* = op dezelfde plaats/bladzijde), *id.* (*idem* = hetzelfde/dezelfde auteur), *loc. cit.* (*loco citato* = op de aangehaalde plaats), *op. cit.* (*opere citato* = in het aangehaalde werk), *t.a.p.* (ter aangehaalder plaatse). Gebruik deze afkortingen liever niet; zeker niet als de kans bestaat dat de lezer ze niet kent. We kunnen dan beter de vermelding herhalen of er op een duidelijker manier naar verwijzen.

In de kopij moeten de noten altijd allemaal bij elkaar worden getypt; zet ze nooit onder aan de pagina.

Op de tekstverwerker worden (superieure) nootcijfers gemaakt met ctrl F8 – 1 grootte – 1 super, of door via 'opmaak' of 'lay-out' en 'lettertype' voor deze zetwijze te kiezen.

**notitie nemen** *Hij nam geen notitie van mijn woorden.* Vluchtig aandacht schenken. Wordt meestal ontkennend gebruikt. ➤ nota nemen.

**nr./no.** Het is niet aan te bevelen *no.* (numero) in plaats van *nr.* te gebruiken.

**NUGI** Afkorting van Nederlandse Uniforme Genre Indeling. Het is een codering (de afkorting *NUGI* gevolgd door drie cijfers) ten behoeve van de boekhandel. De codes zijn in diverse databanken opgeslagen. ➤ CIP.

**nutsbedrijf/openbaar nutsbedrijf** Ingeb. germ. voor *overheidsbedrijf, bedrijf van openbaar nut.*

**nutteloos** Zonder nut, vruchteloos. *Het is nutteloos te proberen hem tevreden te stellen.* ➤ doelloos.

# O

o Hoe een letter met een accent op de tekstverwerker wordt gemaakt, hangt af van het gebruikte programma. Een mogelijkheid is (via 'invoer' of 'invoegen') het gewenste scherm met tekens op te roepen en daarna op het bewuste teken te klikken. Bij andere programma's worden de tekens gemaakt met de alt-toets plus een cijfercode of ctrl v plus een cijfercode. Het zijn:

ó – alt 162/ctrl v 1,59
ò – alt 149/ctrl v 1,65
ö – alt 148/ctrl v 1,63
ô – alt 147/ctrl v 1,61
õ – alt 228/ctrl v 1,83
ø – alt 155/ctrl v 1,81
Ó – alt 224/ctrl v 1,58
Ò – alt 227/ctrl v 1,64
Ö – alt 153/ctrl v 1,62
Ô – alt 226/ctrl v 1,60
Õ – alt 229/ctrl v 1,82
Ø – alt 157/ctrl v 1,80

➤ accenttekens. deelteken. tekens.

o Als uitroep van verschrikking, verbazing, bewondering, verwondering, vreugde enz. gebruiken we liever *o* (kleine letter) dan *oh*.

**ochtend** We kunnen *ochtend/'s ochtends* en *morgen/'s morgens* door elkaar gebruiken. Soms wordt de voorkeur gegeven aan *ochtend/'s ochtends* (om verwarring met morgen (= de dag na vandaag) te voorkomen).

œ ➤ ligatuur. tekens.

**of** Als we twee enkelvoudige woorden met *of* verbinden, staat het werkwoord in het enkelvoud. *De kruidenier of de melkboer zal dit wel verkopen.* Maar: *Zwart of bruin kunnen hiervoor gebruikt worden.* De betekenis is: *en*.

Twee keer *of* na elkaar is niet aan te bevelen in een zin als *Ik weet niet of ik zal gaan of of ik het hem al moet vertellen.* De derde keer *of* weglaten is eigenlijk niet juist; we kunnen dat vervangen door *dat*: *Ik weet niet of ik zal gaan of dat ik het hem moet vertellen.* Om herhaling van *of* te voorkomen, kunnen we ook *dan wel* in plaats van de tweede keer *of* gebruiken: *Ik weet niet of ik zal gaan dan wel of ik het hem moet vertellen.* Een heel makkelijke oplossing is samentrekking: *Ik weet niet of ik zal gaan of het hem moet vertellen.*

Het is een misvatting dat we vóór *of* geen komma zouden mogen schrijven. Als er een pauze is, kan beter wél een komma geplaatst worden. *Wil je nog verder tennissen, of ga je liever naar huis?* ➤ en.

*Ik of jij neem/neemt contact op.* ➤ werkwoorden (problemen met werkwoorden).

**offerte maken** (ingeb.) germ. voor *offerte doen.*

**officieel** Erkend door of uitgaand van het bevoegd gezag, ambtelijk. *Een officieel bezoek, iets officieel meedelen.* ➤ officieus.

**officieus** Niet-officieel, half-ambtelijk. *Officieuze berichten* (niet officieel bevestigd). *Dit is mij officieus meegedeeld.* ➤ officieel.

**ofschoon** Stijver dan *hoewel* of *(ook) al.* Eigenlijk onjuist (pleon.) is: *Ofschoon (hoewel) hij zijn best heeft gedaan, is hij toch gezakt. Toch* kan beter vervallen.

**ofte** Eén woord. Oude vorm van *of.* Wordt nog gebruikt in enkele uitdrukkingen: *nooit ofte nimmer, oftewel.*

**ofwel** Nadrukkelijker dan *of. Ofwel hij heeft vakantie ofwel hij is ziek.* De juiste woordvolgorde is: *hij heeft/hij is.* In plaats van *ofwel* kunnen we ook *óf* (met accent) gebruiken: *We gaan óf naar Amsterdam óf naar Rotterdam.* ➤ of.

**ogenblik** *Op het ogenblik.* Nu, momenteel. *Op het ogenblik hebben wij hier geen behoefte aan.* ➤ tegenwoordig.

**ogenblikkelijk** Dadelijk, onmiddellijk. *Ik wil dat je ogenblikkelijk komt.* Een (ingeb.) germ. is *de ogenblikkelijke toestand* (de huidige, tegenwoordige toestand).

**ogenschijnlijk** Naar de schijn, zonder zekerheid of de indruk juist is. *Hij heeft ogenschijnlijk geen last meer van zijn wond.* ➤ blijkbaar. schijnbaar.

**ogenschouw** *In ogenschouw nemen.* Bekijken, bezichtigen. *De koningin heeft gisteren de tentoonstelling in ogenschouw genomen.* Onjuist is: *We moeten wel in ogenschouw nemen dat hij ziek was.* Moet zijn: *in aanmerking nemen.* ➤ aanmerking.

**ohm** (Ω) Symbool voor elektrische weerstand. ➤ tekens.

**oliegekoeld** Ingeb. germ. voor *door (met) olie gekoeld, met oliekoeling.* ➤ zelfst. naamw. + deelw.

**oliegestookt** Ingeb. germ. voor *met oliestook, met olie gestookt.* ➤ zelfst. naamw. + deelw.

**om** We geven met *om* in de eerste plaats een doel of bestemming aan. *Hij heeft dit huis gekocht om er een kantoor van te maken. Ik heb hem geld gegeven om een boek te kopen.* Als er geen sprake van een doel of bestemming is, kan *om* gerust weggelaten worden: *Het* *is noodzakelijk (om) op tijd te komen. Ik vind het niet verstandig (om) haar alleen te laten over-steken. Vind je het nodig (om) dit kind te plagen?* (In spreektaal wordt *om* in het algemeen vaker gebruikt dan in schrijftaal.)

*Om* is noodzakelijk na de woorden *genoeg, (on)voldoende, klaar, gereed, bestemd, (on)geschikt: Hij heeft genoeg geld om ons te trakteren. Ik vind hem ongeschikt om leiding te geven.*

Na *te* + een bijvoeglijk naamwoord krijgen we *om: Zij is nooit te beroerd om te helpen. Dat is leuk om te weten.* (Na *om* is *te* noodzakelijk; wordt in België soms weggelaten.) ➤ belgicismen.

Gebruik *om* liever niet na woorden die al een doel of bestemming aangeven: *Het was niet mijn bedoeling haar te beledigen. Wij zijn gekomen met het doel u te adviseren.*

Enkele zinnen waarin *om* gebruikt óf weggelaten kan worden:

*Ik vind het heel moeilijk (om) daar niet meer aan te denken. We kijken ernaar uit (om) je weer eens te zien. De voorzitter heeft de heer Jansen gevraagd (om) wat duidelijker te praten. Hij maakt er een gewoonte van (om) te vertrekken als er iemand binnenkomt.* Er is nauwelijks voorkeur, maar soms zijn de formuleringen zonder *om* wat vlotter.

Eigenlijk onlogisch zijn zinnen als: *De fietser verloor de macht over het stuur om in de sloot terecht te komen. De jongen ging in zee zwemmen om er na enige tijd te verdrinken.* Een doel is ondenkbaar! Hier wordt *om* gebruikt om een gevolg aan te geven. Deze constructie wordt niet meer altijd afgekeurd, maar beter is: *... en kwam in een sloot terecht.* Of: *..., waar hij na enige tijd zou verdrinken.*

Kijk uit met een zin als: *Het is niet de bedoeling van deze mensen een reactie te krijgen.* De dubbelzinnigheid verdwijnt door het woord *om: Het is niet de bedoeling om van deze mensen .../Het is niet de bedoeling van deze mensen om ...* In plaats van *om* kan ook een komma gezet worden. *Het is niet de bedoeling, van deze mensen een reactie te krijgen./Het is niet de bedoeling van deze mensen, een reactie te krijgen.*

**om** Kijk uit met de constructie *om de dag, om het uur, om de andere dag, om de twee dagen.* Die wordt soms verkeerd begrepen. Hoewel de meningen hierover verdeeld zijn, ligt het voor de hand om bijvoorbeeld *om het uur* op te vatten als 'om het andere uur' (= eenmaal in de twee uur). *Om de dag* is immers ook duidelijk: *de ene dag wel, de andere dag niet. Om de andere dag* betekent hetzelfde, maar *andere* heeft geen enkele zin. Gebruik voor de zekerheid liever bijvoorbeeld 'eens in de twee uur, dagen, maanden'.

*Om de twee dagen.* De betekenis is: *twee dagen niet, de derde dag wel.* Veel duidelijker is: *eens in de drie dagen.*

Bij een telwoord hoger dan twee bestaat er geen verwarring: *om de vier uur, om de vier weken* (eens in de vier uur, de vier weken).

**ombouw** (Ingeb.) germ. voor *verbouwing* of *verandering van bouw.*

**ombouwen** *Machines, toestellen ombouwen.* Ingeb. germ. voor *verbouwen, veranderen.*

**ombuigen** Ingeb. germ. voor *van richting veranderen, afslaan.* Ook figuurlijk: *een beleid ombuigen.*

**omdat** Geeft een reden aan (*daar, aangezien*). *Omdat het regende, werd de wedstrijd afgelast. Omdat* wordt steeds vaker gebruikt om een oorzaak aan te geven. Dat wordt in de hand gewerkt doordat het verschil tussen reden en oorzaak niet altijd gemakkelijk is. In *Omdat het lang niet had geregend, waren de planten verdroogd* is *omdat* niet meer onjuist te noemen, maar *doordat* heeft nog wel enige voorkeur.

*Doordat* kunnen we uitsluitend voor een oorzaak gebruiken.

Gebruik liever niet: *Dat komt omdat ...* in plaats van: *Dat komt doordat ...* ➤ doordat.

*Omreden* bestaat niet: *Hij kreeg een bekeuring omreden (dat) hij te hard had gereden.* Moet zijn: *omdat.*

**omdopen** Ingeb. germ. voor *herdopen.*

**omgaand** Ingeb. germ. voor *per omgaande.*

**omhaal** *Onnodige omhaal van woorden.* Pleon. *Onnodige* moet vervallen.

**omheen** *Er niet omheen kunnen.* Ingeb. germ. voor *niet kunnen vermijden, negeren, nalaten, onttrekken.*

**omkleden** *Zich omkleden.* Ingeb. germ. voor *zich verkleden. Verkleden* in de betekenis van 'andere kleren aantrekken' wordt soms vermeden in verband met de bijgedachte aan carnaval of een gekostumeerd feest.

**omleggen** *Een weg, een rivier omleggen.* Ingeb. germ. voor *verleggen, omleiden.* Als het om verkeer gaat, spreken we liever van *omleiden.*

**omleggen** *Een dier omleggen.* Germ. voor *doden, neerschieten.*

**omschakelen** Ingeb. germ. voor *overschakelen* (van olie op aardgas), *inrichten naar een nieuwe toestand* (industrie), *aanpassen* (in een nieuwe baan), *met een schakelaar van richting veranderen* (schrijfmachinelint).

**omscholen** *In sommige bedrijfstakken moesten veel vakmensen zich laten omscholen.* Ingeb. germ. voor *herscholen* (= anders scholen), *opleiden voor een ander vak.*

**omslachtig** Te uitvoerig, met veel bijzonderheden. *Hij is altijd heel omslachtig in zijn verhalen.* Heeft een negatieve betekenis. ➤ omstandig.

**omslachtige stijl** ➤ duidelijkheid.

**omslag** Ingeb. germ. (minder gebruikelijk) voor *envelop.*

**omsmelten** Ingeb. germ. voor *opnieuw smelten, oversmelten.*

**omspoelen** *Een film omspoelen.* Ingeb. germ. voor *overspoelen, terugspoelen.*

**omstandig** Uitvoerig, met alle bijzonderheden. *Hij heeft het mij omstandig uitgelegd.* Heeft een positieve betekenis. ➤ omslachtig.

**omtrent** *Wij kunnen u het volgende omtrent hem meedelen.* Ouderwets voor: *over.*

**omvormen** Ingeb. germ. voor *vervormen, van vorm veranderen, omzetten.*

**omwassen** *Kopjes omwassen.* Lijkt een contam. van *omspoelen* en *afwassen,* maar is dat niet. Er is geen bezwaar tegen.

**omwille** Ter wille van. Met het oog op. *Omwille van onze goede relatie zullen wij uw verzoek inwilligen. Omwille van de eenheid wijken we van de regel af.* Staande uitdr. *Omwille van* wordt gevolgd door iets wat je nastreeft, meestal iets positiefs, en kan niet gebruikt worden om een reden of oorzaak aan te geven. Dus niet: *Omwille van het slechte weer zijn we thuisgebleven. Omwille van de slechte resultaten zijn besparingen noodzakelijk.* Moet zijn: *Wegens ..., in verband met.* Wordt vooral in België gebruikt. ➤ belgicismen.

**onafgezien van** *Onafgezien van één zes heeft hij een prima rapport.* Onjuist voor *afgezien van.*

**onbedingd** *Met tachtig punten was hij onbedingd de beste deelnemer.* Germ. voor *absoluut, onvoorwaardelijk.*

**onbeduidend** Onbelangrijk, onbetekenend. Er is geen bezwaar tegen dit woord. *Beduidend* is een ingeb. germ. voor *aanzienlijk, belangrijk* in: *een beduidende winst.* In een zin als *De winst was beduidend* wordt soms nog wel bezwaar gemaakt tegen *beduidend.* ➤ beduidend.

**onbehagen** Ingeb. germ. voor *misnoegen, ongenoegen.*

**onbenut** *Hij laat geen gelegenheid onbenut om ...* Ingeb. germ. voor *ongebruikt.* ➤ benutten.

**onbestemd** *Een onbestemd gevoel.* (Ingeb.) germ. voor *vaag, onzeker, onbepaald.*

**onbezorgd** Geen zorgen hoevend te hebben, onbekommerd. *Een onbezorgde oude dag.* ➤ zorgeloos.

**ondanks** In een zin met *ondanks* moet *toch* vermeden worden. Anders is het een pleon. Niet: *Ondanks zijn ziekte is hij toch gekomen.*

Vermijd *ondanks dat* in: *Ondanks dat hij zijn best heeft gedaan, is hij gezakt.* Liever: *Hoewel (ofschoon) ...* of: *Al heeft hij zijn best gedaan, hij is gezakt.*

Ook niet mooi: *Ondanks het feit dat ...* Liever: *Hoewel (ofschoon) ...* of: *Al ...* ➤ al.

Onjuist is: *Ondanks hij ziek was, is hij gekomen.*

**ondenkbeeldig** Contaminatie van *ondenkbaar* en *denkbeeldig.* ➤ denkbeeldig.

**onder andere(n)** We gebruiken *onder andere* voor niet-personen. *Op de tentoonstelling hebben we onder andere honden en katten gezien.* Voor personen gebruiken we *onder anderen: Onder anderen Mozart, Beethoven en Liszt hebben pianoconcerten geschreven.*

Een formulering met *onder andere* moet niet gecombineerd worden met *en dergelijke (e.d.), enzovoort (enz.)* of *etcetera (etc.).* Dat is dubbel. Aan *onder andere* is al te zien dat de opsomming niet compleet is. Hetzelfde geldt voor *bijvoorbeeld.*

*De verhalen zijn onder anderen geschreven door .../geschreven door onder anderen ...* Beide vormen zijn correct, met enige voorkeur voor de eerste. ➤ woordvolgorde.

Er wordt weleens de voorkeur aan *onder anderen* voor personen gegeven, en aan *onder meer* voor zaken; ze zijn door elkaar te gebruiken.

**onder ede** Staande uitdr.

**onder meer** Betekent *onder andere(n), ook.* Twee woorden. ➤ onder andere.

**onderaan** *De noten staan onderaan.* Eén woord. Maar: *De noten staan onder aan de pagina.* Tegenwoordig wordt *onderaan* ook als voorzetsel gebruikt: *onderaan de pagina.*

**onderbouwen** *Zijn voorstel was onvoldoende onderbouwd.* Ingeb. germ. voor *steunen, een stevige grondslag geven.*

**onderdeel uitmaken** *Zijn plan maakt onderdeel uit van ...* Cont. van *maakt deel uit van* en *is een onderdeel van.*

**ondergaan** *De zon gaat vandaag om 18.05 uur onder* (= óndergaan). *Hij ondergaat het onderzoek geduldig* (= ondergáán). ➤ werkwoorden (scheidbare/onscheidbare).

**ondergetekende** *Ondergetekende deelt u mee dat ...* Heel ouderwets. Als de schrijver zich met *ondergetekende* aankondigt, moet hij overigens steeds *hij* gebruiken: *Ondergetekende deelt u mee dat hij ... In verband daarmee verzoekt hij u ...* Vermijd *ondergetekende.*

**onderhands/ondershands** Niet in het openbaar. *Onderhands* is een bijvoeglijk naamwoord: *een onderhandse verkoop. Ondershands* is een bijwoord: *iets ondershands verkopen.*

**onderhavig** *(In) het onderhavige geval.* Oorspronkelijk een germ. voor *bedoeld, genoemd, bewust, besproken.* Is ingeb., maar doet ouderwets aan.

**onderkast** Typografische naam voor kleine letter. Onderkastletters kunnen gezet worden in cursief*, vet*, gespatieerd (➤ spatiëren) en romein* (normaal rechtopstaand). (Kapitalen* zijn hoofdletters.)

**onderlijnen** Gall. voor (figuurlijk en letterlijk) *onderstrepen, de nadruk leggen op.* Vooral in België gebruikt. ➤ belgicismen.

**ondernemingen (schrijfwijze)** ➤ eigennamen, schrijfwijze.

**ondernemingsvormen** (N.V., B.V. enz.) ➤ afkortingen. hoofdletters.

**onderschrift** ➤ bijschriften.

**onderstaand** *Onderstaand vindt u een overzicht van ...* Deze zinswending is eigenlijk onjuist, want *onderstaand* kan ook op *u* slaan. Er wordt niet veel bezwaar meer tegen gemaakt, maar beter is: *Hieronder vindt u ...* of: *In het onderstaande ...* (het is noodzakelijk). Hetzelfde geldt voor: *Bijgaand* ontvangt u ... Ingesloten* sturen wij u ... Bovenstaand* geven we enkele voorbeelden.* De genoemde woorden zijn *hierbij, hierboven* enz. gaan betekenen. Gebruik ze liever niet in de bedoelde betekenis.

**onderstellen** Ouderwets voor *veronderstellen. Veronderstellen* is oorspronkelijk een contam. van *vermoeden* en *onderstellen,* maar is nu veel gebruikelijker. *Vooronderstellen* (er van tevoren van uitgaan dat ...) doet ook ouderwets aan.

**onderstrepen** Ingeb. gall. voor *de nadruk leggen op, beklemtonen, wijzen op, bekrachtigen.*

**onderstrepen** We kunnen woorden accentueren door ze te onderstrepen (óók de spaties en de leestekens). In gedrukte tekst komen onderstrepingen niet zoveel voor. Meestal worden andere middelen gebruikt om woorden te accentueren, vooral cursief*, en ook wel vet*. Andere mogelijkheden (maar niet aan te bevelen) zijn onder andere kleinkapitaal*, kapitaal* en spatiëren*.

Woorden die in kopij* of in een drukproef onderstreept zijn, worden in het algemeen cursief gezet. Twee strepen eronder betekent: kleinkapitaal. En drie strepen wil zeggen: kapitaal. Als onder een woord een golflijntje staat, zal dit woord vet worden gezet. Een onderbroken lijn eronder betekent spatiëren. Deze regels zijn genormaliseerde afspraken, waaraan de meeste drukkerijen zich houden.

————————— = cursief

═══════════ = kleinkapitaal

≡≡≡≡≡≡≡≡ = kapitaal

〜〜〜〜〜〜 = vet

‑ ‑ ‑ ‑ ‑ ‑ ‑ ‑ = spatiëren

Voor onderstrepen van leestekens ➤ accentueren.

Hoe onderstreepte tekst op de tekstverwerker wordt gemaakt, hangt van het tekstverwerkingsprogramma af. Enkele mogelijkheden zijn de toets F8, of door te klikken op het symbool 'U' (underline = onderstrepen) (of ctrl + U).

**ondertekening (brief)** Zakelijke brieven worden meestal beëindigd met *Hoogachtend,* of *Met vriendelijke groet(en),.* Daaronder komt eventueel de naam van het bedrijf, instelling e.d., gevolgd door 3 à 4 witregels. Daaronder komt de naam van de ondertekenaar (zonder 'de heer'!). Als geen voornaam maar voorletters worden gebruikt, kunnen vrouwen het best *mevr.* voor hun naam zetten. (*Mej.* wordt niet meer gebruikt.) Anders kan de geadresseerde niet weten of het om een man of vrouw gaat. Bij beantwoording van de brief kan dat tot misverstand leiden. Aan de naam kan de functie worden toegevoegd.

Als de relatie niet strikt zakelijk is, doet *Met vriendelijke groet(en)* plezieriger aan. De opvatting dat de enkelvoudige vorm (*groet*) beter is, is onjuist.

Gebruik liever niet én *Hoogachtend* én *Met vriendelijke groet(en)* afzonderlijk. Een formulering als *Met vriendelijke groeten en hoogachting,* is mogelijk, maar gebruik die liever niet. ➤ groeten.

**ondertitel** Een verduidelijkende toevoeging aan de titel van een boek, die wat langer dan de titel kan zijn. De hoofdtitel is bijvoorbeeld: *Stijlwijzer.* De ondertitel is:

*Praktische handleiding voor leesbaar schrijven.* Soms maken korte titels niet duidelijk waarover de tekst gaat. De ondertitel doet dat wél, en zou dan ook op zichzelf als titel kunnen fungeren.

**onderwerp** *Ons gesprek had de bezuinigingen tot onderwerp.* Het onderwerp is de zaak waaraan men denkt, waarover men spreekt of schrijft. Een gesprek, brief, rapport, contract of bespreking heeft iets tot onderwerp. *Voorwerp* is hier onjuist. Een voorwerp is datgene waarop ons gevoel of onze geest is gericht: *een voorwerp van studie, van onderzoek, van liefde.*

**onderwijl** Lijkt een contam. van *ondertussen* en *terwijl,* maar het is een heel oud woord. Niet onjuist dus, maar ouderwets.

**onderzoeken op** *Melk onderzoeken op het vetgehalte.* Wordt wel een germ. genoemd voor bijvoorbeeld *het vetgehalte onderzoeken* of *onderzoeken op de aanwezigheid van ...* Het kan ook een verkorting zijn van: *onderzoeken met het oog op.* Er is geen bezwaar tegen.

**onduidelijkheid** ➤ duidelijkheid.

**ongeacht** *Ongeacht de bezwaren kom ik morgen.* Ingeb. germ. voor *ondanks, afgezien van, daargelaten.*

**ongelukkigerwijs** Kan een germ. zijn, maar dat is niet zeker. Liever bijvoorbeeld: *door een ongeluk, ongelukkig genoeg, helaas. Ongelukkigerwijs* doet stijf aan. ➤ -wijs.

**ongerechtigheid** Onvolkomenheid, verontreiniging. *Er zaten nog een paar ongerechtigheden in ...* ➤ onrechtmatigheid.

**ongeregeldheden** Ordeverstoringen, wanordelijkheden, rellen. *Tijdens de vergadering hebben zich enkele ongeregeldheden voorgedaan.* ➤ onregelmatigheden.

**ongeveer** Combineer *ongeveer* niet met *schatten* of *ramen.* Niet: *De winst werd geschat op ongeveer ...* Ook onjuist: *Er waren ongeveer 50 à 60 mensen op het feest.* Dus óf *ongeveer 50 (60)* óf *50 à 60.*

**ongevoelig** Geen gevoel hebbend (figuurlijk). *Hij is ongevoelig voor een grote mond.*

**ongezeglijk** Ongehoorzaam, weerbarstig. *De kinderen waren vandaag ongezeglijk.* ➤ ontegenzeglijk.

**onhebbelijkheid** Onaangenaamheid, lompheid. *Ik heb me flink kwaad gemaakt over zijn onhebbelijkheid. Hebbelijkheid* is niet het tegengestelde! ➤ hebbelijkheid.

**onkosten** *Hij heeft heel wat onkosten aan zijn huis.* Onkosten zijn meestal gedwongen kosten, die betaald moeten worden zonder dat men daar direct plezier van heeft. ➤ kosten.

**onlangs** *Ik heb hem pas onlangs gezien. Pas onlangs* is een tautologie\*; een van beide woorden moet dus vervallen.

**onmeedogenloos** Contam. van *onmeedogend* en *meedogenloos* (betekenen beide: *zonder medelijden).*

**onnodige omhaal** Pleon.: *omhaal* is altijd onnodig.

**onomwonden** *Iemand onomwonden de waarheid zeggen.* Ingeb. germ. voor *ronduit, onver-bloemd, openlijk.*

**ononderbroken** Ingeb. germ. voor *onafgebroken, zonder ophouden, onophoudelijk, zonder onderbreking.*

**onontkomelijk** Contam. van *onontkoombaar* en *onvermijdelijk.*

**onpersoonlijk** ➤ persoonlijke stijl.

**onrechtmatig** In strijd met recht en billijkheid. *Onrechtmatige daad/eis. Zich iets onrecht-matig toe-eigenen.*

**onrechtmatigheid** Iets wat bij de wet verboden is. *De boekhouder is van een aantal onrechtmatigheden beschuldigd.* ➤ ongerechtigheid.

**onregelmatigheden** *Er bleken heel wat onregelmatigheden voorgekomen te zijn.* Geknoei, vervalsingen, fraude. ➤ ongeregeldheden.

**ons inziens** Naar onze mening, volgens ons. Beter: *onzes inziens.* Beide vormen doen stijf aan. Gebruik ze liever niet.

**ontdekken** *Columbus heeft Amerika ontdekt. Ontdekken* heeft betrekking op iets wat al bestond. Ook: *Newton heeft de wet van de zwaartekracht ontdekt.* ➤ uitvinden.

**ontegenzeglijk** Onweerlegbaar, onbetwistbaar. *Hij heeft ontegenzeglijk gelijk.* ➤ ongezeg-lijk.

**onterecht** *Zijn verwijt was onterecht. Hij is onterecht gestraft.* Liever: *niet terecht, ten onrechte.* Tegen *onterechte beschuldiging* enz. is geen bezwaar.

**onthouden** *Wilt u mij helpen onthouden dat* ... *Iemand helpen onthouden* is eigenlijk niet mogelijk. Dat geldt ook voor: *Wilt u mij eraan helpen denken* ... Liever: *Wilt u mij eraan herinneren* ... ➤ herinneren.

**ontkennen** Beweren of laten blijken dat iets niet zo is. *Hij ontkende de inbraak gepleegd te hebben.* ➤ miskennen.

**ontkenningen** We maken een zin ontkennend door *niet, geen* en *nooit. Hij is niet gegaan. Hij heeft geen zin. Zij weet nooit iets.* Als we veel ontkenningen in een tekst gebruiken, gaat dat ten koste van de leesbaarheid.

Een voorbeeld: *Wij zullen niet ontkennen dat het onwaarschijnlijk is dat er in het verleden nooit een fout is gemaakt.* Directer is: *Wij geven toe dat er in het verleden waarschijnlijk wel-eens een fout is gemaakt.*

Een ander voorbeeld: *De waarde van de bedrijfsgezondheidszorg kan nooit optimaal zijn als er geen samenwerking bestaat tussen werknemer en werkgever.* Liever: *De waarde van de bedrijfsgezondheidszorg kan alleen optimaal zijn als* ...

Positieve formuleringen maken een tekst prettiger leesbaar. Dus in plaats van *Kom niet te laat* liever: *Kom op tijd.* En *Het is niet te hopen dat hij zakt* kunnen we beter vervangen door: *Het is te hopen dat hij slaagt.*

Het is onmogelijk om alle ontkenningen op een positieve manier te formuleren. Dat is ook niet nodig, maar gebruik ze met mate.

Let vooral op dubbele ontkenningen. Zowel *nooit* als *niet/geen* heeft een negatieve betekenis. Als beide woorden in één zin voorkomen, heffen ze elkaar op. De zin krijgt dan een bevestigende betekenis: *Hij heeft nooit geen* (is: altijd) *zin om te studeren.* Dergelijke zinnen komen vrijwel alleen in de spreektaal voor.

Enkele werkwoorden hebben een negatieve betekenis: *ertegen waken, beletten, ontkennen, verbieden, voorkomen* enz. In de verboden handeling zelf mag niet nóg een ontkenning voorkomen. Onjuist is dus: *Hij deed dat om te voorkomen dat het meisje niet zou struikelen. Niet* moet vervallen.

Ook ontkennende woorden als *evenmin* en *noch* leiden samen met een ander ontkennend woord tot een dubbele ontkenning. *Evenmin als zijn vader heeft hij geen baard. Geen* moet *een* zijn.

Correct zijn dubbele ontkenningen als: *een niet onbelangrijk aanbod.* Ze geven een voorzichtige bevestiging. Maar een positieve formulering heeft meestal de voorkeur.

**ontlenen** *Deze passage is ontleend uit het boek ...* Contam. van *ontlenen aan* en *overnemen uit.*

**ontoerekeningsvatbaar** Ingeb. germ. voor *ontoerekenbaar.* We zeggen meestal: *De moord is ontoerekenbaar, de moordenaar is ontoerekeningsvatbaar.*

**ontploffingsgevaarlijk** (Ingeb.) germ. voor *ontploffingsgevaar opleverend.* ➤ -gevaarlijk.

**ontslagname** (Ingeb.) germ. voor *ontslagneming.* ➤ -name.

**ontvangst** *De ontvangst van een brief bevestigen. Erkennen* is in dit verband een angl.

**ontvang(st)bewijs** Ingeb. germ. voor *bewijs van ontvangst.*

**ontwaarding** Ingeb. germ. voor *waardevermindering, devaluatie, inflatie.* Ook *ontwaarden* is een ingeb. germ.

**onverantwoord** Ontoelaatbaar, niet te verantwoorden. *Ik vind deze aankoop onverantwoord.* ➤ verantwoord.

**onverantwoordelijk** Waarvoor men zich niet verantwoorden kan, onvergeeflijk. *Onverantwoordelijke roekeloosheid.* ➤ verantwoordelijk.

**onverlet** *Hun bevoegdheid moet in elk geval onverlet blijven.* Ouderwets voor: *... moet in elk geval onaangetast blijven.* Of gewoon: *... mag niet worden aangetast.*

**onverrichter zake** Zonder het doel bereikt te hebben. Staande uitdr.

**onverwacht/onverwachts** Niet verwacht. *Onverwacht* is een bijvoeglijk naamwoord: *onverwacht bezoek. Onverwachts* is een bijwoord: *Zij kwamen totaal onverwachts. Onverwachts* wordt ook wel als bijvoeglijk naamwoord gebruikt in de betekenis: plotseling, zonder erop voorbereid te zijn: *een onverwachts bezoek.* Beide vormen worden steeds vaker door elkaar gebruikt.

271

**onverwijld** Ouderwets voor: *onmiddellijk.*

**onwettelijk** ➤ wettelijk.

**onwettig** ➤ wettig.

**onwillekeurig** Onopzettelijk, zonder erbij te denken. *Hij moest onwillekeurig lachen.* Niet het tegengestelde van *willekeurig.* ➤ willekeurig.

**onze heer Jansen** *Morgen zal onze heer Jansen u bezoeken.* Vreemde zinswending, die beter vermeden kan worden. Beter: *Morgen zal de heer Jansen (van ons bedrijf) u bezoeken.*

**onze/onzen** ➤ alle/allen.

**onzer** ➤ der.

**onzerzijds** ➤ -zijds.

**onzes inziens** Volgens ons, naar onze mening. Steeds vaker wordt gebruikt: *ons inziens,* dat minder juist is. Beide vormen zijn ouderwets. ➤ inzien.

**onzijdig** ➤ geslacht.

**oog** *Met het oog op.* Vage uitdrukking. *Met het oog op diefstal moet u ...* Beter: *Om diefstal te voorkomen, moet u ...* ➤ duidelijkheid.

**oogpunt** *Uit het/een oogpunt van ...* Vage uitdrukking. Voorbeeld: *Uit een oogpunt van economie is het aan te bevelen ...* Beter: *In economisch opzicht ...* of: *Het is economisch gezien ...* ➤ duidelijkheid.

**ooit** *Hij is een van de snelste hardlopers ooit.* Weinig fraaie, maar niet onjuiste constructie (een angl.) in plaats van bijvoorbeeld: *Hij is een van de snelste hardlopers die we ooit hebben gehad/die er ooit zijn geweest/aller tijden.*

**ook** *Hetzelfde geldt ook voor jou.* Contam. van *Hetzelfde geldt voor jou* en *Dat geldt ook voor jou.*

**ook** In zinnen met *behalve, naast, tegelijk met* enz. is *ook* overbodig, maar niet onjuist: *Behalve Jan was ook Piet aanwezig. Ook* kan beter vervallen.

**oorzaak** Omstandigheid die ervoor zorgt dat iets (buiten onze wil) gebeurt. *Kortsluiting was de oorzaak van deze brand.* ➤ aanleiding. doordat. omdat. reden.

**oorzaak** *De oorzaak van de aanrijding is te wijten aan onvoorzichtigheid.* Contam. van *De oorzaak is ...* en *De aanrijding is te wijten aan ...*

**opblazen** Ingeb. angl. voor *in de lucht laten springen.*

**opbouw** Ingeb. germ. voor *bouw, structuur, samenstelling* (bijvoorbeeld van een kristal, van de bevolking).

**opbrengen** *De moed, de kracht, het geduld opbrengen.* Ingeb. germ. voor *hebben, tonen.*

**opdat** *We hebben een paar folders gevraagd opdat wij een keuze kunnen maken.* Vlotter is: *om, met de bedoeling, met het doel.* Hoewel *opdat* een doel uitdrukt, kunnen we in plaats daarvan soms *zodat* gebruiken. Dan gaat het meer om het gewenste gevolg: *De agent gaf hem een bekeuring, zodat hij zou begrijpen dat hij een overtreding had begaan.*

**opdelen** Ingeb. germ. voor *delen, verdelen, splitsen, indelen. Opdelen* is vanouds juist als er bedoeld wordt dat er niets overblijft: *Een taart opdelen.*

**opdracht** In een boek kan de rechterpagina na de copyrightpagina gebruikt worden voor een opdracht (dedicatie), waaruit blijkt aan wie het werk is opgedragen, bijvoorbeeld: *Aan mijn ouders.* De achterzijde is in het algemeen blanco. De opdracht wordt ook wel op een andere pagina gezet, bijvoorbeeld op de Franse titelpagina.

**openbaar nutsbedrijf** Ingeb. germ. voor *overheidsbedrijf, bedrijf van openbaar nut.* Ook *nutsbedrijf* (zonder *openbaar*) is een ingeb. germ.

**opereren** *Hij is gewend zelfstandig te opereren.* Ingeb. angl. voor *te werk gaan, ermee werken.*

**opgave** *Van zo'n klein salaris leven is een hele opgave.* Ingeb. germ. voor *(zware) taak, opdracht. Opgave* is vanouds correct in *prijsopgave, rekenkundige opgave, examenopgave.*

**ophanden** *Ophanden zijn.* Te gebeuren staan, binnenkort te verwachten zijn. *Het grote feest is ophanden.* Niet juist is: *Het ophanden feest.* Wel: *Het ophanden zijnde feest.*

**oplage** (Ingeb.) germ. voor *druk, uitgave* (van een boek). Er is geen bezwaar tegen *oplage* in de betekenis: *aantal exemplaren.*

**opleiden** Er zijn verschillende voorzetsels mogelijk: *opleiden voor een examen* en *opleiden tot piloot.*

**opmaak/opgemaakte proef** ➤ drukproef.

**opmerken** Uitspreken wat je denkt, zonder kritiek te uiten. *De voorzitter merkte op dat niet iedereen aanwezig was.*

*Opmerken* betekent ook: waarnemen. ➤ aanmerken. bemerken.

**opname** Ingeb. germ. voor *opneming* (in een ziekenhuis), *publicatie* (in een krant bijvoorbeeld) en *foto, film, cd.* ➤ -name.

**opnemen** *Een kwestie met iemand opnemen, contact opnemen.* Ingeb. germ. voor *bespreken met, contact zoeken met.*

**opnieuw** *Hij is gisteren weer opnieuw met zijn cursus begonnen. Weer opnieuw* is een pleon. voor *weer* of *opnieuw.* ➤ overnieuw.

**oppassen voor** Ervoor zorgen dat iets wat ongewenst is, niet gebeurt. *Pas ervoor op dat dit gebeurt.* Niet: *... dat dit niet gebeurt.*

*Pas op voor die fietser.* Betekent: *Kijk uit voor ...* Onjuist is in deze betekenis: *Pas op die fietser.* Dat is een contam. van *Pas op voor ...* en *Let op ...*

**opsomming** De delen van een opsomming scheiden we door een komma. Vóór het laatste deel komt alleen *en* (en geen komma): *Ze verkochten appels, peren, tomaten en komkommers.* Als de delen van een opsomming wat langer zijn, kan beter een puntkomma gebruikt worden.

We kunnen lange opsommingen overzichtelijker maken door elk deel op een nieuwe regel te beginnen, met een streepje, letter of cijfer ervoor.

Een voorbeeld:

*Enkele veelvoorkomende stijlfouten zijn:*
1. *Contaminatie. Dit is het verschijnsel dat twee woorden of uitdrukkingen met gelijke of bijna gelijke betekenis door elkaar worden gehaald.*
2. *Pleonasme. Hieronder verstaan we het verschijnsel dat nogmaals wordt gezegd wat al in een ander woord ligt opgesloten.*
3. *Tautologie. Dat is het verschijnsel dat twee woorden met dezelfde betekenis in één zin voorkomen.*

De indelingstekens (1, 2, 3, a, b, c, streepjes of bolletjes) worden bij voorkeur vrijgehouden (de tweede regel springt dan in); de onderverdeling van zo'n opsomming valt dan beter op. (De punt wordt soms weggelaten; een haakje in plaats van een punt is niet aan te bevelen.)
Een andere mogelijkheid is de indelingstekens niet vrij te houden, en de tweede en volgende regel dus niet te laten inspringen:

*Enkele veelvoorkomende stijlfouten zijn:*
a. *Contaminatie. Dit is het verschijnsel dat twee woorden of uitdrukkingen met gelijke of bijna gelijke betekenis door elkaar worden gehaald.*
b. *Pleonasme. Hieronder verstaan we het verschijnsel dat nogmaals wordt gezegd wat al in een ander woord ligt opgesloten.*
c. *Tautologie. Dat is het verschijnsel dat twee woorden met dezelfde betekenis in één zin voorkomen.*

Een derde mogelijkheid is de indelingstekens vrij te houden, en ze buiten de zetspiegel te plaatsen:

*Enkele veelvoorkomende stijlfouten zijn:*
– *Contaminatie. Dit is het verschijnsel dat twee woorden of uitdrukkingen met gelijke of bijna gelijke betekenis door elkaar worden gehaald.*
– *Pleonasme. Hieronder verstaan we het verschijnsel dat nogmaals wordt gezegd wat al in een ander woord ligt opgesloten.*

In plaats van letters, cijfers of streepjes zijn ook (vette) punten 'op halve hoogte' of bolletjes ('bullets') mogelijk. Op de volgende pagina geven we een voorbeeld van elk:

*Doelstellingen van organisaties:*
· *rentabiliteit*
· *winst*
· *productiviteit*
· *omzetgroei*
· *marktaandeel*

*Doelstellingen van organisaties:*
• *rentabiliteit*
• *winst*
• *productiviteit*
• *omzetgroei*
• *marktaandeel*

Een streepje (half kastlijntje of divisie), punt of bolletje ervoor kan alleen als er niet naar een van de delen van die opsomming wordt verwezen. Anders moeten er cijfers of letters gebruikt worden.

Als er een opsomming in een opsomming voorkomt – liever niet! – moet dat duidelijk worden aangegeven, bijvoorbeeld op de volgende manier:

1. ...........................................................................
   ...........................................................................
2. ...........................................................................
   – ....................................................................
   – ....................................................................
   – ....................................................................
3. ...........................................................................
   ...........................................................................
   ...........................................................................

Hier zijn streepjes gebruikt, maar de 'tweede' opsomming kan ook met letters of met bolletjes aangegeven worden.

Als elk onderdeel van de opsomming met een hoofdletter begint, komt er steeds een punt achter. Beginnen de delen van de opsomming met een kleine letter, dan volgt er steeds een puntkomma. Na het laatste deel komt altijd een punt.

De delen van de opsomming moeten alle op dezelfde manier geformuleerd worden. Het volgende voorbeeld is onjuist:

*Het rapport bestaat uit vier delen:*
*1. Inleiding.*
*2. Voorbereiding.*
*3. Praktijk.*
*4. In het laatste deel wordt aandacht besteed aan ...*

Punt 4 zou kunnen zijn: *Advies* of *Conclusie.*

Na een lange opsomming verdient het meestal aanbeveling een witregel aan te houden. Een witregel eronder én erboven kan ook, maar dat is niet gebruikelijk. Het is niet aan te bevelen een witregel erboven te plaatsen maar níét eronder.

Na het voorlaatste onderdeel van een opsomming staat weleens *en.* Dat is overbodig in een opsomming waarvan de delen onder elkaar staan.

De eerste regel na een opsomming springt meestal niet in.

Bij lange opsommingen kunnen we de cijfers of letters beter niet vrijhouden*. Om die toch te laten opvallen, zouden we ze cursief kunnen zetten. Een andere mogelijkheid is een witregel tussen de delen van de opsomming te plaatsen.

**opsplitsen** Eigenlijk een contam. van het ingeb. germ. *opdelen* en *splitsen.* Er is geen bezwaar meer tegen.

**opstarten** Eigenlijk een contam. van *starten* en *op gang brengen.* Kan ook een ingeb. angl. zijn voor *aanzetten, in werking stellen, aan de gang brengen, starten.* Geldt voor installaties én activiteiten. Er is geen bezwaar meer tegen.

**optelstreep** ➤ bedragen. telstreep.

**optimaal** Zo goed mogelijk. *Zo optimaal mogelijk* is eigenlijk een contam. van *zo goed mogelijk* en *optimaal.* Tegenwoordig heeft *optimaal* ook wel de betekenis: *goed.* Daarom is *zo optimaal mogelijk* niet meer echt onjuist te noemen. Maar liever niet: *optimaler* en *het meest optimaal.*

**opvoeren** *Een post op een rekening opvoeren.* Ingeb. germ. voor *bijschrijven, vermelden.*

**opvoeren** *De productie opvoeren.* Ingeb. germ. voor *uitbreiden, vergroten, verhogen.*

**opvolgen** *Heeft opgevolgd* betekent *heeft voldaan aan, is nagekomen: Hij heeft mijn bevel opgevolgd. Is gevolgd* betekent *in iemands plaats komen: Hij is zijn broer als directeur opgevolgd.*

**opzettelijk** *Wij hebben opzettelijk lang gewacht.* Met een bepaalde bedoeling. De betekenis kan gunstig of ongunstig zijn. ➤ moedwillig.

**op zich** Wordt wel een germ. genoemd voor *op zichzelf.* Er is geen bezwaar tegen.

**op z'n mooist/op hun mooist** *De bomen zijn deze maand op z'n mooist/op hun mooist.* Beide vormen zijn juist. ➤ z'n.

**orde** *In goede orde. Wij hebben uw brief in goede orde ontvangen.* Een overbodige mededeling, die in moderne correspondentie niet thuishoort. Correct is: *Voor de goede orde delen wij u mee ...*

**organiseren** *Ons bedrijf organiseert volgende week een groot feest. Organiseren* in de betekenis van *voorbereiden* is een (ingeb.) angl. voor *houden*. Uit de zin moet wel blijken of er sprake is van 'houden' of 'uitschrijven'. ➤ beleggen.

**oud-** Samenstellingen met *oud* in de betekenis van *gewezen* krijgen een koppelteken: *oud-soldaat, oud-student.*

**ouderdom** Tijd dat iemand geleefd heeft of leeft, of iets bestaan heeft of bestaat. (Hoge) leeftijd. *Hij is overleden in de ouderdom van 60 jaar. De ouderdom van een boom.* Voor personen en dieren wordt *leeftijd* gebruikt.

**ouder gewoonte** Zoals iemand gewend is te doen. Staande uitdr.

**ouderwets taalgebruik** ➤ woorden, ouderwetse.

**overbieden** Ingeb. germ. voor *meer, hoger bieden dan een ander.*

**overblijven** *Er blijft een reserve over van ...* Pleon. voor *Er blijft (is) een reserve van ...* en *Er blijft ... over.*

**overbodig** Wie of wat gemist kan worden. *Commentaar is overbodig.*
*Overbodige ballast* is een pleon. (hoewel ballast in de scheepvaart zeker niet altijd overbodig is). Niet: *Al die kennis is maar overbodige ballast.*
*Overbodige luxe* is een pleon.: *overbodige* kan beter vervallen. ➤ overdadig. overtollig. overvloedig.

**overbodige woorden** ➤ duidelijkheid. pleonasme.

**overdadig** De maat overschrijdend, bovenmatig, onnodig. *Overdadig eten, overdadig geld uitgeven.* ➤ overbodig. overtollig. overvloedig.

**overeenkomstig** *Overeenkomstig onze afspraak ontvangt u hierbij ...* Na *overeenkomstig* komt niet nog een voorzetsel. Dus niet: *Overeenkomstig met onze afspraak ...* ➤ conform.

**overgave** Wordt weleens een ingeb. germ. genoemd voor *toewijding, berusting.* Ook: *zich overgeven.*

**overhandigen** *Hierbij overhandigen wij u onze nieuwste catalogus.* Onjuist in de betekenis: *Hierbij sturen wij u ...*

**overheidswege** *Van overheidswege.* Door, namens de overheid. Staande uitdr.

**overigens** Betekent eigenlijk: *Wat het overige, de rest betreft.* Wordt ook wel gebruikt in de betekenis van bijvoorbeeld *trouwens: Het kan mij overigens helemaal niet schelen dat ...* ➤ trouwens.

**overlappen** *Studievakken, werkzaamheden overlappen elkaar.* Ingeb. angl. voor *gedeeltelijk samenvallen, overdekken, bedekken.*

**overleggen** Met de klemtoon op *over* betekent *overleggen: inleveren, laten zien: U moet de stukken voor dinsdag a.s. overleggen (óverleggen). Hij heeft ze al maandag overgelegd.*

*Overleggen* met de klemtoon op *leggen* betekent *beraadslagen: Je moet dat wel met je chef overleggen* (overléggen). *Hij heeft met hem overlegd.* In *overleg plegen* krijgt de laatste lettergreep de klemtoon. ➤ werkwoorden (scheidbare/onscheidbare).

**overleven** *Zij zullen wel overleven.* Ingeb. angl. voor *het overleven.*

**overlijdenskruisje** (overlijdensteken; ook 'dagger' genoemd) Komt onder andere in stambomen voor. Ook in de tekst achter namen van overleden personen, met een jaartal: *Duke Ellington († 1974).* In het Engels/Amerikaans komt het ook wel als nootteken voor. Het dubbele overlijdenskruisje (‡; 'double dagger') wordt weleens gebruikt voor verwijzing naar een voetnoot. ➤ tekens.

**overlopende regel** De tweede (en derde enz.) regel van bijvoorbeeld een literatuuropgave in een literatuurlijst, een vermelding in een register, een vermelding in een woordenboek enz. 'Overlopende regels inspringen' wil dus zeggen dat de eerste regel van de genoemde vermeldingen voorin staat en de volgende regels enkele spaties inspringen. De bedoeling daarvan is het opzoeken makkelijker te maken.

**overmaken** *Wij zullen het boek nog vandaag overmaken.* Gall. voor *sturen, verzenden. Groeten overmaken* moet zijn *Groeten overbrengen.* Wordt vooral in België gebruikt. ➤ belgicismen. Wél: *een bedrag overmaken.*

**overname** Ingeb. germ. voor *overneming.* ➤ -name.

**overnieuw** Eigenlijk contam. van *over* en *opnieuw.* Wordt nogal eens gebruikt.

**overtollig** Wat boven een bepaald aantal of een bepaalde hoeveelheid gemist kan worden. Meer dan nodig is. Wordt alleen van zaken gezegd. *De kolk kon het overtollige water niet verwerken. Overtollige voorraden.* ➤ overbodig. overdadig. overvloedig.

**overtreffende trap** *Mooi – mooist; groot – grootst.* De overtreffende trap vormen we door *-st* achter het bijvoeglijk naamwoord te plaatsen. Als de op deze wijze gevormde overtreffende trap moeilijk uit te spreken is (vooral bij woorden op *-st* en *-isch*), gebruiken we *meest: gerust – meest gerust* (en niet: *gerustst*); *juist – meest juist; logisch – meest logisch. Het meest beroemd, meest duur* enz. zijn angl.

**overtrokken** *De hele zaak is sterk overtrokken.* Ingeb. angl. voor *overdreven, opgeblazen, te sterk afgeschilderd.*

**overvloedig** In ruime mate aanwezig. *Een overvloedige oogst.* ➤ overdadig. overtollig.

**overzetten** Lijkt een germ. voor *vertalen*, maar is dat waarschijnlijk niet. Het woord is al oud.

**ozalid** Een lichtdruk van de film (van boekpagina's bijvoorbeeld) in zijn definitieve vorm. Een ozalid is bedoeld voor een allerlaatste controle vóór het drukken. Correctie kan alleen als het absoluut noodzakelijk is. ➤ corrigeren van drukproeven. drukproef.

# P

**paar** In de betekenis van *twee* (schoenen, sokken) is *paar* enkelvoud: *daar ligt een paar sokken.* Als we met *paar* bedoelen: enige(n)/enkele(n), dan gebruiken we meervoud: *Er waren maar een paar mensen komen opdagen.* Dus ook mogelijk is: *Er lagen een paar sokken op de grond* (misschien wel verschillende kleuren of maten). ➤ aantal.

Na *een paar* komen woorden die een maat (afmeting, aantal, bedrag, gewicht) aangeven, meestal in het enkelvoud: *een paar meter, een paar kilometer, een paar gulden, een paar kilo.* Tijdsaanduidingen ná *paar* staan meestal in het meervoud: *een paar maanden, seconden, dagen.* Alleen *uur* en *jaar* komen zowel in het enkelvoud als in het meervoud voor: *een paar uren* en *een paar jaren* (meervoud) benadrukken wat meer de lange tijdsduur.

**paginacijfers** Een rechterpagina is altijd oneven genummerd en een linkerpagina even. Het paginacijfer kan op verschillende plaatsen staan: boven, onder of naast de tekst; links of rechts; in het midden boven of onder de tekst. Het paginacijfer wordt vaak opgenomen in de sprekende hoofdregel. Het verdient in het algemeen aanbeveling het cijfer aan de buitenkant van de pagina te plaatsen, zo veel mogelijk naar de zijmarge toe. Dat geldt vooral als de pagina's snel opgezocht moeten kunnen worden.

Er worden vrijwel altijd Arabische cijfers (1, 2, 3 enz.) gebruikt en geen Romeinse cijfers (I, II, III enz.). De meeste mensen hebben nu eenmaal moeite met getallen als XIV (14) en LXXI (71).

Romeinse cijfers worden wél vaak gebruikt om het zogenaamde voorwerk* (o.a. titelpagina, copyrightpagina, inhoudsopgave) te nummeren. Tot op het laatste moment kan dan nog een pagina worden tussengevoegd of weggelaten zonder dat de nummering van het hele boek veranderd moet worden. ➤ cijfers, Romeinse.

Vroeger stond er in de inhoudsopgave tussen de titels en de paginacijfers meestal een reeks punten. Tegenwoordig staat het paginacijfer meestal direct na de titel, eventueel voorafgegaan door een extra spatie. Soms zien we een spatie, dan een Duitse komma (/), weer een spatie en daarna het paginacijfer: *Leesbaarheid / 36.* ➤ inhoudsopgave.

Sommige pagina's krijgen geen nummer (maar tellen natuurlijk wel mee), bijvoorbeeld de Franse titelpagina, de titelpagina en de achterkant daarvan, deeltitelpagina's en de colofonpagina. Ook de pagina's waarop een nieuw hoofdstuk begint, krijgen vaak geen nummer, vooral niet als de pagina's aan de bovenzijde genummerd worden. Een pagina met een aflopende illustratie (die de hele pagina vult) krijgt meestal geen paginacijfer.

**paragraaf** Een hoofdstuk is meestal ingedeeld in paragrafen, en een paragraaf weer in alinea's. Een paragraaf begint vaak met een kopje. Tegenwoordig wordt zo'n kopje niet meer voorafgegaan door een paragraafteken (§), maar door een of meer cijfers of een letter. ➤ kopjes. tekens.

**parallel aan** *Er loopt een fietspad parallel aan de hoofdweg.* Eigenlijk een contam. van *parallel met* en *evenwijdig aan*, en een (ingeb.) gall. voor *parallel met. Parallel aan* kán, maar liever niet.

**parenthesen** ➤ haakjes.

**parlementariër** Ingeb. germ. voor *parlementslid, Kamerlid.*

**pas onlangs** *Ik ben hem pas onlangs tegengekomen.* Tautologie*. Dus óf *pas* óf *onlangs.*

**passen op** *Pas op dat kind.* Betekent: *Let op dat kind. Pas op voor die auto.* Betekent: *Kijk uit voor ...* Onjuist is in dit verband: *Pas op die auto.*

**passerende voorbijganger** Pleon., want een voorbijganger passeert altijd.

**passieve vorm** ➤ lijdende vorm.

**pendeldienst** Ingeb. germ. voor *dienst van een steeds heen- en terugrijdende trein.*

**pengeschreven** (Ingeb.) germ. voor *met de pen geschreven.* ➤ zelfst. naamw. + deelw.

**per** Dit woord wordt nogal eens ten onrechte gebruikt. *Iets per postpakket verzenden* moet zijn: *als postpakket* of *per post.* Ook onjuist: *Wij hebben per 5 maart afgesproken: op, voor 5 maart.* Ook liever niet: *Per 1 januari gaat de prijs omhoog,* maar: *Met ingang van/op ...* Goed is: *Hij is per 1 november benoemd tot ...*

**percentage** *Het percentage goede antwoorden bedroeg zestig procent.* Dubbel: *procent* moet vervallen. In plaats van *procent* kan *percent* gebruikt worden, maar *procent* is gewoner. ➤ procent.

**percentteken** ➤ procentteken.

**per direct** *Per direct gevraagd ...* (Ingeb.) germ. voor *voor direct.*

**persianer** *Persianer bontjas.* Ingeb. germ. voor *astrakan, Perzisch lam.*

**persklaar** Een tekst is persklaar als die zowel taalkundig als wat de zetwijze betreft zodanig is voorbereid dat er na het zetten geen grote wijzigingen aangebracht hoeven te worden. ➤ kopij.

**perslucht** (Ingeb.) germ. voor *samengeperste lucht, lucht onder druk.* Samenstellingen als *persluchtmasker, persluchtleiding* zijn ingeb.

**personen/zaken** *Verschillen.* Om personen aan te duiden, gebruiken we *ze* of *zij*: *Ze/zij lopen daar. Zij* is nadrukkelijker. Hetzelfde geldt voor het enkelvoud: *Zij loopt daar* (mijn vrouw). Kan ook *ze* zijn. Voor niet-personen gebruiken we uitsluitend *ze*: *Ze zijn vandaag gesloten* (winkels).

*Ik had hen niet verwacht. Hen* wordt alleen voor personen gebruikt (*ze* kan ook). Voor zaken schrijven we *ze*: *Ik heb ze gisteren gevonden* (postzegels).

*Aan wie/waaraan.* Als het om personen gaat, is er nog enige voorkeur voor *aan wie*: *De vrouw aan wie ik het boek heb gegeven.* Voor het meervoud kán ook *waaraan*: *De vrouwen waaraan …* Voor niet-personen gebruiken we *waaraan*: *Het boek waaraan ik dacht.* Voor onzijdige persoonsnamen kunnen we *aan wie* of *waaraan* gebruiken: *Het meisje aan wie/waaraan ik het boek heb gegeven.* Geldt ook voor *van wie/waarvan, op wie/waarop, bij wie/waarbij* enz. ➤ waar-.

*Hond en kat zijn beide zoogdieren. Beide* zonder -*n* als het om niet-personen gaat. *Jan en zijn zwager gaan beiden naar Amerika.*

*Mijn vrouw en de hond waren beide doornat.* Bij een persoon en een niet-persoon bij voorkeur geen -*n*. ➤ alle/allen.

**personenregister** Register met persoonsnamen. In het algemeen kunnen we een afzonderlijk zaakregister en personenregister beter vermijden, omdat het opzoeken erdoor wordt bemoeilijkt. Als juist die namen een belangrijk onderdeel vormen, is er geen bezwaar tegen. ➤ register.

**persoonlijk** *Ik heb hem persoonlijk gesproken. De koningin heeft de tentoonstelling persoonlijk bezocht. Persoonlijk spreken, persoonlijk bezoeken* enz. zijn pleon., want *persoonlijk* spreekt hier vanzelf.

Wel goed: *Persoonlijk heb ik er geen bezwaar tegen, maar mijn baas wil het niet. Ik ken die schilder persoonlijk* (niet alleen van zijn werk). *U kunt uw verzoek persoonlijk komen toelichten* (niet schriftelijk, geen gemachtigde).

**persoonlijke stijl** Een tekst wordt leesbaarder als de lezer er direct bij betrokken wordt. Spreek hem/haar met *u* aan. Gebruik ook *wij* liever dan het onpersoonlijke *men*. (*Ik* kan in zakelijke teksten irritant aandoen.)

Laat geen persoonlijke voornaamwoorden weg. Niet: *Hierbij sturen wij de gevraagde …,* maar: *Hierbij sturen wij u …* Niet: *Gelieve …, verzoeke …,* maar: *U gelieve …* (liever: *Wilt u …*), *Wij verzoeken u …* enz. Liever: *Probeert u ook …* dan: *Probeer ook …* ➤ u.

In veel teksten wordt te weinig rekening gehouden met de vrouwelijke lezer. In artikelen en brochures lijkt het soms of die uitsluitend voor mannen bedoeld zijn. Een tekst met deze tekortkoming zal vaak niet het gewenste effect hebben, omdat de helft van de doelgroep zich niet zo aangesproken voelt.

Een voorbeeld: *De verzekerde moet opgeven hoeveel jaar hij schadevrij heeft gereden.* Een eenvoudige verbetering is: *De verzekerden moeten opgeven ...* Dit doet echter heel algemeen en daardoor onpersoonlijk aan. Een andere mogelijkheid om de zin te verbeteren, is *u* te gebruiken: *U moet opgeven* of (liever!): *Wilt u ...* Nog een mogelijkheid, maar niet aan te bevelen, is de passieve vorm: *De verzekerde moet opgeven hoeveel jaar er schadevrij is gereden.* Een lelijke oplossing is: *hij/zij (zijn/haar)* of *hij of zij (zijn of haar).*

Ook een overdadig gebruik van de lijdende vorm kan een tekst een onpersoonlijk tintje geven. ➤ lijdende vorm.

Als een tekst veel naamwoorden in plaats van werkwoorden bevat, zal die onpersoonlijk, afstandelijk aandoen. Een voorbeeld: *Het niet op tijd verstrekken van de gevraagde informatie kan leiden tot een afwijzing van uw verzoek.* De twee naamwoordconstructies zijn: *het verstrekken* en *een afwijzing.* Beter is bijvoorbeeld: *Als u niet op tijd de gevraagde informatie verschaft, kan dat ertoe leiden dat uw verzoek wordt afgewezen.* ➤ naamwoordstijl.

**persoonsnamen** ➤ eigennamen, schrijfwijze.

**per vergissing** Contam. van *per abuis* en *bij vergissing.*

**peseta** Het teken voor peseta (pta) is Pt. ➤ tekens.

**pica** Het typografisch maatsysteem met punten bestaat officieel niet meer, maar het wordt nog veel gebruikt. De pica is de Engels-Amerikaanse tegenhanger van de augustijn/cicero. Eén pica is 4,217 mm, onderverdeeld in twaalf picapunten van 0,351 mm. Gebruikelijker is de augustijn* (cicero): 4,513 mm, onderverdeeld in twaalf typografische punten van 0,376 mm. ➤ punt (typografische punt).

**pi-getal** Het symbool $\pi$. ➤ tekens.

**pijplijn** Ingeb. angl. voor *pijpleiding.*

**plaats** *In/op de eerste plaats.* Beide vormen zijn juist. Katholieken gebruiken vaak *op.* Wat algemener is: *in.* Wél: *Dat komt op de eerste plaats.*

**plaatsnamen** ➤ aardrijkskundige namen.

**plan** *Van plan zijn te zullen ...* Pleon. *Van plan zijn* en *zullen* duiden beide op de toekomst. *Het voorgenomen plan* is ook een pleon. ➤ zullen.

**planeconomie** Ingeb. germ. voor *geleide economie.*

**planmatig** Ingeb. germ. voor *volgens een (vast) plan, stelselmatig, systematisch, methodisch.* ➤ -matig.

**plannen** *Plannen voor de toekomst.* Pleon.: plannen zijn altijd voor de toekomst. Voor het Engelse woord 'plannen' geldt dezelfde opmerking.

**plegen** *Hij pleegt gewoonlijk te laat te komen.* Pleon., want *plegen* betekent: *gewoon/gewend zijn.* Kan ook een contam. zijn van *plegen* en *gewoonlijk.* Dus: *Hij pleegt te laat te komen* of *Hij komt gewoonlijk te laat.*

**pleidooi voeren** Contam. van *pleidooi houden* en *proces voeren.*

**pleonasme** Het verschijnsel dat nogmaals wordt gezegd wat al in een ander woord ligt opgesloten. Een bekend voorbeeld is *rood bloed*. Bij *bloed* denken we aan rood. En dat een insect kleurloos bloed heeft, doet daar niets aan af.

*Groen gras* is ook een pleon. Ook al kan gras bruin of geel zijn, we denken in de eerste plaats aan groen. Een paar andere soortgelijke voorbeelden: *witte sneeuw, oude grijsaard, achterstallige schuld, vrouwelijke dichteres, ronde cirkel, rode menie, zwarte neger*. Deze voorbeelden van pleon. zijn zo duidelijk dat ze in geschreven taal bijna niet voorkomen.

Soms is er geen bezwaar tegen pleon. zoals *witte sneeuw, groen gras, oude grijsaard*. Het pleon. is dan gebruikt om een bepaalde eigenschap te beklemtonen of een tegenstelling te laten uitkomen: *De bomen staken scherp af tegen de witte sneeuw*. De schrijver gebruikt het pleon. dan in verband met het stijleffect.

Ook correct zijn: *stokoude grijsaard, gitzwarte neger* enz., omdat *stok-* en *git-* het oud-zijn en zwart-zijn benadrukken. Dus ook mogelijk: *een heel vrouwelijke directrice*.

Er zijn ook talloze pleon. die misschien niet zo gemakkelijk te herkennen zijn. Een veelgebruikt pleonasme komt voor in de zin: *Wij verzoeken u ons te willen meedelen ...* In *verzoeken* ligt de vraag opgesloten of iemand iets wil. Daarom: *Wij verzoeken u ons mee te delen ...* Andere soortgelijke pleon. zijn: *in staat zijn te kunnen, verplicht zijn te moeten, van plan zijn te zullen, het recht hebben te mogen*.

Nog enkele voorbeelden: *uitstellen\* tot later, importeren\* uit het buitenland, weer hervatten* (➤ *her-*), *opzettelijk uitlokken\*, hierbij\* insluiten*. Ook *aanwezige bezoekers, ingesteld onderzoek, bestaande problemen, genomen maatregelen, geleden verliezen, gestelde vragen* enz. zijn pleon. De bijvoeglijke naamwoorden zijn hier meestal overbodig.

In de volgende alfabetische lijst staan de meest voorkomende pleonasmen.

| | |
|---|---|
| *eerste aanbetaling* | *gedane/gemaakte keuze* |
| *nieuwe aanwinst* | *genoodzaakt te moeten* |
| *alvorens/voordat ... eerst* | *gewonnen prijzen* |
| *ander alternatief* | *gewoonlijk plegen* |
| *overbodige ballast* | *handhaven, blijven -* |
| *beperken slechts/uitsluitend/alleen* | *importeren uit het buitenland* |
| *bestaande kennis* | *hierbij insluiten* |
| *mondeling bespreken* | *invoeren uit het buitenland* |
| *dodelijk verongelukken* | *in staat zijn te kunnen* |
| *eerst ... alvorens* | *uiterste limiet* |
| *evaluatie achteraf* | *misschien bestaat de mogelijkheid* |
| *exporteren naar het buitenland* | *recht hebben te mogen* |

| | |
|---|---|
| *onnodige omhaal* | *unaniem, allen ... unaniem* |
| *reserve overblijven van* | *verzoeken te willen* |
| *plannen voor de toekomst* | *volgen later* |
| *achterstallige schuld* | *volstaan met slechts/alleen/uitsluitend* |
| *traag tempo* | *vooraf waarschuwen* |
| *nader toelichten* | *voordat ... eerst* |
| *uiterlijke schijn* | *vooruit voorspellen* |
| *opzettelijk uitlokken* | |

**plicht** Wat van iemand door geweten, godsdienst, een persoon of de moraal wordt geëist. *Het is je plicht op tijd te komen.* ➤ verplichtend. verplichting.

**plichtmatig** Volgens plicht, zoals de plicht voorschrijft (niet uit overtuiging). *De portier hield plichtmatig de deur open.* ➤ plichtsgetrouw.

**plichtsgetrouw** Nauwgezet zijn plicht vervullend. *De heer Jansen is een plichtsgetrouw medewerker.* ➤ plichtmatig.

**plots** *Het ging plots regenen. Plotseling, onverwacht* is gebruikelijker dan *plots.* Wordt vooral in België gebruikt. ➤ belgicismen. Als bijvoeglijk naamwoord is *plots* niet aan te bevelen. Dus liever niet: *een plotse stilte.*

**plotsklaps** Eigenlijk contam. van *plotseling* en *eensklaps.* Er is geen bezwaar tegen.

**plusminusteken** Het teken voor plusminus is ±. ➤ tekens.

**plusteken** Het teken + wordt voorafgegaan en gevolgd door een spatie. Bij berekeningen komt het optelteken + links van het telstreepje. ➤ tekens.

**pogen** Ouderwets voor: *proberen.* Ook *trachten* doet stijf aan.

**politieofficier** (Ingeb.) angl. voor *inspecteur* of *commissaris van politie, leidinggevende politiefunctionaris.*

**politioneel** *Politioneel optreden.* Minder juiste vorming onder invloed van bijvoorbeeld *traditioneel, sensationeel.* Gebruik liever *politieel* dan *politioneel: politieel optreden.* Gebruikelijker is overigens een samenstelling met *politie: politiebeleid, politieoptreden.* Tegen *politionele acties* als benaming voor de acties van het Nederlandse leger in Indonesië wordt geen bezwaar gemaakt.

**pond** Het teken voor pond sterling is £. Het wordt van het volgende bedrag niet gescheiden door een spatie. ➤ munteenheden. tekens.

**post** *Met gelijke post.* Germ. voor *met dezelfde post, separaat.*

**postcode** Combinatie van vier cijfers, gevolgd door twee (hoofd)letters. De cijfers en letters zijn van elkaar gescheiden door een spatie. Tussen de postcode en de plaatsnaam komt (althans in een adressering) een dubbele spatie: *2361 XP  WARMOND.* De plaatsnaam moet in hoofdletters.

Als er een adres (dus mét postcode) in tekst, briefhoofd enz. wordt vermeld, komt er geen dubbele maar een enkele spatie. De plaatsnaam hoeft dan ook niet in hoofdletters. (De postcode in België bestaat uit vier cijfers: *2018 ANTWERPEN*.)

Een 'gewoon' adres, een postbusnummer en een antwoordnummer hebben elk hun eigen postcode.

Voor het type cijfer geldt dat mediëvalcijfers met kleinkapitalen (2361 XP WARMOND) óf tabelcijfers met kapitalen (2361 XP WARMOND) de voorkeur heeft.

Veel landen hebben hun eigen, afwijkende manier van coderen.

**postdateren** Een stuk voorzien van een latere datum dan de werkelijke. Het tegenovergestelde is *antedateren**.

**postfris** Ingeb. germ. voor *ongebruikt* (van postzegels).

**postkaart** (Ingeb.) germ., angl. of gall. voor *briefkaart*.

**pracht-** Samenstellingen als *prachtkerel, prachtweer, prachtidee* zijn ingeb. germ. voor *fijne kerel, prachtig weer, prima idee*.

**prachtvol** Germ. (en ouderwets) voor *prachtig, schitterend*. ➤ -vol.

**praktijk-** *Praktijkervaring, praktijkstage*. Deze woorden zijn eigenlijk pleon., want ervaring doe je in de praktijk op, en een stage vindt ook in de praktijk plaats. *Praktijkervaring* en *praktijkstage* worden echter zo vaak gebruikt dat ze niet meer fout gerekend kunnen worden. ➤ praktische ervaring.

**praktisch** *Hij is praktisch nooit ziek*. Ingeb. germ. of angl. voor *bijna, vrijwel, zo goed als*. Ook correct: *Hij is theoretisch niet zo goed, maar praktisch is hij niet te evenaren*.

**praktische ervaring** Eigenlijk een pleon. ➤ praktijk-.

**prijs** *Goedkope prijs, dure prijs*. Contam. van *goedkoop/lage prijs, duur/hoge prijs*.

**privaat-** Sommige samenstellingen met *privaat-* zijn (ingeb.) germ. Voorbeelden: *privaatgebruik* (privé-gebruik, eigen gebruik), *privaatpersoon* (privé-persoon), *privaatrekening* (privé-rekening), *privaatzaak* (privé-zaak, particuliere aangelegenheid), *privaatbezit* (privé-bezit). Ingeb. (maar ouderwets aandoend) zijn bijvoorbeeld *privaatles* (privé-les), *privaatonderwijs* (privé-onderwijs), *privaatdocent* (een (onbezoldigd) docent aan een universiteit, die niet benoemd is maar op eigen verzoek toegelaten is).

**privé** Samenstellingen met *privé* schrijven we met een koppelteken: *privé-bezit, privé-kantoor, privé-secretaresse*.

**problematisch** Ingeb. germ. voor *twijfelachtig, moeilijk op te lossen, een probleem vormend*.

**procent** Na *procent* moet het werkwoord bij voorkeur in het enkelvoud. *Ongeveer tien procent van de aanwezigen was te laat*. Steeds vaker wordt het meervoud gebruikt. Men denkt dan aan: aanwezigen.

*Procentpunt* is niet hetzelfde als *procent*. Als de hypotheekrente van 10 naar 9 procent daalt, zeggen we dat de rente met 1 procent daalt, maar in feite bedraagt de daling tien procent. Rekenkundig daalt de rente dan met 1 procentpunt.

**procentteken (%)** Percentages geven we aan met het teken %. Tussen het getal en het %-teken komt geen spatie: 16%.

Het verdient meestal (behalve in tabellen enz.) de voorkeur % voluit te schrijven: *Tien procent van de aanwezigen had een vrijkaartje.* Als het getal in cijfers is geschreven, gebruik dan het %-teken: *Maar liefst 36% van de deelnemers had een onvoldoende.* ➤ getallen.

**proefdruk** Onjuiste benaming voor *drukproef.* ➤ drukproef.

**promilleteken (‰)** Tussen een getal en het promilleteken (‰) komt geen spatie: 1,6‰. Meestal (behalve in tabellen enz.) verdient het de voorkeur voluit *promille* te schrijven. ➤ tekens.

**provisorisch** Ingeb. germ. voor *provisioneel, voorlopig.*

**P.S.** (postscriptum) Het is gebruikelijk de afkorting *P.S.* met hoofdletters en met punten te schrijven. De tekst erna begint met een hoofdletter: *P.S. Onze rekening was onjuist gedateerd.*

**punctueel** Stipt op tijd. *Punctueel op tijd* is een pleon.

**punt** We gebruiken een punt in de volgende gevallen:

– Om het einde van een zin aan te geven, tenzij daar een ander leesteken (bijv. vraag- of uitroepteken) staat.

– Na afkortingen, ook als de laatste letter van de afkorting de laatste letter van het onverkorte woord is: *jl., bijv., dr., ir.* ➤ afkortingen.

– In cijferreeksen. Een getal in cijfers krijgt (bij meer dan vier cijfers) een punt achter de duizendtallen: *24.122.* Een spatie kan ook. Minder gebruikelijk is ook bij vier cijfers een punt achter het duizendtal te plaatsen: *5.000.* In geldbedragen gebruiken we, bij meer dan vier cijfers, geen spatie, maar een punt: *f 670.000,–; Bfr. 640.125,–.* Komma's in plaats van punten in *1,400,000* is Angelsaksisch; wij schrijven: *1.400.000.* ➤ cijfers. In banknummers komen ook punten voor (of spaties). In Belgische banknummers komen twee streepjes: *123-4567890-12.* In gironummers komen geen punten of spaties.

– Bij tijdsaanduidingen. Er komt een punt tussen uur en minuut: *5.30 uur.*

– Als vermenigvuldigingsteken. In plaats van $a \times b$ schrijven we: $a \cdot b$. De punt staat 'op halve hoogte'. ➤ tekens.

Er komt géén punt in de volgende gevallen:

– Achter internationaal erkende symbolen van maten, gewichten, natuurkundige en scheikundige aanduidingen: *a* (are), *cm* (centimeter), *kJ* (kilojoule), *N* (newton), *V* (volt).

– Na het valutateken (*f*, £, $).

– In decimale breuken als *6,5* staat een komma en geen punt voor de decimalen.

– Na kopjes, opschriften en bijzondere aanduidingen als *Aangetekend, Per expresse*.

– In afkortingen als *NS, PTT, tv, cv*. ➤ afkortingen.

– In verwijzingen: *Zoals we in figuur 1/hoofdstuk 6/paragraaf 5.1 zagen*.

Voor het gebruik van de punt bij haakjes ➤ haakjes.

Voor het gebruik van de punt bij aanhalingen ➤ aanhalingstekens.

Een combinatie van drie punten (beletselteken: ...) wordt gebruikt om een plotselinge afbreking, een onverwachte wending of lange pauze aan te geven. In die gevallen wordt tegenwoordig vaak een gedachtestreepje gebruikt.

Ook als er een stuk van een citaat is weggelaten, wordt dit door middel van het beletselteken aangegeven, meestal tussen haakjes. ➤ beletselteken. gedachtestreepje.

In de inhoudsopgave* van boeken e.d. wordt het paginacijfer soms na een reeks door spaties gescheiden punten gezet. Dat is een ouderwetse methode. ➤ uitpunten.

**punt** *Typografische punt*. Hoewel het typografische maatsysteem met punten sinds 1978 officieel niet meer bestaat, wordt dit in de praktijk nog veel gebruikt. De rekeneenheid is de augustijn oftewel cicero (4,513 mm), die onderverdeeld is in twaalf typografische punten ('Didot-punten') van 0,376 mm. De letterhoogte (korps) wordt in punten uitgedrukt. De genoemde maten hebben betrekking op het zogenaamde Didot-stelsel, genoemd naar de Franse lettergieter Didot.

Drukkerijen die nog met lood werken, gebruiken in elk geval het puntenstelsel, maar ook bij de moderne (fotografische en elektronische) verwerking van tekst wordt in veel drukkerijen het Didot-stelsel gebruikt.

Afhankelijk van de gebruikte apparatuur rekent men ook wel in picapunten (0,351 mm). De opdrachtgever moet natuurlijk goed weten welk systeem gebruikelijk is bij de drukkerijen waarmee hij werkt. ➤ pica.

**punt, dubbele** ➤ dubbele punt.

**puntkomma** We geven met een puntkomma aan dat er verband is tussen twee zinnen die gelijkwaardig naast elkaar staan. Een puntkomma geeft in het algemeen een langere rust aan dan een komma, maar een kortere rust dan een punt. De zin na de puntkomma geeft bijvoorbeeld extra informatie of een toelichting: *De typiste had het rapport niet af; dat kan gebeuren. De typiste had het rapport niet af; bovendien had ze enkele zinnen overgeslagen. De typiste had het rapport niet af; ze gaat er morgen mee verder.*

Een puntkomma gebruiken we ook om de delen van een (lange) opsomming van elkaar te scheiden, bijvoorbeeld: *We kunnen gelijke woorden samentrekken als ze: hetzelfde betekenen; dezelfde grammaticale functie hebben; op dezelfde plaats ten opzichte van het werkwoord staan; dezelfde vorm hebben.* Bij langere opsommingen kunnen de delen beter onder elkaar gezet worden, voorafgegaan door een letter, cijfer of streepje. ➤ opsomming.

# R

® Symbool voor geregistreerd handelsmerk. ➤ merknaam.

**'r** Gebruik *'r* liever niet in plaats van *haar*.

**raad** *Met voorbedachten rade.* Met voorafgaande overweging van de daad en zijn gevolgen. Staande uitdr.

**raam** *In het raam van deze tijd.* Ingeb. germ. voor *in het kader van, in verband met. Dat valt buiten het raam van ons betoog* is een ingeb. germ. voor *buiten het kader.*

**radiobuis/radiolamp** Het vreemde doet zich voor dat *radiobuis* wel een ingeb. germ. voor *radiolamp* wordt genoemd, en *radiolamp* weleens een ingeb. germ. voor *radiobuis.*

**raster** Een heel opvallende manier om een stuk tekst te accentueren, is die op een gerasterd vlak te zetten. Voor een gerasterde tekst moet een niet te kleine, liefst vette letter worden gekozen. Deze methode is in het algemeen niet aan te bevelen, omdat de leesbaarheid erdoor in gevaar komt. ➤ accentueren.

**rauwkost** Ingeb. germ. voor *rauwe kost, rauw bereide groenten.*

**realiseren** *Zich realiseren.* Ingeb. angl. voor *beseffen, inzien, zich ervan bewust zijn.*

**recentelijk** *Ik heb hem recentelijk nog gezien.* Ingeb. angl. voor *recent, onlangs, kortgeleden, in recente tijd.* Gebruik *recentelijk* liever niet als bijvoeglijk naamwoord: *de recentelijke gebeurtenissen.*

**recht** *In rechte. Ten rechte.* Staande uitdr.

**recht** *Het recht hebben iets te mogen.* Pleon., want *het recht hebben* houdt *mogen* in.

**rechtelijk** In samenstellingen betekent *rechtelijk*: *volgens het recht, betrekking hebbend op het recht: strafrechtelijk, burgerrechtelijk.* ➤ gerechtelijk.

**rechtens** Volgens recht, rechtmatig. *Het kwam hem rechtens toe.*

**rechter** Samenstellingen met *rechter* (en *linker*) schrijven we als één woord: *rechterbladzijde, rechtervoet.* Als er na *rechter* een samenstelling volgt, waardoor de combinatie minder gebruikelijk is, kunnen we de woorden los schrijven: *zijn linker ooghoek, het rechter zolderraam.*

**rechterlijk** Betrekking hebbend op de rechter, op het rechtswezen: *rechterlijke macht, rechterlijke uitspraak.* ➤ gerechtelijk. rechtelijk.

**recht hebben** Oorspronkelijk géén germ., maar tegenwoordig als (ingeb.) germ.

beschouwd voor *gelijk hebben*.

**rechtmatig** Ingeb. germ. voor *volgens het recht*. ➤ -matig.

**rede** Toespraak. *De rede van de burgemeester was aan de lange kant*. Betekent ook: denkver-mogen, oordeel, redelijkheid. *De mens heeft de gave van de rede. Voor rede vatbaar*. ➤ reden.

**redelijkerwijs** *Redelijkerwijs kunt u niet méér van ons verlangen*. Kan een germ. zijn voor *in redelijkheid, met billijkheid*, maar dat is niet zeker. Doet ouderwets aan. ➤ -wijs.

**reden** Datgene wat de mens tot iets beweegt; drijfveer. *Wat is de reden van uw komst?* ➤ doordat. omdat. oorzaak. rede.

**reeds** Ouderwets voor *al*. Vermijd *alreeds*; het is een tautologie* van *al* en *reeds*.

**reeks** *Er deed zich een reeks ontploffingen voor. Reeks* is enkelvoud; vandaar: *deed*. Maar meervoud is te verdedigen, namelijk als we aan de afzonderlijke ontploffingen den-ken. ➤ aantal.

Schrijf liever niet: *een reeks van ...* Dat is mogelijk een (ingeb.) gall. *Van* kan beter ver-vallen.

**refereren aan** Verwijzen naar. *Refereren aan* en niet *naar. Met (onder) referte aan uw brief van ...* ➤ aanvangszinnen.

**regel** *In de regel*. In het algemeen, gewoonlijk. Staande uitdr.

**regel** *Als regel*. (Ingeb.) angl. voor *in het algemeen, in de regel, gewoonlijk, doorgaans*. Correct is: *Als regel geldt dat ... Hier geldt als regel dat ...*

**regelafstand** Ruimte tussen twee regels tekst. Niet te verwarren met spatie. Dat is de ruimte tussen twee letters (letterspatie) of woorden (woordspatie). Teksten kunnen worden uitgevoerd zonder extra interlinie (brieven bijvoorbeeld), met $1^1/_2$ regelaf-stand (soms gewenst in rapporten en in kopij) of dubbele (= 2) regelafstand (zelden nodig).

Met tekstverwerkers/printers zijn ook tussenliggende regelafstanden mogelijk, bij-voorbeeld 1,3.

Bij gezette tekst is de interlinie in het algemeen afhankelijk van de lettergrootte (korps). Als de tekst gezet is uit korps 10, wordt er vaak een interlinie van 2 punten genomen. We zeggen dan dat de tekst 10/12 (= 10 op 12) is gezet. Maar 10/11 kan ook heel goed. Een te kleine interlinie kan de leesbaarheid ongunstig beïnvloeden.

Enkele gebruikelijke zetwijzen:

*Deze regels zijn 8/9 gezet.*
Korps 8 wordt vaak gebruikt voor noten. Voor een register of literatuurlijst gebruikt men in het alge-meen een achtpunts- of een negenpuntsletter. 'Gewone' tekst wordt meestal uit korps 9 of 10 gezet. De ruimte tussen de tekstregels (interlinie) is vooral afhankelijk van de gekozen lettergrootte. Een te kleine letter, maar ook een te grote letter kan de leesbaarheid ongunstig beïnvloeden. Dat geldt ook voor een te kleine of een te grote interlinie.

*Deze regels zijn 9/10 gezet.*
Korps 8 wordt vaak gebruikt voor noten. Voor een register of literatuurlijst gebruikt men in het algemeen een achtpunts- of een negenpuntsletter. 'Gewone' tekst wordt meestal uit korps 9 of 10 gezet. De ruimte tussen de tekstregels (interlinie) is vooral afhankelijk van de gekozen lettergrootte. Een te kleine letter, maar ook een te grote letter kan de leesbaarheid ongunstig beïnvloeden. Dat geldt ook voor een te kleine of een te grote interlinie.

*Deze regels zijn 10/11 gezet.*
Korps 8 wordt vaak gebruikt voor noten. Voor een register of literatuurlijst gebruikt men in het algemeen een achtpunts- of een negenpuntsletter. 'Gewone' tekst wordt meestal uit korps 9 of 10 gezet. De ruimte tussen de tekstregels (interlinie) is vooral afhankelijk van de gekozen lettergrootte. Een te kleine letter, maar ook een te grote letter kan de leesbaarheid ongunstig beïnvloeden. Dat geldt ook voor een te kleine of een te grote interlinie.

**regelmatig** Met gelijke tussenruimten van tijd of afstand. *Hij bezoekt ons regelmatig* (elke week, elke maand). *De klok tikt regelmatig. Regelmatig* wordt steeds vaker gebruikt in de betekenis van *geregeld* (volgens een min of meer vaste regel terugkerend): *We gaan regelmatig naar een concert. Regelmatig* in plaats van *geregeld* wordt wel een ingeb. germ. genoemd. ➤ geregeld. -matig.

**regelval** ➤ vrije regelval.

**register** Boeken (behalve romans enz.) worden toegankelijker als er een trefwoordenregister in voorkomt. In zo'n (alfabetisch) register komen de belangrijkste begrippen en namen voor, met de pagina's waar ze te vinden zijn. Een afzonderlijk zaakregister en personenregister moet in het algemeen worden vermeden, omdat het opzoeken erdoor wordt bemoeilijkt. Ze zijn meestal gemakkelijk te combineren. Soms zijn er meer registers nodig, omdat die chronologisch of numeriek gerubriceerd worden, bijvoorbeeld rechterlijke uitspraken en wetsartikelen.

We kunnen een register (liever niet: index) pas samenstellen aan de hand van de opgemaakte proef. Anders zijn de paginacijfers nog niet bekend of kunnen ze nog veranderen. (De auteur kan in een eerdere proef alvast onderstrepen wat er in het register moet komen, maar hij moet die onderstrepingen later in de opgemaakte proef overnemen.)

Tegenwoordig wordt het register vaak met behulp van de tekstverwerker gemaakt. Tijdens het typen van de definitieve tekst worden de van tevoren, bijvoorbeeld met een bepaalde kleur, gemarkeerde woorden van een code voorzien. Na invoer van de trefwoorden en de bijbehorende paginacijfers worden de gegevens door de tekstverwerker met een sorteerprogramma op alfabetische volgorde gezet. Het register is dan in grote lijnen klaar.

Soms wordt een register nog op de 'oude' manier gemaakt. De auteur onderstreept dan in de (opgemaakte) proef alle woorden die hij in het register wil hebben. Elk woord schrijft hij op een kaartje, met het paginacijfer. Daarna worden alle kaartjes op alfabet (van hoofdwoord) gezet; de onderverdelingen komen (ook op alfabet) na het hoofdwoord. Sommige woorden zullen meermalen voorkomen. Neem de paginacijfers op een kaartje over (in volgorde). Voeg eventueel woorden toe waaronder de lezer misschien zoekt, maar die niet in de tekst voorkomen: Briefwisseling *Zie* Correspondentie. *Zie* wordt altijd cursief gezet.

Na grondige controle, onder andere op alfabetische volgorde, kan het register worden getypt.

Het komt voor dat het register niet door de auteur wordt samengesteld maar bijvoorbeeld door een redacteur. In dat geval is het aan te bevelen de kopij daarvan voor het zetten aan de auteur te laten zien.

Op welke manier een register ook wordt gemaakt, er moet altijd met een aantal zaken rekening gehouden worden. Aan de hand van het volgende voorbeeld noemen we nog enkele bijzonderheden:

*psychologie*
   *bedrijfs-*  *26-28*
   *-boeken*  *321*
   *experimentele*  *129*
   *geschiedenis van de*  *12, 13*

Een register wordt ten minste één korps kleiner gezet dan de overige tekst. Dikwijls wordt korps 8 gekozen. Het is gebruikelijk een register in twee, drie of zelfs vier kolommen te zetten. Na het trefwoord komt geen komma, maar een (dubbele) spatie. Komt een begrip op twee achtereenvolgende pagina's voor, dan kan dat worden aangegeven met: 21, 22. Bij meer pagina's achter elkaar: 21-27 of desnoods 21 e.v. (en verder/en volgende).

De paginacijfers die verwijzen naar een of meer pagina's waarop een onderwerp uitvoerig wordt behandeld of gedefinieerd, kunnen vet of cursief gezet worden. Soms wordt het nummer van de pagina waarop een afbeelding van het bewuste onderwerp staat, cursief of vet gezet. Vóór het eigenlijke register – of als voetnoot op de eerste pagina van het register – moet de betekenis van cursieve en/of vette cijfers worden verklaard.

Onderverdelingen van een trefwoord komen op een nieuwe regel; ze springen in. De onderverdeling komt in één alfabet; het doet er niet toe of het eerste deel (*-boeken*) of het laatste deel (*bedrijfs-*) van het begrip is weggelaten. Ook niet of het begrip als één woord (*bedrijfspsychologie*) of los (*experimentele psychologie*) wordt geschreven. Gebruik alleen een streepje als het weggelaten gedeelte een deel van het hoofdwoord vormt (dus één woord is). Dus niet: *experimentele -*.

Tussen de letters van het alfabet komt een witregel.

(Taalkundig hoort de *ij* tussen *h* en *j*; omdat velen de *ij* toch vóór de *z* verwachten, wordt uit praktische overwegingen wel van die regel afgeweken.)

Wees er altijd op bedacht dat correcties in de drukproef wijzigingen in het register nodig kunnen maken.

**reikwijdte** Ingeb. germ. voor *draagwijdte* (als radioterm en in verband met wapens) en *vliegbereik* (luchtvaartterm). Ook *reikwijdte van maatregelen* is correct.

**rein** *Je (de) reinste onzin.* Ingeb. germ. voor *pure, klinkklare, louter onzin.*

**rekenen met** (Ingeb.) germ. voor *rekening houden met.* Ook een contam. van *rekening houden met* en *rekenen op.*

**rekening** *Rekening houden met de omstandigheden, met iemands belangen.* ➤ aanmerking (in aanmerking nemen). rekenschap.

**rekenschap** *Ik ben hem geen rekenschap verschuldigd.* Verantwoording.

**represaillemaatregelen** Eigenlijk een pleon., want *represaille* betekent: *vergeldingsmaatregel.* Er is geen bezwaar meer tegen.

**reserve** *Er blijft een reserve over van ...* Pleon. voor: *Er is (blijft) een reserve van ...* en: *Er blijft ... over.*

**respectievelijk/respectief** *Respectievelijk* is: in dezelfde volgorde als is genoemd. *Auto A, B en C hebben een topsnelheid van respectievelijk 140, 160 en 180 km per uur. Jan en Piet kregen respectievelijk een boek en een cadeaubon.* Gebruik *respectievelijk* liever niet als bijvoeglijk naamwoord. *Respectief* heeft de voorkeur: *Wij hebben de prijzen aan de respectieve winnaars gestuurd.*

*Respectief* betekent ook: onderscheiden, voor elk/ieder afzonderlijk. *Na de vergadering gingen de deelnemers naar hun respectieve kamers.*

**respectvol** Ingeb. germ. voor *met respect, eerbiedig.* ➤ -vol.

**retourneren** *Wilt u het formulier zo spoedig mogelijk aan ons retourneren?* Eigenlijk een pleon., want *retourneren* is altijd aan degene die iets heeft gestuurd. *Retour aan ...* en *retour afzender* zijn dus eigenlijk ook onjuist.

**reuze-/reuzen-** We gebruiken *reuze-* voor een versterking (in de betekenis: heel, reusachtig): *reuzegroot, reuzeblij, reuzefijn, reuzeleuk. Reuzen-* gebruiken we als we min of meer aan *groot, geweldig* denken: *reuzenstappen, reuzenwerk, reuzensalamander.*

**revisie** Tweede drukproef om te controleren of de in de eerste drukproef aangegeven correcties goed zijn uitgevoerd. Als er in de revisie nog veel fouten voorkomen, kan er een tweede revisie worden gevraagd. De revisie (of de tweede revisie) is voor de auteur vaak de laatste mogelijkheid om allerlei dingen te controleren en dus fouten te voorkomen. ➤ drukproef. ozalid.

**richten aan/richten tot** *Een brief, vraag richten aan. Een protest, verzoekschrift, het woord richten tot. Zich richten aan* is een gall. voor *zich richten tot.*

**richtig** *Een richtige keuze.* Ingeb. germ. (en verouderd) voor *juist, correct.*

**rijks-** *Rijkserkend, rijksgediplomeerd, rijksgekeurd* enz. zijn (ingeb.) germ. voor *door het rijk erkend* enz. ➤ zelfst. naamw. + deelw.

**roestbestendig** Ingeb. germ. voor *bestand tegen roest, roestvrij, roestvast.* ➤ -bestendig.

**romein** Met de term *romein* duiden we alle rechtopstaande letters aan, dus de niet-cursieve. Romein-letters zijn beter leesbaar dan cursieve. ➤ cursief. Een woord kan *romein* (niet-cursief) worden gezet, maar cijfers worden *Romeins* (niet-Arabisch) gezet.

**Romeinse cijfers** ➤ cijfers, Romeinse.

**rond** *Ze zaten rond de tafel.* Ingeb. angl. voor *om, rondom de tafel.*

**rond** *Rond 1 januari.* Ingeb. angl. voor *omstreeks 1 januari. Rond de dertig mensen.* Ingeb. angl. voor *ongeveer, zo'n dertig mensen.*

**rondcirculeren** Contam. van *rondgaan* en *circuleren.*

**rondschrijven** Ingeb. germ. voor *circulaire.*

**roofmoord** Ingeb. germ. voor *moord gepleegd om iemand te kunnen beroven, moord tot beroving.*

**routinematig** *Na enkele routinematige handelingen had hij de machine aan de praat.* Ingeb. germ. voor *zonder inspanning verricht, gemakkelijk verlopend, routineus.* ➤ -matig.

**rubbergevoerd** (Ingeb.) germ. voor *met rubber gevoerd.* ➤ zelfst. naamw. + deelw.

**rugtitel** Op de rug van een boek komt de titel, vaak met de naam van de auteur en soms ook met de naam van de uitgever. De tekst wordt (bij dikke boeken) weleens in een of meer horizontale regels geplaatst. Bij dunnere boeken komt de tekst van boven naar beneden – en niet andersom. Als het boek met de voorkant van het omslag naar boven ligt, moet de rugtitel te lezen zijn.

**rugzijde** *Op de rugzijde van het boek staat iets over de inhoud.* Ingeb. germ. voor *achterkant, achterzijde.*

**ruimtelijk** *Ruimtelijke werking, waarneming.* Ingeb. germ. voor *dieptewerking, ruimtewerking, ruimtewaarneming.*

**rustig** Kalm, zonder opwinding. *Je kunt hier rustig werken, rustig nadenken.* Niet te verwarren met *gerust.* Onjuist is: *Neem dat maar rustig van mij aan.* Moet zijn: *gerust*.

# S

**-s- (tussenletter -s-)** ➤ tussenletters.

**s/'s** De *s* van de tweede naamval wordt na een medeklinker en na de letter *e* aan het woord vastgeschreven: *Toms medailles, Shells investeringen, Belgiës industrie.* Na *a, i, o, u* en *y* komt *'s: Rudi's studie, baby's kleren.* Om een handelsnaam niet aan te tasten, wordt – in afwijking van de regel – soms *'s* geschreven: *Van Nelle's koffie.* ➤ apostrof.

**samen met** *Hij is samen met zijn vrouw gegaan.* Eigenlijk een contam. van *Hij is met zijn vrouw gegaan* en *Hij en zijn vrouw zijn samen gegaan.* Er is geen bezwaar tegen. *Samen met* geeft een hechte eenheid aan.

**samenbundelen** Eigenlijk een contam. van *samenvoegen* en *bundelen.* Het is echter heel gebruikelijk.

**samenstellingen** Wanneer schrijven we woorden aan elkaar, wanneer gebruiken we een koppelteken en wanneer schrijven we woorden níét aan elkaar? ➤ aaneenschrijven. koppelteken.

**samentrekking, onjuiste** We spreken van samentrekking als gelijkluidende woorden in nevenschikkend verbonden zinnen of zinsdelen slechts eenmaal worden gebruikt. Van nevenschikking spreken we als er een gelijkwaardigheid is, bijvoorbeeld twee hoofdzinnen of gelijkwaardige bijzinnen. (Bij een hoofdzin en een bijzin of bij ongelijkwaardige bijzinnen spreken we van onderschikking.)

Een voorbeeld: *Deze boeken zijn zeer gangbaar en deze boeken hebben we in voorraad.* Tweemaal hetzelfde woord is niet fraai. Beter is: *Deze boeken zijn zeer gangbaar en we hebben ze in voorraad.* Onjuist is: *... zijn zeer gangbaar en hebben we in voorraad.* (Zie verderop: functieverschil.)

We kunnen gelijke woorden alleen samentrekken als ze: – dezelfde betekenis hebben; – dezelfde grammaticale functie hebben (dus niet bijvoorbeeld hulpwerkwoord/koppelwerkwoord of onderwerp/lijdend voorwerp); – op dezelfde plaats ten opzichte van het werkwoord staan; – dezelfde vorm hebben.

Samentrekking is dus alleen geoorloofd als er aan deze voorwaarden wordt voldaan. We zullen ze hierna bekijken.

– *Betekenisverschil. De inbreker sloeg een ruit in en de hoek om. Slaan* heeft in *inslaan* een andere betekenis dan in *omslaan*. Correct: *De inbreker sloeg een ruit in en (hij) sloeg de hoek om*. (Een bekend voorbeeld is: *Hier zet men koffie en over*; soms uitgebreid tot ... *en over de Zaan, mensen af en scheermessen aan.*)

– *Functieverschil. Uw artikelen zijn voordelig en vinden wij geschikt om te verkopen*. In de eerste zin is *artikelen* onderwerp en in de tweede zin lijdend voorwerp. Correct: *Uw artikelen zijn voordelig en wij vinden ze geschikt om te verkopen.*

*Wies is mijn zus en door een fietser aangereden*. Het eerste *is* is koppelwerkwoord; het tweede *is* is hulpwerkwoord. Dus: *Wies is mijn zus en ze is door een fietser aangereden.*

– *Plaatsverschil. Graag zullen wij u ontvangen en hopen dat wij u kunnen helpen*. In de eerste zin staat *wij* achter het werkwoord en in de tweede zin moet het vóór het werkwoord gedacht worden. Het onderwerp staat in het tweede gedeelte dus niet op dezelfde plaats. Het moet daarom worden herhaald. Correct: *Graag zullen wij u ontvangen en wij hopen dat wij u kunnen helpen.*

– *Vormverschil. Dit is een concert waarvan iedereen zal genieten en niemand mag missen*. Het element waarin de zinnen samengetrokken zijn, mag niet van vorm veranderen. In de voorbeeldzin is samengetrokken in het woord *waarvan*, maar het moet *dat* zijn. De samentrekking is dus onjuist. Correct: *Dit is een concert waarvan iedereen zal genieten en dat niemand mag missen.*

Er is één uitzondering: de persoonsvorm (het vervoegde werkwoord) mag van vorm veranderen: *Jan mag gaan, maar zijn zusjes niet* (eigenlijk: *mogen*).

**samentrekkingsteken** (^) Wordt geplaatst boven de tweede van twee klinkers die door de samentrekking van twee lettergrepen naast elkaar komen te staan: *Nederland/ Neêrland; weder/weêr.*

**samenvatting** Soms heeft een boek, rapport of een hoofdstuk een samenvatting. Daarin worden in het kort de belangrijkste punten uit de tekst vermeld. De samenvatting, die ook in een andere taal geschreven kan zijn, staat meestal na de tekst, maar ervóór is ook mogelijk. Een samenvatting wordt vaak in een iets kleinere letter gezet.

**schaal** De breuk die (in legenda's) de verhouding aangeeft tussen de maten op een (aardrijkskundige) kaart of tekening en de werkelijkheid. Bijvoorbeeld 1 : 1000 (1 op 1000). We gebruiken de dubbele punt met een spatie ervoor en erna.

**schade** *Schade betalen* is eigenlijk een contam. van *schade vergoeden* en *schadevergoeding betalen.*

**schadeplichtig** Eigenaardig woord (ook term in het arbeidsrecht), dat eigenlijk betekent: *verplicht tot schade*. Beter is: *verplicht de schade te vergoeden, verplicht tot schadeloosstelling/schadevergoeding.* ➤ schade.

**schamen** *Zich schamen over* slaat op anderen: *Hij schaamt zich over zijn ouders, over zijn* *afkomst. Zich schamen voor* heeft betrekking op de persoon zelf: *Hij schaamt zich voor zijn puistjes.*

**scheidbare werkwoorden** ➤ werkwoorden (scheidbare/onscheidbare).

**scheikundige aanduidingen** ➤ afkortingen.

**schelen** *Wat scheelt hij?* Minder juist voor: *Wat scheelt hem?* Ook eigenlijk onjuist: *Wij/zij schelen niets* voor: *Ons, hun scheelt niets.* ➤ mankeren.

**schertsartikel** Ingeb. germ. voor *artikel bedoeld om een komisch effect te bereiken, feestartikel.*

**schertsenderwijs** Kan een germ. zijn voor *in scherts, al schertsend,* maar dat is niet zeker. ➤ -wijs.

**schetsmatig** Ingeb. germ. voor *schematisch, vereenvoudigd voorgesteld, in schets.* ➤ -matig.

**schijnbaar** Naar de schijn, maar níét in werkelijkheid. *Hij is schijnbaar ziek, maar hij mankeert niets. Schijnbaar* in de betekenis van *blijkbaar* wordt wel een germ. genoemd. ➤ blijkbaar. ogenschijnlijk.

**schijnen** De genoemde indruk wekken, maar van enige zekerheid is geen sprake: *Het verleden schijnt altijd mooier dan het werkelijk was.* ➤ blijken. lijken. schijnbaar.

**schokdemper** Ingeb. germ. voor *schokbreker.*

**schreefloos** We kunnen letters onder andere onderverdelen in schreefloze letters en letters met schreef. Schreven zijn de dwarsstreepjes aan een letter. **Deze zin is gezet uit een schreefloze letter, namelijk de Frutiger.** Dit boek is verder gezet uit een letter met schreef: de Swift. In het algemeen wordt een schreefloze letter als minder goed leesbaar beschouwd dan een letter met schreef. ➤ leesbaarheid. lettertype.

**schrijftaal/spreektaal** Er wordt vaak gedacht dat schriftelijk taalgebruik sterk afwijkt van mondeling taalgebruik. Je zegt bijvoorbeeld: *Jammer genoeg kan ik u pas vandaag vertellen dat ...* Maar sommigen schrijven: *Tot mijn spijt kan ik u eerst heden mededelen dat ...* Je kunt inderdaad niet schrijven zoals je praat (andersom trouwens ook niet). De schrijver is in het nadeel ten opzichte van de spreker. Die merkt namelijk direct of zijn gesprekspartner hem begrijpt. Hij kan onmiddellijk ingaan op vragen. Bovendien kan hij door klemtoon, gebaren, gelaatsuitdrukkingen enz. veel duidelijk maken.

Omdat de schrijver dat niet kan, moet hij zijn uiterste best doen om zijn gedachten goed op papier te zetten. Bij de lezer mogen immers geen vragen rijzen. Daarom drukt men zich op papier voorzichtiger, bedachtzamer, meer overwogen en in het algemeen tactischer uit. Maar dat betekent niet dat er ook allerlei ouderwetse woorden en zinswendingen gebruikt moeten worden.

Er is geen enkele reden om *thans* of *heden* te schrijven in plaats van *nu.* Waarom *reeds* en *slechts* in plaats van *al* en *maar?* Waarom *mededelen* in plaats van *meedelen?* We geven nog wat voorbeelden. Links de 'schrijftaalwoorden' en rechts de gewonere 'spreektaalwoorden':

| | | | |
|---|---|---|---|
| *doch* | – *maar* | *thans* | – *nu* |
| *gaarne* | – *graag* | *dienen* | – *moeten* |
| *geschieden* | – *gebeuren* | *gelijken* | – *lijken* |
| *inmiddels* | – *intussen, ondertussen* | *gewennen* | – *wennen* |
| *ofschoon* | – *hoewel* | *behoeven* | – *hoeven* |
| *pogen* | – *proberen* | *behoren* | – *horen* |

En zo zijn er natuurlijk nog veel meer. Het zou te ver gaan om te zeggen: gebruik de woorden uit de linkerkolom nooit. Maar het is een feit dat de synoniemen uit de rechterkolom vaak gewoner, prettiger aandoen. We hebben daarbij het oog op zakelijk taalgebruik. Dat die gewonere woorden in persoonlijke brieven gebruikt worden, spreekt wel vanzelf. Het taalgebruik daarin zal de spreektaal dicht benaderen.

Een aparte categorie vormen de moeilijke/vreemde woorden. Sommige mensen denken dat het gebruik van vreemde woorden gewenst is als ze gaan schrijven. *Uitleg* is niet goed genoeg. Liever: *explicatie*. En *prefereren* voor *de voorkeur geven aan, propositie* voor *voorstel* enz. Vermijd zulke woorden liever, want niet iedereen kent ze. En zelfs als de lezer ze wél kent, hebben eenvoudige woorden de voorkeur. Het komt de leesbaarheid van uw tekst ten goede als we begrijpelijke taal gebruiken. Houd daarbij wel het niveau van de lezer voor ogen: *te* eenvoudig woordgebruik is ook hinderlijk. Er zijn verschillende soorten geschreven taal, van heel formeel (ambtelijke teksten) tot heel informeel (persoonlijke, intieme brieven). Daartussenin hebben we bijvoorbeeld journalistieke teksten en zakenbrieven. ➤ woorden, moeilijke. woorden, vreemde.

**schrijven** *In antwoord op uw schrijven.* Ingeb. germ. (maar al oud) voor *brief.*

**schrijver** Woorden als *schrijver, spreker, dokter, dominee* enz. worden vaak ten onrechte als eigennamen beschouwd: *schrijver beweert, spreker zei* enz. Moet zijn: *de schrijver, de spreker* enz. Maar vóór titels of kwaliteitsaanduidingen waar direct een eigennaam achter komt, moet *de* juist weggelaten worden. Niet: *de burgemeester Van de Velde.* (In militaire kringen wordt *de* wél gebruikt: *de sergeant Pietersen.*) ➤ de.

**schrijveraanduiding** ➤ ik. we.

**schuine (deel)streep** Duitse komma ( / ). ➤ deelstreep.

**schuld** *Hij is schuld aan dat ongeluk.* Germ. en contam. van *Hij heeft schuld aan ...* en *Hij is schuldig aan ...*

*Dat ongeluk is aan zijn schuld te wijten* is een contam. van *... is zijn schuld* en *... is aan hem te wijten.*

**-se** *Basedowse ziekte, Berlaagse stijl, Kantse wijsbegeerte, Schubertse liederen, Weilse ziekte* enz. zijn germ. voor *ziekte van Basedow, stijl van Berlage, wijsbegeerte van Kant, liederen van Schubert, ziekte van Weil* enz. Sommige constructies met *-se* zijn ingeb., bijvoorbeeld *Lutherse Kerk.* ➤ eigennamen.

**seconde** In tijdsaanduidingen geven we seconden aan met s, zonder punt. (In andere gevallen is de afkorting *sec.*; dus met punt.) Het teken ″ is in tijdsaanduidingen verouderd. Wordt wel gebruikt om geografische lengte- en breedtegraden aan te geven: 60 graden, 5 minuten en 40 seconden schrijven we als 60°5′40″. ➤ gradenteken. minuut. tekens.

**sedert** Ouderwets voor: *sinds, vanaf.*

**sedertdien** Vanaf dat tijdstip. Staande uitdr.

**sekseaanduiding** ➤ geslacht van woorden.

**separaat** Met dezelfde post, afzonderlijk. *Met gelijke post* is een germ.

**serie** *Er deed zich een serie ontploffingen voor. Serie* is enkelvoud; vandaar *deed.* Maar meervoud is mogelijk, namelijk als we aan de afzonderlijke ontploffingen denken. ➤ aantal.

**serienaam** Als een boek een deel van een serie is, kan de serienaam op pag. 2 (II) (achterkant Franse titel) of op pag. 4 (IV) vermeld worden.

**sfeervol** Ingeb. germ. voor *met veel sfeer.* ➤ -vol.

**show** *De show stelen.* (Ingeb.) angl. voor *met de eer gaan strijken, het meeste succes hebben.*

**SI** Afkorting van een stelsel voor het uitdrukken in eenheden van fysische grootheden (Système Internationale), dat sinds 1978 van kracht is. De grondeenheden van het SI zijn: meter (lengte; m), kilogram (massa; kg), seconde (tijd; s), ampère (elektrische stroom; A), kelvin (temperatuur; K), mol (hoeveelheid stof; mol) en candela (lichtsterkte; cd). Het is belangrijk de voorgeschreven schrijfwijze te volgen, omdat er anders gemakkelijk misverstanden kunnen ontstaan.

Symbolen en afkortingen van grootheden en eenheden krijgen geen punt: m, kg, W, h enz. ➤ afkortingen. eenheden. grootheden.

**sic** Latijn voor *aldus, zo staat er woordelijk.* Wordt bijvoorbeeld gebruikt om een opvallende fout aan te geven. 'Sic' komt erachter, tussen teksthaken: *In het boek stond: 'U moet er altijd voor zorgen dat teksten goed verzorgt [sic] zijn.'* Een uitroepteken tussen haakjes heeft hier hetzelfde effect.

**sigma** (Σ) Somteken. ➤ tekens.

**signaalwoorden** ➤ zinsverband.

**sinds** *Hij is sinds drie jaar met pensioen.* In deze zin wordt *sinds* ten onrechte gebruikt in de betekenis 'gedurende'. Beter is: *Hij is al drie jaar met pensioen.* Wel is mogelijk: *Hij is sinds 1997 men pensioen.* Nu is de betekenis 'vanaf'.

**Sint-** ➤ koppelteken.

**SISO** Afkorting van Schema voor de Indeling van de Systematische Catalogus in Openbare Bibliotheken. Volgens dit schema zijn de wetenschappen in een aantal rubrieken en onderrubrieken verdeeld, met een nummering volgens het decimale stelsel. ➤ CIP.

**slachtoffer** *Er waren vijf dodelijke slachtoffers.* Hier zou *dodelijke* eigenlijk moeten vervallen, omdat er staat: 'slachtoffers die de dood veroorzaken'. Maar 'slachtoffers' wijst niet beslist op doden. 'Dode slachtoffers' is echter niet gebruikelijk. Er is dan ook weinig bezwaar tegen 'dodelijke slachtoffers'.

**slagwoord** Germ. voor *woord dat inslaat, trefwoord.*

**slagzin** Ingeb. germ. voor *leuze, reclameleus, slogan.*

**slangetje** (˜: **tilde**) ➤ tekens. tilde.

**slash** ( / ) ➤ deelstreep.

**slechts** Stijf woord voor *alleen (maar). Slechts op een diepte van tien meter* moet zijn: *Op een diepte van slechts (maar) tien meter.* Een pleon. is: *We volstaan met slechts enkele.* Volstaan houdt al in: *alleen maar.* Daarom moet *slechts* vervallen. Dat geldt ook voor: *We beperken ons slechts tot ...* In *zich beperken* zit al iets van *slechts.*

**slechts alleen (maar)** Tautologie*. *Slechts óf alleen (maar).*

**slijtbestendig** Ingeb. germ. voor *slijtvast, niet slijtend.* ➤ -bestendig.

**slinger-a** (@) ➤ apenstaartje. tekens.

**slippenproef** ➤ drukproef.

**slot** *Ten slotte* (twee woorden) betekent *tot slot: Ten slotte delen wij u mee ... Tenslotte* betekent *eigenlijk, goedbeschouwd: Hij is tenslotte al 90 jaar.* ➤ aaneenschrijven.

**slotconclusie** Eigenlijk een pleon. voor *slotsom* en *conclusie.* Als *laatste conclusie* is bedoeld, bestaat er geen bezwaar. Geldt ook voor *eindconclusie.*

**slotfinale** Tautologie*: *slot óf finale.*

**slotzinnen** Veel briefschrijvers beëindigen hun brieven met een zin als: *In afwachting van uw antwoord tekenen wij, hoogachtend,* of: *Inmiddels verblijven wij, hoogachtend,* of: *Hopend spoedig nader bericht van u te mogen ontvangen, verblijven wij, inmiddels, hoogachtend,.* Zulke nietszeggende zinnen horen in moderne brieven niet thuis. Schrijf dus niet: *tekenen, verblijven* en *inmiddels.* Het zijn formuleringen uit overgrootvaders tijd. Er kan meestal worden volstaan met *Hoogachtend,* (niet: *Met de meeste hoogachting,*). Om een wat abrupt einde te voorkomen kunnen we besluiten met bijvoorbeeld: *Wij zien uw antwoord met belangstelling tegemoet* of: *Wij hopen u hiermee voldoende informatie te hebben gegeven.* Of gewoon: *Met vriendelijke groeten,.* Dit laatste zinnetje mag gerust in een zakenbrief. En dat het *groet* in plaats van *groeten* zou moeten zijn, is een misvatting. ➤ groeten.

Vermijd zinnen met een deelwoord, zoals: *Hopend snel iets te horen. Een snel antwoord verwachtend. Vertrouwend op uw medewerking. U bij voorbaat dankend.* Zulke zinnen werken het gebruik van de woorden *tekenen* en *verblijven* in de hand. ➤ hoogachtend. tekenen. verblijven.

**sluitlijn** ➤ tabellen.

**smaakloos/smakeloos** *Smaakloos* is zonder smaak: *Water is smaakloos. Smakeloos* is flauw: *Een smakeloze grap.* ➤ -loos/-eloos.

**smaakvol** Ingeb. germ. voor *met (veel) smaak gemaakt, gekozen; van (veel) smaak getuigend.* ➤ -vol.

**smalspoor** Ingeb. germ. voor *spoor waarvan de rails op kleinere dan de normale afstand van elkaar liggen; smalle spoorbaan.*

**smeltzekering** Ingeb. germ. voor *smeltveiligheid, smeltpatroon, smeltstop.*

**sneeuwbedekt** Germ. voor *met sneeuw bedekt.* ➤ zelfst. naamw. + deelw.

**snel-** Enkele samenstellingen met *snel-* worden als germ. beschouwd, zoals *snelboot* (motortorpedoboot). Er is geen bezwaar tegen bijvoorbeeld: *snelweg, sneltrein, snelbouw, snelverkeer, sneldienst, snelbrommer, snelblusser, snelbuffet.* ➤ bijv. naamw. + zelfst. naamw.

**sommige/sommigen** ➤ alle/allen.

**somstijds** Contam. van *soms* en (het verouderde) *somtijds.*

**somteken** ($\Sigma$) (= sigma) ➤ tekens.

**soort** *Dat soort mensen komt altijd te laat.* We gebruiken enkelvoud *(komt)* omdat we aan een bepaalde groep denken. De nadruk ligt dus op *soort.* Als de nadruk niet op *soort* ligt, dan liever meervoud. *Wat voor soort bloemen staan daar?* ➤ aantal.

**soort van** *Dit is een soort van bloem.* Waarschijnlijk een ingeb. gall. voor *... een soort bloem.*

**Spaans uitroepteken (¡)** ➤ tekens.

**Spaans vraagteken (¿)** ➤ tekens.

**spaarkas** (Ingeb.) germ. voor *spaarbank.* Wordt vooral in België gebruikt. ➤ belgicismen.

**spatie** Met spaties wordt nogal eens slordig omgesprongen; ze staan vaak waar ze niet horen of ontbreken waar ze moeten staan. Enkele voorbeelden van waar geen spatie hoort: tussen ° en C (°C); voor procentteken/promilleteken (6%/6‰), tussen $-teken/ £-teken en het bedrag ($16,–/£16,–), tussen voorletters (A.B.C. Dijkstra). Vóór leestekens komt ook geen spatie (uitzonderingen zijn haakje, beletselteken en gedachtestreepje). Er komt ook geen spatie als een woord als *bedrijfseconomie* wordt afgebroken tot *bedr.economie.* ➤ afkortingen.

Enkele gevallen waar wél een spatie hoort: tussen verschillende titels: *prof. dr., mr. dr.;* voor en na een gedachtestreepje; tussen getal en °C (16 °C); voor en na bewerkingstekens: – + : en ×.

**spatiëren** Woorden spatiëren is een van de mogelijkheden om nadruk te leggen. Deze

methode is niet aan te bevelen, zeker niet in drukwerk. Liever cursief, eventueel vet.
Bij spatiëren komt er tussen elke letter een (extra) spatie:  s p a t i ë r e n .
Een gespatieerd woord wordt voorafgegaan en gevolgd door drie spaties: Beperk
s p a t i ë r e n   v a n   w o o r d e n  zo veel mogelijk.

In manuscripten/drukproeven wordt wel door middel van een onderbroken lijn
onder de bewuste tekst aangegeven dat die gespatieerd gezet moet worden.

We onderscheiden letterspatie (de witruimte tussen twee letters) en woordspatie (de
witruimte tussen twee woorden). Woordspatie wordt gebruikt om tekst uit te vullen;
ook letterspatie wordt daar weleens voor gebruikt, maar dat is heel lelijk. ➤ cursief,
onderstrepen, uitvullen, vet.

**speciaalzaak** *Dierenspeciaalzaak, bloemenspeciaalzaak.* Ingeb. germ. voor *speciale winkel,
gespecialiseerde zaak, winkel/zaak gespecialiseerd in ...*

**spektakel** *De optocht was een prachtig spektakel.* Ingeb. gall. voor *vertoning, schouwspel.*
*Spektakel* betekent ook *herrie, lawaai.*

**spelling** De volgende alfabetische lijst geeft een aantal woorden die vaak verkeerd
gespeld worden.

| | | |
|---|---|---|
| *aanvoerster* | *applaudisseren* | *clientèle* |
| *abattoir* | *asiel* | *comité* |
| *abonnee* | *aspirine* | *consciëntieus* |
| *accelereren* | *astma* | *cosmetisch* |
| *accessoire* | *atleet* | *coup (staatsgreep)* |
| *accommodatie* | *baby's* | *coupe (voor ijs)* |
| *accorderen* | *barbecue* | *controle* |
| *acne* | *bedrijfschap* | *diarree* |
| *adellijk* | *beits* | *dichtstbijzijnde* |
| *aggregaat* | *blocnote* | *distantiëren, zich* |
| *agressief* | *brij* | *eczeem* |
| *akkoord* | *burgerlijk* | *eengezinswoning* |
| *akoestiek* | *budgettair* | *elektronica* |
| *alleszins* | *cabaretier* | *enigszins* |
| *althans* | *caissière* | *espresso* |
| *analist* | *cappuccino* | *faillissement* |
| *analyse* | *carrousel* | *faliekant* |
| *andijvie* | *Celsius* | *fietsster* |
| *appelleren* | *chic* | *foerage* |
| *aperitief* | *cilinder* | *email* |

| | | |
|---|---|---|
| gecommitteerde | namelijk | satelliet |
| geenszins | niemendalletje | schaatsster |
| gerechtelijk | nochtans | seksueel |
| gevlij (in het – komen) | occasion | sieraad |
| gewelddadig | omelet | sloddervos |
| gezamenlijk | onmiddellijk | soeverein |
| gouverneur | panty's | souterrain |
| guerrilla | papegaai | sperzieboon |
| gynaecoloog | paperassen | staatsiebezoek |
| hartstikke | parallel | staatsiefoto |
| hopelijk | parallellogram | stagiair(e) |
| hovercraft | parttime | stencilen |
| impresario | per se | stiekem |
| interview | pijler | stilistisch |
| kaketoe | piramide | syllabus |
| kangoeroe | pittoresk | symmetrisch |
| keeper (doelverdediger) | porselein | tezamen |
| keper (op de keper | postelein | tendensen |
| beschouwd) | praktiseren | toerisme |
| kompres | precieze | toentertijd |
| liniaal | procédé | truc (list) |
| locatie | puberteit | truck (vrachtauto) |
| loep | pyjama | trukendoos |
| logenstraffen | quitte | uitweiden |
| loochenen | quiz | van tevoren |
| maffia | rappelleren | verrassing |
| manoeuvre | rechterlijk | vleien (aardig doen) |
| millennium | represaille | vlijen (neerleggen) |
| millimeter | rigoureus | weids |
| minuscuul | rododendron | weifelen |
| minutieus | roze | woordvoerster |

➤ c of k?

Het volgende overzicht geeft de woorden waarbij in de spelling-1995 de voorkeur-spelling van 1954 niet is gevolgd.

| voorkeurspelling 1954 | spelling 1995 | voorkeurspelling 1954 | spelling 1995 |
|---|---|---|---|
| antikrist | antichrist | oxydatie | oxidatie |
| catheter | katheter | oxyde | oxide |
| croquet | kroket | oxyderen | oxideren |
| dioxyde | dioxide | prae | pre |
| elektrokuteren | elektrocuteren | praeses | preses |
| elektrokutie | elektrocutie | prakkizeren | prakkiseren |
| emfaze | emfase | praktizeren | praktiseren |
| fotocopie | fotokopie | predikatief | predicatief |
| fotocopiëren | fotokopiëren | produkt | product |
| harmonika | harmonica | produktie | productie |
| insekt | insect | produktief | productief |
| komplot | complot | produktiviteit | productiviteit |
| komplotteren | complotteren | propaedeuse | propedeuse |
| korpus | corpus | propaedeutisch | propedeutisch |
| kwaker | quaker | publikatie | publicatie |
| lambrizeren | lambriseren | quantum | kwantum |
| lambrizering | lambrisering | vredestractaat | vredestraktaat |
| macrocosmos | macrokosmos | vulcanisatie | vulkanisatie |
| mediaevist | mediëvist | vulcaniseren | vulkaniseren |
| microcosmos | microkosmos | | |

➤ c of k?

**spertijd** Ingeb. germ. voor *verbodstijd, tijd waarin iets verboden is.*

**spervuur** Ingeb. germ. voor *versperringsvuur, gordijnvuur.*

**spijt** *Tot onze spijt delen wij u mee.* Onjuist voor: *Tot onze spijt moeten wij u meedelen.* ➤ mee-delen.

**spitsuur** Wordt wel een germ. genoemd voor *topuur, piekuur, drukste uur,* maar is dat waarschijnlijk niet. Er is geen bezwaar tegen.

**splitsen in lettergrepen** ➤ afbreken.

**spoedigst** Germ. voor *zo spoedig mogelijk, ten spoedigste, zo snel mogelijk.*

**spoedshalve** Ouderwets voor: *ter bespoediging van de zaak, om spoedige afdoening te bevor-deren.* ➤ -halve.

**spoorloos** *De man was spoorloos.* Minder juist voor: *spoorloos verdwenen.*

**spoorwegwezen** (Ingeb.) germ. voor *spoorwegen.*

**sprake** *Er was sprake van brandstichting.* Betekent: Brandstichting wordt mogelijk geacht, komt in aanmerking. Daarom liever niet: *In land X is nog steeds sprake van hongersnood.* Beter is: *heerst.*

**spreektaal/schrijftaal** ➤ schrijftaal/spreektaal.

**sprekende hoofdregel** ➤ hoofdregel (sprekende hoofdregel).

**sprekende voetregel** ➤ hoofdregel (sprekende hoofdregel).

**springlading** Ingeb. germ. voor *hoeveelheid aangebrachte springstof, lading van springstof.*

**springstof** Ingeb. germ. voor *ontplofbare stof, explosieve stof, explosief.*

**staan** *Dit beeld staat voor ... De afkorting staat voor ...* Ingeb. angl. voor *symboliseert, betekent.*

**staande uitdrukkingen** Er komen in onze taal nogal wat oude naamvalsvormen voor, zoals: *te allen tijde, in groten getale, bij dezen, allerwegen.* Ze worden vaak onjuist geschreven.

U vindt in dit boek honderden van deze oude naamvalsvormen. Dat betekent niet dat we het gebruik ervan propageren. Integendeel: in het algemeen hebben ze een negatieve invloed op de leesbaarheid van een tekst. Vermijd ze daarom liever.

De staande uitdrukkingen met *te, ten* of *ter* staan onder *te/ten/ter.* De overige (bijv. *van koninklijken bloede*) staan onder het hoofdwoord (bijv. *koninklijk*).

Enkele voorbeelden van staande uitdrukkingen die nogal eens voorkomen: *ten aanhoren van, allerwegen, te baat nemen, bij dezen, van koninklijken bloede, heden ten dage, in goeden doen, in groten getale, in allen gevalle, uit anderen hoofde, van goeden huize, ten eersten male, ten algemenen nutte, terzelfder tijd, te allen tijde, toentertijd, van goeden wille.*

**staartregel** De laatste regel van een alinea of kolom. Zo'n regel moet liever niet de eerste regel van een pagina of tekstkolom zijn. We spreken dan van een hoerenjong*.

**staat** *In staat zijn te kunnen.* Pleon. voor *in staat zijn* en *kunnen.*

**staat tot** ➤ dubbele punt. tekens.

**stage** *Praktische stage* en *praktijkstage* zijn eigenlijk pleon., want een stage heeft altijd in de praktijk plaats. Deze formuleringen worden zo vaak gebruikt dat er geen bezwaar meer tegen is.

**standpunt** *Wij hopen dat u ons standpunt inziet.* Onjuist voor: *de juistheid, redelijkheid van ons standpunt.*

**stansen** Ingeb. germ. voor *uit metaal slaan, uitslaan, ponsen.*

**stapelloop** Ingeb. germ. voor *het van stapel lopen, de tewaterlating* (van een schip).

**statenloos** Ingeb. germ. voor *staatloos, zonder nationaliteit.* ➤ -loos.

**stede** *In stede van* (in plaats van). Staande uitdr.

**steden** Namen van steden zijn onzijdig: *(het) Amsterdam, (het) New York.* Dus: *Rotterdam en zijn havens* (en niet: *haar*). ➤ aardrijkskundige namen. geslacht.

**steekwoord** (Ingeb.) germ. voor *trefwoord.*

**steenrijk** (Ingeb.) germ. voor *schatrijk, heel rijk.*

**stel** *Een stel mensen liep* of *liepen?* Beide vormen zijn mogelijk. Bij enkelvoud denken we aan een eenheid, een geheel. Als we meer aan de onderdelen denken die samen de eenheid vormen, dan meervoud. ➤ aantal.

**stellen** *Een eind aan iets stellen.* Gall. voor *een eind aan iets maken.*

**stellen** *Een machine in werking stellen, buiten werking stellen.* Ingeb. germ. voor *aanzetten, aan de gang brengen/afzetten.* ➤ veiligstellen. zeker stellen.

**stelling nemen tegen** Ingeb. germ. voor *zich kanten tegen, zich uitspreken tegen, partij kiezen tegen.*

**stellingname** Ingeb. germ. voor *standpunt, houding, positiebepaling.* ➤ -name.

**stem** *Met luider stem(me).* Staande uitdr.

**stemmingsvol** Germ. voor *met/in een aangename stemming.* ➤ -vol.

**sterretje** (*) ➤ asterisk.

**stijgen** *Naar boven/omhoog stijgen.* Pleon., want *stijgen* is altijd naar boven/omhoog.

**stijlvol** Ingeb. germ. voor *in, met een mooie stijl, met veel stijl, smaak; veel stijl hebbend.* ➤ -vol.

**stilleggen** Ingeb. germ. voor *buiten werking/bedrijf stellen, laten ophouden (met werken).*

**stippellijn** Een uit een rij fijne puntjes bestaande lijn, die wel wordt gebruikt bij formulieren, om aan te geven waar iets ingevuld moet worden. ➤ lijnen.

**stomer** Angl. voor *stoomschip, stoomboot.*

**stopcontact** Ingeb. germ. voor *(wand)contactdoos.*

**stopleggen** Contam. van *stoppen* en *stilleggen.*

**stoplicht** *Door het rode stoplicht rijden. Het stoplicht staat op rood. Rood stoplicht* is eigenlijk een pleon., want een stoplicht is altijd rood. Dus: *Het (verkeers)licht staat op rood, groen, oranje. Rood stoplicht* wordt niet meer echt onjuist gevonden.

**stopzetten** Eigenlijk een contam. van *stoppen* en *stilzetten,* maar er is geen bezwaar tegen.

**straatnamen** Namen van straten, lanen, pleinen enz. moeten (in tegenstelling tot Nederlandse aardrijkskundige namen) eigenlijk in de 'nieuwe' spelling geschreven worden: *Herenweg* (niet *Heerenweg*), *Leidsevaart* (niet *Leidschevaart*). Maar bijvoorbeeld *Alphenseweg,* omdat de naam is afgeleid van *Alphen.* ➤ aardrijkskundige namen.

**streek** *Op streek helpen.* Contam. van *iemand op streek brengen* en *iemand helpen.* Goed is: *op streek zijn* (= op gang).

**streepje** In drukwerk komen verschillende soorten streepjes voor: koppelteken (*Groot-Brittannië*), weglatingsstreepje (*im- en export*), afbreekstreepje (om woorden aan het eind van een regel af te breken), gedachtestreepje (*U schreef ons – waarom eigenlijk? – dat ...*). Er worden ook streepjes gebruikt om de delen van een opsomming aan te geven, en bij jaartallen, data en tijdsbepalingen: *1914–1918, 10–12 oktober, 14.00–16.30 uur, 29-3-1947.* ➤ afbreken. divisie. kastlijntje. koppelteken. weglatingsstreepje.

**strijdvraag** Ingeb. germ. voor *twistvraag, twistpunt.*

**strokenproef** ➤ drukproef.

**sturen** *Sturen aan* en *sturen naar* zijn meestal door elkaar te gebruiken. *Sturen aan* wordt meestal gebruikt bij personen: *Iets sturen (zenden) aan een persoon.* Bij *sturen naar* gaat het meer om een plaats, een instantie of een groep personen: *sturen (zenden) naar Amsterdam, naar huis.* (*Versturen* is eigenlijk een contam. van *sturen* en *verzenden.*)

**stuurgroep** Ingeb. angl. voor *groep mensen die toezicht houdt op de gang van zaken, voorbereidend werk verricht of adviseert.*

**sub** *Onder sub 1* is een pleon., want *sub* betekent: *onder.* Dus óf *sub* óf *onder.*

**subscript/subschrift** We spreken van subscript, subschrift of inferieur als letters of cijfers lager staan (en kleiner zijn) dan de overige tekst/cijfers: $a_2 + b_2$. Ook bij breukcijfers: $1/10$. Inferieure cijfers heten indices. Het tegengestelde is superscript, superschrift of superieur (exponent): $a^2 + b^2$. ➤ exponent. index. superscript/superschrift. Op de tekstverwerker worden inferieure letters of cijfers gemaakt met ctrl F8 – 1 grootte – 2 sub, of door via 'opmaak' of 'lay-out' en 'lettertype' voor deze zetwijze te kiezen.

**successie** *In successie. Gisteren behaalde Jan zijn derde overwinning in successie. In successie* betekent: achtereenvolgens, achter elkaar. Als Jan driemaal achter elkaar heeft gewonnen, is de voorbeeldzin goed. Als hij in totaal driemaal heeft gewonnen, maar ertussendoor ook weleens verloren, dan kunnen we niet *in successie* gebruiken.

**successievelijk** Achtereenvolgens, de/het een na de/het ander: *Het orkest speelde successievelijk een ouverture, een symfonie en een divertimento.* Het bijvoeglijk naamwoord is *successief: Al zijn successieve pogingen hadden geen resultaat.*

**succesvol** Ingeb. germ. voor *geslaagd, (met succes) bekroond, met veel succes, succesrijk.* ➤ -vol.

**suggereren** Ingeb. angl. voor *een voorstel doen, een idee aan de hand doen.*

**suggestie** *Een suggestie doen.* Ingeb. angl. voor *een voorstel doen, een idee aan de hand doen, een denkbeeld opperen.*

**superieur** ➤ superscript/superschrift.

**superscript/superschrift** We spreken van superscript, superschrift of superieur als letters of cijfers hoger staan (en kleiner zijn) dan de overige tekst/cijfers: $a^2 + b^2$. Ook bij breukcijfers: $1/10$. Ook nootcijfers worden superieur gezet. Superieure cijfers heten exponenten. Het tegengestelde is subscript, subschrift of inferieur (index): $x_2 + y_2$. ➤ exponent. index. subscript/subschrift. Op de tekstverwerker worden superieure letters en cijfers gemaakt met ctrl F8 – 1 grootte – 1 super, of door via 'opmaak' of 'lay-out' en 'lettertype' voor deze zetwijze te kiezen.

**symbolen** Verkorte aanduiding voor eenheden* (m = meter; °C = graad Celsius), wiskundige bewerkingen (+), grootheden* (*l* = lengte), chemische elementen (H = waterstof).

Het is gebruikelijk de symbolen voor grootheden cursief (schuin) te zetten. ➤ afkortingen. formules. tekens.

**synoniemen** Een tekst waarin steeds hetzelfde woord voor een bepaald begrip wordt gebruikt, is meestal eentonig en vervelend. Herhaal een woord in het algemeen liever niet op korte afstand. Een tekst kan leesbaarder gemaakt worden door synoniemen te gebruiken. Maar vermijd misverstanden. Het moet voor de lezer duidelijk zijn dat met verschillende woorden hetzelfde wordt bedoeld. Als dat niet zeker is, kan het woord beter herhaald worden.

Een synoniem heeft meestal niet precies dezelfde betekenis. Er is vaak een verschil in gevoelswaarde, sfeer, stijl enz. Tegen synoniemen als *bijna, vrijwel, praktisch, nagenoeg* is op zich geen bezwaar. Niemand zal daar problemen mee hebben. Maar kijk uit bij zakelijke begrippen. Een duidelijk voorbeeld van verschil in gevoelswaarde is: *abortus (provocatus), vruchtafdrijving* en *zwangerschapsonderbreking*. Die woorden kunnen we meestal niet door elkaar gebruiken. En als in een tekst achtereenvolgens wordt gesproken over *Leiden, de Sleutelstad* en *de studentenstad*, is het misschien niet voor iedereen duidelijk dat de schrijver steeds hetzelfde bedoelt. Gebruik voor zakelijke begrippen alleen synoniemen als mag worden aangenomen dat dit voor de lezer duidelijk is.

Moderne tekstverwerkingsprogramma's kunnen synoniemen van een bepaald woord geven. Ze kunnen natuurlijk niet weten welk synoniem in een bepaald geval bruikbaar is, maar de keus kan er gemakkelijker door worden. ➤ eufemismen.

Let vooral op het betekenisverschil van woordparen die een bepaalde klankovereenkomst hebben: *daarentegen** – *integendeel**; *weifelen** – *twijfelen**; *eenkennig** – *eenzelvig**; *geregeld** – *regelmatig**; *wettig** – *wettelijk** enz.

# T

**'t/het** Gebruik de verkorte vorm *'t* liever niet. ➤ apostrof.

**taakstelling** Stijf woord voor: *taak, (zich) stellen van een bepaalde taak, omlijning, omschrijving van de arbeid die in een bepaalde tijd verricht moet worden.*

**tabelcijfers** ➤ cijfers.

**tabellen** In een tabel kunnen we een grote hoeveelheid gegevens (meestal cijfers) overzichtelijk weergeven. Een goede vormgeving is daarbij belangrijk.
Een voorbeeld:

*Tabel 1.1* Aanbevolen hoeveelheden voedingsmiddelen.

| voedingsmiddel | hoeveelheden | leeftijd in jaren | | | | |
|---|---|---|---|---|---|---|
| | | 1-2 | 3-4 | 5-7 | 8-12 | 13-16 |
| brood | sneetjes | 2-3 | 3-4 | 3-5 | 4-6 | 5-9 |
| aardappelen | stuks | 1-1,5 | 1-2 | 1-3 | 2-4 | 5-7 |
| groente | groentelepels | 1-2 | 2 | 2 | 4 | 4 |
| fruit | stuks | 1 | 1 | 1 | 1 | 1 |
| melk(producten) | glazen | 4 | 4 | 4 | 4 | 4 |
| kaas | plakken | 1 | 1 | 1 | 1 | 2 |
| vlees, vis, kip, ei, vleeswaren | gram | 50-75 | 50-75 | 100 | 100 | 100 |
| margarine/halvarine | gram | 25-30 | 30-35 | 30-40 | 35-45 | 40-60 |

Er zijn nogal wat mogelijkheden voor de opbouw van een tabel, onder andere afhankelijk van de aard en omvang van de opgenomen gegevens. De volgende opmerkingen gelden voor de meeste tabellen.

Tabellen worden vaak in een iets kleinere letter gezet. Als de tekst bijvoorbeeld 10/12 is gezet, zou de tabel 9/10 gezet kunnen worden.

Boven de tabel staat de naam van de tabel. Het opschrift, dat vaak iets kleiner wordt gezet dan de overige tekst, moet de inhoud van de tabel duidelijk weergeven. De lezer moet kunnen begrijpen wat de tabel inhoudt zonder de tekst te hoeven raadplegen. Daarom bijvoorbeeld niet:

Tabel 6.2 Soortelijk gewicht.

Maar:

Tabel 6.2 Soortelijk gewicht van de onderzochte producten.

Onder de tabelnaam komt een koplijn (openingslijn).

Geef tabellen een nummer, het liefst per hoofdstuk doorlopend. Bij verwijzing kan dan volstaan worden met: *zie tabel 6.2* in plaats van: zie de tabel op deze/de vorige/de volgende pagina. Of: zie de tabel in hoofdstuk .../paragraaf ... (Vermijd in een manuscript 'de vorige tabel', 'de volgende tabel' enz., omdat de definitieve plaats van de tabel vaak niet zeker is.) Heel eenvoudige tabellen, met niet meer dan twee kolommen, kunnen buiten de nummering blijven. Het zijn eigenlijk staatjes, die in de tekst zijn opgenomen.

Boven de kolommen – tussen koplijn en halslijn – wordt in een kopje kort aangegeven wat er in die kolommen is weergegeven. Die kopjes moeten óf allemaal links lijnen óf allemaal in het midden staan. De eerste mogelijkheid heeft vaak de voorkeur. Begin alle kopjes consequent óf met een hoofdletter óf met een kleine letter.

De tekst van de kopjes boven de kolommen is vaak breder dan de kolommen zelf, zodat de woorden afgekort of afgebroken moeten worden. Voorkom dat zo veel mogelijk. Een praktische oplossing kan zijn de kopjes een kwartslag te draaien, en wel zodanig dat die van onder naar boven gelezen kunnen worden.

Vermijd onduidelijke of gezochte afkortingen. We kunnen de maandnamen afkorten tot *jan, feb, mrt, apr, mei, jun, jul, aug, sep, okt, nov, dec*; de dagnamen kunnen worden afgekort tot *ma, di, wo, do, vr, za, zo*.

Neem zo veel mogelijk gegevens in de koppen op. Gebruik bijvoorbeeld geen ƒ-teken of €-teken vóór de getallen in de kolom, maar vermeld in de kop: 'in guldens' of 'in euro's'. Als het om temperaturen gaat, gebruik dan het kopje: Temperatuur (°C). Bij de genoemde temperaturen hoeft dan niet steeds °C vermeld te worden.

Als getallen te lang zouden worden, kunnen we in plaats van *100.000* zetten: *100*. In de kop boven de bewuste kolom komt dan te staan: *x 1000*.

Bij getallen in de kolommen staan de duizendtallen, honderdtallen, tientallen, eenheden en decimaalkomma's onder elkaar. Het is gebruikelijk 'duizend' in cijfers zonder punt te schrijven (*1000*, en niet *1.000*). We doen dat in tabellen wél, omdat getallen van vier cijfers en van meer dan vier cijfers anders niet precies onder elkaar komen.

Voor de cijfers in tabellen kunnen we kiezen uit tabelcijfers (1, 2, 3) en mediëvalcijfers (1, 2, 3). Mediëvalcijfers worden steeds vaker gebruikt, ook in tabellen. ➤ cijfers.

De aanduidingen *1–100, 100–200, 200–300* kunnen tot misverstanden leiden: rekenen we *100* tot de klasse *1–100* of tot *100–200*? Men gaat er in het algemeen van uit dat dit streepje t/m betekent, maar de tekens < (kleiner dan) en > (groter dan) zijn gebruikelijk in tabellen. Enkele mogelijkheden:

|         0 –  50 |   0 – <  50 |   1 –  50 |   1 t/m  50 |
|         > 50 – 100 |  50 – < 100 |  51 – 100 |  51 t/m 100 |
|         > 100 – 200 | 100 – < 200 | 101 – 200 | 101 t/m 200 |
|         > 200 – 500 | 200 – < 500 | 201 – 500 | 201 t/m 500 |
|         enz. | enz. | enz. | enz. |

Voor de overzichtelijkheid worden de onderdelen van een tabel meestal door een lijn van elkaar gescheiden. We kunnen meestal volstaan met horizontale lijnen. Verticale (staande) lijnen zijn meestal overbodig: de ruimte tussen de kolommen geeft voldoende afscheiding. Er zijn lijnen in allerlei dikten; haarlijnen worden in tabellen veel gebruikt. ➤ lijnen.

Als er binnen een groep veel gelijkwaardige regels voorkomen, wordt de voorkolom bij voorkeur ingedeeld in groepjes van vijf regels.

De tabel eindigt met een sluitlijn (staartlijn). Direct daaronder komen eventuele bronvermelding en noten (meestal in deze volgorde). Is er één noot, gebruik dan een asterisk; bij meer noten kunnen ze genummerd worden.

Als de tabel te lang is voor één pagina, dan wordt die op een geschikte plaats gesplitst. De tabelkopjes worden op de volgende pagina herhaald.

Is een tabel te breed, dan kan worden overwogen een kleinere letter te kiezen; korps 8 is in het algemeen wel het minimum. Is die oplossing niet afdoende, dan zouden we de tabel dwars op de pagina kunnen plaatsen, en wel zodanig dat de linkerkant van de tabel aan de onderkant van het boek ligt. Het is vaak mooier om de tabel op twee naast elkaar liggende pagina's te plaatsen.

De (boekhoudkundige) balans is als een bijzonder soort tabel te beschouwen. Op de volgende pagina een voorbeeld:

| Debet | | Balans per 31 december 1998 | | Credit |
|-------|------|-----|-----|------|
| Voorraad goederen | ƒ 132.000 | Eigen vermogen | ƒ | 75.000 |
| Debiteuren | – 28.000 | Crediteuren | – | 25.000 |
| Rabobank | – 27.000 | | | |
| Kas | – 13.000 | | | |
| | ƒ 200.000 | | ƒ | 200.000 |

De balans zelf heeft een galgvorm: een horizontale balanslijn met daaronder, in het midden, een verticale lijn die iets langer is dan de laatste balansregel.

De balanskop staat in het midden boven de balanslijn: *Balans per 31 december 1998*. De aanduiding *Debet* staat geheel links en *Credit* geheel rechts ervan.

De teksten staan in de balanskolommen linkslijnend, de cijfers rechtslijnend. Kort teksten eventueel af.

Het guldenteken (of ander valutateken) wordt de tweede en volgende keren aangehaald met een kort streepje. Het is niet gebruikelijk het teken te herhalen of met „ 'aan te halen'. Onder de telstreep komt weer het guldenteken.

**taboewoorden** ➤ eufemismen.

**-tal** *Een tweetal, drietal, tiental* enz. wil zeggen *ongeveer twee, ongeveer drie, ongeveer tien* enz. *De leerling had een drietal fouten gemaakt.* Hier kunnen we beter *drie* dan *een drietal* schrijven.

Als hij 98 fouten heeft gemaakt, kunnen we spreken van een *honderdtal.* Of: *ongeveer honderd, zo'n honderd, een (stuk of) honderd.*

*Een tiental mensen was* of *Een tiental mensen waren?* Beide vormen zijn mogelijk. Als we aan de afzonderlijke delen denken die dat tiental vormen, gebruiken we meervoud. Zien we *tiental* als een geheel, dan liever enkelvoud. ➤ aantal.

**tal van** *Tal van landen hebben aan deze manifestatie deelgenomen.* Na *tal van ...* komt het werkwoord in het meervoud.

**tandtechniker** (Ingeb.) germ. voor *tandtechnicus.* ➤ -iker.

**tangconstructie** In het Nederlands kennen we het merkwaardige verschijnsel dat woorden die bij elkaar horen, dikwijls worden gescheiden: *Zij hebben ons nog geen antwoord gegeven. Hij ging direct na zijn vakantie aan het werk.* De woorden die bij elkaar horen maar niet bij elkaar staan, zijn te vergelijken met de grijpers van een tang. De zinnen hierboven zijn volkomen correct. Maar soms staan de zinsdelen die bij elkaar horen, te ver van elkaar.

Een voorbeeld: *In dit rapport zullen vele belangrijke vraagstukken op het gebied van de eco-*

*nomische orde en met name de vraag naar de gewenste omvang van de investeringen* <u>worden</u> <u>uitgewerkt.</u>

*Zullen* en *worden uitgewerkt* horen bij elkaar. Een groot aantal woorden tussen de twee delen heeft een negatieve invloed op de leesbaarheid: de lezer kan ze niet meer gemakkelijk met elkaar in verband brengen. Zet daarom zo veel mogelijk bij elkaar wat bij elkaar hoort. Bijvoorbeeld: *In dit rapport zullen vele belangrijke vraagstukken worden uitgewerkt op het gebied van ...*

Nog een voorbeeld: *De directie gaf een toelichting op de in de brief van de heer Jansen vermelde gegevens. De* en *gegevens* horen bij elkaar. Daarom liever: *De directie gaf een toelichting op de gegevens die in de brief van de heer Jansen vermeld waren.*

Wat zeker vermeden moet worden, is een tangconstructie binnen een tangconstructie. Een voorbeeld: *Het is nog niet zeker of in de warenhuizen alle in de door de importeur verspreide catalogus genoemde cd's verkrijgbaar zullen zijn.* Iets langer maar veel doorzichtiger is de volgende formulering: *Het is nog niet zeker of in de warenhuizen alle cd's verkrijgbaar zullen zijn die de importeur noemt in de catalogus die hij heeft verspreid.*

**tanker** Ingeb. angl. voor *tankschip, tankboot.*

**tante Betje** Benaming voor onjuiste inversie. ➤ inversie, onjuiste.

**tautologie** Het verschijnsel dat twee woorden met dezelfde betekenis in één zin voorkomen: *Maar hij had dat echter niet gedaan.* Hier moet óf *maar* óf *echter* weg. Hoe langer een zin is, hoe meer kans er is dat een tautologie wordt gebruikt.

Andere tautologieën zijn (zie ook onder de genoemde woorden): *al/reeds (alreeds), bovendien/ook, gratis/voor niets, pas/onlangs, slechts/alleen, verder/nog.*

Tegen sommige tautologieën bestaat geen enkel bezwaar, bijvoorbeeld *enkel en alleen, rust noch duur, part noch deel.* Ze leggen de nadruk, versterken een bepaalde indruk. ➤ pleonasme.

**t.a.v.** *Ter attentie van ...* Bedoeld voor. Wordt gebruikt als geadresseerd wordt aan een bepaalde persoon van bijvoorbeeld bedrijf of instelling. *T.a.v.* kan zonder bezwaar worden weggelaten; de naam is voldoende. ➤ adressering.

**te** *Te voorbarig, te overladen, te overdreven, te verkwistend.* Dit zijn eigenlijk pleon., want de voorbeeldwoorden drukken allemaal overmaat uit. En *te* doet dat ook.

**te** *Te Amsterdam* enz. Vlotter is: *in Amsterdam.* In plaats van *te 16.00 uur* liever: *om 16.00 uur* of: *om vier uur.*

**te** *Te goed. Te kort. Te veel.* ➤ tegoed. tekort. teveel.

**te/ten/ter** Er komen in onze taal nogal wat oude naamvalsvormen (staande* uitdrukkingen) voor. Ze beginnen meestal met *te, ten* of *ter.* In het volgende overzicht staan de meest voorkomende staande uitdrukkingen. Ze staan op alfabet van het woord ná *te/ten/ter.* Er staat alleen een verklaring bij als dat voor een goed begrip gewenst is.

Er zijn soms diverse mogelijkheden (bijvoorbeeld: *te bestemder tijd/ter bestemder tijd, te elfder ure/ter elfder ure*). In die gevallen hebben we de verschillende vormen gegeven. (Een aantal staande uitdrukkingen die niet met *te/ten/ter* beginnen, staan onder het hoofdwoord; *van koninklijken bloede* bijvoorbeeld staat onder de *k*.)

*ter aangehaalder plaatse*

*ten aanhoren van* (in tegenwoordigheid van, in bijzijn van)

*ten aanschouwen van* (in tegenwoordigheid van)

*ten aanval*

*ter aanwending*

*ten aanzien van*

*te dien aanzien*

*ter aarde*

*ten achter*

*ter afdoening* (ten einde brengen van iets)

*ten algemenen nutte* (in het algemeen belang)

*te allen prijze*

*te allen tijde*

*ten anderen male*

*ter andere zijde*

*ten anker*

*ten antwoord*

*ter attentie van* (bestemd voor)

*te baat*

*ten bate van*

*ten eigen bate*

*te hunnen bate*

*ter beantwoording*

*te bed*

*ten bedrage van*

*ter been*

*te zijnen behoeve*

*ter bekostiging*

*te bekwamer tijd*

*ten believe*

*te uwen believe*

*ten belope van* (ten bedrage van)

*ter beoordeling*

*te berde brengen* (ter sprake brengen)

*te berge rijzen*

*ter beschikking*

*te mijner beschikking*

*ten besluite* (tot besluit)

*ten beste*

*te(r) bestemder tijd*

*te(r) bestemde(r) plaatse*

*te(r) bestemder ure*

*ter bestrijding van*

*ter beurze* (op de beurs)

*te beurt vallen* (ten deel vallen aan)

*ter bevoegde(r) plaatse* (waar men de juiste inlichtingen kan geven/waar iets hoort te gebeuren)

*ten bewijze van*

*ter bezichtiging*

*ten bezware*

*te biecht*

*te binnen*

*ten blijke*

*te boek*

*te boven*

*te bruiloft*

*te buiten*

*ten burele* (op kantoor)

ten eeuwigen dage

ten huidigen dage

ten dank

ten dans

ten deel vallen

ten dele

ten departemente

ten derden male

ten detrimente van (ten nadele van, op
kosten van)

te dezen

te dezer gelegenheid

te dezer plaatse

te dezer stede

te dezer zake

te dien aanzien

te dien einde

ten dienste van

te uwen dienste

ter documentatie

ten doel

ter dood veroordelen

ten dode opgeschreven

ten doop

ten eerste

ten eeuwigen dage (voor altijd)

ten eigen bate (voor zichzelf)

te dien einde

teneinde (om, met de bedoeling)

ten einde* (afgelopen)

te(r) elfder ure (heel laat, op het laatste ogenblik)

ten enenmale (absoluut, volkomen)

te eniger tijd (op een of andere tijd)

ter ere van

te zijner ere

ten eten vragen

ten faveure van (ten gunste van, ten
voordele van)

te uwen faveure (te uwen gunste, in
uw voordeel)

te gast

ten gebruike

ter gedachtenis

te geef

ten gehore

te gelde

te gelegener tijd

te gelegener plaats

te(r) gelegener ure (op een geschikte
plaats, op een geschikt moment
enz.)

ter gelegenheid

te dezer gelegenheid

ten geleide

ten genoegen (van)

ten gerieve

te uwen gerieve

ten geschenke

ten getale van

ten gevalle

ten gevolge van

te goed

ten goede komen

te goeder naam en faam

te goeder trouw

te grabbel (verkwistend, voor het grijpen)

ten grave

ter griffie

te gronde

ten grondslag

ter grootte van

ten gunste van

te uwen gunste

ten halve (voor de helft)

ter hand

te(n) harent (bij haar (thuis), in haar
   woonplaats)

ter harte

heden ten dage

ten hele

ter helle

ten hemel

ter herdenking

ter herinnering

hier te lande

hier ter plaatse

hier ter stede

ten hove

ten honderd (procent)

ten hoogste (op zijn hoogst)

ter hoogte

te hooi en te gras (nu en dan, ongere-
   geld)

ten huidigen dage

ten huize van

te mijnen huize

te hulp

te(n) hunnent (bij hen (thuis), in hun
   woonplaats)

te huur

ten huwelijk

ter illustratie

ter informatie

te uwer informatie

ter inzage

ten vorigen jare

ter jacht

te(n) jouwent (bij jou (thuis), in jouw
   woonplaats)

ter juister plaatse

ten kantore

te uwen kantore

ter kennis van

te uwer kennis

ter kerke

ter keuze

te uwer keuze

te koop

ter koopvaardij

ten koste

te kust en te keur (voor het kiezen,
   zoveel je maar wilt)

ten kwade

te kwader trouw

ter kwijting (ter vervulling van een
   plicht)

ten laatste

ten laatsten male

ten langen laatste

te land

hier te lande

ten laste

te onzen laste

te(r) leen

ten langen leste (ten slotte, eindelijk,
   op het laatst)

ter lezing

te lijf

ter linkerzijde

teloor (verloren)

ten anderen male

ten eersten male

ten tweeden male

ten laatsten male

te(n) enenmale

temeer

te midden van

te mijnen dienste

te(n) mijnent (bij mij (thuis), in mijn
woonplaats)

te min (beneden verdienste of waardigheid)

te minder

tenminste (althans)

ten minste* (op z'n minst)

te moede (gestemd)

ten name

te goeder naam (en faam)

te uwen name

ten naaste bij (ongeveer)

ten nadele

te mijnen nadele

ter nagedachtenis van/aan

terneer (naar beneden)

tenietdoen

ten nutte

ten algemenen nutte

ten offer

ten onder

ten ondergang

ten ongerieve

te onpas

ten onrechte

ten ontijde (op een ongeschikt ogenblik)

te(n) onzent (bij ons (thuis), in onze
woonplaats)

ter ore

ten oordele

ten oorlog

ter oorzaak/ter oorzake

ter opvolging

ten opzichte van

te dien opzichte

ter oriëntatie

te uwer oriëntatie

ter oriëntering

te uwer oriëntering

ter overname

ten overstaan van (in tegenwoordigheid van, in bijzijn van)

ten overvloede (eigenlijk
overbodig)

ter overweging

te paard

ten paleize

te pas

ter perse

ter plaatse

ter aangehaalder plaatse

te(r) bestemde(r) plaatse

ter juister plaatse

ter bevoegde(r) plaatse

te dezer plaatse

ter zelfder plaatse

ten plattelande

ter plekke

ten pleziere

te allen prijze

ten prijze

ten profijte (tot voordeel)

te pronk

ten prooi

te rade

ter receptie

ten rechte

te rechter tijd

ter rechterzijde

te roer

ter ruste


te schande

ter school

tenslotte (eigenlijk, goedbeschouwd)

ten slotte* (tot slot)

ten spijt (ondanks)

ten spoedigste

ten spot

ter sprake

te stade komen (van pas komen)

ter stede

hier ter stede

te dezer stede

ten stelligste (heel zeker)

ter sterkte van

ten strijde


ter tafel

tegelijkertijd

ten teken

ten einde

tenietdoen (ongedaan maken)

ten minste

ten slotte

terneergedrukt

terneergeslagen

ter zake van (wegens, om)

ter zake komen

terzelfder tijd

van terzijde


tezamen

te bekwamer tijd

te eniger tijd

te rechter tijd

te(r) gelegener tijd

te zijner tijd

te(r) bestemder tijd

ten tijde van

te allen tijde

toentertijd (toen, in die tijd)

ten tonele

ten toon

ten top

te goeder trouw

te kwader trouw


ten uitvoer

te(r) bestemder ure

te(r) elfder ure (heel laat, op het laatste
   ogenblik)

te goeder, kwader ure

te(r) gelegener ure

te(n) uwent (bij u (thuis), in uw woonplaats)


ten val

te velde

ter verantwoording

ter verdediging

te zijner verdediging

ter verdeling

ten verderve (zeer nadelig)

ter vergadering

te uwer verjaring

ten verkoop

ter verontschuldiging

te mijner verontschuldiging


317

| | |
|---|---|
| ter verscheping | ter waarde |
| ter vervanging | te wapen |
| ten vervoer | te water |
| ten vervolge | ter wereld |
| ten verzoeke | te werk |
| ter visie (ter bezichtiging, ter kennis-<br>neming) | ter wille van |
| | te woord |
| te voet | |
| ten voeten uit | ter zake (van) |
| ten volle | te dezer zake |
| ten volste | tezamen |
| ter voldoening van/aan | ter zee |
| te vondeling | ten zeerste |
| ten voorbeeld | ten zegen |
| ten voordele | ter ziele (gestorven; ook: verdwenen) |
| ter voorkoming van | ter zijde staan |
| te voorschijn | ter andere zijde |
| ten vorigen jare | ter ene zijde |
| te vriend | (van) terzijde |
| ten vroegste | ter linkerzijde/rechterzijde |
| te vuur en te zwaard (door brandstich-<br>ting en moord) | te(n) zijnent (bij hem (thuis), in zijn<br>woonplaats) |
| ten vure veroordelen (tot de brandstapel) | te zijner tijd |

**techniker** Germ. voor *technicus*. ➤ -iker.

**-technisch** Er wordt weleens bezwaar gemaakt tegen woorden als *verzekeringstechnisch* en *verkeerstechnisch*. Er is weinig bezwaar tegen dergelijke samenstellingen, die 'verzekeringen betreffend', 'het verkeer betreffend' betekenen. Enigszins gezochte vormen, zoals *studietechnisch* en *hypotheektechnisch*, zijn niet aan te bevelen.

**technische taal** Onder technische taal verstaan we het taalgebruik van de technicus. Er bestaat eigenlijk geen speciale technische taal. Afgezien van het gebruik van technische woorden en vaktermen hoeft het taalgebruik van de technicus niet af te wijken van het taalgebruik in andere vakgebieden.

We zullen hierna over enkele kenmerken van de zogenaamde technische taal iets meer zeggen.

*Lange zinnen.* Technici hebben de neiging bijvoorbeeld een beschrijving van een bepaald proces in één zin samen te vatten. Zulke zinnen zijn vaak veel te lang en bevatten te veel gegevens. Ze zijn dan ook minder goed leesbaar. ➤ leesbaarheid. zinslengte.

*Lange woorden.* In het algemeen hebben technici de neiging lange woorden te gebruiken. Zij willen het liefst alle kenmerken van een bepaalde (nieuwe) werkwijze of uitvinding in één woord samenvatten. Zo zijn woorden ontstaan als *gewapendbetonvoorschriften* en *lagedrukacetyleenontwikkelaar.* Zeer lange samenstellingen zijn on-Nederlands. Ze hebben een negatieve invloed op de leesbaarheid. We kunnen de genoemde woorden dan ook beter vervangen door *voorschriften voor gewapend beton, acetyleenontwikkelaar van lage druk.* ➤ woordlengte.

*Lijdende vorm.* De technicus maakt nogal eens gebruik van de lijdende vorm (*het onderzoek werd uitgevoerd*). Hij kan die niet altijd gemakkelijk vermijden, omdat hij vooral te maken heeft met 'dode dingen': apparaten, berekeningen, proeven enz. De actieve vorm is dan ook niet altijd mogelijk. Maar in de gevallen dat die wél mogelijk is, kan hij die beter zo veel mogelijk gebruiken. ➤ lijdende vorm.

**tegemoetzien** *Wij zien uw antwoord met spoed, per omgaande tegemoet. Tegemoetzien* betekent: *afwachten. Met spoed* of *per omgaande tegemoetzien* kan dus niet. Een andere formulering is noodzakelijk, bijvoorbeeld: *Wilt u ons zo spoedig mogelijk antwoorden? Mogen wij uw antwoord snel ontvangen?*

**tegen-** Woorden als *tegenaan, tegenin, tegenop* schrijven we aan elkaar. Ook *ertegenaan, ertegenin* enz. Maar *tegenop zien, tegenop kunnen, tegenin gaan* enz.: *Ik denk dat ze daar vreselijk tegenop zien.*

**tegenstelling** *In tegenstelling met/In tegenstelling tot.* Beide vormen zijn juist, met enige voorkeur voor *tot.*

*Ik vind het een leuk verhaal, in tegenstelling tot jij* of ..., *in tegenstelling tot jou?* Hier ligt *jij* voor de hand, omdat we kunnen lezen: *in tegenstelling tot wat jij vindt.* Zo ook: *In tegenstelling tot ik.*

Er is verschil tussen de volgende twee zinnen: *Ik lust graag patat, in tegenstelling tot jij/Ik lust graag patat, in tegenstelling tot jou.* In de eerste zin lust 'jij' geen patat; in de tweede zin lust ik 'jou' niet.

**tegenwoordig** In deze, onze tijd. *Tegenwoordig zijn de huizen meestal goed geïsoleerd. Op het ogenblik** (= nu) geeft een kortere tijdsduur aan.

**tegenwoordig** Aanwezig. *Er waren maar een paar leden tegenwoordig. Tegenwoordig* wordt alleen van personen gezegd. Gewoner is *aanwezig.* ➤ aanwezig. vertegenwoordigd. voorhanden.

**tegoed/te goed** *Tegoed* betekent: *positief saldo. Mijn tegoed bij de bank. Te goed* betekent: *nog te vorderen. Ik heb nog een tientje van hem te goed.* ➤ aaneenschrijven.

**tekenen** ➤ inmiddels. slotzinnen. verblijven.

**tekens** In teksten kunnen allerlei bijzondere tekens voorkomen. Sommige zijn standaard op het toetsenbord te vinden, maar de meeste niet. De volgende alfabetische lijst geeft de belangrijkste (maar lang niet alle) tekens.

Bij sommige tekstverwerkingsprogramma's kunnen we die tekens maken door (via 'invoer' of 'invoegen' op de menubalk) een scherm met tekens op te roepen en dan het bewuste teken aan te klikken. Bij andere programma's moeten we een bepaalde cijfercode aanslaan (bijvoorbeeld alt + een bepaald getal, of ctrl v + een bepaald getal). Na de betekenis staan de codes waarmee de tekens gemaakt kunnen worden.

| | |
|---|---|
| ' | enkel aanhalingsteken openen (ctrl v 4,29) |
| ' | enkel aanhalingsteken sluiten (ctrl v 4,28) |
| " | dubbel aanhalingsteken openen (ctrl v 4,32) |
| " | dubbel aanhalingsteken sluiten (ctrl v 4,31) |
| (a) | voor accenten e.d. op *a* ➤ a |
| { } | accolades (alt 123/125; ctrl v 7,20/7,29) |
| æ/Æ | (ligatuur) (alt 145/146; ctrl v 1,37/1,36) |
| α | alfa (ctrl v 8,1) |
| ¶ | alineateken (alt 20; ctrl v 4,05) |
| # | Amerikaans teken voor nummer (alt 35; ctrl v 0,35) |
| & | ampersand (*Vroom & Dreesmann*) (alt 38; ctrl v 0,38) |
| å | ångström-eenheid (0,1 millimicron) (alt 134; ctrl v 1,35) |
| @ | apenstaartje (alt 64; ctrl v 0,64) |
| * | asterisk (alt 42; ctrl v 0,42) |
| \ | backslash. Komt o.a. in formules voor (alt 92; ctrl v 0,92) |
| ... | beletselteken; in formules: tot en met (ctrl v 4,56) |
| β | bèta (alt 225; ctrl v 8,3) |
| • | 'bullet' (ctrl v 4,0) |
| ç | cedille (*Curaçao*) (alt 135; ctrl v 1,39) (Ç is alt 128; ctrl v 1,38) |
| © | copyright-teken (alt 184; ctrl v 4,23) |
| å | corona (*ångström*) (alt 134; ctrl v 1,35; Å is alt 143; ctrl v 1,34) |
| † | dagger (overlijdenskruisje) (ctrl v 4,39) |
| ÷ | deelteken (alt 246; ctrl v 6,8) |
| ⊂ | deelverzameling (ctrl v 6,67) |
| ÷ | deling (alt 246; ctrl v 6,8) |
| ∅ | diameter (ctrl v 6,72) |
| ∮ | differentiaalteken (ctrl v 7,77) |
| $ | dollar (*$20*) (alt 36; ctrl v 4,57) |

| | |
|---|---|
| ¢ | dollarcent (alt 189; ctrl v 4,19) |
| ø/Ø | doorgestreepte o. Letter in het Deens en Noors *(ore)* (alt 155/157; ctrl v 1,81/1,80) |
| ∩ | doorsnede (ctrl v 6,16) |
| △ | driehoek (ctrl v 6,136) |
| ‡ | dubbel overlijdenskruisje (double dagger) (ctrl v 4,40) |
| / | Duitse komma *(en/of)* (alt 47; ctrl v 0,47) |
| (e) | voor accenten e.d. op *e* ➤ e |
| & | en-teken *(Vroom & Dreesmann: V & D)* (alt 38; ctrl v 0,38) |
| ∧ | en (ctrl v 6,85) |
| € | euro |
| ‖ | evenwijdig |
| ´ | foot (alt 239; ctrl v 1,6) |
| – | gedachtestreepje/half kastlijntje (ctrl v 4,33) |
| : | gedeeld door (alt 58; ctrl v 0,58) |
| ™ | gedeponeerd handelsmerk (ctrl v 4,41) |
| ≅ | gelijkvormig, congruent (ctrl v 6,116) |
| ® | geregistreerd handelsmerk *(aspirine®)* (ctr v 4,22) |
| ° | gradenteken *(16 °C)* (alt 248; ctrl v 6,36) |
| > | groter dan (alt 62; ctrl v 6,11) |
| ≥ | groter dan of gelijk aan (ctrl v 6,3) |
| « » | guillemets (alt 174/175; ctrl v 4,9/4,10) |
| ‹ › | guillemets (ctrl v 4,35/4,36) |
| ƒ | guldenteken *(ƒ 25,-)* (alt 159; ctrl v 4,14) |
| ˇ | haček (Dvořák) (ř = ctrl v 1,171; č = ctrl v 1,99) |
| – | half kastlijntje (ctrl v 4,33) |
| ( ) | halfronde haakjes (alt 40/41; ctrl v 0,40/0,41) |
| ∴ | hieruit volgt (ctrl v 6,102) |
| ∠ | hoek (ctrl v 6,79) |
| (i) | voor accenten e.d. op *i* ➤ i |
| ≡ | identiek met (ctrl v 6,14) |
| ″ | inch (ctrl v 1,16) |
| ∫ | integraalteken (ctrl v 7,76) |
| ≠ | is niet gelijk aan (ctrl v 6,99) |
| = | 'is'-teken (alt 61; ctrl v 0,61) |
| — | kastlijntje (ctrl v 4,34) |
| – | kastlijntje, half (ctrl v 4,33) |

| | |
|---|---|
| ≤ | kleiner dan of gelijk aan (ctrl v 6,2) |
| < | kleiner dan (alt 60; ctrl v 6,10) |
| † | kruisje (ctrl v 4,39) |
| ł | Poolse l (ctrl v 1,153) |
| ∩ | logisch product (ctrl v 6,16) |
| ∪ | logische som (ctrl v 6,66) |
| ⊥ | loodrecht op (ctrl v 3,17) |
| · | maalpunt (alt 7; ctrl v 6,31) |
| × | maalteken (alt 158; ctrl v 6,39) |
| ♂ | mannelijk (alt 11; ctrl v 5,4) |
| μ | micron (alt 230; ctrl v 8,025) |
| – | min (alt 45; ctrl v 4,33) |
| ′ | minuut (alt 239; ctrl v 1,6) |
| # | nummer (Amerikaans) (alt 35; ctrl v 0,35) |
| (o) | voor accenten e.d. op *o* ➤ o |
| œ/Œ | (ligatuur) (ctrl v 1,167/166) |
| ∨ | of (ctrl v 6,86) |
| Ω | ohm (elektrische weerstand) (ctrl v 8,50) |
| ∞ | oneindig (ctrl v 6,19) |
| ≈ | ongeveer gelijk aan (ctrl v 6,13) |
| † | overlijdenskruisje (ctrl v 4,39) |
| ‡ | overlijdenskruisje, dubbel (ctrl v 4,40) |
| § | paragraaf *(§ 16)* (alt 21; ctrl v 4,6) |
| ( ) | parenthesen (alt 40/41; ctrl v 0,40/0,41) |
| Pt | peseta (ctrl v 4,13) |
| π | pi-getal (= 3,1416) (ctrl v 8,33) |
| + | plus (alt 43; ctrl v 0,43) |
| ± | plusminus (alt 241; ctrl v 6,1) |
| £ | pond Sterling (£15) (alt 156; ctrl v 4,11) |
| ł | Poolse l (Wałęnsa) (ctrl v 1,153) |
| % | procent *(10%)* (alt 37; ctrl v 0,37) |
| ‰ | promille *(10‰)* (ctrl v 4,75) |
| → | reactie begint links (alt 26; ctrl v 6,21) |
| ← | reactie begint rechts (alt 27; ctrl v 6,22) |
| ↔ | reactie gaat zowel naar links als rechts (alt 29; ctrl v 6,25) |
| [ ] | rechthoekige haakjes (alt 91/93; ctrl v 7,114/7,121) |
| ß | 'Ringel-s', dubbele s (Duitse ligatuur). Als het technisch niet mogelijk is het |

teken te maken, kan die door ss vervangen worden)

| | |
|---|---|
| ^ | samentrekkingsteken *(Neêrlands)* (ctrl v 1,3) |
| ″ | seconde (ctrl v 1,6) |
| Σ | sigma (somteken) (ctrl v 8,38) |
| / | slash *(en/of)* (alt 47; ctrl v 6,5) |
| @ | slinger-a; apenstaartje (alt 64; ctrl v 0,64) |
| ¡ | Spaans uitroepteken (alt 173; ctrl v 4,7) |
| ¿ | Spaans vraagteken (alt 168; ctrl v 4,8) |
| : | staat tot (alt 58; ctrl v 0,58) |
| * | sterretje (alt 42; ctrl v 0,42) |
| ª | superieure a. Komt voor in de afkorting voor señorita ($s^a$) (alt 166; ctrl v 4,15) |
| º | superieure o. Komt voor in de afkorting voor numero ($n^o$) (alt 167; ctrl v 4,16) |
| [ ] | teksthaakjes (alt 91/93; ctrl v 7,114/7,121) |
| ñ/Ñ | tilde *(España)* (in het Portugees: til) (alt 164/165; ctrl 1,57/1,56) |
| ™ | trademark (ctrl v 4,41) |
| (u) | voor accenten e.d. op *u* ➤ u |
| ∪ | vereniging (ctrl v 6,66) |
| ∝ | verhouding (ctrl v 6,4) |
| × | vermenigvuldiging (alt 158; ctrl v 6,39) |
| ■ | zwart vierkant (alt 220; ctrl v 4,46) |
| √ | (vierkants)wortel (ctrl v 7,4) |
| ↑ | vormt gas (alt 24; ctrl v 6,23) |
| ↓ | vormt neerslag (alt 25; ctrl v 6,24) |
| ♀ | vrouwelijk (alt 12; ctrl v 5,5) |
| ⊃ | waarin opgenomen (ctrl v 6,68) |
| ¥ | yen (alt 190; ctrl v 4,12) |
| ½ | (alt 171; ctrl v 4,17) |
| ¼ | (alt 172; ctrl v 4,18) |
| ¾ | (ctrl v 4,25) |

Als er veel symbolen en/of bijzondere tekens in een boek voorkomen, is het aan te bevelen een verklarende symbolenlijst op te nemen. ➤ alt. correctietekens. Griekse letters. leestekens.

**tekort/te kort** *Tekort* is *negatief saldo*: *Mijn tekort bij de bank. Te kort* (twee woorden) is *te weinig*: *Ik heb twee gulden te kort.* Eén woord in: *tekortdoen, tekortkomen, tekortschieten.* ➤ aaneenschrijven.

**teksthaakjes** Rechthoekige haakjes [...], die onder andere gebruikt worden voor toevoegingen aan de originele tekst of aan een citaat door vertaler of redacteur, en voor fonetische schrijfwijzen: *[dra:i]*. Als er iets tussen haakjes moet komen in een stuk tekst dat al tussen haakjes staat, kunnen teksthaakjes worden gebruikt: *(De auteur doelt waarschijnlijk op het [vermeende] verschil tussen ... en ...)*. Vermijd dergelijke constructies. Eventueel kunnen hier gedachtestreepjes in plaats van teksthaakjes gebruikt worden.

Teksthaakjes worden in wetenschappelijke teksten wel gebruikt om naar literatuur of literatuurlijst te verwijzen: *[Jansen 1983, p. 16]*. Gewone haakjes zijn daarvoor gebruikelijker.

Teksthaakjes worden ook wel gebruikt om aan te geven dat er een stuk van een citaat is weggelaten: *'Ik heb al eens [...] aangetoond dat die methode onjuist is.'* Gewone haakjes zijn hier gebruikelijker. ➤ beletselteken.

In een literatuuropgave wordt de oorspronkelijke titel van een vertaald boek weleens tussen teksthaakjes gezet. ➤ literatuuropgave. ➤ haakjes.

**telefaxnummer** ➤ telefoonnummer.

**telefoonnummer** Telefoonnummers (abonneenummers) worden van achteraf per twee cijfers gegroepeerd, gescheiden door een spatie: *12 13 14*. Bij nummers van zeven cijfers komt er geen spatie tussen de eerste drie cijfers: *477 21 42*. In het netnummer, dat bij voorkeur tussen haakjes staat, komen geen spaties: *(0475) 22 33 44*. Geen haakjes in: *Het netnummer van Leiden is 071*.

Er geldt een afwijkende schrijfwijze als er geen netnummer is: *06-101 11 11*, en *0800-04 62*.

Als, bijvoorbeeld op postpapier, ten behoeve van buitenlandse relaties ook het landnummer wordt vermeld, kan dit op de volgende manier: *+31 71 512 13 14*. Daarbij is 31 het landnummer van Nederland (België: 32); het cijfer 0 van het netnummer vervalt. De + geeft aan dat er nog een internationaal toegangsnummer voorafgaat (afhankelijk van het land van de opbeller).

Telefaxnummers worden op dezelfde manier behandeld als telefoonnummers: *Telefax (071) 513 14 15*.

Telexnummers krijgen geen spaties: *Telex 16483*.

**telexnummer** ➤ telefoonnummer.

**telken jare** Elk jaar. Twee woorden. Staande uitdr.

**telkenmale** Telkens, elke keer. Staande uitdr.

**telkens** *Telkens ik hem zie, groet hij me*. Na *telkens* mag 'als' of 'wanneer' niet weggelaten worden. Wordt soms in België gebruikt. ➤ belgicismen.

**telstreep** In cijferopstellingen krijgt de telstreep een lengte die gelijk is aan de lengte van het grootste getal plus eventueel valutateken. Het optelteken (+) en aftrekteken

(-) komt links van de telstreep.

Een voorbeeld:

$$
\begin{array}{r}
123.400 \\
324.599 \\
89.433 \\
45.399 \\
\hline
582.831
\end{array}
$$

**telwoorden** ➤ getallen.

**temeer** *We gaan zeker naar zijn verjaardag, temeer omdat hij ook altijd bij ons komt.* Staande uitdr. Versterkt een positieve mededeling. ➤ minder.

**temperatuur** We kunnen temperatuur aangeven in onder andere graden Celsius (*8 °C*) en in graden Fahrenheit (*40 °F*). Tussen ° en *C/F* komt geen spatie. Zonder *C* of *F* vervalt de spatie: *18°*. Als *Celsius* of *Fahrenheit* voluit wordt geschreven kunnen ook het cijfer en 'graden' het best voluit: *Het was minder dan acht graden Celsius.*

**ten** ➤ te/ten/ter.

**teneinde/ten einde** *Teneinde* betekent *om*: *Hij deed dit teneinde te voorkomen dat ... Ten einde* betekent *afgelopen*: *Het feest is ten einde.* Staande uitdr. ➤ aaneenschrijven.

**ten gevolge van** Staande uitdr. ➤ gevolg.

**tenminste/ten minste** *Tenminste* betekent *althans*: *Hij is tenminste gezond. Ten minste* is op z'n minst: *Hij krijgt er ten minste tien.* (*Minstens* is een ingeb. germ.) ➤ aaneenschrijven.

**tenslotte/ten slotte** *Tenslotte* betekent *eigenlijk, goedbeschouwd*: *Hij is tenslotte ziek. Ten slotte* is *tot slot*: *Ten slotte deel ik u mee ...* ➤ aaneenschrijven.

**tenzij** Indien niet. *De levering zal nog deze week plaatsvinden, tenzij u wilt dat wij de volgende week leveren.* Het tegengestelde van *tenzij* is: *indien, mits.*

**ter** ➤ te/ten/ter.

**terdege** Flink, intens, op krachtige wijze. *Hij heeft zich terdege moeten inspannen.* ➤ degelijk. gedegen.

**terecht** *Hij beweert dat terecht. Zijn ontkenning was terecht.* Tegenwoordig wordt *terecht* ook als bijvoeglijk naamwoord gebruikt: *een terechte keuze.* Liever niet: *dat is onterecht*\*, maar: *niet terecht.* Niet: *Hij is onterecht veroordeeld*, maar: *ten onrechte.*

**terloops** Vluchtig, tussen andere bezigheden door. Staande uitdr.

**ternauwernood** Met grote moeite, nauwelijks. Staande uitdr.

**tersluiks** In het geheim. Staande uitdr.

**terug** *Een paar jaar terug stonden hier nog geen huizen.* Tegen *terug* in de betekenis van *geleden* is geen enkel bezwaar, maar *geleden* wordt soms wat welluidender gevonden.

**terug** *Voor een jaar terug.* Contam. van *voor een jaar* en *een jaar terug*\*. *Voor een jaar* wordt weleens een germ. genoemd, maar er is geen bezwaar tegen.

**terug** *De klok werd terug op gang gebracht.* We kunnen *terug* niet gebruiken om uit te drukken dat een handeling wordt herhaald of dat een toestand wordt hersteld. Dus: *... weer, opnieuw op gang gebracht.* Wordt in België nogal eens gebruikt. ➤ belgicismen.

**terugbrengen** *De prijs, premie is met tien procent teruggebracht.* Ingeb. gall. voor *verlagen, verminderen, verkleinen.*

**teruggang** Ingeb. germ. voor *achteruitgang, daling.*

**terugkomen op/van** *Terugkomen op* is *weer opvatten*: *Hierbij komen we nog even terug op uw brief van ... Terugkomen van* is *bij nader inzien verwerpen, afzien van*: *Hij wilde dat boek eerst kopen, maar hij is ervan teruggekomen.*

**terugname** Germ. voor *terugneming, het terugnemen.* ➤ -name.

**terugtreden** Ingeb. germ. voor *aftreden, zich terugtrekken.*

**terugwijzen** *Een verzoek, verwijt terugwijzen.* (Ingeb.) germ. voor *afwijzen, van de hand wijzen.*

**terwijl** We kunnen terwijl gebruiken:

– om een gelijktijdigheid aan te geven: *Ik schrijf een brief terwijl mijn vrouw kookt.*

– om een tegenstelling aan te geven: *De ene jongen draagt witte schoenen, terwijl de andere zwarte draagt.* (In dit geval is meestal een komma voor *terwijl* gewenst.)

Als er geen sprake van een tegenstelling of gelijktijdigheid is, kan *terwijl* niet gebruikt worden. Dus niet: *Op het feest hield de burgemeester een toespraak, terwijl hij morgen afwezig zal zijn.*

**teveel/te veel** *Teveel* betekent *overschot. Er is een teveel aan huizen. Te veel* (twee woorden) is *meer dan nodig,* goed is: *Je hebt te veel fouten gemaakt.* ➤ aaneenschrijven. tekort.

**tevens** Ouderwets voor *ook, bovendien. Tevens* slaat op twee gelijksoortige dingen: *Wij delen u mee dat ...; tevens maken wij u erop attent dat ...* Niet: *Wij delen u mee dat ...; tevens hebben wij u ... gestuurd.*

*Tevens ... ook* is een tautologie.

**tevergeefs** Zonder resultaat, vruchteloos. *Wij hebben tevergeefs geprobeerd hem tevreden te stellen.* Ook juist is hier: *vergeefs.* ➤ vergeefs.

**tevreden met/over** *Tevreden zijn met* betekent *genoegen (moeten) nemen met*: *Hij was wel tevreden met een zes. Tevreden over* is *voldaan, ingenomen*: *Hij was tevreden over het gedrag van de kinderen.*

**te worden** *Het huis dient nodig geschilderd.* ➤ worden.

**tezamen** Oorspronkelijk twee woorden. Wordt nu als één woord geschreven. Onjuist is *tesamen.*

**thans** Ouderwets voor: *nu.*

**thee maken** Angl. voor *thee zetten.* Wordt ook wel een germ. of gall. genoemd. *Koffie maken* moet zijn: *koffie zetten.*

**tijd** *Op tijd.* Zo laat als het moet. *Hij was niet op tijd verschenen.* ➤ bijtijds. tijdelijk. tijdig.

**tijdelijk** Niet voor vast; voor een bepaalde tijd. *Een tijdelijke aanstelling.* ➤ bijtijds. tijd (op tijd). tijdig.

**tijdig** Zo vroeg dat het zeker niet te laat is. *Zorg ervoor dat je tijdig aanwezig bent.* ➤ bijtijds. tijd (op tijd). tijdelijk.

**tijdsaanduiding** Bij tijdsaanduiding houden we de 24-uurtelling aan. *Open van 8.00 tot 17.00 uur.* Tussen uur en minuut staat een punt. In een gewone tekst niet: *om 12.00 uur (u),* maar *om twaalf uur.* Een tijdsaanduiding als *16 u 15/16u15* is onjuist voor *16.15 uur.* Het gebruik van de afkorting *h* is niet aan te bevelen. (Elektronische klokken en meetapparatuur geven vaak bijvoorbeeld *6:30.*)

De aanduidingen *gisteren, vandaag, morgen* moeten in dagbladen worden vermeden omdat ze verwarring kunnen geven. Geef de dag van de week aan: *Zaterdagmiddag ...* Hetzelfde geldt voor *deze week, de vorige week, de volgende week* in weekbladen, en voor *deze maand, de vorige maand, de volgende maand* in maandbladen. De datum of de maand moet genoemd worden. In de genoemde soorten publicaties is de toevoeging *jl.* of *a.s.* bij een datum in het algemeen overbodig.

*Voormiddag* en *namiddag* worden in België veel gebruikt in plaats van *ochtend* en *middag.* ➤ belgicismen.

Wanneer meervoud bij *seconde, minuut, uur, dag, week, maand, jaar, eeuw?* Als het woord op een *-r* eindigt, staat het woord in het enkelvoud: *twee uur later, drie jaar eerder.* Anders enkelvoud: *drie seconden later, tien minuten eerder, drie eeuwen geleden.* ➤ dagnamen. datum. maandnamen. minuut. seconde. uur.

tijdschriftopgave ➤ literatuuropgave.

**tilde** Het teken ˜ ('slangetje') in Spaanse woorden boven de *n* als die als *nj* wordt uitgesproken: *España.* In het Portugees komt de tilde boven de *a* en *o* als de bewuste lettergreep als neusklank wordt uitgesproken, bijvoorbeeld *São Paulo.* Omdat de combinatie van tilde en hoofdletters soms technisch lastig is, wordt de tilde in deze gevallen ook wel weggelaten. Men vindt in het algemeen dat de tilde boven de hoofdletters of kleinkapitalen gewenst (maar niet noodzakelijk) is.

Soms wordt alleen voor de letter met een tilde een kleinkapitaal gebruikt, maar dat is geen fraaie oplossing. Heel lelijk is het om een kleine letter met tilde te gebruiken in een woord dat in hoofdletters is gedrukt. ➤ tekens.

**titel** (van publicatie) De titel van boek, artikel, hoofdstuk enz. moet goed gekozen worden, omdat die moet uitnodigen tot lezen. In zakelijke teksten moet de titel vooral informatief zijn: de lezer moet direct zien waarover het gaat. Voorbeelden:

*Leesbaar schrijven voor iedereen*

*Het Louvre, nu en straks*

Als er te veel informatie in een titel opgenomen dreigt te worden, kunnen we die beter kort houden. De noodzakelijke informatie wordt dan in een ondertitel opgenomen.

Voorbeelden:

*Zeer geheim – De Nederlandse veiligheids- en inlichtingendiensten*

*Orde in de chaos – De geschiedenis van de normalisatie in Nederland*

De korte titels geven niet aan waar de tekst over gaat; de ondertitel doet dat wél. Daarom zou die ook op zichzelf als titel kunnen fungeren.

**titelpagina** Op de titelpagina van een boek (meestal pagina III/3) komen titel, eventueel ondertitel, de druk, de naam van de auteur, soms de naam van de vertaler/bewerker, de naam van de uitgever, de plaats en het jaar van uitgave. De laatste drie gegevens noemen we bij elkaar het impressum of de imprint.

'Door' vóór de auteursnaam is ouderwets en overbodig.

Bij dissertaties komt op de titelpagina een door de universiteit vastgestelde formulering (per universiteit verschillend), waarin onder andere voorkomen: de naam van de universiteit, naam, voornamen, geboorteplaats en -jaar van de promovendus, naam van de promotor, dag en uur van de promotie.

**titelpagina, achterzijde** Op de achterzijde van de titelpagina – soms copyrightpagina genoemd – komen allerlei gegevens voor. Er is vermeld bij wie het copyright berust (bijvoorbeeld bij de uitgever en/of de auteur). Formule: © *J. Jansen 1999.* Of: © *Sdu Uitgevers, Den Haag 1999.* In een sterk gewijzigde herdruk wordt ook het jaar van publicatie van de herdruk vermeld: © *J. Jansen, 1995, 1999.*

Bij een vertaling worden beide auteursrechthebbenden genoemd: © *Oorspronkelijke uitgave: B. Johnson, 1997.* © *Vertaling: J. Jansen, 1999.*

Daarna de copyrightbepalingen, bijvoorbeeld als volgt geformuleerd:

*Niets uit deze uitgave mag worden verveelvoudigd en/of openbaar gemaakt door middel van druk, microfilm, fotokopie of op welke andere wijze ook, zonder voorafgaande schriftelijke toestemming van de uitgever.*

Ook in Nederlandstalige boeken komt soms bovendien een Engelse formulering voor:

*No part of this book may be reproduced in any form, by print, photoprint, microfilm or any other means, without written permission from the publisher.*

Tegenwoordig is de formulering vaak veel langer, bijvoorbeeld:

*Alle rechten voorbehouden. Niets uit deze uitgave mag worden verveelvoudigd, opgeslagen in een geautomatiseerd gegevensbestand, of openbaar gemaakt, in enige vorm of op enige wijze, hetzij elektronisch, mechanisch, door fotokopieën, opnamen, of op enige andere manier, zonder voorafgaande schriftelijke toestemming van de uitgever.*

En in het Engels:

Op deze pagina komen verder gegevens over de oorspronkelijke titel en uitgever (bij vertalingen), de druk, oplage, drukker, vertaler, ontwerper.

Er komen ook de zogenaamde CIP*-gegevens van de Koninklijke Bibliotheek op voor. ➤ ISBN. NUGI. SISO. UDC.

Aan de volgorde en interpunctie van de gegevens die de Koninklijke Bibliotheek verstrekt, mag niets worden gewijzigd.

Bij dissertaties komen hier de naam van promotor en co-promotor:

*Promotor: prof. dr. A.B. Witteveen*

*Co-promotor: prof. dr. C.D. Vreeswijk.*

**titels, academische** De afkortingen van academische titels krijgen altijd een punt: *dr., drs., ing., mr., ir.* Dus ook als de laatste letter van de afkorting de laatste letter van het volledige woord is. De punt vervangt geen weggelaten letters, maar geeft alleen aan dat er een woord is afgekort. De titels *R.A.* (registeraccountant) en *MBA* (Master of Business Administration) komen niet vóór maar na de naam.

**™ (Trademark)** ➤ merknaam.

**toch** *Hoewel hij ziek was, is hij toch gegaan.* Eigenlijk een pleon. *Toch* kan beter vervallen. Of: *Hij was ziek, maar toch ...*

**toekomst-** *Toekomstplannen, toekomstverwachtingen, toekomstvoorspellingen* zijn eigenlijk pleon., want plannen, verwachtingen en voorspellingen hebben altijd betrekking op de toekomst. Deze woorden worden echter zo vaak gebruikt dat we ze niet meer onjuist kunnen noemen.

**toekomstgericht** *Een toekomstgericht beleid.* Ingeb. germ. voor *gericht op de toekomst.* ➤ zelfst. naamw. + deelw.

**toelaten** *Dit geld zal haar toelaten de klok te kopen.* Gall. voor *mogelijk maken, in staat stellen, de gelegenheid/mogelijkheid geven.* Wordt vooral in België gebruikt. ➤ belgicismen.

**toeleverancier** Degene die de toelevering doet, dat wil zeggen de levering van producten aan bedrijven die deze in hun eindproducten verwerken. *Toeleverancier* is dus niet hetzelfde als *leverancier.*

**toelichting** *Een toelichting op iets geven* is een contam. van *toelichting bij* en *commentaar op.*

*Nadere toelichting* is een pleon., want *toelichting* betekent: *nadere verklaring.*

**toename** Ingeb. germ. voor *stijging, toeneming, vermeerdering, uitbreiding.* ➤ -name.

**toeslag** Ingeb. germ. voor *bijslag, toelage.*

**toespitsen, zich** *Het conflict spitst zich toe.* Ingeb. germ. voor *zich verscherpen, groter worden.*

**toestemming hebben te mogen** *Hij heeft geen toestemming om naar huis te mogen gaan.* Pleon. voor *toestemming hebben* en *mogen.*

**toevalligerwijs** Kan een germ. zijn voor *niet verwacht, toevallig, bij toeval,* maar dat is niet zeker. *Toevalligerwijs* is wél ouderwets. ➤ -wijs.

**toondicht** Germ. voor *(muzikale) compositie. Toondichter* is een (ingeb.) germ. voor *componist.*

**toonzetten/toonzetting** Ingeb. germ. voor *componeren/compositie.* Ook figuurlijk: *de toon bepalen.*

**tot** *Afwezig tot 16 maart.* Dat is onduidelijk: op 16 maart weer aanwezig? In Nederland wordt dit opgevat als *t/m 15 maart*; in België is de betekenis *t/m.* Daarom altijd: *tot en met (t/m).*

**totaal-** Samenstellingen met *totaal* zijn ingeb. germ.: *totaalbeeld* voor *het totale beeld, totaalindruk* voor *de totale indruk.* Hier is *totaal* als bijvoeglijk naamwoord gebruikt. Ook als *totaal* als zelfstandig naamwoord bedoeld is *(het totaal),* zijn ze ingeb.: *totaalbedrag, totaalcijfer, totaalprijs.* Het gaat dan om het bedrag, het cijfer enz. dat het totaal aangeeft.

**tot op heden** Mogelijk een ingeb. germ. (al oud) voor *tot heden, tot nu (toe).*

**traag tempo** Pleon. voor *traag* en *laag tempo.*

**trachten** Enigszins stijf voor *proberen.* Wel bruikbaar ter afwisseling.

**trademark (™)** ➤ merknaam.

**trefwoordenregister** ➤ register.

**trema** Het trema of deelteken (¨) dient om aan te geven waar een nieuwe lettergreep begint als er kans op een verkeerde uitspraak bestaat: *financiële, tweeëndertig, industrieën.* ➤ deelteken.

**trits** Drietal. *Een trits van vijf* is dus onjuist. En *een trits van drie* is dubbel.

**troep** *Een troep kinderen liep* of *liepen?* Beide vormen zijn mogelijk. We denken bij enkelvoud aan een eenheid, een geheel. Als we meer denken aan de verschillende kinderen die samen de eenheid vormen, dan meervoud. ➤ aantal.

**tropenbestendig** (Ingeb.) germ. voor *geschikt voor gebruik in de tropen, tropenvast.* ➤ bestendig.

**trouwens** *Ik kon trouwens niet eerder komen.* Wordt gebruikt om verwachte kritiek te ontzenuwen. Heeft ook de betekenis: *overigens.* ➤ overigens.

**tussenbeide komen** Zich bemoeien met, zich mengen in, ingrijpen. Er komt dus geen *n* achter.

**tussenkomen** Gall. voor *tussenbeide komen, ingrijpen, zich mengen in, zich bemoeien met.* Wordt vooral in België gebruikt. ➤ belgicismen.

**tussenkopjes** ➤ kopjes.

**tussenletters** In veel samengestelde zelfstandige naamwoorden krijgen de delen geen tussenletter (*huisdeur, taalboek*), maar vaak is dat wél het geval. De tussenletters die problemen kunnen opleveren, zijn *-s-* en *-n-*.

*Tussenletter -s-*

We schrijven een *-s-* als we die ook horen: *schaapskooi, handelsonderneming, dorpsplein, ambtsjubileum, regeringsbeleid, jongenskleding.*

Twijfelen we bij een woord waarvan het tweede lid met een sisklank begint, zoals *stationschef*, dan vergelijken we dit met bijvoorbeeld *stationsplein*: een *s*, dus ook *stationschef*. En we schrijven *staatsschuld*, want het is *staatsbelang*. Zo ook *bruidsschat (bruidsjapon), ambachtsschool (ambachtsman), doodsstrijd (doodsangst), handelsschool (handelskantoor), bedrijfschef (bedrijfsarts), slagerszaak (slagerswinkel), scheepsjournaal (scheepsbeschuit).*

Er zijn nogal wat woorden die zowel met als zonder tussen-*s* geschreven mogen worden: *redding(s)boot, huid(s)kleur, tijd(s)verschil, geluid(s)hinder, drug(s)probleem, voorbehoed(s)middel, oorlog(s)voering, inkoop(s)prijs, dood(s)kist* enz. Als er eenmaal voor een bepaalde schrijfwijze is gekozen, moet die consequent gebruikt worden.

Soms geeft de *-s-* een betekenisverschil aan: *waternood* (= te weinig water), *watersnood* (= te veel water), *beheersysteem* (systeem om te beheren), *beheerssysteem* (systeem om te beheersen).

De regels hebben uitsluitend betrekking op samenstellingen en niet op afleidingen. De samenstelling *auteursrecht* bijvoorbeeld heeft een *s*, maar de afleiding *auteurschap* krijgt niet dubbel *s*.

*Tussenletter -n-*

De regels voor toepassing van de tussenletter *-n-* zijn nogal ingewikkeld. In het volgende beperken we ons tot de grote lijnen.

We schrijven *-n-* in samengestelde zelfstandige naamwoorden als het eerste deel zijn meervoud uitsluitend op *-(e)n* heeft (en dus niet op *-s*): *herenhuis, plantentuin, kurkentrekker, pannenkoek, ruggensteun, stratenplan, bessensap, invalidenwagen, boerendochter.*

Heeft het op *-e* eindigende eerste deel een meervoud op *-n* én *-s* (*gedaante*) of uitsluitend een meervoud op *-s* (*asperge*), dan schrijven we geen *-n-*: *gedaanteverwisseling, aspergesoep.*

Als het zelfstandig naamwoord geen meervoud heeft, is er geen tussen-*n*: *rijstebrij, hellevuur, tarwemeel, eremedaille.*

Dit zijn de uitzonderingen:

– Het eerste deel verwijst naar een persoon of zaak die enig in zijn soort is: *Koninginnedag, zonneschijn, zonnebrand.*

331

– Het eerste deel heeft een versterkende betekenis en het geheel is een bijvoeglijk naamwoord: *reuzeleuk, apetrots, boordevol, beregoed.*

– Het eerste deel is een dierennaam en het tweede deel is een plantkundige aanduiding: *paardebloem, kattekruid, vliegezwam, apenoot.*

– Na een bijvoeglijk naamwoord: *platteland, dovemansoren, rodekool.*

– Na een werkwoord: *dwingeland, spinnewiel, trekkebekken.*

– Een van de delen is niet herkenbaar als afzonderlijk woord in de oorspronkelijke betekenis. We geven hiervan wat meer voorbeelden, omdat deze groep lastig is: *bakkebaard, bolleboos, bullebak, dageraad, elleboog, geuzelambiek, hagedis, hazewind, hunebed, kattebelletje* (*kattenbelletje* betekent letterlijk belletje aan de halsband van een kat), *klerezooi, ledemaat, nachtegaal, paddestoel, pierebad, pierement, pruimedant, ruggespraak, schattebout, snoezepoes, takkewijf, zinnebeeld.*

Hier volgt een alfabetische lijst van een aantal woorden met *e* en *en*:

| | | |
|---|---|---|
| *aangiftebiljet* | *eendenkooi* | *klassenavond* |
| *apenootje* | *eikenhout* | *klerenhanger* |
| *bananenschil* | *geboortegolf* | *koninginnensoep* |
| *bakkebaard* | *gedaanteverwisseling* | *krantenartikel* |
| *behoeftepatroon* | *hazenpad* | *krantenbezorger* |
| *beregoed* | *herenboer* | *kurkentrekker* |
| *berenpoot* | *herenhuis* | *ladekast* |
| *bessenjenever* | *hondenfokker* | *ledemaat* |
| *bessensap* | *hondenhok* | *leeuwendeel* |
| *beukenboom* | *hondenras* | *leeuwenmoed* |
| *bijenkorf* | *hondenvoer* | *lekenbroeder* |
| *blindengeleidehond* | *horlogemaker* | *lippenstift* |
| *bloemengeur* | *huizenblok* | *maneschijn* |
| *bloementuin* | *huizenhoog* | *mierenhoop* |
| *boekenlegger* | *invalidenwagen* | *mierenzuur* |
| *boeventronie* | *kattebelletje* | *muggenbeet* |
| *bokkenwagen* | *kattekruid* | *muizenval* |
| *bolleboos* | *kattenkop* | *notenbalk* |
| *brievenbesteller* | *kattenvrees* | *notendop* |
| *brievenweger* | *kersenjam* | *notenkraker* |
| *brillenglas* | *kersenpit* | *paardebloem* |
| *dennenbos* | *kippenei* | *paardenkracht* |
| *druiventros* | *kippenhok* | *paardenmiddel* |

| | | |
|---|---|---|
| *paardenslager* | *ruggespraak* | *vissenfamilie* |
| *paardenstal* | *schapenkaas* | *vissenstaart* |
| *paddestoel* | *schapenmarkt* | *vliegezwam* |
| *pannenkoek* | *schroevendraaier* | *vruchtensap* |
| *petekind* | *secondelang* | *waardetransport* |
| *plantengeslacht* | *slakkenhuis* | *weduwepensioen* |
| *plantensoort* | *speldenkussen* | *wespennest* |
| *prullenmand* | *speldenprik* | *wespentaille* |
| *reuzehonger* | *spinnenweb* | *wiegendood* |
| *reuzenrad* | *spinnewiel* | *ziekteleer* |
| *rozenolie* | *sterrenkijker* | *zielenpoot* |
| *rozenperk* | *sterrenbeeld* | *zinnebeeld* |
| *rozenstruik* | *stierenvechter* | *zonnebrand* |
| *ruggengraat* | *tulpenbol* | |

**tweeakter** Ingeb. germ. voor *toneelstuk uit twee akten of bedrijven.*

**tweedens** Germ. voor *ten tweede.*

**tweetal** *Een -tal* wil zeggen: *ongeveer. De leerling had een tweetal fouten gemaakt.* Hier kan dus beter *twee* staan. ➤ -tal.

**twijfelen** Niet zeker weten, onzeker zijn. *Als je twijfelt, moet je het niet doen.*

*Ik heb daar mijn twijfels over* is een ingeb. angl. voor *Ik twijfel daaraan.* ➤ weifelen.

# U

**u** Hoe een letter met een accent op de tekstverwerker wordt gemaakt, hangt af van het gebruikte programma. Een mogelijkheid is (via 'invoer' of 'invoegen') het gewenste scherm met tekens op te roepen en daarna op het bewuste teken te klikken. Bij andere programma's worden de tekens gemaakt met de alt-toets plus een cijfercode of ctrl v plus een cijfercode. Het zijn:

ú – alt 163/ctrl v 1,67

ù – alt 151/ctrl v 1,73

ü – alt 129/ctrl v 1,71

û – alt 150/ctrl v 1,69

Ú – alt 233/ctrl v 1,66

Ù – alt 235/ctrl v 1,72

Ü – alt 154/ctrl v 1,70

Û – alt 234

➤ accenttekens. deelteken. tekens.

**u** We schrijven *u* altijd met een kleine letter. Door de lezer met *u* aan te spreken, verhogen we de leesbaarheid\*. Niet: *Men moet bedenken dat ... Het zal de lezer zijn opgevallen dat ...* Maar: *U moet ... Het zal u ...* Als de lezers met *u* worden aangesproken, zullen zij zich er meer bij betroken voelen dan wanneer zij nergens aan kunnen merken dat het verhaal voor hen bedoeld is. In een gesprek spreken we de luisteraar/gesprekspartner toch ook steeds aan?

Het is niet *altijd* aan te bevelen de lezer direct aan te spreken. Dat geldt bijvoorbeeld voor rapporten, scripties, beleidsteksten. Het kan te opdringerig lijken de lezer hier steeds met *u* aan te spreken.

Ook als het om een negatief onderwerp gaat, is een directe aanspreking niet aan te bevelen. Dat kan het geval zijn in bijvoorbeeld teksten van de overheid, verzekeringsbedrijven en op het medische vlak. Dus niet: *Als u seropositief bent, ... Als u onder invloed rijdt, ... Als u dit jaar komt te overlijden, ...* Het gaat steeds om iets negatiefs, dat ook op de lezer betrekking kan hebben. Een andere formulering zal minder direct zijn: *Iemand die seropositief is, ... Mensen die onder invloed rijden, ... Degenen die dit jaar komen te overlijden, ...*

*U hebt* of *u heeft? U bent* of *u is? U kunt* of *u kan?* Oorspronkelijk was *u* derde persoon (*Uedele*), maar *u* wordt steeds meer als tweede persoon gezien. Vandaar dat *u heeft* is geworden: *u hebt. U is* is nu: *u bent. U kan* is nu: *u kunt* enz.

De vormen *u heeft, u is, u kan, u zal, u wil* enz. zijn minder aan te bevelen. *U is* is erg ouderwets.

Als u de tweede persoon gebruikt, moet ook het daarbij horende wederkerend voornaamwoord in de tweede persoon staan. Dus: *U hebt u vergist* (maar: *U heeft zich vergist*). Bij een vragende vorm kunnen we beter niet tweemaal *u* gebruiken. Dus niet: *Hebt u u vergist?*, maar: *Hebt u zich vergist?*

Lelijk en onjuist is *u zoudt: Zoudt u ons willen meedelen ...* Deze vorm met *dt* hoort bij *gij* en niet bij *u*.

*U aller belang, u beider vriend.* Niet *uw*, want het gaat om de tweede naamval van *u allen, u beiden*, waarin *u* persoonlijk voornaamwoord is (en niet bezittelijk voornaamwoord). Ook: *ons aller medewerking* en niet *onze ...* (Dat het *hun aller medewerking* en niet *hen aller medewerking* is, komt doordat *hun* een verkorte vorm van de tweede naamval *hunner* is.)

**überhaupt** *Hij heeft überhaupt geen zin om te gaan.* Geheel ingeb. Duits woord. Kan vervangen worden door: *helemaal, absoluut, in het geheel, eigenlijk, tenminste, totaal.*

**UDC** Afkorting van Universele Decimale Classificatie. Volgens dit systeem krijgt elk (wetenschaps)gebied en zijn onderverdelingen een eigen nummer. ➤ CIP.

**UGI** ➤ NUGI.

**uit** *Uit dien hoofde. Uit anderen hoofde.* Om die, een andere reden. Staande uitdr.

**uit** *Gemaakt uit hout, uit staal.* (Ingeb.) germ./gall. voor *gemaakt van ...* Wel: *uit marmer gehouwen, opgetrokken uit glas en ijzer. Gemaakt uit* kan ook een contam. zijn van *gemaakt van* en *gehouwen/opgetrokken uit.* Wordt veel in België gebruikt. ➤ belgicismen.

**uitbalanceren** Ingeb. germ. voor *balanceren, in balans, evenwicht brengen.*

**uitbaten** *Een zaak uitbaten.* Ingeb. gall. Vooral in België – maar ook steeds meer in Nederland, vooral in de horecasector – gebruikt voor *exploiteren, beheren.* ➤ belgicismen.

**uitbater** Ingeb. gall. Vooral in België, maar tegenwoordig ook in Nederland (vooral in de horecasector) gebruikelijk voor: *exploitant, beheerder, bedrijfsleider.* ➤ belgicismen.

**uitbouw** Ingeb. germ. voor *vergroting, uitbreiding, groei, ontwikkeling.* Oorspronkelijk correct als er bedoeld wordt: *iets wat bijgebouwd is.*

**uitbouwen** Ingeb. germ. voor *uitbreiden, vergroten* (onderneming).

**uitbuiten** Ingeb. germ. voor *uitzuigen, misbruik maken van, zo veel mogelijk voordeel halen uit.*

**uitdrukkingsloos** Ingeb. germ. voor *nietszeggend, zonder uitdrukking, zonder expressie.* ➤ -loos.

**uitdrukkingsvol** Ingeb. germ. voor *vol uitdrukking, vol expressie.* ➤ -vol.

**uit eigener beweging** Contam. van *uit eigen beweging* en *eigener beweging.*

**uitentreuren** Steeds weer, tot vervelens toe. Staande uitdr.

**uiteraard** Vanzelfsprekend, natuurlijk. Staande uitdr.

**uiterlijk** Aan de buitenkant, wat kan worden waargenomen. *Een keurig verzorgd uiterlijk. Uiterlijk is hij niet veranderd. Uiterlijk* betekent ook *op z'n laatst: uiterlijk om twaalf uur.* Ook wel *ten hoogste: uiterlijk tien gulden.* Liever niet in de laatste betekenis gebruiken. ➤ uitwendig.

**uiterlijke schijn** Pleon.: *schijn* is altijd uiterlijk.

**uiterste limiet** Pleon. voor bijvoorbeeld *uiterste prijs, uiterste bod* en *limiet.*

**uitgerekend** *Dat dit uitgerekend nú gebeurt.* Ingeb. germ. voor *juist, precies, nu net.*

**uitgesloten** *De kans is niet uitgesloten dat wij de opdracht krijgen.* Cont. van *De kans bestaat/Er is een kans* en *De mogelijkheid is niet uitgesloten.*

**uitkijken** *Kijk uit voor die man.* (Ingeb.) angl. voor *Pas op voor ...*

**uitleven** *Zich uitleven. Hij leeft zich op het voetbalveld helemaal uit.* Ingeb. germ. voor *zijn lusten, neigingen de vrije loop laten.*

**uitlokken** *Opzettelijk uitlokken.* Pleon., want *uitlokken* is altijd opzettelijk.

**uitmaken** *Zijn plan maakt onderdeel uit van ...* Cont. van *maakt deel uit van* en *is een onderdeel van.*

**uitmaken** *Dat maakt geen verschil uit.* Contam. van *Dat maakt geen verschil* en *Dat maakt niet uit.*

**uitmunten in/door** Anderen overtreffen, uitblinken. *Uitmunten in zijn vak, in de schilderkunst.* Men kan ook uitmunten door gedrag, bekwaamheid.

**uitoefenen** Tot ambt of beroep hebben. *Hij oefent het beroep van drogist uit.* ➤ beoefenen.

**uitproberen** Ingeb. germ. voor *beproeven, proberen, testen, onderzoeken, op de proef stellen.*

**uitprofiteren** Contam. van *uitbuiten* en *profiteren van.*

**uitpunten** In de inhoudsopgave van boeken, rapporten enz. wordt het paginacijfer soms na een reeks door spaties gescheiden punten gezet. Deze ouderwetse methode noemen we uitpunten. Tegenwoordig komt het paginacijfer meestal direct na de titels, eventueel na een extra spatie. Soms ook: *Komma / 36.* ➤ paginacijfers.

**uitputtend** *Het onderwerp werd uitputtend behandeld.* (Ingeb.) germ. voor *volledig, uitvoerig.*

**uitraderen** (klemtoon op dé) Ingeb. germ. voor *uitvegen, raderen, wegkrabben.* Kan ook een contam. zijn van *uitvegen* en *raderen.*

**uitrangeren** Ingeb. germ. voor *afdanken, uitschakelen* (van personen).

**uitroepteken** We zetten een uitroepteken achter een uitroep (wens, bevel, waarschuwing, aansporing): *Au! Hield het maar op met regenen! Stop! Kijk uit! Toe nou!* Het gebruik van het uitroepteken in zakelijke teksten moet zo veel mogelijk beperkt worden. Plaats er nooit meer dan één.

Het uitroepteken vervangt de punt aan het eind van een zin. Als de zin eindigt met een afkorting-met-punt, blijft de punt van de afkorting staan: *U hebt nog steeds niet gereageerd op onze brief van 16 maart jl.!*

Het uitroepteken wordt soms midden in een zin gebruikt om speciale nadruk, verbazing of ironie uit te drukken: *Zij was er met zijn beste(!) vriend vandoor gegaan./Zij was er met zijn beste vriend(!) vandoor gegaan.* Net als bij het vraagteken geldt dat een spatie voor (!) overbodig is.

Het Spaanse uitroepteken is ¡. ➤ tekens.

**uitselecteren** Eigenlijk een contam. van *uitzoeken* en *selecteren*. Er is geen bezwaar meer tegen.

**uitspreken** *Zich uitspreken voor/tegen* ... Ingeb. germ. voor *zich voor/tegen iets verklaren*. We kunnen er ook een contam. in zien van *zich verklaren voor/tegen* en *een uitspraak doen voor (ten gunste van)/tegen*.

**uitstellen tot later** Pleon., want *uitstellen* is altijd tot later.

**uitstijgen** Ingeb. germ. en ouderwets voor *uitstappen*.

**uittesten** Ingeb. germ. voor *beproeven, testen*. Mogelijk een contam. van het ingeb. germ. *uitproberen* en *testen*. Er is geen bezwaar tegen. *Testen* slaat meer op personen, en *uittesten* op zaken: *Mijn broer is gisteren getest. Het apparaat is al tweemaal uitgetest.*

**uitvinden** Ingeb. angl. voor *ontdekken, onderzoeken, uitzoeken, erachter komen, te weten komen, achterhalen*.

**uitvinden** *Wie heeft de radio uitgevonden? Uitvinden* heeft betrekking op iets nieuws uitdenken en samenstellen. ➤ ontdekken.

**uitvoeren** *Uitvoeren naar het buitenland* is een pleon. *Uitvoeren* is altijd naar het buitenland.

**uitvullen** Een tekst noemen we uitgevuld als de achterkant ervan recht is. Dat wordt bereikt door de ruimte tussen de woorden (woordspaties) te vergroten. Als de regels niet precies even lang zijn, spreken we van Engelse of vrije regelval. Het zetsel is dan onuitgevuld. ➤ vrije regelval.

**uitwendig** Aan de buitenkant; niet voor consumptie. *De uitwendige restauratie van een gebouw. Dat medicijn is alleen voor uitwendig gebruikt.* ➤ uiterlijk.

**uitwijzen** *België zal deze misdadiger waarschijnlijk uitwijzen.* Ingeb. germ. voor *verbannen, over de grens zetten*. Ook ingeb. in de betekenis van *aantonen: De stukken wijzen uit dat hij gelijk heeft.*

**uitzicht** *In uitzicht stellen.* Ingeb. germ. voor *in het vooruitzicht stellen.*

**uitzichtloos** Ingeb. germ. voor *hopeloos, kansloos, zonder vooruitzichten.* ➤ -loos.

**uitzondering** *Op één uitzondering (enkele uitzonderingen) na.* Eigenlijk contam. van *op één na* en *met één uitzondering (enkele uitzonderingen).* Er is geen bezwaar tegen.

**ultimo** *Het artikel is ultimo januari gepubliceerd.* Ouderwets voor: *eind januari.*

**umlaut** Het deelteken of trema wordt ten onrechte wel umlaut genoemd. Dat is geen Nederlands maar een Duits teken, dat bovendien een klankverandering aangeeft. Bij het deelteken is dat niet het geval. Voorbeelden: *überhaupt, glühwein, fingerspitzen-gefühl.* De umlaut komt voor op de *a, o* en *u* (ook op de hoofdletters). Soms zet men geen umlaut op de hoofdletter, maar in plaats daarvan een *e* na de hoofdletter: *Oesterreich* in plaats van *Österreich.* Dat is alleen geoorloofd als een umlaut op de hoofdletter (technisch) niet mogelijk is.

Hoe een letter met een umlaut op de tekstverwerker wordt gemaakt, hangt af van het gebruikte programma. Een mogelijkheid is (via 'invoer' of 'invoegen') het gewenste scherm met tekens op te roepen en daarna op het bewuste teken te klikken. Bij andere programma's wordt het teken gemaakt met de alt-toets plus een cijfercode of ctrl v plus een cijfercode. (Zie hiervoor bij de bewuste letter.)

Omdat de combinatie van umlaut en hoofdletters soms technisch lastig is, wordt de umlaut in deze gevallen ook wel weggelaten. Men vindt in het algemeen dat de umlaut boven de hoofdletters of kleinkapitalen gewenst (maar niet noodzakelijk) is. Soms wordt alleen voor de letter met umlaut een kleinkapitaal gebruikt. Dat is geen fraaie oplossing. Heel lelijk is het om een kleine letter met umlaut te gebruiken in een woord dat in hoofdletters is gedrukt.

**unaniem** Eenstemmig. *Allen waren unaniem van mening ...* is een pleon.: *Allen waren van mening ...* óf *De leden waren unaniem ...*

**uniek** Enig, waarvan geen tweede exemplaar bestaat. *Unieker* of *heel uniek* is onjuist.

**uur** Woorden die tijd aanduiden, staan meestal in het meervoud: *tien minuten, een paar maanden.* Voor *uur, jaar, kwartier* geldt dit niet: *een paar uur, vier jaar.* Wel meervoud als er een telwoord voorafgaat: *vier lange jaren.*

Als een tijdsaanduiding in cijfers wordt geschreven, plaatsen we een punt tussen uur en minuut: *open om 8.30 uur. Van 12.00 tot 12.30 uur gesloten.* Het symbool voor uur is *h: 16h12min5s.*

Bij tijdsaanduidingen houden we de 24-uurtelling aan. In gewone tekst niet: *tot 12.00h* of *tot 12.00 uur (u),* maar *tot twaalf uur.* ➤ minuut. seconde.

**uwe/uwen** ➤ alle/allen.

**uwentwil** *Om uwentwil.* Ter wille van u. Staande uitdr.

**uwer** ➤ der.

# V

**vaak** Synoniem van *dikwijls*. *Vaak* is wat vlotter.

**vaarplan** Ingeb. germ. voor *reisschema, dienstregeling van schepen*.

**vakantie** *Met vakantie/op vakantie*. Beide vormen zijn juist. *Op vakantie* wordt meer in het zuiden van het land (en door katholieken) gebruikt. *Op vakantie* heeft meer de letterlijke betekenis (ergens verblijven in je vrije tijd) en *met vakantie* meer de betekenis 'niet hoeven werken'). *Op vakantie* wordt weleens een contam. genoemd van *op reis* en *met vakantie*. Er is geen bezwaar tegen.

**vakjargon** ➤ beroepstaal. woorden, vreemde.

**vakspecialist** Contam. van *vakman* en *specialist*. Kan ook een pleon. zijn.

**vallen** *Naar beneden, omlaag vallen*. Pleon. Vallen is altijd naar beneden, omlaag.

**valsheid in geschrifte** Staande uitdr.

**valuta** Soms wordt *valuta* als een meervoud gezien (*De vreemde valuta zijn ...*). *Valuta* is echter enkelvoud; het meervoud is *valuta's*.

**valuta** *Vreemde valuta*. ➤ munteenheden.

**van** Familienamen met *van, van der, ter* enz. schrijven we met een hoofdletter als er geen voorletters of voornamen voor staan: *de heer Van der Velde, drs. Ter Meulen*. Het is af te raden *van der* enz. af te korten. Let ook op: *mevrouw Jansen-de Vries*. ➤ achternamen.

**van** *Hij is gewend van te zeggen dat ...* Gall. *Van* moet weg. Wordt vrijwel alleen in België gebruikt. ➤ belgicismen.

**van** *Honderden, duizenden van mensen*. Ingeb. gall. voor *honderden, duizenden mensen*.

**van** *In opdracht van, met behulp van, ten aanzien van, ten name van, op het gebied van*. In dergelijke uitdrukkingen moeten we het vaste voorzetsel *van* niet vervangen door *der, dezer, onzer* enz. Dus niet: *In opdracht onzer cliënten, ten aanzien der genoemde gevallen*. ➤ der.

**van** *Nederlands van A. Jansen*. (Ingeb.) germ. voor *Vertaald door ...* of desnoods: *Vertaling van ...*

**van een** *Die bloemen zijn van een grote schoonheid*. (Ingeb.) gall. voor *... zijn erg mooi*.

**vanaf** *De korting geldt vanaf het vierde kind*. Hier staat dat de korting al voor het vierde kind geldt. 'Vanaf' betekent namelijk 'te beginnen met/bij'. Omdat deze formulering voor velen onduidelijk is, verdient bijvoorbeeld *De korting gaat in bij het vierde kind* de voorkeur.

**vanaf, vanuit** *Vanaf 1 januari is dit artikel te koop.* Er wordt wel beweerd dat *vanaf* en *vanuit* altijd gescheiden moeten zijn: *van morgen af, van Amsterdam uit* enz. Er bestaat geen voorkeur voor de gescheiden vorm. Wél kunnen we bijvoorbeeld *Vanaf huis is het vijf minuten lopen* gerust vervangen door: *Van huis is het ...*
We schrijven *van af* (twee woorden) in: *Ik denk dat je hier niet van af kunt stappen.*
Voor *ervan afzien, ervan uitgaan* enz. ➤ er-.

**vandaag** *Het is vandaag heel gewoon dat ...* Ingeb. gall. voor *tegenwoordig, nu, vandaag (aan) de dag.*
*De jeugd van vandaag.* Ingeb. gall. voor *... van tegenwoordig.*

**vanuit, vanaf** Er wordt weleens bezwaar gemaakt tegen *vanuit Amsterdam* in plaats van *van Amsterdam uit* en tegen *vanaf elf uur* in plaats van *van elf uur af.* Er is geen bezwaar tegen. ➤ vanaf, vanuit.

**vanwege** *Hij sprak vanwege het ministerie. Vanwege* betekent in de eerste plaats: *uit naam van, op gezag van.* Wordt ook steeds meer gebruikt om reden of oorzaak aan te geven: *Hij is thuis gebleven vanwege de regen.* Niet: *omwille*.* *Vanwege* kan overigens vaak vervangen worden door *door* of *van.* ➤ wegens.

**van wie/waarvan** Als het om personen gaat, is er nog enige voorkeur voor *van wie: De man van wie ik dit heb gekregen.* Als het om dieren of zaken gaat, gebruiken we *waarvan: Het huis waarvan ik heb gedroomd.* ➤ waar-.

**vanzelfsprekend** *Wij zijn daartoe vanzelfsprekend bereid.* Liever niet: *Het is vanzelfsprekend dat ...,* maar: *Het spreekt vanzelf dat ...* Of gewoon: *Natuurlijk ...*

**variatie** ➤ alinea. synoniemen. zinslengte. zinstype.

**'vast' schrijven** ➤ aaneenschrijven.

**vectoren** Het is gebruikelijk om zogenaamde vectorgrootheden (in formules) cursief én vet te zetten. Bij tekstverwerkers gebeurt dat door met F6 + F8 of door zowel op B als U te klikken. Als het niet mogelijk is de bedoelde tekens zelf te maken, kan in het manuscript met een bepaalde kleur worden aangegeven om welke letters het gaat. In de zetinstructie* moet dat natuurlijk verklaard worden. ➤ formules. vet.

**veel/vele** *Veel van deze huizen zullen afgebroken worden./Vele van deze huizen zullen afgebroken worden.* Op het eerste gezicht is er misschien geen verschil tussen beide zinnen, maar toch kunnen ze beter niet door elkaar gebruikt worden. Bij *veel* in *veel huizen* denken we meer aan een geheel, een verzameling huizen, terwijl *vele* meer op de afzonderlijke huizen betrekking heeft.

**veelal** *Zij doet veelal zelf haar boodschappen.* Ouderwets voor *meestal, gewoonlijk, doorgaans.*

**veeleer** *Het is veeleer een kwestie van geld dan van geluk dat hij dit bereikt heeft.* Ouderwets, in België gebruikelijk, voor *eerder, liever, meer.* ➤ belgicismen.

**veelszins** *Meestal, gewoonlijk, in meer dan één opzicht.* Staande uitdr.

**-veilig** Samenstellingen met -*veilig* zijn al of niet ingeb. germ. *Brandveilig* is een ingeb. germ. voor *beveiligd tegen brand, geen brandgevaar opleverend. Verkeersveilig* is een ingeb. germ. voor *waar het verkeer weinig ongelukken veroorzaakt. Explosieveilig* is een (ingeb.) germ. voor *geen explosiegevaar opleverend.*

**veiligstellen** Ingeb. germ. voor *in veiligheid brengen, beschermen, beveiligen. Veiligstelling* is een germ. voor *beveiliging, bescherming.*

**vele/velen** ➤ alle/allen.

**vele** *De mogelijkheden zijn vele.* Angl. voor *... zijn talrijk.* Of gewoon: *Er zijn veel mogelijkheden.*

**verantwoord** Wat gerechtvaardigd kan worden. *Met uw handtekening eronder ben ik verantwoord.* Ook: goed gefundeerd, weloverwogen: *een verantwoorde beslissing.*

**verantwoordelijk zijn** Zich moeten verantwoorden voor een gebeurtenis, feit of toestand. *Tijdens de afwezigheid van Jansen is Pietersen verantwoordelijk voor de afdeling.* ➤ aansprakelijk zijn.

**verantwoordelijke** *Wie is hier de verantwoordelijke?* Gall. voor *Wie is hier de baas, wie heeft de leiding, de verantwoordelijkheid?* Wordt vooral in België gebruikt. ➤ belgicismen.

**verantwoording** *Hij werd voor zijn gedrag ter verantwoording geroepen.* Geëist dat hij zich verantwoordt.

**verantwoording** ➤ illustratieverantwoording.

**verband** *In verband met.* Dit soort uitdrukkingen maken een tekst vaag. Gebruik deze zinswending alleen als er werkelijk van een verband sprake is. We kunnen die vaak vervangen door *omdat* of *doordat. In verband met het slechte weer blijf ik thuis.* Liever: *Omdat het slecht weer is, blijf ik thuis.* ➤ duidelijkheid.

**verband** ➤ zinsverband.

**verbieden te mogen** Onjuist: *Het is verboden daarheen te mogen gaan.* ➤ ontkenningen.

**verbinding** Het verbinden, samenvoegen. *De Straat van Gibraltar vormt de verbinding tussen de Atlantische Oceaan en de Middellandse Zee.* Ook: *met iemand in verbinding staan/treden, zich met iemand in verbinding stellen.* Betekent: contact hebben/krijgen. ➤ verbintenis.

**verbindings-n** ➤ tussenletters.

**verbindings-s** ➤ tussenletters.

**verbindingswoorden** ➤ zinsverband.

**verbintenis** Overeenkomst waarbij iemand zich tot iets verplicht. *Minderjarigen kunnen in het algemeen zelf geen verbintenissen aangaan.* ➤ verbinding.

**verblijven** Brieven eindigen soms met een zin als: *In afwachting van uw antwoord verblijven wij.* Zulke zinnen zijn sterk verouderd. *Blijven* heeft de betekenis van 'zijn'. De genoemde zin is dus overbodig. Vermijd ook: *tekenen\* wij.* ➤ slotzinnen.

**verbod** Bevel waardoor iets verboden wordt. *Verbod van publicatie.* ➤ gebod.

**verdraaglijk** Te verdragen, te dulden. *De hitte was niet verdraaglijk.*

**verdraagzaam** Inschikkelijk, tolerant. *Jan is niet bepaald verdraagzaam.*

**verdragen** *Wat hier gebeurt, verdraagt zich niet met onze doelstelling.* (Ingeb.) germ. voor *overeenkomen, passen bij, samengaan met, in overeenstemming zijn met.*

**vergeefs** Zonder resultaat, vruchteloos (bijvoeglijk naamwoord). *Wij hebben geprobeerd hem tevreden te stellen, maar het bleek vergeefse moeite.* Hier is *tevergeefse moeite* onjuist. *Vergeefs* wordt ook als bijwoord gebruikt: *Ze vroegen hem vergeefs te komen.* ➤ tevergeefs.

**vergelijk** *In vergelijk met.* Waarschijnlijk een germ. voor *vergeleken met, in vergelijking met.*

**vergelijken met/bij** *Vergelijken met* en *vergelijken bij* zijn beide mogelijk. Oorspronkelijk was er wel verschil. *Vergelijken met* was punten van verschil of van overeenkomst tussen twee personen of zaken vaststellen. *De toestand van toen vergeleken met die van nu. Vergelijken bij* werd meer gebruikt om iets door het beeld van iets anders te verduidelijken. *De jeugd wordt wel vergeleken bij de lente.*

**vergelijking** Trappen van vergelijking. ➤ als/dan.

**vergen** Met veel nadruk iets vragen. Het gaat vaak om iets wat moeilijk te volbrengen is. *Dit karwei vergt veel tijd, veel aandacht.* ➤ eisen. vragen.

**vergeten hebben/zijn** *Vergeten hebben* wil zeggen: er niet aan gedacht hebben, verzuimd hebben. *Ik heb vergeten de brieven te posten.* In deze betekenis is *ben vergeten* niet meer onjuist. *Vergeten zijn* is: niet meer weten. *Ik ben de naam van zijn broer vergeten.* Hier kan niet *heb vergeten* worden gebruikt.

**vergezeld** Er zijn verschillende voorzetsels mogelijk. *De minister was vergezeld van zijn vrouw. Hij werd vergezeld door zijn vrouw. Een verslag gaat vergezeld van tabellen.*

**vergissing** *Per vergissing.* Eigenlijk contam. van *bij vergissing* en *per abuis/ongeluk.* Er is geen bezwaar meer tegen.

**vergrotende trap** *Groot-groter.* Na een vergrotende trap komt bij voorkeur *dan: groter dan. Als* is niet onjuist.
Een woord van twee of meer lettergrepen krijgt in de vergrotende trap meestal alleen *-er* (en niet *-ere*) als verschillende onbeklemtoonde lettergrepen op elkaar volgen: *Een aardiger vrouw kun je je niet voorstellen. We wachten op voorspoediger tijden.* ➤ als/dan. *-er/-ere.*

**verheugen** *Zich verheugen op* heeft betrekking op iets in de toekomst. *Ik verheug me op het weekend. Zich verheugen over* slaat op iets wat er al is: *Hij verheugt zich over zijn succes. Zich verheugen in* betekent bezitten/genieten: *Hij verheugt zich in een goede gezondheid.*

342

**verhouding** Er zijn verschillende voorzetsels mogelijk. *Zijn salaris staat niet in verhouding tot zijn prestaties. De winst wordt verdeeld naar verhouding van het aandeel.*

**verhoudingen** *De verhoudingen in dit bedrijf zijn slecht.* Germ. voor *omstandigheden, toestand(en), voorwaarden, gesteldheid. Economische verhoudingen* is een (ingeb.) germ. voor *economische omstandigheden.* Er is geen bezwaar tegen *maatschappelijke verhoudingen* en *menselijke verhoudingen.*

**verhoudingsgetallen** ➤ dubbele punt.

**verhullend taalgebruik** ➤ eufemismen.

**verkapt** *Een verkapt dreigement.* Ingeb. germ. voor *bedekt, verborgen, verholen, vermomd.*

**verkeersveilig** Ingeb. germ. voor *waar het verkeer weinig ongelukken veroorzaakt.* ➤ -veilig.

**verkiesbaar** Verkozen kunnende worden. *Hij stelt zich dit jaar niet meer verkiesbaar.*

**verkieslijk** De voorkeur verdienend, te stellen boven. *Ik vind gezondheid verkieslijker dan rijkdom.*

**verkleden** *Zich verkleden.* Betekent zowel andere kleren aantrekken als zich vermommen. Soms wordt *zich verkleden* vervangen door *zich omkleden* in verband met de bijgedachte aan carnaval of een gekostumeerd feest. ➤ omkleden.

**verkleinwoorden** Woorden die eindigen op *a, o* of *u* krijgen *aa, oo* of *uu* voor de uitgang van het verkleinwoord: *la-laatje, radio-radiootje, paraplu-parapluutje.* Bij afbreken* krijgen we weer de oorspronkelijke vorm: *la-tje, radio-tje, paraplu-tje.* Woorden op *é* krijgen *ee: café-cafeetje.* Bij afbreken weer: *café-tje.* De *i* wordt *ie: taxietje.* Bij afbreken: *taxi-tje.* De *y* wordt *y': baby-baby'tje.* Afgebroken: *baby-tje.* Let op *diner-dineetje* en *souper/soupeetje.* Bij afbreken: *diner-tje/souper-tje.*

Een probleem vormt een woord als *relais*; als de regel gevolgd werd dat er *je* komt achter een woord dat op een *s* eindigt, zou de uitspraak 'relesje' zijn. Om dat te voorkomen ligt *relaitje* voor de hand.

**verkommeren** Ingeb. germ. voor *verarmen, wegkwijnen, wegteren.*

**verkortingen** ➤ afkortingen.

**verkrijgen** Kopen, met moeite krijgen. *Dit boek is daar te verkrijgen. Het was hem gelukt een betere functie te verkrijgen.* Als er *krijgen* bedoeld is, liever niet *verkrijgen* gebruiken: *Ik denk dat we wel toestemming zullen krijgen.*

**verlegen met/om** *Verlegen met* wil zeggen er te veel van hebben: *Hij was verlegen met zijn figuur. Verlegen om* is te weinig hebben: *Zij was verlegen om een praatje.*

**verliezen** *Verloren zijn* is soms een contam. van *verloren hebben* en *kwijt zijn.* Soms is *verloren zijn* echter de juiste vorm. In *Ik heb mijn boek verloren* ligt de nadruk op de handeling van het verliezen; in *Ik ben mijn boek verloren* gaat het meer op de toestand: kwijt zijn.

**verliezen** *Zich verliezen in allerlei uitweidingen.* Ingeb. germ. of gall. voor *verward raken in, vastlopen in, te veel aandacht besteden aan.*

**verloederen** Ingeb. germ. voor *slecht worden, verpest raken, vervallen, verlopen.*

**verloop** Als er bij het corrigeren van een drukproef woorden worden geschrapt of toegevoegd, ontstaat er verloop. Dat wil zeggen dat een deel van een regel naar de volgende of vorige regel gaat, van die regel weer een stuk naar de volgende/vorige enz. Het kan ook gebeuren dat er tekst naar de volgende/vorige pagina moet. Bij het corrigeren moeten alle regels waarin verloop is ontstaan, worden nagelezen. Niet alleen op nieuwe zetfouten, maar ook op afbreekfouten. Let er bij verloop op of dit consequenties heeft voor verwijzingen, paginacijfers in inhoudsopgave en register enz. ➤ corrigeren van drukproeven. drukproef.

**verluidt** *Naar verluidt.* Zoals het bericht verluidt, zoals men bericht. Dus met *-t.*

**vermenigvuldigingsteken** ➤ maalteken.

**vermijden** *Een gevaar vermijden.* Iets ontwijken, ontlopen, uit de weg gaan. Het gaat om iets wat al bestaat. ➤ voorkomen.

**vermits** *Firma X heeft een aanmaning gestuurd, vermits de rekening nog niet is betaald.* Verouderd voor *omdat.* Wordt vooral in België gebruikt. ➤ belgicismen.

**veronderstellen** Oorspronkelijk een contam. van *vermoeden* en *onderstellen. Veronderstellen* is nu veel gebruikelijker dan *onderstellen,* dat ouderwets aandoet. Ook *vooronderstellen* doet ouderwets aan. ➤ bekend veronderstellen.

**verongelukken** *Dodelijk verongelukken* is een pleon., want verongelukken van personen is altijd met dodelijke afloop. In de betekenis van *een ongeluk, ongeval hebben/krijgen* is *verongelukken* een gall.

**verplicht** Gedwongen door wet, voorschrift of morele overweging. *Wie iets koopt, is verplicht daarvoor te betalen.* ➤ gedwongen. genoodzaakt. verplichtend.

**verplichtend** Tot dankbaarheid of erkentelijkheid dwingend. *Dit aanbod vind ik veel te verplichtend.* ➤ verplicht.

**verplichting** Reden tot dankbaarheid. *Zij hebben grote verplichtingen aan hun oom.* ➤ plicht.

**verrassenderwijs** Kan een germ. zijn voor *verrassend, onverwachts,* maar dat is niet zeker. Gebruik het liever niet, want het is een stijf woord. ➤ -wijs.

**verruïneren** Contam. van *vernielen/verwoesten* en *ruïneren.*

**verscheidene** Diverse, enkele, vele. *De leerling had verscheidene fouten in het proefwerk gemaakt.* Nogal wat. Ook mogelijk: *verschillende.* ➤ alle/allen. verschillende.

**verschil** *Dat maakt niet veel verschil uit.* Contam. van *Dat maakt niet veel verschil* en *Dat maakt niet veel uit.*

**verschillende** Ongelijk. *Verschillende kleuren. Er lagen verschillende spullen op tafel.* Ook gebruikelijk als het niet om ongelijke zaken gaat, in de betekenis een paar, enkele, verscheidene: *Er ontbraken verschillende bladen aan het boek.* ➤ verscheidene.

Vermijd *verschillende* in zinnen als *Er zijn tien verschillende soorten* ... Dat is een pleon. *Tien soorten* is genoeg. ➤ alle/allen. verscheidene.

**versluiting** *Versluiting door de douane.* Ingeb. germ. voor *(af)sluiting (door de douane).*

**verstand** *Met dien verstande.* Aldus te verstaan, onder die voorwaarde, mits. Staande uitdr.

**versturen** Eigenlijk een contam. van *verzenden* en *sturen,* maar het is heel gebruikelijk.

**vertegenwoordigd** In naam handelend van, in de plaats tredend van. Wordt van personen gezegd. *De deelnemers werden vertegenwoordigd door de heer Jansens.* ➤ aanwezig. tegenwoordig. voorhanden.

**vertrekken** *We vertrekken van het standpunt dat ...* In België soms gebruikt voor: *We gaan uit van het standpunt.* ➤ belgicismen.

**vertrekpunt** *Met dit vertrekpunt loopt de redenering vast.* (Ingeb.) gall./angl. voor *uitgangspunt.* Ook liever niet: *We vertrekken van het standpunt,* maar *We gaan uit van het standpunt.* Goed: *vertrekpunt van trein, boot.*

**vertrouwelijk** *Een vertrouwelijk gesprek.* Een gesprek waarvan de inhoud niet verder verteld mag worden.

**vertrouwen** *Wij vertrouwen u hiermee akkoord.* Angl. voor *Wij vertrouwen erop dat ...* ➤ vertrouwend.

**vertrouwen** *In vertrouwen. Ik heb hem dat in vertrouwen verteld. In het vertrouwen dat het geheim blijft.* ➤ vertrouwelijk.

**vertrouwend** *Vertrouwend dat u hiermee akkoord gaat.* Het is *vertrouwen op;* dus: *erop vertrouwend.* Maar dan nog is er bezwaar tegen deze zinswending. ➤ slotzinnen.

**vervangingsteken** Met het vervangingsteken (weglatingsstreepje) geven we aan dat een deel van een woord is weggelaten: *im- en export, zaterdagmiddag en -avond.* Onjuist is *arme- en rijke landen,* omdat *arme landen* niet één woord is. ➤ weglatingsstreepje.

**verveelvuldigen** Contam. van *vermenigvuldigen* en *verveelvoudigen.*

**vervlakken** Ingeb. germ. voor *verwateren, onbelangrijk worden.*

**vervolg** *In den vervolge.* Staande uitdr.

**vervolmaken** Ingeb. germ. voor *perfectioneren, beter/praktischer maken.*

**verwachtingsvol** Ingeb. germ. voor *vol verwachting.* ➤ -vol.

**verwerkelijken** Ingeb. germ. voor *verwezenlijken.*

**verweven met** Ingeb. germ. voor *mengen, dooreenstrengelen.*

**verwijswoorden** ➤ zinsverband.

**verwijzingen** Als in een rapport, scriptie, boek enz. naar een bepaalde pagina wordt verwezen, kan dat meestal pas definitief in de opgemaakte drukproef gebeuren. Pas dan is de paginering bekend. Geef verwijzingen in het manuscript duidelijk aan, bijvoorbeeld met een bepaald teken in de marge. (Of op de tekstverwerker met een bepaalde code.) Het kan gemakkelijk zijn om in het manuscript naar de paginering van het manuscript te verwijzen, maar let er wel op dat dit paginacijfer aangepast wordt. ➤ drukproef.

Om problemen met verwijzingen te voorkomen, moeten we vermijden: *in de volgende/vorige tabel, volgende/vorige paragraaf, volgende/vorige figuur, volgende/vorige bladzijde* enz. Als tabellen*, figuren*, paragrafen enz. genummerd zijn, is verwijzing eenvoudig.

Gebruik bij verwijzingen het liefst kleine letters. Dus: *Zoals we in tabel 4 hebben aangegeven, ...* Niet: *Tabel.* Na het nummer geen punt: *In figuur 8 ziet u ...; uit paragraaf 4.3 is al gebleken dat ...* ➤ literatuurverwijzing.

**verwittigen** *Iemand van iets verwittigen.* Ouderwets woord. Wordt vooral in België gebruikt voor: *meedelen, laten weten, bekendmaken, berichten, in kennis stellen.* Tegenwoordig ook zonder *van: ik zal hem verwittigen* (kennis geven, waarschuwen). ➤ belgicismen.

**verzachtende term** ➤ eufemismen.

**verzocht** *Hierbij ontvangt u de verzochte gegevens.* Onjuist voor *... de gevraagde gegevens* of *... de gegevens waarom u hebt gevraagd.*

**verzoeke** *Verzoeke op tijd aanwezig te zijn* betekent: *Ik verzoek.* Ouderwets. Liever bijvoorbeeld: *Wij verzoeken u op tijd aanwezig te zijn* of *Wilt u op tijd aanwezig zijn?* Desnoods: *U gelieve ...* ➤ gelieven.

**verzoeken** Door vragen proberen iets gedaan te krijgen. *Wij verzoeken u morgen te komen.* ➤ eisen. vragen.

Na *verzoeken* kunt u alleen een beknopte zin gebruiken. Dus *... mee te delen, eerder te komen.* Niet: *Wij verzoeken u of u eerder kunt (wilt) komen.* Bij *vragen* past zowel een volledige als een beknopte zin: *Wij vragen hem of hij wat eerder komt/wij vragen hem wat eerder te komen.* De beknopte vorm is vaak wat vlotter. ➤ beknopte bijzin.

**verzoeken te willen** *Hierbij verzoeken wij u ons te willen meedelen ...* Dit pleon. is vrijwel onuitroeibaar. *Verzoeken* betekent: vragen of iemand iets wil. Dat *verzoeken te willen* nog zoveel wordt gebruikt, komt waarschijnlijk doordat men *verzoeken* zonder *willen* te gebiedend, niet vriendelijk of beleefd genoeg vindt. Volgens ons ten onrechte. Een alternatief is bijvoorbeeld: *Wij verzoeken u vriendelijk ons mee te delen ...*

**verzoeken** *De aanwezigen wordt verzocht* of *worden verzocht?* ➤ worden.

**vet** Vette letters worden gebruikt om bepaalde woorden meer nadruk te geven. Cursief is voor dat doel gebruikelijker, maar vooral in tijdschriften komen vet gezette woorden nogal eens voor. Ook kopjes* worden vaak vet gezet.

Het is gebruikelijk om zogenaamde vectorgrootheden (in formules) cursief en vet te zetten. ➤ formules.

Woorden die vet gezet moeten worden, kunnen we – volgens een genormaliseerde afspraak – in het manuscript met een golvend lijntje onderstrepen. We kunnen ze ook omhalen. In de marge schrijven we dan 'vet', ook omhaald. Ook onderstrepen met een bepaalde kleur is mogelijk.

Er bestaan bij sommige lettertypen diverse gradaties in vet, onder andere halfvet, vet en extra vet. Halfvet is het meest geschikt in gewone tekst.

Bij bepaalde lettertypen komt er ook vet-cursief in onderkast en in kapitaal voor: *vet-cursief/VET-CURSIEF*.

Voor vet zetten van leestekens ➤ accentueren.

Hoe vette tekst op de tekstverwerker wordt gemaakt, hangt af van het tekstverwerkingsprogramma. Enkele mogelijkheden zijn de toets F6 of door te klikken op het symbool 'B' (voor 'bold' = vet) (of ctrl + B). ➤ accentueren.

**vetvrij** *Vetvrij papier.* Ingeb. germ. voor *vetdicht, vetwerend; geen vet doorlatend/ opnemend/bevattend.*

**via** *We hopen via besprekingen ons doel te bereiken.* Gebruik *via* het liefst alleen in de letterlijke betekenis (van Leiden via Haarlem naar Amsterdam). In de figuurlijke betekenis verdient de voorkeur: *door, met (hulp van).*

**vieren** ➤ herdenken.

**vierkant (wit)** Deze benaming stamt uit de tijd dat de drukkerijen nog alleen met loodzetsel werkten. Een vierkant was een grote spatie die even breed was als de hoogte van de gebruikte letter.

Met 'een vierkant wit' of 'een vierkant inspringen' geven we ook nu nog een (grotere) witruimte aan.

**vierkante haakjes** Gebruikelijke, maar eigenlijk onjuiste benaming voor rechthoekige haakjes, teksthaakjes [...] ➤ haakjes. teksthaakjes.

**vierkantswortel** ($\sqrt{\ }$) ➤ tekens.

**vijandelijk** Wat van de vijand is. *Vijandelijk gebied.* ➤ vijandig.

**vijandig** Met gevoel van vijandschap. *Hij staat daar vijandig tegenover.* ➤ vijandelijk.

**Vlaams** ➤ belgicismen.

**vlees** *Naar den vleze. Het gaat hem naar den vleze.* In materieel opzicht goed. Staande uitdr.

**vliegplan** Ingeb. germ. voor *dienstregeling van lijnvliegtuigen.*

**vocaalmuziek** Germ. voor *vocale muziek.*

**vochtbestendig** Ingeb. germ. voor *bestand tegen vocht, vochtdicht, geen vocht doorlatend.* ➤ bestendig.

**voege** *In dier voege.* Zodanig, op die manier. Staande uitdr.

**voegwoorden** Vermijd zinnen waarin twee voegwoorden naast elkaar staan: *Wij willen* *graag* <u>*dat, als*</u> *u komt, u op tijd aanwezig bent. Wij maken u erop attent* <u>*dat, doordat*</u> *..., wij te laat aankwamen.* Dat geldt ook voor *dat, hoewel, dat, zodra, dat, terwijl* enz. ➤ dat, als.

**voerder** *Wagenvoerder.* (Ingeb.) germ. voor *bestuurder* (van trein).

**voeren** *Een product voeren.* Germ. voor *verkopen, handelen in, in de handel brengen.*

**voetnoten** ➤ noten.

**voetpedaal** Pleon. Pedalen worden altijd met de voet bediend.

**voetregel, sprekende** ➤ hoofdregel, sprekende.

**-vol** Veel samenstellingen met *-vol* zijn oorspronkelijk germ. (ook wel angl.). Ingeb. zijn onder andere: *geheimvol, hoopvol, gevaarvol, gewetensvol, respectvol, sfeervol, smaakvol, stijlvol, succesvol, talentvol, uitdrukkingsvol, verwachtingsvol, vreugdevol, waardevol, zinvol.* Volgens sommigen is onder andere ingeb.: *betekenisvol* (veelbetekenend, veelzeggend, vol betekenis). Niet ingeb. zijn onder andere: *glansvol* (glansrijk), *prachtvol* (prachtig), *stemmingsvol* (met, in een aangename stemming), *wondervol* (wonderlijk, prachtig).

**volautomatisch** Ingeb. germ. voor *(geheel) automatisch.* Ook tegen *halfautomatisch* bestaat geen bezwaar.

**volgen** *Heeft gevolgd* betekent *nagevolgd. Hij heeft de vertaling van ... gevolgd.* Ook voortdurend aandacht schenken aan, letten op: *Wij hebben de ontwikkelingen nauwlettend gevolgd. Is gevolgd* betekent *achterna gegaan: Hij was mij op korte afstand gevolgd.* ➤ hebben/zijn.

**volgend(e)** *Volgend jaar, volgende maand.* Ingeb. angl. voor *de/het volgende.* Het lidwoord is wel noodzakelijk in: *het volgende verhaal, de volgende alinea, het volgende geval.*

**volgende** *Wij delen u het volgende mee.* Er komt een punt en geen dubbele punt, omdat er geen opsomming of één toelichtende zin volgt. Dat geldt ook voor *als volgt: De werking van deze machine is als volgt.* ... Wel een dubbele punt als er een opsomming volgt: *De volgorde van de deelnemers was als volgt: Jansen, Pietersen, De Vries.*

**volgens** Op grond van, ingevolge; naar de mening van. *Volgens/ingevolge uw opdracht sturen wij u ... Volgens de heer Jansen is dit niet juist.*

*Volgens mijn mening* is een contam. van *volgens mij* en *naar mijn mening.* Wordt niet meer echt onjuist gevonden. ➤ ingevolge.

Er wordt (ten onrechte) weleens bezwaar gemaakt tegen *volgens mij/ons,* omdat *volgens* alleen in verband met anderen gebruikt zou mogen worden. ➤ ingevolge.

**volgorde** ➤ woordvolgorde.

**volgt** *Als volgt.* ➤ volgende.

**volgt later** *De rekening volgt later.* Pleon., want *volgen* is altijd later.

**volk** *Den volke kond doen.* Kennis geven. Staande uitdr.

**volledigheidshalve** Ouderwets woord. Liever: *voor de volledigheid, ter wille van de volledigheid.* ➤ -halve.

**volstaan** Zich beperken tot. *We volstaan met deze twee opmerkingen.* Onjuist (een pleon.): *We volstaan met slechts/alleen/uitsluitend.* Volstaan houdt al in: slechts enz. Vooral in België wordt nogal eens gebruikt: *Eén telefoontje volstaat.* Liever: ... *is voldoende.* Onjuist (een gall.) is: *Het volstaat dat ...* voor: *Het is voldoende dat ...* of: *U kunt volstaan met .../We volstaan met ...* ➤ belgicismen.

**voltreffer** Ingeb. germ. voor *treffer; bom of hagel die precies zijn doel treft.*

**voor** ➤ voren.

**voorafgaande waarschuwing** Pleon. *Voorafgaande* moet vervallen.

**vooraleer** In België gebruikelijk woord voor *voordat, alvorens.* Na *vooraleer* moet een vervoegd werkwoord komen: *Vooraleer hij vertrok ...* Niet: *Vooraleer te vertrekken, ...* Liever niet gebruiken. ➤ belgicismen.

**vooralsnog** *Vooralsnog hebben we geen haast.* Ouderwets voor: *voorlopig, voor het ogenblik.*

**voorbaat** *Bij voorbaat danken.* Hiertegen wordt wel bezwaar gemaakt: je kunt niet bedanken voor iets wat (nog) niet is gedaan. Het is echter een heel gebruikelijke constructie. Niet: *Bij voorbaat dankend* enz. ➤ slotzinnen.

**voorbedacht** *Met voorbedachten rade.* Opzettelijk, met de bedoeling iets te doen. Staande uitdr.

**voorbehouden** *Dat is slechts/alleen/uitsluitend voorbehouden aan ...* Pleon. *Alleen/uitsluitend/slechts* moet vervallen.

**voorbereiden op/voor** *Zich voorbereiden op een teleurstelling. Zich voorbereiden voor een examen.*

**voorbericht** ➤ voorwoord.

**voorbijgaan aan** *U gaat helemaal voorbij aan wat ik zeg.* (Ingeb.) germ. voor *geen aandacht schenken aan, geen rekening houden met.*

**voordat ... eerst** *Voordat u dit formulier invult, moet u eerst ...* Pleon. In *voordat* zit immers al het begrip *eerst.* ➤ alvorens.

**voordehandse titel** ➤ Franse titel(pagina).

**voor dezen** Staande uitdr. ➤ dezen.

**voordien** Vroeger, tevoren. Staande uitdr.

**voor een jaar** Ingeb. germ. voor *een jaar geleden.* Hetzelfde geldt voor: *voor enige tijd.*

**voor een jaar geleden** Contam. van *voor een jaar* en *een jaar geleden.*

**vooreerst** In België gebruikelijk voor: *in de eerste plaats.* Dat is minder juist. Ook liever niet gebruiken voor: *voorlopig, vooralsnog.* ➤ belgicismen.

**voorgespannen** *Voorgespannen beton.* Ingeb. germ. voor *spanbeton.*

**voorhand** *Op voorhand.* Minder gebruikelijk dan *bij voorbaat, van tevoren.*

**voorhanden** Beschikbaar. Wordt alleen gebruikt voor zaken, goederen die dadelijk geleverd kunnen worden. ➤ aanwezig. tegenwoordig. vertegenwoordigd. voorradig.

**voorin** *Je mag wel voorin.* Eén woord. Maar: *Voor in de auto ligt een boek.* ➤ aaneenschrijven.

**voorkomen** *Door te betalen voorkom je moeilijkheden.* Ervoor zorgen dat iets niet gebeurt. ➤ vermijden.

*We proberen te voorkomen dat jullie niet de dupe van deze maatregelen worden.* Hier moet *niet* vervallen. ➤ ontkenningen. werkwoorden (scheidbare/onscheidbare).

**voorliggen** *De bedoeling ligt voor.* Germ. voor ... bestaat, men heeft de bedoeling, het is de bedoeling.

**voorliggend** Ingeb. germ. voor *onderhevig, genoemd, bedoeld, dit, deze.*

**voormiddag** In België gebruikt voor *ochtend.* ➤ belgicismen.

**voornaamwoordelijke aanduiding** *(Voornaamw. in plaats van zelfst. naamw.)* ➤ geslacht.

**voornemens** *De minister was voornemens een bezoek te brengen aan ...* Ouderwets voor: *was van plan, had het voornemen.*

**voornoemd** *Voornoemde persoon, de minister voornoemd.* Ouderwets voor: *de genoemde.*

**vooronderstellen** Vooraf als mogelijk of bestaand aannemen. Ouderwets woord. ➤ veronderstellen.

**voorradig** Ingeb. germ. voor *in voorraad, voorhanden.*

**voorspellen** *Toekomst voorspellen.* Eigenlijk een pleon., want *voorspellen* heeft altijd betrekking op de toekomst. Het is echter algemeen gebruikelijk.

**voorstellen** *Een pijnloze behandeling voorstellen.* Onjuist voor *introduceren, ontdekken.*

**voortijdig** *De tentoonstelling werd voortijdig gesloten.* Ingeb. germ. voor *te vroeg, voorbarig, voor het gewenste of gestelde tijdstip.*

**voorts** Enigszins ouderwets voor: *verder, vervolgens, bovendien.*

**vooruit voorspellen** Pleon.: *voorspellen* is altijd vooruit.

**vooruitzichten** *Vooruitzichten voor de toekomst.* Eigenlijk een pleon., want *vooruitzichten* hebben altijd betrekking op de toekomst. Het is algemeen gebruikelijk.

**voorverwarmen** Ingeb. germ. voor *voorverhitten, vooraf verwarmen.*

**voorwaardelijke bijzin** Een voorwaardelijke bijzin in vragende vorm kan ervoor zorgen dat er een te lange aanloop ontstaat. Een voorbeeld: *Gaat uw kind op kamers wonen omdat de afstand tussen het ouderlijk huis en de school te groot is, dan kunt u een tegemoetkoming in deze extra kosten krijgen.* Om te vermijden dat de lezer denkt met een vragende zin te maken te hebben, is de volgende formulering beter leesbaar: *Als uw kind ...* Tegen een korte voorwaardelijke bijzin is geen enkel bezwaar; hij is zelfs prima te gebruiken voor de afwisseling: *Hebt u daar bezwaar tegen, dan hoor ik dat wel. Dan is noodzakelijk.* ➤ aanloop, (te) lange.

**voor wat betreft** (Ingeb.) gall. voor *wat betreft .../wat ... betreft.* ➤ betreft (wat ... betreft).

**voorwenden** Voorgeven, als werkelijk doen gelden. *Hij wendde ziekte voor om thuis te kunnen blijven.* Onder voorwendsel van ziekte. ➤ aanwennen.

**voorwerk** Een boek bestaat uit nogal wat onderdelen. Een globale indeling is: voorwerk – eigenlijke tekst – nawerk*. Het voorwerk is alles vóór de eigenlijke tekst (de hoofdstukken). Het kan uit de volgende onderdelen bestaan: Franse* titel (voordehandse titel), titelpagina*, copyrightpagina*, opdracht*, voorwoord*, inhoudsopgave*, inleiding*. Een boek hoeft niet al deze onderdelen te bevatten, maar er kunnen ook méér onderdelen zijn.

Als tabellen en figuren afzonderlijk genummerd zijn, kunnen ze in een aparte lijst worden opgenomen. Er kan ook een lijst van afkortingen en/of symbolen voorkomen. ➤ boek, indeling. nawerk.

**voorwerp** *De werkloosheid is een voorwerp van aanhoudende zorg van de regering.* Een *voorwerp* is datgene waarop het gevoel of de geest is gericht: *een voorwerp van onderzoek, van studie, van zorg, van liefde.* Het *onderwerp** is de zaak waaraan men denkt, waarover men spreekt of schrijft.

**voorwerpen** *Hij wierp voor dat de voorzitter niet erg soepel was.* (Ingeb.) germ. voor *verwijten, voor de voeten werpen.*

**voor wie/waarvoor** Als het om personen gaat, is er nog enige voorkeur voor *voor wie*: *De man voor wie de opmerking bedoeld was.* Als het om dieren of zaken gaat, gebruiken we *waarvoor*: *De hond waarvoor ik een mand heb gekocht.* ➤ waar-.

**voorwoord** Ingeb. germ. voor *woord vooraf, voorbericht.* ➤ nawoord.

**voorwoord** Na de copyrightpagina (eventueel na een opdrachtpagina) komt op een rechterpagina het voorwoord (woord vooraf, voorbericht). Het kan geschreven zijn door de auteur, door de uitgever, de vertaler of een al of niet bekende andere persoon. De tekst heeft bijvoorbeeld betrekking op de ontstaansgeschiedenis en wordt gebruikt om mensen te bedanken voor hun medewerking. Het voorwoord gaat dus niet over de eigenlijke tekst van het boek. De inleiding gaat wel over de tekst.

Als er een voorwoord (of inleiding) van de auteur én van een ander is, komt het voorwoord van de auteur ná de inhoudsopgave. ➤ nawoord.

**voorzetsels** Een zin met veel voorzetsels is vaak ingewikkeld en slecht leesbaar. Voorbeeld: *In 19.. werd hij overgeplaatst naar ..., waar hij werd opgenomen in het team voor het ontvangen van installaties voor het boren naar olie.* Zo'n lange zin met veel voorzetsels kan om te beginnen het best gesplitst worden in enkele zinnen. Bovendien zouden we sommige voorzetselconstructies kunnen veranderen in bijzinnen. De voorbeeldzin zou als volgt verbeterd kunnen worden: *In 19.. werd hij overgeplaatst naar ... Hier werd hij opgenomen in een team dat zich bezighoudt met de ontvangst van olieboorinstallaties.* Nog een voorbeeld. *Er hebben zich geen omstandigheden voorgedaan dat gesproken kan worden van een verplichting van de leverancier tot het verlenen aan de afnemer van een extra korting.* Een mogelijke verbetering: Er *hebben zich geen omstandigheden voorgedaan dat de* *leverancier verplicht is (aan) de afnemer een extra korting te verlenen.*

**voorzover** We schrijven *voorzover* in alle gevallen als één woord. ➤ zover.

**voorzien** *Het is jammer dat we deze mislukking niet van tevoren hadden voorzien.* Pleon., want *voorzien* is altijd van tevoren.

**voren** *Loopt u zo ver mogelijk naar voren.* In combinatie met *naar* is 'voren' de juiste vorm. Ook: *naar voren treden, naar voren brengen.*

**voren-** *Vorenbedoelde, vorengenoemde* enz. Ouderwetse woorden voor: *de hiervoor bedoelde, de bovengenoemde* enz.

**vorig(e)** *Vorig jaar, vorige week.* Ingeb. angl. voor *het/de vorige ...* Het lidwoord is wel noodzakelijk in: *de vorige alinea, het vorige voorbeeld* enz.

**vorm** *Onder de vorm van ...* Gall. voor *in de vorm van ...*

**vorstenpaar** Ingeb. germ. voor *koninklijk (vorstelijk) paar.* (*Koningspaar* is een ingeb. germ. voor *koninklijk paar.*)

**vorstvrij** Ingeb. germ. voor *tegen vorst beschermd, vorstwerend, vrij van bevriezing.*

**vraag** Er wordt weleens beweerd dat er in zakelijke teksten geen vraagzinnen zouden mogen voorkomen, maar daar is geen bezwaar tegen. In een zakenbrief kunnen we gerust schrijven: *Kunt u binnen 14 dagen leveren?* in plaats van: *Wij verzoeken u ons mee te delen of u binnen 14 dagen kunt leveren.*

In artikelen, rapporten enz. kan een vragende zin ervoor zorgen dat de aandacht van de lezer wordt vastgehouden. Bijvoorbeeld: *Wat heeft het onderzoek tot nu toe opgeleverd?* In plaats van: *We zullen nu bekijken wat het onderzoek tot nu toe heeft opgeleverd.* De lezer voelt zich wat meer bij het verhaal betrokken. Een vraagzin kan de leesbaarheid dus bevorderen. Maar pas op voor overdrijving.

**vraagteken** We gebruiken een vraagteken:

– achter een vragende zin: *Kunt u straks even komen?* Na een indirecte vraag komt geen vraagteken: *Hij vroeg hoe laat het was.*

– om onzekerheid of ironie aan te geven: *Een zekere De Vries(?) vertelde dat. Een kostbaar(?) geschenk.* De meningen zijn verdeeld over de vraag of er hier een spatie voor (?) moet of niet. Een spatie lijkt ons overbodig.

Er komt ook een vraagteken in een zin als: *Wilt u nog even meedelen wanneer het u uitkomt?* Het is een verzoek, in de vorm van een vraag. Het komt nogal eens voor dat het vraagteken in kopjes wordt weggelaten, bijvoorbeeld: *Welke kennis is nodig. Waarom volwassenenscholing.* Het vraagteken is echter noodzakelijk.

Het vraagteken vervangt de punt. Alleen als de zin met een afkorting-met-punt eindigt, komt er een punt én een vraagteken: *Komt hij zaterdag a.s.?* Maar: *Is deze pen 15 cm?*

Gebruik nooit meer dan één vraagteken achter elkaar, ook niet als de vraag heel dringend is. Als er sprake is van twee vragen, krijgen we wel twee vraagtekens: *Vroeg de politieagent: 'Hebt u wel een rijbewijs?'?* ➤ aanhalingstekens.

Het Spaanse vraagteken is ¿. ➤ tekens.

**vragen** Proberen iets te weten te komen, te bereiken of te krijgen. *Naar de weg vragen. Het kind vroeg een snoepje. Hij vroeg zijn tante of zij op tijd wilde komen.* In beknopte vorm wordt dit: *Hij vroeg zijn tante om op tijd te komen.* ➤ verzoeken.

**vreemd** *In den vreemde.* In het buitenland, in vreemde streken. Staande uitdr.

**vreemde valuta** ➤ munteenheden.

**vreemde woorden** ➤ woorden, vreemde.

**vreugdevol** Ingeb. germ. voor *vol vreugde, vol blijdschap.* ➤ -vol.

**vrijdag** ➤ dagnamen.

**vrije regelval** We spreken van vrije regelval (of Engelse regelval) als de tekstregels niet allemaal precies even lang zijn. Veel lezers geven de voorkeur aan een rechte achterkant.

In vrije regelval gezette tekst is niet minder goed leesbaar.

In smalle kolommen tekst die niet in vrije regelval zijn gezet (de achterkant is dus recht) zien we vaak grote gaten tussen de woorden. Dit is een argument om bij smalle kolommen te kiezen voor vrije regelval.

Soms worden teksten in vrije regelval gezet zonder afbrekingen. Doordat lange woorden die net niet meer op de regel konden, naar de volgende regel gaan, ontstaan aan het eind van de regels soms lelijke, grote gaten. Tegen vrije regelval mét afbreken bestaat meestal geen bezwaar. ➤ uitvullen.

**vrijgeven** *Documenten, goederen vrijgeven.* (Ingeb.) germ. voor *vrijlaten, vrijverklaren* (bijv. van in beslag genomen goederen of schepen). Ingeb. is: *vrijgeven voor publicatie.*

**vrijhouden** Het is in het algemeen het mooist om de cijfers, letters of streepjes in een opsomming ten opzichte van de tekst te laten uitspringen. De onderverdeling van zo'n opsomming valt dan beter op. Een voorbeeld:

*We kunnen de vreemde woorden onderverdelen in:*

- *leenwoorden, die ongewijzigd zijn overgenomen: jam, finish, manager, tram, überhaupt, concern, interview, canapé;*
- *bastaardwoorden, die in uitspraak of spelling vernederlandst zijn: feliciteren, publiek, concert, portemonnee.*

Bij heel lange opsommingen is vrijhouden niet gebruikelijk.

We spreken ook van vrijhouden als het gaat om cijfers in noten, literatuurlijst enz. ➤ opsomming.

**vroeger of later** Angl. voor *vroeg of laat.*

**vroeggeboorte** Ingeb. germ. voor *voortijdige geboorte, te vroege geboorte.*

**vroegzomer** Germ. voor *vroege zomer, begin van de zomer.* ➤ bijv. naamw. + zelfst. naamw.

**vrouwelijk** ➤ geslacht.

**vrouwelijk (teken: ♀)** ➤ tekens.

**vrouwelijke patiënte, vrouwelijke directrice** Pleonasme, want patiënte, directrice zijn altijd vrouwen. Dus: óf *vrouwelijke patiënt/directeur* óf *patiënte/directrice.* ➤ pleonasme.

**vuistregel** Ingeb. germ. voor *praktische, globale, meestal toepasbare regel.*

**vuurgevaarlijk** Germ. voor *(licht) brandbaar.* ➤ -gevaarlijk.

# W

**waar** Geeft een plaats aan. Het is minder juist met *waar* een reden, oorzaak of tegenstelling aan te geven. Niet: *Waar de subsidie geweigerd werd, vonden wij het onverantwoord het huis te kopen* (omdat*). Ook niet: *Waar de meesten hard werken, loopt hij de kantjes eraf* (terwijl*). In de volgende zin kan *waar* zelfs verwarring geven: *Waar er nog geen bioscoop is, moeten de filmliefhebbers teleurgesteld worden. Waar* in plaats van *daar* enz. wordt wel een germ. genoemd.

**waar-** *Waaraan, waarmee, waarvoor, waarbij* enz. We gebruiken *waaraan, waarmee, waarvoor, waarbij* enz. vooral voor niet-personen. *Het huis waaraan ik dacht.* Voor personen is er nog enige voorkeur voor: *aan wie, van wie, met wie, voor wie, bij wie* enz. *De man van wie ik dit boek heb gekregen.* In het meervoud kunnen we voor personen *ook waarmee* enz. gebruiken: *De leerlingen waarmee/met wie we op reis zijn geweest.*

Als er naar woorden als *volk* en *groep* wordt verwezen, doen we dat met *waarmee, waardoor* enz., ook al gaat het om een verzameling personen.

Bij *het*-woorden die een persoon aanduiden, is *waarmee* enz. ook gebruikelijk: *Het kind aan wie* of *het kind waaraan, het meisje met wie* of *het meisje waarmee.*

Er is geen voorkeur voor *waarmee* of *waar ... mee* in zinnen als: *De pen waarmee ik schrijf* en *De pen waar ik mee schrijf.* Hetzelfde geldt voor *waaraan, waarop* enz. Als het voorzetsel en het werkwoord niet nauw bij elkaar horen, is splitsen beter: *Hier komt het op neer* (= neerkomen op), *Dit is iets waar ik op sta* (= eisen).

*... waarvan, ... waaraan* enz. *U bent door het rode licht gereden, ten bewijze waarvan er een radarfoto is gemaakt.* Lelijke constructie, die wordt gebruikt om alles in één zin te stoppen. Verbetering is eenvoudig, namelijk door de zin te splitsen en een nieuwe zin te beginnen met: *Ten bewijze daarvan ...* (liever: *Als bewijs daarvan*). Andere voorbeelden: *misstanden ten aanzien waarvan ...; overtreding in verband waarmee ...; uw brief aan het slot waarvan ...* Dergelijke constructies komen nogal eens in ambtelijke taal voor.

**waardeloze prullen** Pleon., want prullen zijn altijd waardeloos. Kan gebruikt worden in verband met de nadruk.

**waardepapier** Ingeb. germ. voor *papier van waarde, geldswaardig papier.*

**waardoor** *Waardoor is het verlies ontstaan?* Wijst op een oorzaak. ➤ doordat.

**waarom** *Waarom blijf je thuis?* Wijst op een reden. ➤ omdat.

**waarschuwen** *Vooraf waarschuwen.* Pleon. Waarschuwen is altijd vooraf. Ook *voorafgaande waarschuwing* en *waarschuwing vooraf* zijn onjuist.

**waarschuwen voor/tegen** *Waarschuwen voor* is wijzen op een (bestaand) gevaar of nadeel dat men zou kunnen ondervinden: *Wij waarschuwen u voor deze mensen. Hij had ons niet voor het gevaar gewaarschuwd.*
*Waarschuwen tegen* is attent maken op een (mogelijk) schadelijk gevolg: *Wij waarschuwen u tegen te veel drinken.*

**waartoe** *Waartoe dient deze schakelaar?* Wijst op een doel. Gewoner is: *Waarvoor\* dient (is)* ... *Waarvoor* niet verwarren met *waarom.*

**waarvoor** *Waarvoor zijn die dozen?* Wijst op een bestemming.

**waken voor/tegen** *Waken voor* is ervoor zorgen, opletten, erop toezien dat iets niet gebeurt. *Wilt u ervoor waken dat er geen schade ontstaat?* (Er volgt een ontkenning.)
*Waken tegen* is proberen te vermijden. *Wij zullen ertegen waken dat hij te veel geld uitgeeft.* Combineer *waken tegen* niet met een ontkenning, want dat is dubbel: *Waak ertegen dat je niet zakt.*

**wanneer** Wijst op een tijd. *Wanneer de zon ondergaat, wordt het koel. Wanneer* kan ook voor een voorwaarde worden gebruikt: *Wanneer het regent, ga ik niet. Indien* is beter om een voorwaarde uit te drukken. *Als* is altijd bruikbaar in plaats van *indien* en *wanneer.* Maar voorkom misverstanden. ➤ als/indien/wanneer.

**want** Geeft een reden aan. *Ik blijf thuis, want het regent.* Gebruik *want* liever niet op de volgende manier: *Het is een mooi, want kostbaar boek.* Maar bijvoorbeeld: *Het is een mooi en (maar) kostbaar boek. Het is een mooi boek; het is dan ook/immers kostbaar.*

**was** *Het was in Amsterdam/in 1995 dat ik hem voor het eerst sprak.* (Ingeb.) gall. voor *In Amsterdam/in 1995* ... Correct om nadruk te leggen.

**wat** Het betrekkelijk voornaamwoord *wat* slaat terug op een hele zin: *Hij was op tijd, wat ik niet had verwacht.* We gebruiken *wat* ook na *dat* en *datgene,* en bij voorkeur na *alles* en *iets. Alles wat ik weet.* Ook *wat* als het woord waarop *wat* terugslaat, iets onbepaalds noemt. *Dit is het mooiste wat ik ooit heb gezien.* Hier mág ook *dat.* Maar: *Dat is het mooiste huis dat ik ooit heb gezien.* Het gaat om iets bepaalds (*het huis*). ➤ dat/wat.

**wat ... betreft** *Wat Jansen betreft, kunnen wij u meedelen* ... *Wat* en *betreft* moeten eigenlijk door een of meer woorden gescheiden zijn. Dus liever niet: *Wat betreft Jansen* ... *Wat betreft* wordt steeds vaker als een voorzetselgroep beschouwd, en wordt dan niet door andere woorden gescheiden. In plaats van de nogal stijve formulering *wat betreft* is vaak beter: *voor, over* of een dergelijk voorzetsel. ➤ betreft (wat ... betreft).

**watergekoeld** Ingeb. germ. voor *met water gekoeld.* ➤ zelfst. naamw. + deelw.

**wateroplosbaar** Germ. voor *in water oplosbaar.*

**we** Deze onbeklemtoonde vorm van *wij* heeft de voorkeur in geschreven teksten, behalve natuurlijk als er nadruk gelegd wordt. Omdat *wij* te nadrukkelijk kan zijn, geven we voor rapporten, artikelen enz. de voorkeur aan *we.* In zakenbrieven is *wij* gebruikelijker.

Er wordt nogal eens gedacht dat een brief niet met *wij* (*we*) of *ik* zou mogen beginnen. Dat mag gerust, maar begin niet elke alinea daarmee. Mogelijk om *wij* enz. te vermijden, begint men zijn brieven nogal eens met: *Hierbij\** ... Dat is niet aan te bevelen. ➤ aanvangszinnen.

Als de schrijver zich niet van tijd tot zichtbaar maakt met *we* of *ik*, blijft hij te veel op de achtergrond. Het resultaat is misschien een onpersoonlijk verhaal.

Een schrijver kan in het algemeen beter voor *we/wij* kiezen dan voor *ik*, maar als dat in bijna elke zin gebeurt, kan het irritant worden. (Omdat *wij* soms wat te nadrukkelijk kan zijn, geven we de voorkeur aan *we*, behalve als nadruk gewenst is.)

Gebruik *we* niet in twee betekenissen in één zin: *We* (u en ik) *hebben al gezien dat rood bloed een pleonasme is, maar we* (wij of men) *hebben geen bezwaar tegen: het rode bloed kleurde de witte sneeuw.*

Wees ook voorzichtig met *we* in de betekenis 'u en ik'. De lezer moet zich namelijk wel in dat *we* kunnen herkennen. Dat is bijvoorbeeld *niet* het geval in: *Voordat uranium in een lichtwaterreactor te gebruiken is, moeten we het verrijken.* In dit geval is de *we*-vorm dus niet bruikbaar.

**we** *Bedenken we wel dat* ... Gall. Nabootsing van de Franse gebiedende wijs eerste persoon meervoud, die in het Nederlands niet voorkomt.

Correct is: *Bedenk wel* ... *We moeten wel bedenken* ... *Laten we wel bedenken* ... Hetzelfde geldt voor: *Realiseren we ons* ... *Stellen we ons voor* ...

**wederzijds** Van beide zijden tot elkaar, onderling. *Onze wederzijdse vriendschap.* Onjuist is: *onze wederzijdse vrienden.* Moet zijn: *gemeenschappelijke, gezamenlijke vrienden.*
*Elkaar wederzijds begroeten, ontzien.* Deze constructie is niet echt onjuist, maar lijkt een pleon. Liever *wederzijds* schrappen.

**weer** *Weer heropenen, weer hervatten, weer herstellen, weer herkiezen.* Combinaties van *weer* en *her-* zijn pleon. Als bijvoorbeeld een winkel voor de tweede keer wordt heropend, is *weer heropend* natuurlijk juist.
Ook *weer teruggeven, weer klaar* enz. zijn pleon.
*Weer opnieuw beginnen* is een pleon. voor *weer beginnen* en *opnieuw beginnen.*

**weermacht** Germ. voor *leger, strijdkrachten.*

**weersafhankelijk** Germ. voor *afhankelijk van het weer.*

**weerwil** *In weerwil van de verwachtingen.* Ouderwets voor: *ondanks.*

**weeskind** We spreken van een weeskind als de eerste regel van een alinea onder aan de pagina of tekstkolom staat. Een weeskind – ten onrechte weleens wees genoemd – kan beter vermeden worden, zeker als alinea's verder inspringen. De laatste regel zou dan immers inspringen, wat niet mooi is. Als er slechts één regel tekst na een witregel voorkomt, kan die beter worden weggewerkt. Dat kan op dezelfde manier als met een hoerenjong*.

**weg** *Zijn weg voortzetten.* Contam. van *zijn weg vervolgen* en *zijn reis, tocht voortzetten.*

**-wege** *Van gemeentewege, van overheidswege, van rijkswege.* Liever gewoon: *door de gemeente, door de overheid, door het Rijk. Vanwege de overheid* kunnen we gerust vervangen door *door de overheid.* In plaats van *van overheidswege* (of: *vanwege de overheid*) *zullen binnenkort maatregelen worden genomen* kunnen we beter schrijven: *De overheid zal binnenkort maatregelen nemen/... neemt binnenkort maatregelen.* ➤ lijdende vorm.

**wegen** *Dat weegt zwaar/licht.* Contam. van *Dat weegt veel/weinig* en *Dat is zwaar/licht.* Er is geen bezwaar tegen: *Dat argument weegt voor haar heel zwaar.*

**wegenbouw** Ingeb. germ. voor *wegenaanleg.*

**wegens** *Wegens de gladheid is hij thuis gebleven.* In verband met de gladheid. Ook mogelijk: *vanwege*.*

**weglating** Als er in een citaat woorden worden weggelaten, kunnen we dat aangeven met (...): *De minister zei: 'Ik ben niet van plan mij aan deze opmerking (...) te storen.'* Tussen de punten onderling en tussen de punt en de haakjes komt geen spatie.

**weglatingsstreepje** We gebruiken het weglatingsstreepje als een deel van een woord is weggelaten: *voor- en achtertuin, vrijdagochtend en -middag.* Het is hetzelfde streepje als het koppelteken* en het afbreekstreepje*; in drukwerk is het de divisie*.

We kunnen het weglatingsstreepje alleen gebruiken als een deel van een woord is weggelaten. Onjuist is dus *arme- en rijke landen,* omdat *arme landen* niet één woord is. Ook onjuist: *kleine- en hoofdletters, financiële- en belastingvoordelen, sociale- en volksverzekeringen.* Dit moet zijn: *kleine en hoofdletters, financiële en belastingvoordelen, sociale en volksverzekeringen* (of natuurlijk: *kleine letters en hoofdletters* enz.).

Gebruik liever geen weglatingsstreepje om een voorvoegsel of achtervoegsel te vervangen. Dus liever niet: *barbaars- en domheid, leugen- en huichelachtig.*

Niet aan te bevelen is bijvoorbeeld *moedertaalverwervings- en -ontwikkelingsproces.*

**weglatingsteken** (afkappingsteken) De apostrof die aangeeft dat een of twee letters zijn weggelaten: *'s-Hertogenbosch* (des-Hertogenbosch), *m'n* (mijn), *'t* (het). De benaming 'weglatingsteken' wordt ook wel gebruikt voor het streepje in *im- en export.* Om verwarring te voorkomen, geven wij in dat geval de voorkeur aan 'weglatingsstreepje'. ➤ apostrof. weglatingsstreepje.

**weifelen** Aarzelen iets te doen. *Hij weifelde of hij het boek zou geven.* ➤ twijfelen.

**weinige/weinigen** ➤ alle/allen.

**weldadig** Heel aangenaam, heilzaam, als een weldaad werkend. *Weldadige warmte. Een weldadig gevoel.* ➤ gewelddadig.

**welke** *De vliegtuigen welke vandaag naar Amerika gaan, ... De auto welke daar rijdt, ...* Ouderwets voor *die*. Wél bruikbaar ter afwisseling: *Deze auto is mooier dan die welke daar staat.* Ook mogelijk – en vlotter – is: *... dan die daar staat.*

*Welk(e)* is nodig als het woord waarnaar wordt verwezen, in dezelfde of andere bewoordingen wordt herhaald: *Haar neiging tot overdrijven, welke eigenschap soms irritant is, ... De regering heeft besloten de persvrijheid te beperken, volgens welk besluit velen de mond werd gesnoerd.* Het is een formeel aandoende formulering, waarmee soms dubbelzinnigheid vermeden kan worden: *Van de eerste roman van deze jonge schrijver, die door velen werd geprezen, waren al delen in de krant gepubliceerd./Van de eerste roman van deze jonge schrijver, welk boek door velen werd geprezen, ...*

**welk/welke** *Welke van deze cd's is van jou?/Welk van deze cd's is van jou?* Beide vormen zijn goed. Hoewel het *welke cd* is, mag hier ook *welk* worden gebruikt. Deze uitzondering op de regel geldt voor zinnen waarin *welk(e)* gevolgd wordt door *van*.

**welker** *Een bloem welker stengel gebroken is, verwelkt snel.* Heeft betrekking op een meervoudig of een vrouwelijk enkelvoudig woord dat geen persoon aanduidt. Verouderd voor *... waarvan.* ➤ waar-. wiens. wier.

**welks** *Het huis welks dak kapot is, ...* Heeft betrekking op een enkelvoudig mannelijk of onzijdig woord dat geen persoon aanduidt. Verouderd voor *..., waarvan.* ➤ waar-. wiens. wier.

**wellicht** Stijf voor: *misschien, mogelijk.* Wel bruikbaar ter afwisseling.

**welvaartsstaat** Ingeb. angl. voor *staat met goede sociale verzorging/voorzieningen.*

**welzijnstaal** ➤ duidelijkheid.

**wensen** *Zijn toestand liet nogal te wensen.* Gall. voor *... liet nogal te wensen over.* Wordt vooral in België gebruikt. ➤ belgicismen.

**wensende wijs** De wensende wijs (aanvoegende wijs) is een verouderde beleefdheidsvorm om een wens of aansporing uit te drukken: *Het ga u goed. Het zij zo. Men bedenke wel ...* Behalve in kookboeken (*Men neme ...*) en in kerktaal (*Uw wil geschiede*) komt de wensende wijs vooral in ambtelijke taal voor: *Voor inlichtingen moge worden verwezen naar ... Men wende zich tot ...* De wensende wijs is niet onjuist, maar geeft de tekst een ouderwets tintje.

De wensende wijs van *zijn* is *zij* en niet *weze*: *het zij zo, dankzij ...*

*Men diene te bedenken dat ...* In deze zin komt een contam./pleon. voor: *Men bedenke .../men dient te* (liever: *moet*) *bedenken ...*

*Zegge* en *verzoeke* zijn geen wensende wijs, maar ouderwets voor: *ik zeg, ik verzoek.*

*Gelieve dit te betalen.* Volgens sommigen onjuist voor: *U gelieve ...* ➤ gelieven.

**werd/werden** ➤ werkwoorden (problemen met werkwoorden).

**wereldlijk** Dit staat tegenover *kerkelijk: Het wereldlijk gezag.* ➤ werelds.

**werelds** Van de wereld, lichtzinnig. *Wereldse genoegens, wereldse vrouw.* ➤ wereldlijk.

**wereldvreemd** Ingeb. germ. voor *vreemd, niet bekend, niet thuis in de wereld, in het maatschappelijk leven.*

**wereldwijd** Ingeb. angl. voor *wereldomvattend, zich uitstrekkend over de hele wereld, mondiaal.*

**-werk** *Elektriciteitswerk, krachtwerk* zijn germ. voor *elektriciteitscentrale. Walswerk* is een germ. voor *walserij.*

**werkloos/werkeloos** *Werkloos* betekent eigenlijk: *zonder werk. Werkeloos* is oorspronkelijk: *niet werkend* (hoewel er wél werk is). Er wordt in het algemeen geen onderscheid meer gemaakt.

**werkwoorden, Engelse** ➤ Engelse werkwoorden.

**werkwoorden** *Plaats van werkwoorden.* ➤ woordvolgorde.

**werkwoorden** *Problemen met werkwoorden.* Werkwoorden leveren nogal eens problemen op. We volstaan met een korte vermelding van de belangrijkste. (Onder de woorden waarnaar wordt verwezen, staat méér.)

– *Worden genomen/genomen worden, zijn gekomen/gekomen zijn, hebben gelopen/gelopen hebben.* Beide constructies zijn juist. ➤ is geweest/geweest is.

– *Hebben/zijn.* Met *hebben* en *zijn* worden de werkwoorden in de voltooide tijd gezet: *ik heb gespeeld, ik ben gegaan.* Sommige werkwoorden kunnen met *hebben* én met *zijn* vervoegd worden, afhankelijk van de betekenis: *Ik heb een uurtje gefietst/Ik ben naar Den Haag gefietst.* Er is soms een groter verschil in betekenis, bijvoorbeeld *vergeten hebben/vergeten zijn.* ➤ hebben/zijn. vergeten.

– *U heeft/u hebt. U* was oorspronkelijk derde persoon (*Uedele*), maar wordt steeds meer als tweede persoon gezien. Vandaar dat *u heeft* is geworden: *u hebt. U is* is nu *u bent, u kan* is nu *u kunt* enz. ➤ u.

– *We zijn overtuigd dat u het met ons eens bent.* Moet zijn: *Wij zijn ervan overtuigd dat ...* ➤ er-.

– *Hopend op uw medewerking ..., Vertrouwend op een positief antwoord ...* Deze stijve formulering kunt u beter vermijden. ➤ slotzinnen.

– *Men neme, men bedenke, men wende zich tot ...* Voor deze verouderde beleefdheidsvorm ➤ wensende wijs.

– *De aanwezigen wordt verzocht plaats te nemen.* Hier wordt steeds vaker *worden* gebruikt. Aangezien *aanwezigen* oorspronkelijk een meewerkend voorwerp is *(aan de aanwezigen wordt verzocht)*, heeft enkelvoud nog wel de voorkeur. Ook: *De aanwezigen werd een aardigheidje aangeboden.* Maar: *De aanwezigen werden enkele boeken aangeboden.* Nu is er een meervoudig onderwerp.

– *Zij was een van de weinigen die daar aandacht aan schonk/schonken.* Als we uitgaan van *een van de,* ligt enkelvoud voor de hand. Het verdient echter de voorkeur het werkwoord in het meervoud te zetten, want *die* hoort bij *weinigen.* Maar in de volgende zin moet het werkwoord in het enkelvoud: *Zij is de enige van alle aanwezigen die daar aandacht aan schonk.* Nu hoort *die* bij *enige.* ➤ een van de.

– Werkwoorden met de voorvoegsels *be-, ge-, er-, her-, ont-, ver-* krijgen geen *ge-* in het voltooid deelwoord: *beweerd, geloofd, erkend, herroepen, ontdekt, verloren.* Uitzonderingen zijn: *gehergroepeerd, geherkapitaliseerd, geheroriënteerd, geherwaardeerd.* (De klemtoon ligt op *her-.*) Maar: *heringericht, heruitgegeven, heruitgezonden, heropgericht.* (*Her-* + werkwoord dat met een voorzetsel begint.)

In *vernissen, verbaliseren* en *herbergen* zijn *ver-* en *her-* geen voorvoegsels. Daarom is het voltooid deelwoord: *gevernist, geverbaliseerd, geherbergd.*

– *Hij heeft met mij overlegd./Hij heeft de brief overgelegd.* ➤ werkwoorden (scheidbare/onscheidbare).

– *Ik had hem dat mee moeten delen/moeten meedelen.* ➤ werkwoorden (scheidbare/onscheidbare).

– *Was u al eens in Londen?* Voor een afgesloten handeling gebruiken we in het Nederlands een voltooide tijd en geen onvoltooide tijd. Dus: *Bent u al eens in Londen geweest?* Ook minder juist: *De heer Jansen schreef deze tekst (heeft geschreven). Maakte u al kennis met haar? (hebt gemaakt). Zij hadden het nog nooit zo leuk (hebben gehad).* De onjuiste zinnen zijn angl.

– *Ik ben het die dat boek gekozen heb. Jij die mijn beste vriend bent.* De persoonsvorm (vervoegd werkwoord) richt zich naar het onderwerp: *ik heb, jij bent.* ➤ die.

– *Zowel Jan als Piet was aanwezig.* Het werkwoord bij voorkeur in het enkelvoud, maar meervoud is niet onjuist. ➤ zowel ... als.

– *(Noch) Jan noch Piet had dat verwacht.* Het werkwoord het liefst in het enkelvoud. ➤ noch.

– *Deze fout is niet door mij gemaakt.* ➤ lijdende vorm.

– *Gesloten zijnde, moet u bellen op nr. 10.* ➤ beknopte bijzin.

– Met een werkwoord gevormde samenstellingen die eindigen op *-ing* schrijven we als één woord: *ingebruikneming* (maar: *in gebruik nemen*).

– *Oplopen/op lopen; aankunnen/aan kunnen; uitlaten/uit laten* enz. ➤ aaneenschrijven.

– Als de stam van een werkwoord na een klinker eindigt op een *d* die niet wordt uitgesproken, kan de *d* ook worden weggelaten: *ik hou, ik onthou, ik rij, ik glij, ik snij, ik schei uit* in plaats van *ik houd, ik onthoud, ik rijd, ik glijd, ik snijd, ik scheid uit.* Dat geldt ook voor de gebiedende wijs: *Hou ze in de gaten. Snij niet in je vingers.* ➤ gebiedende wijs.

– Een *aantal mensen heeft* of *hebben?* Kan beide. Dat geldt in het algemeen ook voor *bende, hoop, massa, menigte, reeks, serie, stel, -tal, troep.* ➤ aantal.

Na *heleboel* komt het werkwoord in het meervoud: *Een heleboel auto's waren beschadigd.*

– *Dertig procent van de antwoorden was goed.* Enkelvoud heeft de voorkeur. ➤ procent.

– *De NS/VS heeft/hebben.* Als we van de afkorting uitgaan, is enkelvoud gebruikelijk. Gaan we uit van de volledige naam (Nederlandse Spoorwegen/ Verenigde Staten), dan ligt meervoud voor de hand.

Hetzelfde geldt voor *Gedeputeerde Staten (GS) en Provinciale Staten (PS).* Na de afkorting is enkelvoud gebruikelijk (*GS heeft besloten*); na de niet-afgekorte versie het liefst meervoud (in verband met de meervoudsuitgang *-en: Gedeputeerde Staten zullen volgende week over dit onderwerp vergaderen.*

*V & D, C & A, P & C.* Bij deze overbekende ondernemingen gebruiken we zowel na de afkorting als na de volledige naam het enkelvoud: *C & A is toch voordeliger. Vroom & Dreesmann gaat het filiaal in onze stad moderniseren.*

*B en W van Amsterdam zijn niet met het voorstel akkoord gegaan.* Bij voorkeur meervoud. Natuurlijk ook: *Burgemeester en Wethouders van Amsterdam zijn niet met het voorstel akkoord gegaan.*

Na de afkorting *c.s.* (cum suis = met de zijnen) komt het werkwoord in het enkelvoud: *Jansen c.s. heeft al jaren geleden aangetoond dat ...* Als bij deze formulering meer aan 'en de zijnen' wordt gedacht, is meervoud te verdedigen: *minister-president Kok c.s. zijn het eens met ...*

– *Kalmte en nuchterheid kunnen je daarbij helpen.* Het onderwerp is meervoud; dus *kunnen.* Maar als we *kalmte en nuchterheid* als een eenheid beschouwen, is *kan* te verdedigen. ➤ en.

*Jan en zijn vader gingen vissen.* Maar: *Jan ging met zijn vader vissen.*

*En Jansen en Pietersen was aanwezig.* Aangezien het hier om de afzonderlijke individuen gaat, volgt het werkwoord in het enkelvoud.

*Elke man en elke vrouw krijgt hier de nodige aandacht.* Ook na *ieder* en *elk* volgt een enkelvoudige werkwoordsvorm als we aan de individuen afzonderlijk denken; dus én elke man én elke vrouw.

– *Niet Jan maar Piet heeft gewonnen.* Het werkwoord is enkelvoud.

– *Jansen of Pietersen zou komen.* Het werkwoord staat in het enkelvoud. *IJzer of plastic kunnen hiervoor gebruikt worden.* Nu staat het werkwoord in het meervoud, want de betekenis is *en.*

– *Ons was gezegd dat u of ik contact opneem/opneemt. U en ik vragen elk een verschillen-*

de persoonsvorm; een bevredigende oplossing is hier niet echt te geven. Een mogelijkheid is: *Ons was gezegd dat u contact opneemt, of ik.* Een andere formulering verdient de voorkeur, bijvoorbeeld: *Ons was gezegd dat een van ons tweeën contact opneemt.* Maar of 'ons tweeën' hier onduidelijk is, hangt van de context af.

**werkwoorden** *Scheidbare/onscheidbare werkwoorden.* Samengestelde werkwoorden kunnen onder andere onderverdeeld worden in scheidbare en onscheidbare. *Onderzoeken* kunnen we niet scheiden. *Ik ben van plan hem te onderzoeken* (niet: *onder te zoeken*). *Onderzoeken* is dus een onscheidbaar samengesteld werkwoord.

*Opzoeken* wordt wél gescheiden: *Ik ben van plan hem op te zoeken. Opzoeken* is dus een scheidbaar samengesteld werkwoord.

Bij onscheidbaar samengestelde werkwoorden kunnen we geen andere werkwoorden tussen de woorddelen plaatsen. Onmogelijk is: *Hij had hem eerder onder moeten zoeken.* Wel mogelijk is: *Ik had hem op moeten zoeken.* Deze zin *kán,* maar liever: *Ik had hem moeten opzoeken.* Dat geldt ook voor bijvoorbeeld: *Zij had allang af willen vallen (willen afvallen). Ik weet niet wanneer dit plaats heeft gevonden (heeft plaatsgevonden).* Nog enkele voorbeelden: *Het duurde lang voor hij op kwam dagen. Ik was van plan hem op te gaan bellen. Het vliegtuig had blijkbaar uit moeten wijken.*

Er zijn ook werkwoorden die (met verschil in betekenis) zowel scheidbaar als onscheidbaar voorkomen, afhankelijk van de klemtoon. Scheidbaar is bijvoorbeeld *óverleggen: U bent verplicht een legitimatiebewijs over te leggen. Overléggen* is niet scheidbaar: *U bent verplicht dit met mij te overleggen.* Ook *dóórlopen: Wij zijn nog even doorgelopen.* Maar *doorlópen: Hij heeft de zes klassen snel doorlopen.* Andere voorbeelden zijn: *óverwegen/overwégen, óvertekenen/overtékenen, óverdrijven/overdríjven, dóórzoeken/doorzóéken, óndergaan/ondergáán.* De accenttekens zijn gewoonlijk overbodig. Gebruik ze alleen als er misverstand over de betekenis kan ontstaan.

Van recente samenstellingen met als eerste lid een zelfstandig naamwoord of een werkwoordstam is het werkwoord niet scheidbaar. Het voltooid deelwoord begint met *ge-.* Een paar voorbeelden: *stofzuigen – stofzuigde – gestofzuigd; vriesdrogen – vriesdroogde – gevriesdroogd; zweefvliegen zweefvliegde – gezweefvliegd; puntlassen – puntlaste – gepuntlast.*

**weshalve** *Ik ben al eens te laat gekomen, weshalve ik me nu moet haasten.* Verouderd voor: ... *waarom, zodat, om welke reden.* Vlotter: *Daarom moet ik* ...

**weten** *Het westerse weten.* Germ. voor *wetenschap, kennen in het algemeen.* Correct is: *buiten mijn weten, tegen beter weten in.*

**wetenschappelijke namen** Het is gebruikelijk wetenschappelijke termen cursief te zetten, of – als dat niet kan – te onderstrepen: *Equus przewalski* (przewalskipaard).

**wetenschapper** Ingeb. germ. voor *wetenschapsbeoefenaar, wetenschapsman.*

**wettelijk** Bij de wet vastgelegd. *Wettelijke voorschriften.* ➤ wettig. wettisch.

**wetten** Volgens de officiële Aanwijzingen voor de regelgeving krijgt alleen het eerste woord van namen van wetten, verordeningen, regels e.d. een hoofdletter: *Wet op het voortgezet onderwijs. Wet aansprakelijkheidsverzekering motorrijtuigen.* Vóór de jaren zestig hadden alle hoofdwoorden uit de titel een hoofdletter. Vandaar de schrijfwijze van bijvoorbeeld: *Wetboek van Koophandel, Burgerlijk Wetboek.*

Als niet gemakkelijk na te gaan is wat de juiste schrijfwijze is, zou overwogen kunnen worden steeds hoofdletters te gebruiken.

Hier volgt een lijstje van enkele bekende wetten e.d. waarin wel hoofdletters zijn gebruikt:

*Algemene Arbeidsongeschiktheidswet*
*Algemene Ouderdomswet*
*Algemene Wet Bijzondere Ziektekosten*
*Burgerlijk Wetboek*
*Reglement Gevaarlijke Stoffen*
*Wet op de Ruimtelijke Ordening*
*Wet Werkloosheidsvoorziening*
*Wetboek van Burgerlijke Rechtsvordering*
*Wetboek van Koophandel*
*Wetboek van Strafrecht*
*Wetboek van Strafvordering*

**wettig** Overeenkomstig de bepalingen van de wet. *Wettige echtgenoot.* ➤ wettelijk. wettisch.

**wettisch** Stipt handelend volgens de letter van de wet. *Een wettisch man.* ➤ wettelijk. wettig.

**wezensvreemd** Germ. voor *niet overeenstemmend met aard of wezen.*

**wichtig** Ouderwets voor: *belangrijk.* Lijkt een germ., maar is dat waarschijnlijk niet.

**widow** Onjuiste benaming voor hoerenjong\*.

**wie** *Aan wie, met wie, bij wie* enz. Er is nog enige voorkeur voor *aan wie, met wie, voor wie, bij wie* enz. voor personen: *De man aan wie ik dat heb gevraagd. De vriendin voor wie dat is bedoeld.* Ouderwets is: *De vrouw wie ik dat heb gegeven.* Liever *aan* erbij.

Voor een onzijdige persoonsnaam in het enkelvoud kunnen we *van wie* of *waarvan* gebruiken: *Het meisje waarvan/van wie de hond weggelopen was.*

In het meervoud kunnen we ook *waaraan* enz. gebruiken: *De mensen waaraan/aan wie we dat hebben gevraagd.*

Voor niet-personen gebruiken we uitsluitend *waaraan, waarmee, waarvoor, waarbij* enz.: *De auto waarmee hij werd gebracht. De hond waaraan hij nogal gehecht was.* ➤ waar-.

**wiens** *De man wiens jas dit is.* Doet ouderwets aan voor: *De man van wie deze jas is. Wiens* is alleen te gebruiken voor mannelijke persoonsnamen in het enkelvoud.

**wier** *De secretaresse wier baas naar Duitsland is.* Erg ouderwets voor: *van wie.* We gebruiken *wier* voor vrouwelijke persoonsnamen in het enkelvoud en voor alle persoonsnamen in het meervoud. *De mensen wier huis is verkocht.*

**wigconstructie** ➤ tangconstructie.

**wij** ➤ we.

**-wijs** Woorden die op *-erwijs/-erwijze* eindigen (*logischerwijs/logischerwijze, toevalligerwijs/ toevalligerwijze* enz.) kunnen germ. zijn, maar dat is niet zeker. Gebruik ze in het algemeen toch liever niet, want ze doen stijf aan. Ze zijn gemakkelijk te vermijden.
*Logischerwijs was hij de eerste.* Vlotter: *Het is logisch/vanzelfsprekend dat hij ...* of: *Natuurlijk/vanzelfsprekend was hij ... Ik kwam hem toevalligerwijs tegen.* Liever: *Ik kwam hem toevallig tegen/het was toeval(lig) dat ...* Verder onder andere: *begrijpelijkerwijs* (natuurlijk, vanzelfsprekend), *menselijkerwijs* (menselijk gesproken), *merkwaardigerwijs* (merkwaardig genoeg, vreemde genoeg), *mogelijkerwijs* (mogelijk, misschien), *noodzakelijkerwijs* (noodzakelijk), *normalerwijs* (normaal, normaliter, gewoonlijk, in het algemeen), *ongelukkigerwijs* (ongelukkig genoeg, door een ongeluk), *redelijkerwijs* (in redelijkheid, met billijkheid).

**wijten aan** *Het ongeluk was aan hem te wijten.* Ongunstige betekenis. Onjuist is: *De oorzaak hiervan was te wijten aan ...* Een contam. van *De oorzaak was ...* en *De aanrijding was te wijten aan ...* ➤ danken aan.

**wil** *Ter wille van. Van goeden wille. Om der wille.* Staande uitdr.

**willekeurig** Eigenmachtig. *Een willekeurige keuze. Willekeurige beslissing. Willekeurig* is niet het tegengestelde van *onwillekeurig,* dat onopzettelijk, zonder erbij (na) te denken betekent. ➤ onwillekeurig.

**willen** *Wij verzoeken u ons te willen meedelen ...* Pleon., want *verzoeken* betekent vragen of iemand iets wil. Daarom moet de volgende zin worden afgekeurd: *Wij willen u meedelen dat ...* in plaats van: *Wij delen u mee dat ...*
*Willen* is ook overbodig in bijvoorbeeld: *Het wil mij voorkomen dat ...* en: *Hiermee wil niet gezegd zijn dat ...* Natuurlijk wél correct: *Ik wil je dat wel vertellen.* Het gaat hier om een gunst.

**windstreken** Namen van windstreken en hun afleidingen en samenstellingen hebben een kleine letter: *noorden, oosten, noordelijk, zuidoost, noordoosten.* Als een windstreek deel uitmaakt van een aardrijkskundige naam, wordt die met een koppelteken met de rest van de naam verbonden en krijgt een hoofdletter: *Noordoost-Amsterdam,*

*Zuidwest-Noord-Brabant.*

Bij figuurlijk gebruik krijgen we een hoofdletter: *Het rijke Westen. Het ontwapenings-overleg tussen Oost en West.*

Afkortingen van een windstreek worden met en hoofdletter geschreven: *Z., N.W.* ➤ hoofdletters.

**witregel** Het is belangrijk om een langere tekst in te delen in alinea's. Dat geldt voor brieven, rapporten, artikelen, boeken enz. In brieven komt er meestal een witregel tussen de alinea's. In boeken, artikelen enz. moet het gebruik van witregels zo veel mogelijk beperkt worden. Een witregel geeft een overgang naar een ander onderwerp aan. Meestal is daar een kopje op zijn plaats.

Na een (lange) opsomming waarbij de cijfers, letters of streepjes voorin staan, wordt soms een witregel geplaatst. Een witregel eronder én erboven kan ook, maar dat is niet gebruikelijk. ➤ opsomming.

Na een witregel wordt meestal niet ingesprongen. ➤ alinea.

Voor witregels bij kopjes ➤ kopjes.

**woensdag** ➤ dagnamen.

**wondervol** Germ. voor *wonderlijk, prachtig, wonderbaarlijk.* ➤ -vol.

**woordafbrekingen** ➤ afbreken van woorden.

**woordenlijst** In een glossarium of verklarende woordenlijst worden de vreemde woorden, vaktermen e.d. uitgelegd. Zo'n lijst wordt meestal in een kleinere letter en in twee of meer kolommen gezet.

**woorden, moeilijke** Het komt de leesbaarheid zeer ten goede als het aantal moeilijke woorden zo veel mogelijk wordt beperkt. Wat een moeilijk woord is, hangt natuurlijk helemaal van de lezer af. Wat voor de een makkelijk is, is voor de ander onbegrijpelijk. Een schrijver moet dus ook wat de woordkeuze betreft rekening houden met het niveau van de lezer.

Wat is moeilijk? Het kan gaan om:

– vreemde woorden: *explicatie* (uitleg), *refereren aan* (verwijzen naar), *deficit* (tekort), *evident* (heel duidelijk), *urgent* (dringend), *prefereren* (de voorkeur geven aan, liever hebben), *intentie* (bedoeling). Verklaar ze als dat nodig is. ➤ woorden, vreemde.

– vaktermen: *cardanflens, isoglas, permeabiliteit.* Voor de vakman zijn dit soort woorden geen probleem, maar als mag worden aangenomen dat de lezer ze niet kent, is er bezwaar tegen. Ze moeten dan verklaard worden. ➤ woorden, vreemde.

– lange woorden: *levensmiddelendistributiesector, milieurapportagecommissie, arbeidsongeschiktheidsverzekering.* Gebruik korte woorden als het enigszins kan. ➤ woordlengte.

– nieuwe woorden. Als de lezer nog niet van een bepaald woord heeft gehoord, weet hij ook niet wat het betekent. ➤ woorden, nieuwe.

– oude/ouderwetse woorden. Ook oude woorden kunnen moeilijk zijn als we ze niet kennen of er te weinig mee in aanraking komen. *Mitsgaders, nopens, deswege* en dergelijke zijn in dat verband moeilijk, maar ook woorden als *welke, wederom, nochtans* en *alvorens* kunnen storend werken. ➤ woorden, ouderwetse.

Het spreekt vanzelf dat een woord tot meer van de genoemde categorieën kan horen; die overlappen elkaar.

**woorden, nieuwe** Een woord kan problemen geven als we het niet kennen, bijvoorbeeld een nieuw woord. Als we een woord voor het eerst horen, kunnen we het niet thuisbrengen. Enkele recente voorbeelden: *airbag, pincode, laptop, cursor* en *prestatiebeurs*. Nieuwe woorden zijn vaak ontleend aan andere talen, maar ze ontstaan vaak ook door combinatie van bekende woorden: *zolder + trap* wordt *zoldertrap*. Soms zijn het bestaande woorden met een nieuwe betekenis: *kraken* (van een huis). Het aantal echt nieuwe woorden is heel klein. ➤ modewoorden.

**woorden, ouderwetse** Een tekst met veel ouderwetse woorden is in het algemeen minder goed leesbaar. Vooral in ambtelijke teksten komen nogal eens woorden voor als *(het)welk, jegens, nopen, pogen, voornemens, zulks*. In modern taalgebruik horen zulke woorden niet thuis. En er is vaak ook geen enkele reden om *thans* of *heden* te schrijven in plaats van *nu*. En waarom *reeds* in plaats van *al*, *slechts* in plaats van *maar* en *mededelen* in plaats van *meedelen*?

Hier nog enkele voorbeelden van zulke 'schrijftaalwoorden', met tussen haakjes de gewonere versie: *doch* (maar), *gaarne* (graag), *geschieden* (gebeuren), *inmiddels* (intussen, ondertussen), *ofschoon* (hoewel), *dienen te* (moeten), *gelijken* (lijken), *gewennen* (wennen), *behoeven* (hoeven), *behoren* (horen). En zo zijn er nog veel meer. Natuurlijk is het niet juist om te zeggen: gebruik die woorden nooit. Maar het is wel zo dat de voorgestelde woorden meestal gewoner, prettiger aandoen.

Een speciale groep ouderwetse woorden is die van de staande uitdrukkingen. Daaronder verstaan we oude naamvalsvormen, waarvan er nogal wat in onze taal voorkomen. Enkele voorbeelden: *te allen tijde, in groten getale, bij dezen, allerwegen, van goeden wille*. Deze ouderwetse vormen hebben meestal een negatieve invloed op de leesbaarheid van een tekst. Vermijd ze daarom liever. Als ze toch gebruikt worden, moet dat correct gebeuren. ➤ staande uitdrukkingen.

We geven een alfabetisch lijstje van ouderwetse woorden die nogal eens gebruikt worden:

| | | | |
|---|---|---|---|
| *aangaande* | *over* | *aldus* | *zo* |
| *aanvang* | *begin* | *alhoewel* | *hoewel* |
| *aanvangen* | *beginnen* | *alsdan** | *dan; in dat geval* |

| | | | |
|---|---|---|---|
| alsmede | en, evenals | hetwelk* | wat, dat |
| alsook | en (ook); net als | hieromtrent* | hierover |
| alvorens | voordat | hogergenoemde* | bovengenoemde, hier- |
| behoeven | hoeven | | voor genoemde |
| behoudens | behalve (onder voorbe- | ingeval | als |
| | houd van, met uitzonde- | ingevolge | door, op grond van |
| | ring van, met behoud | inzake | over |
| | van) | jegens | tegenover |
| bemerken | merken | laatstelijk* | onlangs |
| benevens* | met daarbij | mededelen | meedelen |
| berichten | meedelen, laten weten | mits | alleen als |
| betreffende | over | mitsdien* | daarom |
| blijkens | zoals blijkt uit | neen | nee |
| daar | aangezien, omdat | nevenstaande* | ... hiernaast |
| daarenboven* | bovendien | nevenvermelde* | hiernaast genoemde |
| der | van de | niettegenstaande | ondanks |
| derhalve | daarom | nimmer* | nooit |
| desalniettemin* | niettemin, toch | nochtans | echter, toch |
| dienaangaande* | hierover, daarover, wat | nopen* | noodzakelijk maken, |
| | dat betreft | | dwingen |
| dienen te | moeten | ofschoon | hoewel |
| dientengevolge* | daardoor | omtrent | over |
| doch* | maar | onderhavig | deze, dit, die, dat |
| doorgaans | gewoonlijk, meestal | onverwijld* | onmiddellijk, direct |
| echter | maar | opdat | om te ... |
| elders | ergens anders | pogen* | proberen |
| evenwel* | echter, niettemin | reeds* | al |
| gaarne* | graag | sedert* | sinds |
| geheel | helemaal | slechts | maar, enkel, alleen |
| gelukken | lukken | te | in |
| genoegzaam* | voldoende | teneinde | om |
| geraken | raken | ten gevolge van | door |
| geschieden | gebeuren | tenzij | behalve als |
| gevoelen | voelen | terstond* | meteen |
| gewennen | wennen | tevens | bovendien, ook |
| heden* | nu | tezamen | samen, gezamenlijk |
| hetgeen | wat | thans* | nu |

| | | | |
|---|---|---|---|
| *trachten* | *proberen* | *voorts* | *verder* |
| *uiteraard* | *natuurlijk* | *vorenbedoelde** | *hiervoor bedoelde* |
| *ultimo* | *eind* | *vorenstaande** | *vorige, voorgaande,* |
| *vanwege* | *wegens, door, van de* | | *hiervoor* |
| | *kant van* | *wederom** | *weer* |
| *veelal* | *gewoonlijk* | *welk, welke** | *dat, die* |
| *vooraleer** | *voordat* | *wellicht* | *misschien, mogelijk* |
| *vooralsnog** | *voorlopig* | *zeer* | *heel, erg* |
| *voorheen* | *vroeger, eerder* | *zenden* | *sturen* |
| *voornemens** | *van plan* | *zulks** | *dit, dat* |
| *voorshands** | *voorlopig* | | |

Bij deze lijst – die lang niet volledig is – zijn enkele opmerkingen noodzakelijk. Het is niet de bedoeling dat de woorden in de linkerkolom als 'verboden woorden' beschouwd worden. Ze zijn alle correct Nederlands, maar wél ouderwets! Sommige ervan zijn wel voor de afwisseling bruikbaar. Staat er een sterretje (*) achter, dan willen we daarmee aangeven dat die woorden beter niet gebruikt kunnen worden: ze zijn echt niet van deze tijd!

We hebben ook woorden opgenomen waarmee misschien niets aan de hand lijkt. Dat geldt bijvoorbeeld voor: *thans, heden, doch*, die nog veel in teksten voorkomen. Ook dit zijn 'boekenwoorden', waarvoor we beter *nu, nu, maar* kunnen gebruiken.

**woorden, vreemde** In onze taal komen talloze vreemde woorden voor: woorden die aan andere talen zijn ontleend. We kunnen ze onderverdelen in:

– leenwoorden*, die ongewijzigd zijn overgenomen: *jam, finish, tram, überhaupt, concern, canapé*;

– bastaardwoorden*, die in uitspraak of spelling vernederlandst zijn: *feliciteren, publiek, concert, portemonnee*.

Er bestaat geen enkel bezwaar tegen dergelijke woorden.

Waarom gebruiken we vreemde woorden? Enkele redenen:

– Het Nederlands beschikt niet over een woord voor het begrip: *privacy*.

– Het Nederlandse woord doet onplezierig aan: *transpireren* in plaats van *zweten*.

– Het vreemde woord geeft kernachtig aan wat in het Nederlands omschreven zou moeten worden: *tutoyeren* in plaats van *met jij en jou aanspreken*.

Een categorie woorden/uitdrukkingen die wél vermeden moet worden, zijn de barbarismen. Dat zijn woorden en uitdrukkingen die zijn overgenomen en vertaald uit een andere taal, maar die in strijd zijn met ons taaleigen. ➤ barbarismen. bastaardwoorden. leenwoorden.

369

Veel mensen gebruiken graag vreemde woorden, ook al bestaan er goed-Nederlandse woorden voor. Enkele voorbeelden, met tussen haakjes de betekenis: *debiet* (afzet), *explicatie* (uitleg), *evident* (duidelijk), *indicatie* (aanwijzing), *prefereren* (de voorkeur geven aan), *stringent* (streng, afdoend). Lang niet iedereen kent deze woorden. Door die woorden toch te gebruiken, beïnvloeden we de leesbaarheid van een tekst negatief. Ook in teksten voor lezers die al die vreemde woorden wél kennen, is het beter om Nederlandse woorden te gebruiken als dat enigszins kan. Maar het is beslist niet nodig om alle vreemde elementen uit de taal te bannen; dat zou ook niet kunnen. In onze taal komen talloze woorden voor die we, al of niet in uitspraak of spelling vernederlandst, aan andere talen hebben ontleend: *jam, finish, tram, douche, concern, kitsch, canapé, publiek, concert, portemonnee* enz., enz. Als we proberen hier een oorspronkelijk Nederlands woord voor te gebruiken, maken we ons belachelijk.

Waarom gebruikt iemand moeilijke woorden? Soms gebeurt dat natuurlijk om indruk te maken, maar waarschijnlijk vaker omdat de schrijver denkt dat dit zo hoort. Op papier drukken we ons voorzichtiger, bedachtzamer, meer overwogen uit, maar dat betekent niet dat we allerlei moeilijke woorden moeten gaan gebruiken.

➤ schrijftaal/spreektaal.

De volgende alfabetische lijst geeft een aantal woorden die meestal beter vervangen kunnen worden door de woorden die erachter staan.

| | | | |
|---|---|---|---|
| *abusievelijk* | per ongeluk, bij vergissing | *entameren* | opzetten |
| | | *evident* | duidelijk |
| *accres* | aanwas, toename | *exceptioneel* | uitzonderlijk |
| *additioneel* | aanvullend | *explicatie* | uitleg |
| *adequaat* | geschikt; gelijkwaardig | *excessief* | buitensporig |
| *alternatief* | (andere) mogelijkheid | *evident* | duidelijk |
| *anticiperen* | vooruitlopen op | *fluctuatie* | schommeling |
| *capabel* | geschikt, bekwaam | *frequent* | vaak |
| *checken* | controleren | *imposant* | indrukwekkend |
| *complex* | ingewikkeld | *impressie* | indruk |
| *concept* | ontwerp | *indicatie* | aanwijzing |
| *continu* | doorlopend | *innoveren* | zich vernieuwen |
| *debiet* | afzet | *integraal* | volledig |
| *deficit* | tekort | *intentie* | bedoeling |
| *discrepantie* | verschil, tegenstrijdigheid | *interactie* | wisselwerking |
| | | *mutatie* | wijziging |
| *effectief* | doeltreffend | *omissie* | weglating, verzuim |

| | | | |
|---|---|---|---|
| *optimaal* | *gunstigst; zo goed moge-lijk* | *relevant* | *ter zake dienend* |
| *participeren* | *deelnemen* | *sporadisch* | *nu en dan; een enkele keer* |
| *persisteren* | *vasthouden aan, handha-ven* | *stringent* | *streng, strak, afdoend* |
| *preferentie* | *voorkeur, voorrang* | *substantieel* | *aanzienlijk, belangrijk* |
| *prioriteit* | *voorrang* | *urgent* | *dringend* |
| *recommandatie* | *aanbeveling* | *usance* | *gebruik* |
| *refereren aan* | *verwijzen naar* | *vigeren* | *van kracht zijn, gelden* |
| *regio* | *streek* | *volumineus* | *omvangrijk* |

**woordgeslacht** ➤ geslacht.

**woordlengte** Lange woorden zijn vaak moeilijker dan korte. Net als voor zinnen is voor woorden berekend wat de gemiddelde lengte (in lettergrepen) voor lezers met een bepaald opleidingsniveau moet zijn. Als vuistregel wordt wel gegeven: voor lezers op basisschoolniveau 1,5; mavo 1,6; havo/vwo 1,7; universitair onderwijs 2,0. Deze getallen hebben niet zoveel waarde, omdat de moeilijkheid van een woord natuurlijk niet alleen door zijn lengte wordt bepaald. Het is dus beslist niet nodig om bij het schrijven te proberen op een bepaalde woordlengte uit te komen. Maar het is wel goed om heel lange woorden te vermijden. Ze zijn meestal gemakkelijk door een omschrijving te vervangen. Een woord als *urineweginfectiemiddel* kunnen we gemakkelijk vervangen door *middel tegen infecties aan de urinewegen*.

In technische taal komen nogal eens lange woorden voor. Technici willen graag alle kenmerken van een vinding of procédé in één woord onderbrengen. Zo zijn woorden ontstaan als: *wereldetheenproductiecapaciteit, enkelschroefmotorvrachtschip* en *lagedrukacetyleenontwikkelaar*. Vermijd zulke woorden liever. Dat geldt ook voor woorden als *productiebeperkingsmaatregelen: maatregelen ter beperking van de productie/maatregelen om de productie te beperken*.

Belangrijker dan de lengte van woorden is hun structuur. Een woord als *chocolade* heeft dan wel vier lettergrepen, maar slechts één deel met een eigen betekenis. *Levensmiddelengrondstoffenfabriek* en *vrouwenemancipatiebeweging* hebben evenveel lettergrepen, maar het eerste is vijfledig, het tweede drieledig (dat wil zeggen respectievelijk vijf en drie delen met een eigen betekenis). De meeste lezers zullen met dat laatste woord dus minder moeite hebben. Toch kunnen we volstaan met het algemene advies korte woorden te gebruiken, omdat alleen lange woorden een ingewikkelde structuur *kunnen* hebben. Probeer het liefst onder een gemiddelde woordlengte van twee lettergrepen te blijven.

Meestal kunnen lange samenstellingen worden omgezet in uitdrukkingen met een voorzetsel als *van, voor* en *om. Onmaatschappelijkheidsbestrijding* wordt dan *bestrijding van onmaatschappelijkheid; enkelschroefmotorvrachtschip* wordt *motorvrachtschip met enkele motor; wapenstilstandsonderhandelingen: onderhandelingen over wapenstilstand; verkeersonveiligheidsbestrijding: bestrijding van de verkeersonveiligheid (... van de onveiligheid in het verkeer); elektriciteitsopwekkingssysteem: systeem om elektriciteit op te wekken (... voor de opwekking van elektriciteit).*

Een woord als *inflatiebestrijding* geeft geen problemen, maar *inflatiebestrijdingsmaatregelen* kunnen we beter vervangen door *maatregelen om de inflatie te bestrijden (voor de bestrijding van ...).*

Het spreekt wel vanzelf dat de acceptatie van lange woorden groter wordt naarmate ze bekender zijn en vaker worden gebruikt. Tegen woorden als *arbeidsongeschiktheidsverzekering, ontwikkelingssamenwerking* en *vuilverbrandingsinstallatie* zal niemand echt bezwaar hebben. Aan de andere kant zal een heel kort woord dat niet zo bekend is, wél problemen geven: *wik* (partij goederen die in één keer wordt gewogen). Leesbaarheid en woordfrequentie hangen dus nauw samen.

**woordspatie** ➤ spatiëren. uitvullen.

**woordvolgorde** In dit boek zijn heel wat problemen opgenomen die verband houden met de volgorde van woorden. Hier in het kort enkele belangrijke.

– *Nemen we het volgende voorbeeld.* Gall. voor bijvoorbeeld: *We nemen ... Laten we ... nemen.* Geldt ook voor: *Bedenken we wel dat ... (We moeten wel bedenken dat .../Laten we wel bedenken dat .../Bedenk wel dat ...)*

– *Wij hebben uw brief ontvangen en delen wij u mee ...* Moet zijn: *... en (wij) delen u mee ...* ➤ inversie, onjuiste.

*Gisteren hebben wij uw brief ontvangen en delen u mee ...* Moet zijn: *... en wij delen u mee ...* ➤ samentrekking, onjuiste.

– *Al vind ik het duur, wil ik het wel kopen.* Moet zijn: *Al ..., ik wil ...* ➤ al.

– *Wat betreft uw vraag delen wij u mee ...* Beter: *Wat uw vraag betreft, delen wij u mee ...* ➤ betreft (wat ... betreft).

– *Ik ben benieuwd wanneer de trekking plaats zal vinden. Plaats zal vinden* is niet echt onjuist, maar *zal plaatsvinden* heeft de voorkeur.

Dat geldt ook voor *mee zullen delen, bezig heb gehouden, gade te kunnen slaan* enz. ➤ werkwoorden (scheidbare/onscheidbare).

– *Hoe\* ... hoe ... Hoe ouder hij wordt, hoe minder zin heeft hij.* Moet zijn: *..., hoe minder zin hij heeft.*

– *Hoe\* ... des te ... Hoe ouder hij wordt, des te minder zin hij heeft.* Moet zijn: *..., des te minder zin heeft hij.*

– *Ik weet niet of hij al is gekomen/gekomen is.* Er is in het algemeen geen duidelijke voorkeur voor een van beide constructies, maar sommigen vinden persoonsvorm – voltooid deelwoord (*is gekomen*) beter. Dat geldt ook voor *wordt geschreven/geschreven wordt, was gedaan/gedaan was, heeft besproken/besproken heeft.* Maar als het gaat om een naamwoordelijk gezegde (het naamwoordelijk deel is een zelfstandig naamwoord of bijvoeglijk naamwoord) móét de volgorde zijn: ... is *(Ik weet niet of hij rijk is./Ik denk dat die uitspraak overdreven is).* Dus niet: *is overdreven. Rijk* en *overdreven* zijn bijvoeglijke naamwoorden. ➤ is geweest/geweest is.

– *Zowel\* van Jan als van Piet/van zowel Jan als Piet. Onder andere geschreven door/geschreven door onder andere. Bijvoorbeeld\* in/in bijvoorbeeld.* Beide vormen zijn correct, met enige voorkeur voor de eerste.

– *Tot het examen worden toegelaten degenen die ...* Deze zin moet eigenlijk luiden: *Tot het examen worden degenen die ..., toegelaten.* Zulke zinnen zijn soms echter onduidelijker. Daarom is er geen bezwaar tegen de eerste voorbeeldzin. Beter is: *Tot het examen worden degenen toegelaten die ...*

Maar liever niet: *Om toegelaten te worden, moet u binnen een week insturen een kopie van het diploma.* Deze zin is gemakkelijk te veranderen: ... *moet u binnen een week een kopie van het diploma insturen.*

– *U had dit met mij moeten overleggen./U had die papieren over moeten leggen.* ➤ werkwoorden (scheidbare/onscheidbare).

– Als er verschillende bijvoeglijke naamwoorden voorkomen, hoe moet dan de volgorde zijn?

Een voorbeeld: *Een mooie, grote, rode, houten boot.* De volgorde is in het algemeen van objectieve naar subjectieve eigenschappen. ➤ bijvoeglijke naamwoorden, volgorde. komma.

– *Niet\*, bijna\*, helemaal\*.* Deze woorden staan nogal eens op een verkeerde plaats in de zin. Ze moeten in het algemeen zo dicht mogelijk bij het woord staan waar ze bij horen. *Vergeet die brief niet te posten.* Liever: *Vergeet niet ... Alle uitslagen waren nog niet bekend.* Liever: *Nog niet alle ...* Bij de werkwoorden *denken, vinden, graag hebben* is er geen bezwaar tegen bijvoorbeeld: *Ik denk niet dat je op tijd zult zijn.* Bedoeld is natuurlijk: *Ik denk dat je niet op tijd zult zijn.* De ontkenning wordt hier naar voren gehaald omdat de spreker/schrijver die het belangrijkste vindt.

Let op het betekenisverschil: *Iedereen was het bijna met hem eens./Bijna iedereen was het met hem eens. Het schilderij is niet helemaal af./Het schilderij is helemaal niet af.*

– *De grootste drie boeken./De drie grootste boeken.* Eigenlijk is *drie grootste* onjuist, want er is maar één grootste. Liever: *grootste drie, beste tien* enz. Omdat een bijvoeglijk naamwoord bij voorkeur zo dicht mogelijk staat bij het zelfstandig naamwoord waar

373

het iets van zegt, is er geen bezwaar tegen bijvoorbeeld *de twee grootste partijen, de drie leukste foto's.*

– *Dan ook.* Geeft een gevolgtrekking aan. Moet daar vlak vóór staan. Onjuist: *Hij heeft niet erg hard gewerkt. Toen hij dan ook examen moest doen, zag hij daar enorm tegenop.* Maar: *Toen hij examen moest doen, zag hij daar dan ook …*

– In België worden de hulpwerkwoorden *kunnen, zullen, laten, mogen, moeten, willen* soms door een ander zinsdeel van het (hele) werkwoord gescheiden: *Ik denk dat hij daar kan gebruik van maken. Hij vond dat hij moest partij kiezen.* Deze zinnen moeten luiden … *gebruik van kan maken/partij moest kiezen.*

In zinnen met twee of zelfs drie hulpwerkwoorden staan die meestal alle vóór of na het deelwoord. Niet: *Een opgave die direct zal gemaakt worden.* Maar: *zal worden gemaakt/gemaakt zal worden.* De hulpwerkwoorden worden dus niet door het deelwoord gescheiden. ➤ belgicismen.

**woord vooraf** ➤ voorwoord.

**worden** *Het huis moet geverfd.* (Ingeb.) germ. voor … *geverfd worden. Het moet gezegd …, er moet vermeld …* enz. zijn (ingeb.) germ. voor … *gezegd worden, … vermeld worden* enz.

**worden** *De heren wordt verzocht* of *worden verzocht?* Oorspronkelijk was *heren* in deze zin meewerkend voorwerp (*aan de heren*). Vandaar: *De heren wordt verzocht. De leerlingen wordt gevraagd* enz. Tegenwoordig kunnen we … *worden gevraagd, worden verzocht* niet meer onjuist noemen, omdat *de heren, de leerlingen* wel als onderwerp worden gezien. *De aanwezigen werden bloemen aangeboden.* Hier *werden,* omdat het onderwerp meervoud is.

**worden genomen/genomen worden** ➤ is geweest/geweest is.

**wortel** ($\sqrt{\ }$) ➤ tekens.

# Z

**zaak** *Onverrichter zake.* Staande uitdr.

**zaak** *Ter zake. De politie wilde informatie ter zake van de motieven die ...* Vlotter is: *... over de motieven.*

**zaakregister** ➤ register.

**zaken/personen** *Verschillen.* ➤ personen/zaken.

**zakken** *Naar beneden zakken.* Pleon. *Zakken* is altijd naar beneden.

**zaterdag** ➤ dagnamen.

**ze** We gebruiken *ze* bij voorkeur voor niet-personen. *Ze staan daar geparkeerd* (over auto's). *Zij* slaat meer op personen. *Zij gaan winkelen.* Ook *ze* is in dit geval te gebruiken. Hetzelfde geldt voor het enkelvoud: *Zij loopt op straat* (vrouw). Kán ook *ze* zijn. *Ze is in 19.. opgericht* (over onderneming). Niet: *zij.* ➤ geslacht.

**zedelijk** Overeenkomstig de goede zeden, deugdzaam. *Zedelijk leven, zedelijk gedrag.* ➤ zedig.

**zedig** Zich strikt houdend aan wat zedelijk geoorloofd is: *zedig meisje, zich zedig kleden. Onzedige jurk.* ➤ zedelijk.

**zeer** *Zeer mooi, zeer zwaar, zeer licht, zeer zwart, zeer mager* enz. Een teveel aan *zeer* maakt het taalgebruik saai. Probeer *zeer* te vervangen: *prachtig, loodzwaar, zo licht als een veertje, gitzwart, broodmager* enz. Houd wel voor ogen dat bijvoorbeeld *zeer zwaar* een andere gevoelswaarde kan hebben dan *loodzwaar.* Hetzelfde geldt voor *erg* en *heel.*

**zegge** Ouderwetse vorm, die alleen nog in enkele uitdrukkingen voorkomt. *Zegge en schrijve.* Ook bijv. op cheques (het bedrag in woorden uitgedrukt): *f 100,–, zegge honderd gulden.*

**zeggen** *Dat is te zeggen.* Gall. voor *Dat wil zeggen.* Wordt vooral in België gebruikt. ➤ belgicismen.

**zekeren** *Een elektrische leiding zekeren.* (Ingeb.) germ. voor *beveiligen.*

**zekerheids-** Samenstellingen met *zekerheid* (*zekerheidsfactor, zekerheidsklep* enz.) worden wel (ingeb.) germ. genoemd. Hoewel dergelijke samenstellingen al oud zijn, kunnen ze beter vervangen worden door *veiligheids-*: *veiligheidsfactor, veiligheidsklep* enz.

**zekerheidshalve** Ouderwets voor: *voor de zekerheid.* ➤ -halve.

**zeker stellen** (Ingeb.) germ. voor *garanderen, verzekeren, beveiligen*.

**-zelfde** Samenstellingen met *-zelfde* schrijven we aan elkaar: *dezelfde*\*, *hetzelfde, eenzelfde*\*, *datzelfde, ditzelfde, diezelfde*. Maar: *deze zelfde*.

**zelfkosten** (Ingeb.) germ. voor *kostprijs, kostende prijs, totale productiekosten*.

**zelfstandig naamwoord + deelwoord** Veel samenstellingen van een zelfstandig naam-woord en een voltooid deelwoord zijn oorspronkelijk germ. en soms ook angl. Voorbeelden zijn *watergekoeld, handbediend, luchtgekoeld*. Dergelijke woorden komen vooral in technische taal voor.

De samenstellingen met *hand-* zijn ingeb.: *handbediend* (met de hand bediend), *hand-geschreven, handgeschakeld, handgevormd, handgeschilderd*. Ook de samenstellingen met *-gebonden* zijn ingeb.: *geslachtsgebonden, tijdgebonden, partijgebonden, plaatsgebonden*.

Ook ingeb. zijn bijvoorbeeld *gasgestookt, luchtgekoeld, watergekoeld, noodgedwongen, doel-gericht, bedrijfsgericht, contactgestoord, gedragsgestoord, zongebruind, zongedroogd, zonover-goten*.

(Ingeb.) zijn bijvoorbeeld *bontgevoerd* (met bont gevoerd), *rijkserkend* (door het rijk erkend), *rijksgekeurd* (door het rijk gekeurd).

In verband met hun kernachtigheid zijn er veel van deze samenstellingen ontstaan. Er is meestal niet zoveel bezwaar tegen, maar gebruik ze niet als er even gemakke-lijk een omschrijving gegeven kan worden.

In literaire taal komen veel van zulke samenstellingen voor: *rietomzoomd, zonbesche-nen, angstvertrokken, bloedbelopen, lichtovergoten*. We kunnen ze als dichterlijke vrijheid beschouwen, maar laten we ze niet overnemen.

**zenden** *Iets zenden (sturen) aan een persoon*, maar *zenden (sturen) naar een plaats*. *Sturen* is veel gewoner. (*Versturen* is eigenlijk een contam. van *verzenden* en *sturen*, maar heel gebruikelijk.)

**zetbreedte** De lengte van de gezette tekstregels, uitgedrukt in augustijnen\*, pica's\* of millimeters.

**zetinstructie** Lijst met bijzonderheden over hoe een tekst gezet moet worden. Het kun-nen een paar korte notities zijn, maar voor grotere projecten, zoals boeken, wordt er een speciaal formulier ingevuld. Onder andere de volgende gegevens moeten wor-den vermeld: lettertype en korps, zetbreedte, zetwijze van noten, tabellen, citaten, bijschriften, paginacijfers, aanhalingstekens, al of niet inspringen, in opsommingen de cijfers, letters of streepjes al of niet vrijhouden. Ook de betekenis van gebruikte kleuren of onderstrepingen (voor kopjes bijvoorbeeld) wordt verklaard. Als er bijzon-dere zaken in het manuscript voorkomen, kan dat ook in de zetinstructie worden aangegeven. Komt er slechts een enkele keer bijvoorbeeld een bijzonder teken in de tekst voor, dan is het goed dat in de marge van het manuscript te verduidelijken, bijvoorbeeld Griekse letters of wiskundige tekens. Dergelijke aanwijzingen voor de drukker moeten altijd omhaald worden. ➤ kopij.

**zetproef** Betere naam dan *drukproef,* maar minder gebruikt. ➤ drukproef.

**zetspiegel** De stand van de gedrukte tekst op het blad papier. ➤ bladspiegel.

**zetten, zich** *Hij zette zich op een stoel.* Minder gebruikelijk maar niet onjuist voor 'gaan zitten'; er is geen bezwaar tegen.

**zeuren om/over** *Zeuren om* is steeds maar vragen om iets te krijgen of te bereiken. *Het kind zeurt om een ijsje. Zeuren over* is klagen over: *Zeuren over het slechte weer heeft niet veel zin.*

**zich** *u ... zich.* ➤ u.

**zich** *Op zich is dat waar. Dat spreekt voor zich.* Ingeb. germ. voor *Op zichzelf is dat waar. Dat spreekt voor zichzelf.*

**zich** *Zich een nieuw huis kopen.* Germ. *Zich* moet vervallen.

**zich** *Op zich.* Wordt weleens een germ. genoemd voor *op zichzelf.* Er is geen bezwaar tegen.

**zichzelf** *Hij heeft zichzelf verraden. Zichzelf zijn.* Eén woord.

*Hij heeft zichzelf vergist* is een germ./angl. voor *... zich vergist.*

**ziedaar** *Ziedaar de oorzaak van ...* Ingeb. gall. (en stijf) voor *Dat is de oorzaak van ... En dat is nu ...*

**ziekte** *Basedowse ziekte, Weilse ziekte* enz. Germ. voor *ziekte van Basedow, ziekte van Weil* enz.

**zienderogen** *Na zijn operatie is hij zienderogen vooruitgegaan.* Op goed waarneembare wijze. Staande uitdr.

**zij** ➤ geslacht. ze.

**zijde** *Van de zijde van de directie* (of: *van directiezijde*) *hoef je geen medewerking te verwachten.* Vage zinswending. Liever: *Van de directie ...*

**-zijde** *Van regeringszijde* enz. Ouderwets voor: *door de regering, van de kant\* van ...*

**-zijds** *Mijnerzijds (onzerzijds, uwerzijds, zijnerzijds* enz.) zijn ingeb. germ. (en ouderwets) voor *van mij, van mijn kant, wat mij betreft* enz. Liever niet: *U hoeft niet op medewerking mijnerzijds te rekenen.* Maar: *... van mij/van mijn kant/mijn medewerking.* Liever niet: *Er is mijnerzijds geen bezwaar tegen.* Maar: *Hij heeft er geen bezwaar tegen. Wat hem betreft, is er geen bezwaar tegen.*

Onjuist is: *onzerzijdse mededeling, uwerzijdse toezegging* enz. Moet zijn: *onze mededeling, uw toezegging.*

*Dezerzijds\*, enerzijds\** en *anderzijds\** zijn waarschijnlijk van oorsprong germ. voor *van mijn/onze kant, aan de ene kant* en *aan de andere kant.* Ze zijn ingeb., maar doen nogal ouderwets aan. Dat geldt vooral voor *dezerzijds.*

**zijmarge** De ruimte links en rechts van de tekst. De zijmarge moet niet te klein zijn. ➤ marge.

**zijn** *Het was in Amsterdam/in 19.. dat ik hem ontmoette.* (Ingeb.) gall. voor *Ik heb hem in ... ontmoet.* Correct om nadruk te leggen.

**zijn** *Zij zijn kopers van ...* Gall. voor *Zij kopen ...*

**zijn/haar** ➤ geslacht. haar/zijn.

**zijn/hebben** Sommige werkwoorden kunnen met *zijn* én met *hebben* worden vervoegd, afhankelijk van de betekenis. Bijvoorbeeld: *Ik heb lang gefietst./Ik ben naar Amsterdam gefietst. Hij heeft besloten./Hij is besloten. Ik heb verloren./Ik ben verloren.* ➤ hebben/zijn.

**zijn/z'n** ➤ z'n.

**zijnde** *Als Nederlander zijnde.* Contam. van *als Nederlander* en *Nederlander zijnde.*

**zijne/zijnen** ➤ alle/allen.

**zijnentwil** *Om zijnentwil.* Voor hem. Staande uitdr.

**zijner** ➤ der.

**zijnerzijds** ➤ -zijds.

**zijn geweest/geweest zijn** ➤ is geweest/geweest is.

**zijns inziens** Ouderwets voor: *naar zijn mening, volgens hem.* Staande uitdr. ➤ inzien.

**zijns weegs** *Hij gaat zijns weegs.* Zijn eigen weg. Staande uitdr.

**zijn te** *Dit bedrag is vóór 31 december te betalen.* Germ. voor *... moet vóór 31 december worden betaald.* Wel correct is: *Deze opgave is wel te maken.* De betekenis is: kan wel worden gemaakt.

**zinloos** Zonder betekenis. *Zinloze pogingen.* ➤ zinneloos.

**zinneloos** Zonder zinnen, krankzinnig. *Hij gedroeg zich als een zinneloze.* ➤ zinloos.

**zinsbouw** ➤ woordvolgorde.

**zinslengte** Lange zinnen maken een tekst meestal minder goed leesbaar. Op grond van enkele studies is de meest wenselijke zinslengte bepaald voor groepen lezers, ingedeeld naar opleidingsniveau. Als vuistregel voor de ideale, gemiddelde zinslengte, uitgedrukt in aantal woorden, wordt wel gegeven: voor lezers op basisschoolniveau 10; mavo 15; havo/vwo 22; universitair onderwijs 26.

Deze cijfers hebben niet veel betekenis, want de zinslengte op zichzelf is niet zo belangrijk voor de leesbaarheid. Belangrijker zijn het aantal gegevens in de zin en de structuur van die zin. Een lange zin hoeft niet per se moeilijker te zijn dan een korte, maar de kans dat de structuur ingewikkeld is, is in een lange zin nu eenmaal groter. Houd een zin waarin belangrijke informatie voorkomt, het liefst kort. De zinnen die nadere informatie geven, mogen dan gerust wat langer zijn.

Je kunt natuurlijk niet beweren dat iemand met een mavo-opleiding moeite zou hebben met zinnen van 20 woorden. Het gaat erom dat de *gemiddelde* zinslengte bij voorkeur niet ver boven het genoemde aantal woorden komt. En de langste zin moet het liefst niet veel langer zijn dan tweemaal het gemiddelde.

Met het voorgaande willen we niet zo veel mogelijk korte zinnen propageren. Een aaneenschakeling van korte zinnen kan even vermoeiend zijn als lange zinnen. Er kan daarom het best gestreefd worden naar variatie in zinslengte: wissel korte en langere zinnen af. Zinnen van meer dan zo'n 30 woorden kunnen we daarbij beter vermijden.

Lange zinnen kunnen we vaak eenvoudig splitsen voor de woorden *en, maar, toen, terwijl, immers, die, dat* enz.

Een voorbeeld: *De meeste leden van de ondernemingsraad hebben bezwaren tegen de voorgestelde regeling, maar als de directie voldoende garanties geeft om grote problemen bij de uitvoering daarvan te voorkomen of op te lossen, verleent de raad zijn goedkeuring.*

Als we deze zin van 37 woorden willen splitsen, ligt het voor de hand dat dit voor *maar* gebeurt: *De meeste leden van de ondernemingsraad hebben bezwaren tegen de voorgestelde regeling. Maar als de directie voldoende garanties geeft om grote problemen bij de uitvoering daarvan te voorkomen of op te lossen, verleent de raad zijn goedkeuring.*

Omdat het niet altijd aan te bevelen is om een zin met een voegwoord te beginnen, zou het ook zo kunnen: *De meeste leden van de ondernemingsraad hebben bezwaren tegen de voorgestelde regeling. Als de directie echter voldoende garanties geeft om grote problemen bij de uitvoering daarvan te voorkomen of op te lossen, verleent de raad zijn goedkeuring.*

Een andere mogelijkheid is een puntkomma te gebruiken: *De meeste leden van de ondernemingsraad hebben bezwaren tegen de voorgestelde regeling; als de directie echter voldoende garanties geeft om grote problemen bij de uitvoering daarvan te voorkomen of op te lossen, verleent de raad zijn goedkeuring.*

Splitsing in twee of meer stukken is dus een goede manier om zinnen korter te maken. Ook de tussen haakjes en gedachtestreepjes gegeven informatie zou in aparte zinnen ondergebracht kunnen worden.

Soms is het mogelijk van lange zinnen een opsomming te maken. ➤ opsomming.

Speciale aandacht verdienen de (lange) zinnen die met een lange aanloop* beginnen, bijvoorbeeld: *In antwoord op uw brief van ..., waarin u ons vraagt of wij product X leveren, delen wij u mee dat het ons, hoewel wij daarvoor jaren geleden zelfs een speciale afdeling hadden, spijt u wat dit betreft te moeten teleurstellen.*

De lezer moet wel erg lang wachten voordat hij antwoord op zijn vraag krijgt. Een verbetering: *In antwoord op uw brief van ... moeten wij u tot onze spijt meedelen dat wij product X niet meer leveren, hoewel wij daarvoor jaren geleden zelfs een speciale afdeling hadden.*

**zinstype, afwisseling** Een tekst wordt leesbaarder als we voor enige afwisseling in zinstype zorgen. Als elke zin dezelfde volgorde: onderwerp – persoonsvorm – 'rest' heeft, is dat slaapverwekkend: *We hebben geconstateerd dat de kleppen van de nieuwe pomp niet functioneren. Ze zijn waarschijnlijk vastgelopen doordat ze onjuist afgesteld zijn. We stellen u daarom aansprakelijk voor de schade die daardoor kan ontstaan. De bijlage bevat een opgave van de schade die tot nu toe is ontstaan.*

Voor een prettige leesbaarheid is variatie aan te bevelen. De voorbeeldzinnen kunnen ook zo: *We hebben geconstateerd dat de kleppen van de nieuwe pomp niet functioneren. Waarschijnlijk zijn ze vastgelopen doordat ze onjuist afgesteld zijn. Daarom stellen we u aansprakelijk voor de schade die daardoor kan ontstaan. In de bijlage vindt u een opgave van de schade die tot nu toe is ontstaan.*

We hebben de verbetering aangebracht door de woordvolgorde aan te passen. Het is ook mogelijk variatie te bereiken door eens een ander zinstype te gebruiken. Mededelingen kunnen we gerust eens afwisselen met een vraag (*Hoe kunt u dit probleem oplossen?*) of aansporing (*Vermijd moeilijke woorden zo veel mogelijk.*) ➤ voorwaardelijke bijzin.

**zinsverband** Om het verband tussen zinnen duidelijk te maken, kunnen we verbindingswoorden, verwijswoorden en signaalwoorden gebruiken. We voorkomen daarmee dat de tekst als los zand aan elkaar hangt.

– Verbindingswoorden. De belangrijkste zijn:

reden: *aangezien, want, daarom, omdat, wegens, immers.* oorzaak: *daardoor, door, doordat, waardoor, immers.* gevolg: *dus, hieruit volgt, dan ook.* doel: *om te, opdat, teneinde.* toegeving: *hoewel, ondanks, al ... ook, hoe het ook zij, ofschoon.* vergelijking: *zoals, evenals, eveneens, op dezelfde manier.* voorwaarde: *indien, als, mits, tenzij, in geval dat.* tegenstelling: *maar, integendeel, daarentegen, in tegenstelling tot, echter, toch, enerzijds ... anderzijds, aan de ene kant ... aan de andere kant, weliswaar ... maar, niettemin.* tijdsverband: *eerst, later, tijdens, daarna, ondertussen, intussen, toen, voordat, nadat, terwijl.* ruimte: *hierboven, verderop.* voorbeeld: *bijvoorbeeld, zo, zoals.* samenvatting: *samenvattend, concluderend, kortom.* opsomming: *bovendien, verder, daarnaast, ten slotte, in de eerste plaats, in de tweede plaats, ten eerste, ten tweede.*

– Verwijswoorden. Met verwijswoorden kunnen we niet alleen het verband tussen zinnen aangeven, maar ook herhaling van woorden voorkomen. Voorbeelden: *het, dit, dat, die, zijn, haar, hierbij, daarin, ervan, hierin, daarbij, bovengenoemde, laatstgenoemde.*

– Signaalwoorden. Ze maken duidelijk dat er bijvoorbeeld een toelichting, samenvatting of opsomming volgt. Het zijn formuleringen als: *zoals we zagen, ten eerste, ten tweede, in het bijzonder, ook, blijkbaar, trouwens, vooral, namelijk.* Ook formuleringen als: *hieruit blijkt wel dat ..., daar staat tegenover ..., u moet daarbij wel bedenken dat ..., dat is zeker het geval bij ...*

**z'n/zijn** Gebruik de verkorte vorm *z'n* liever niet. Als *zijn* te nadrukkelijk is, kan *z'n* wel gebruikt worden: *op z'n jan-boerenfluitjes, met z'n allen, op z'n mooist.* ➤ apostrof.

**zo** *Het is zo dat hij verhinderd is.* Omslachtige formulering voor: *Hij is verhinderd.*

**zo** Veel samenstellingen met *zo* schrijven we als één woord: *zoals, zodanig, zodat, zodoende, zogenoemd, zozeer.* Afhankelijk van de betekenis schrijven we *zogoed\*/zo goed, zojuist\*/zo juist, zolang\*/zo lang, zomin\*/zo min, zoveel\*/zo veel, zover\*/zo ver, zowaar\*/zo waar.* Altijd: *zo mogelijk.*

**zoals** *Zoals gezegd, zoals bekend, zoals besproken, zoals gebruikelijk, zoals overeengekomen* enz. (Ingeb.) germ. voor *zoals is gezegd/zoals we zeiden, zoals bekend is, zoals we hebben besproken, zoals gebruikelijk is, zoals is overeengekomen* enz.

**zoals bijvoorbeeld** Tautologie\*: *zoals* en *bijvoorbeeld* betekenen hetzelfde. Niet echt onjuist meer, maar toch liever niet beide in één zin gebruiken. Hetzelfde geldt voor *zoals onder meer* en *zoals onder andere(n).*

**zodanig** *Zo'n, dusdanig. De misdaad heeft een zodanige omvang aangenomen dat* ... Niet: *een dergelijke omvang.* ➤ dergelijk.

**zodat** Geeft een gevolg aan. *Het regende hard, zodat ik nat werd.*
Zodat gecombineerd met *dus* of *derhalve* levert een pleon. op. Niet: *... zodat wij dus niet kunnen komen.*

**zodoende** Door zo te doen, zo handelend, op die manier. *De voetballers hadden hun uiterste best gedaan; zodoende hadden ze gewonnen.* Minder goed is *zodoende* in de betekenis van *daarom* of *daardoor.* Liever niet: *Het regende hard; zodoende was ik nat geworden* (daardoor).

**zodra ... aanstonds/direct** *Zodra Piet er is, gaan we aanstonds/direct weg.* Pleon.

**zogeheten** ➤ zogenaamd/zogenoemd.

**zogenaamd/zogenoemd** Deze woorden kunnen meestal door elkaar worden gebruikt. De betekenis is 'zogeheten' of 'met die naam'. De We geven er op een neutrale manier mee aan dat iets zo heet of wordt genoemd: *De zogenoemde (zogeheten) nevelhypothese houdt in dat de planeten zijn ontstaan uit een gaswolk.* Wél uitkijken voor de bijbetekenis van *zogenaamd* (namelijk: niet echt, ironisch bedoeld): *De zogenaamde leraar bleek een oplichter te zijn. Hij kwam zogenaamd voor mij, maar het ging hem om mijn vrouw.* Om misverstanden te voorkomen kunnen we beter *zogenoemde* voor 'zogeheten' gebruiken.
Let erop dat *zogenaamd* niet met aanhalingstekens in dezelfde zin gecombineerd wordt. Dat is een pleon.: *Dat is een zogenaamd 'pleonasme'.* We moeten óf *zogenaamd/ zogeheten* óf de aanhalingstekens weglaten. ➤ zogeheten.

**zogezegd** Om het zo te zeggen, uit te drukken: *Ik ben hier zogezegd de baas.* In België wordt *zogezegd* nogal eens gebruikt in de betekenis *zogenaamd: Hij is hier zogezegd de baas, maar zijn vrouw heeft het voor het zeggen.* Onjuist is ook: *Hij is de zogezegde baas* in plaats van *zogenaamde.* ➤ belgicismen.

**zogoed** *Het is zogoed als zeker dat hij slaagt* (bijna). *Zogoed als dood.* Eén woord. Maar: *Hij is niet zo goed als ik* (niet even goed).

**zoiets** *Hoe vind je zoiets? Ik heb zoiets leuks meegemaakt.* Eén woord.

**zoiets dergelijks** Pleon. of contam. van *zoiets* en *iets dergelijks.*

**zojuist** *Het feest is zojuist begonnen.* Maar: *Ik weet niet of het zo juist is.*

**zolang** Gedurende die tijd. *Wil jij zolang oppassen?* Maar: *Waarom heeft het zo lang geduurd?*

**zomin** Evenmin. *Mijn vrouw zomin als ik.* Maar: *zo min mogelijk.*

**zo'n** *Zo'n auto, zo'n glas, zo'n man.* Wordt gebruikt bij enkelvoudige zelfstandige naamwoorden die geen stofnaam zijn. In België wordt in het enkelvoud *zo'n* weleens in plaats van *zulk(e)* gebruikt. *Zulk(e)* gebruiken we voor stofnamen en meervouden. ➤ belgicismen. zulk(e).

**zon-** Woorden als *zonbeschenen, zongebruind, zongedroogd, zongerijpt, zonovergoten* zijn ingeb. germ./angl. voor *door de zon beschenen, gebruind, gedroogd, gerijpt, in zonlicht badend.* ➤ zelfst. naamw. + deelw.

**zondag** ➤ dagnamen.

**zonder meer** Kan oorspronkelijk een germ. zijn voor *zomaar, voetstoots, zonder omhaal,* maar dat is niet zeker. Er is geen bezwaar tegen. Onjuist: *zondermeer.*

**zonovergoten** Ingeb. germ./angl. voor *in zonlicht badend.*

**zorgelijk** Zorgen veroorzakend, verontrustend. *De man verkeerde in zorgelijke omstandigheden.* ➤ zorgwekkend.

**zorgeloos** Zonder zorgen, hoewel men die eigenlijk wél zou moeten hebben. *Hij gaat heel zorgeloos met zijn spullen om.* ➤ onbezorgd.

**zorgwekkend** Een ander zorgen barend, verontrustend. *De zieke werd in zorgwekkende toestand naar het ziekenhuis gebracht.* ➤ zorgelijk.

**zou** *Als hij naar huis zou gaan, zou hij haar nog zien.* Met *zou* in de zin die met *als* begint, drukken we een veronderstelling of voorwaarde uit. Maar dat doen we ook met *als.* Daarom moet *zou* hier vervangen worden door de onvoltooid verleden tijd: *Als hij naar huis ging, zou hij* ...
In de volgende zin is *zou* overbodig: *Als hij zou komen, ga ik mee.*

**zou** *Ik heb gehoord dat hij zou drinken. Zou* geeft een mogelijkheid, veronderstelling aan. Iets anders is: ... *dat hij drinkt.* Dan is het zeker, althans naar de mening van de spreker/schrijver.

**zoudt u** Verouderd voor: *Zou u,* want *zoudt* hoort bij *gij!*

**zoveel** *Hij verdient wel tweemaal zoveel als ik. Ik wist niet dat je zoveel cd's hebt.* Maar: *zo veel mogelijk.*

**zoveel ... als** *Mijn oom heeft tweemaal zoveel ... als ik.* Niet: *dan.* Wel: *evenveel als* ...

**zover** *Tot zover zijn we het eens. Hij heeft in zoverre gelijk* ... Maar: *Hij heeft zo ver gelopen.*
➤ voorzover.

**zowaar** *Daar heb je zowaar Piet.* Maar: *Dat is zo waar als wat.*

**zowel ... als** *Zowel Jan als Piet was aanwezig.* Werkwoord bij voorkeur in het enkelvoud, maar meervoud is niet onjuist. Meervoud is natuurlijk noodzakelijk in: *Zowel auto's als motoren zijn verboden.* En ook: *Zowel Jansen als Pietersen zijn maar gewone jongens.* Ook meervoud als er een enkelvoud en een meervoud voorkomen: *Zowel mijn broer als mijn zussen gaan naar Amsterdam.*

Ook meervoud in: *Zowel ik als jij hebben* ... Het is *ik heb* en *jij hebt.* Onjuist is: *Zowel ik als jij heb* en ook onjuist: *Zowel ik als jij hebt.* Daarom: *hebben.*

*Het standje was zowel voor Jan als voor Piet bedoeld. Het standje was voor zowel Jan als Piet bedoeld.* Beide zinnen zijn juist, met enige voorkeur voor de eerste. De tweede vorm wordt steeds vaker gebruikt. Dit geldt natuurlijk ook voor *zowel van ... als .../van zowel ... als .../zowel bij ... als .../bij zowel ... als .../zowel met ... als .../met zowel ... als ...* enz.

Minder juist is de niet-gesplitste vorm *zowel als: Jan zowel als Piet heeft* ... en *Het standje was voor Jan zowel als voor Piet bedoeld.*

**zozeer** *Hij is niet zozeer dom als wel onnozel.* Eén woord dus. Maar: *Doet het zo zeer?*

**zozeer ... als** *Het gaat mij niet zozeer om ... als wel om ...* Niet: *zozeer ... dan wel ...* Ook wel (minder juist): *..., maar ...*

**zulk(e)** *Zulk bier, zulke kaas, zulke mensen.* Wordt gebruikt voor stofnamen en meervouden. We gebruiken *zo'n* voor enkelvoudige zelfstandige naamwoorden die geen stofnaam zijn. ➤ zo'n.

**zulks** *Voorzover de werkzaamheden zulks toelaten, kunt u morgen vrij nemen.* Ouderwets voor *dit, dat, zoiets.* Gebruik het niet.

**zullen** *U zal of u zult?* U was oorspronkelijk derde persoon enkelvoud (*Uedele*), maar tegenwoordig beschouwen we *u* steeds meer als tweede persoon. Daarom liever *u zult* dan *u zal,* maar *u zal* is niet onjuist. ➤ kunnen. u.

**zullen** Wordt nogal eens onnodig gebruikt. *Wij denken morgen naar Duitsland te zullen gaan. Zullen* kan beter vervallen, want *morgen* geeft al toekomst aan.

**zuurbestendig** Ingeb. germ. voor *zuurvast, bestand tegen zuur.* ➤ -bestendig.

**zuurgraad** (Ingeb.) germ. voor *zuurheidsgraad.*

**zwaar wegen** Contam. van *zwaar zijn* en *veel wegen.* Er is geen bezwaar tegen: *Die argumenten bleken zwaar te wegen.*

**zwarthandel** Germ. voor *zwarte handel, sluikhandel.*

**zwarthandelaar** Ingeb. germ. voor *zwarte handelaar.*

**zwempoel** Angl. voor *zwembad.*